# A Estrela Mais Brilhante do Céu

Marian Keyes

✻✻✻.

MELANCIA

FÉRIAS!

SUSHI

Casório?!

É Agora... ou Nunca

LOS ANGELES

Um Bestseller
pra chamar de meu

Tem Alguém Aí?

Cheio de Charme

A Estrela Mais Brilhante do Céu

# A Estrela Mais Brilhante do Céu

MARIAN KEYES

*Tradução*
MARIA CLARA MATTOS

Título original: *The Brightest Star in the Sky*

Capa: Carolina Vaz

Editoração: DFL

Texto revisado segundo o novo
Acordo Ortográfico da Língua Portuguesa

2011
Impresso no Brasil
*Printed in Brazil*

CIP-Brasil. Catalogação na fonte
Sindicato Nacional dos Editores de Livros, RJ

K55a Keyes, Marian, 1963-
A estrela mais brilhante do céu/Marian Keyes; tradução Maria Clara Mattos. – Rio de Janeiro: Bertrand Brasil, 2011.
602p.: 23 cm

Tradução de: The brightest star in the sky
ISBN 978-85-286-1539-5

1. Romance irlandês. I. Mattos, Maria Clara. II. Título.

11-7493 CDD – 828.99153
CDU – 821.111(415)-3


EDITORA BERTRAND BRASIL LTDA.
Rua Argentina, 171 — 2º andar — São Cristóvão
20921-380 — Rio de Janeiro — RJ
Tel.: (0xx21) 2585-2070 — Fax: (0xx21) 2585-2087



Atendimento e venda direta ao leitor:
mdireto@record.com.br ou (21) 2585-2002

*Para Dylan Martin*

Era uma vez
Eu sendo você
Mantendo em segredo
Meu ser verdadeiro

O que aconteceu, criança
De cabelos dourados
O que aconteceu quando
Eu não estava lá

Livre e desimpedida
Rindo sem proibição
Criança ensolarada
Você me procurou

Mas outro alguém conquistou seu coração
Naquele dia
Uma mentira sorridente
Interferiu em seu caminho

Você o seguiu
Para dentro da floresta
Ninguém viu
O lobo, de capuz, em festa

E agora você está aí
Olhando para mim
O vestido manchado
Os joelhos sujos de capim

Como faço para segurar sua mão e ficar
Como apago os efeitos
Daquela morte
Em maio

Neste dia
Nesta noite
Nesta hora
Há muito esperada

Esta tinta
Esta página
Esta oração
Para você...

Chapeuzinho Vermelho, de Christina Reihill
De *Diving for a White Rose*

Existe uma rachadura, uma rachadura em tudo.
É por ela que entra a luz.
Leonard Cohen

# Dia 61

Primeiro de junho, noite quente de verão, segunda-feira. Venho sobrevoando as ruas e casas de Dublin e, agora, finalmente, estou aqui. Entro pelo telhado. Por uma claraboia, escorrego até o centro de uma sala de estar e, imediatamente, sei que é uma mulher quem mora aqui. Os móveis são femininos — mantas em tons pastel sobre o sofá, esse tipo de coisa. Duas plantas. Ambas vivas. Uma TV de tamanho médio.

Parece que cheguei no meio de algum evento. Muitas pessoas de pé num círculo estranho, dando goles em taças de champanhe, fingindo achar engraçadas as coisas que os outros dizem. Uma variedade de idades e sexos, o que sugere uma comemoração familiar.

Muitos cartões de aniversário. Papel de presente amassado. Presentes. Falam sobre partir para o restaurante. Com fome de informação, leio os cartões. São endereçados a alguém chamada Katie e parece que ela está celebrando o quadragésimo aniversário. Eu não diria que isso é motivo para grandes comemorações, mas existe de tudo por aí, dizem.

Localizo Katie. Parece ter bem menos de quarenta, mas os quarenta são os novos trinta, de acordo com as informações que tenho. Ela é mais para alta, tem cabelos escuros, é peituda e está dando tudo de si para manter a pose em cima das botas até os joelhos de salto agulha altíssimo. Tem uma energia ótima; vibra ondas de calor, como uma professora de primeiro grau ligeiramente sensual. (Embora não seja esse, exatamente, o trabalho dela. Sei disso porque sei um bocado de coisas.)

O homem ao lado de Katie, todo orgulhoso — o orgulho tem muita relação com o relógio novo de platina no pulso de Katie — é o namorado, parceiro, amado, seja lá como você preferir dizer.

Um homem interessante, de energia vital irresistível, de vibrações tão poderosas que quase visíveis. Honestamente? Estou intrigada.

Conall, é assim que chamam esse homem. Os membros mais educados do grupo, pelo menos. Alguns outros nomes pairam no ar — Exibido, Canalha —, mas não são ditos. Fascinante. Os homens não gostam *nem um pouco* dele. Identifiquei o pai de Katie, o irmão e o cunhado, eles parecem confirmar a regra. No entanto, as mulheres — a mãe de Katie, a irmã e a melhor amiga — não parecem dar muita bola para isso.

Passo por Katie e ela leva uma das mãos à nuca, com um arrepio.

— O que foi? — Conall parece pronto para uma batalha.

— Nada. Um espírito acabou de passar por mim.

*Que bobagem! Até parece!*

— Ei! — Naomi, a irmã mais velha de Katie, aponta para um espelho no chão, apoiado numa cômoda. — Você ainda não pendurou o espelho novo?

— Ainda não — responde Katie, repentinamente um pouco tensa.

— Mas você já está com ele há séculos! Pensei que o Conall ia pendurar para você.

— Conall *vai* pendurar — afirma Katie, com decisão. — Amanhã de manhã, antes de ir para Helsinki. Não é, Conall?

Conflito! Fricção no ambiente rebatendo nas paredes. Conall, Katie e Naomi emanam ondas de tensão numa espécie de movimento triangular, que repercute em todos ali presentes. Aqui entre nós, estou *morrendo* de vontade de descobrir o que está acontecendo, mas, para minha preocupação, estou sendo tomada por outro tipo de força. Alguma coisa maior ou melhor do que eu se move mais embaixo. Atravessa o tapete 100% algodão, desvia de algumas vigas de sustentação, absolutamente *tomadas* por cupins — alguém deveria ser informado —, e vai em direção ao apartamento abaixo do de Katie. Uma cozinha absurdamente suja. Panelas e potes e pratos empilhados perigosamente na pia, de molho em água parada; o chão parece não ver a cor de um esfregão há séculos, e respingos de comida velha decoram o tampo do fogão, como se uma gangue de pintores tivesse passado por ali recentemente. Dois homens, jovens e musculosos, estão encostados na mesa da cozinha, falando polonês. Os rostos estão próximos e a conversa é urgente, quase assustada. Ambos estão tomados de angústia, tanto que a vibração está confusa, não consigo diferenciar e distinguir uma da outra. Por sorte, descubro que sou fluente em polonês e aí vai uma tradução tosca do que eles estão dizendo:

— Jan, você fala para ela.

— Não, Andrei, fala você.

— Eu tentei, da última vez.

— Andrei, ela respeita você mais.

— Não é verdade, Jan. Por mais difícil que seja eu entender isso, que sou polonês, ela não respeita nenhum de nós dois. Mulheres irlandesas estão muito além da minha compreensão.

— Andrei, você fala e eu faço três repolhos recheados para você.

— Quatro, e não se fala mais nisso.

(Acho que inventei as duas últimas frases.)

Adentra a cozinha o objeto da discussão, e não consigo enxergar de que eles têm tanto medo, dois caras grandes como eles, tatuados e de cabeça raspada. Essa pequena criatura — irlandesa, diferentemente dos dois rapazes — é *adorável*. Uma mocinha linda, de olhos maliciosos, cílios compridos e cabelos cacheados até os ombros. Vinte e poucos anos, é o quanto aparenta, e exalando uma energia tão entusiasmante que suas vibrações podem ser sentidas no ar.

Na mão, carrega o jantar semipronto. Uma refeição de aspecto terrível. (Rosbife esverdeado, caso você esteja interessado.)

— Vai — sussurra Jan para Andrei.

— Lydia — Andrei gesticula em direção à cozinha francamente imunda. Em inglês, ele diz: — Você limpa, de vez em quando.

— De vez em quando — diz ela, pegando um garfo no escorredor de pratos. — Infelizmente, não nesta vida. Agora, vaza.

Com vivacidade, Andrei abre caminho para que Lydia chegue até o micro-ondas. Maliciosa, ela fura com garfo o papel celofane que cobre a comida. Quatro vezes, cada espetada fazendo o barulho de uma pequena explosão, alto o suficiente para que Jan pisque o olho esquerdo, e então Lydia joga a embalagem dentro do micro. Aproveito a oportunidade para me colocar atrás dela e me apresentar, mas, para minha surpresa, ela faz um gesto e me espanta como se eu fosse uma mosca.

*Euzinha!*

*Você não sabe quem eu sou?*

Andrei faz uma nova tentativa. — Lydia, por favor... O Jan e eu, a gente limpa o tempo todo.

— Parabéns. — Resposta rápida de Lydia, que encontra a faca com aparência menos imunda no lodaçal da pia e passa uma água no objeto por meio segundo.

— A gente fez uma escala. — Delicadamente, Andrei acena para ela com um pedaço de papel.

— Parabéns *de novo*. — Ah, como os dentes dela são brancos, que sorriso lindo!

— Você mora aqui há três semanas. Nunca limpou nada. Tem que limpar.

Uma emoção inesperada irradia de Lydia, negra e amarga. Aparentemente, ela limpa, *sim*. Mas não aqui? Onde, então?

— Andrei, meu repolhinho polonês, e você também, Jan, meu outro repolhinho polonês, vamos imaginar que a situação fosse exatamente inversa. — Ela balança a (ainda suja) faca para enfatizar o que diz. De fato, sei que existem duzentos e setenta e três tipos diferentes de bactérias florescendo naquela faca. Mas, também sei agora, que seria preciso ser a bactéria mais corajosa e mais heroica para se dar bem com essa Lydia.

— Situação exatamente inversa? — pergunta Andrei, ansioso.

— Digamos que fossem duas mulheres e um homem morando nesse apartamento. O homem nunca faria nada. As mulheres fariam tudo. Não fariam?

O micro-ondas apita. Com um sorriso sedutor, Lydia tira de dentro dele seu jantar nada apetitoso e sai da cozinha para ver alguma coisa na internet.

Que madame mimada! Que figurinha deliciosamente rebelde.

— Ela chamou a gente de repolhinho — disse Jan, petrificado. — Odeio quando ela chama a gente de repolhinho.

Mas, por mais que eu esteja doida para ver o que acontece em seguida — lágrimas nos olhos de Jan, talvez? —, estou sendo deslocada novamente. Para cima, para baixo, entre pisos de linóleo, através de madeira porosa até que me vejo, novamente, em outro apartamento. Este é mais escuro. Mobília grande demais, pesada e marrom. Vários tapetes de estampas conflitantes e cortinas que parecem de crochê. Sentada numa poltrona robusta, está uma senhora circunspecta. As pernas abertas; os pés, em chinelos, plantados firmemente no chão. A senhorinha deve ter, pelo menos, cento e dezesseis anos. Assiste a um programa de jardinagem e, pelas rugas na testa, parece que nunca ouviu idiotice tão grande na vida. Flores eternas? Não existe esse tipo de coisa, seu imbecil! Tudo morre!

Passo por ela sobrevoando e entro num quarto pequeno, sombrio, depois noutro, um pouco maior, tão sombrio quanto, e me surpreendo ao ver um cachorro grande, de orelhas compridas, tão compridas e além disso cinzas que, momentaneamente, penso que é um burro. Está deitado num canto, a cabeça entre as patas, entediado — então, percebe minha presença e, imediatamente, entra em alerta. Não se pode passar despercebido para animais. É uma questão de diferença de frequências. Tudo é uma questão de frequência.

Paralisado de espanto, as orelhas compridas de burro atentas, o cão rosna baixinho, depois muda de ideia, pobre cão confuso. Sou amiga ou inimiga? Ele não faz a menor ideia.

E o nome dessa criatura? Bem, por estranho que pareça, seu nome é Rancor. Mas isso não está certo, isso não é nome. O problema é que tem tanta *tralha* no apartamento que acaba baixando as vibrações, esculhambando o padrão das coisas, das energias.

Deixo o cachorro com cara de burro para trás e volto à sala de estar, onde vejo uma cômoda, tão pesada e maciça quanto um elefante adulto. Uma pequena pilha de correspondência aberta me informa que o nome da velhota é Jemima.

Ao lado dos envelopes, vejo um porta-retrato prateado que emoldura a foto de um homem jovem, e, com um insight, descubro que o nome dele é Fionn. O que significa *Fair One*, ou seja, Homem Bom. Quem é ele? O noivo de Jemima, morto na guerra dos Bôeres? Ou morto pela febre epidêmica de 1918? Mas o estilo da foto não é compatível com a Primeira Guerra Mundial. Aqueles homens e seus uniformes estão sempre tão rígidos e sérios diante da câmera que se poderia dizer que eles têm o próprio rifle enfiado nas partes pudendas traseiras. Invariavelmente, usam um bigodinho reto acima do lábio e, pela maneira gelada e sem vida com que encaram o fotógrafo, parecem estar mortos e empalhados. Fionn, em contraste, parece um príncipe de livro infantil. Está tudo resumido no cabelo — meio castanho, meio comprido e meio encaracolado — e no maxilar, que é anguloso. Está de jaqueta de couro e jeans claro, agachado sobre o que parece ser um canteiro de flores, e tem um punhado de terra na mão, que ele me oferece, com um sorriso meigo, quase *atrevido*, como se me oferecesse muito mais — meu Deus do céu! Ele piscou para mim! Isso mesmo! Ele piscou! A fotografia piscou! E uma estrela prateada brilhou no sorriso dele! Mal posso acreditar.

— Posso sentir sua presença — vocifera Jemima subitamente, me assustando de verdade. Eu me esquecera dela, estava muito envolvida por Fionn, o Príncipe, e suas piscadelas.

— Sei que você está aqui — diz. — E você não me assusta!

Jemima percebe a minha presença! E olha que nem cheguei perto dela. Mais sensível do que parece.

— Mostre-se — ordena.

Farei isso, senhora, ah, se farei. Mas não agora. Sua hora ainda não chegou. De qualquer maneira, parece que estou saindo de cena novamente, sendo puxada para baixo. Estou no apartamento térreo agora. Consigo ver a rua pela janela da sala. Estou sentindo muito amor aqui. E outra coisa também...

No sofá, iluminado pela luz tremeluzente da televisão (de trinta e duas polegadas) está... está... Bem, estão um homem e uma mulher, tão enganchados um no outro que, por um momento, acho que são uma pessoa só, um estranho ser mitológico de duas cabeças, três pernas, e isso é tudo que preciso saber. (A quarta perna está lá, mas escondida debaixo dos dois corpos.)

No chão, estão dois pratos, neles os restos de um jantar delicioso pode ser visto: batata, carne vermelha, molho, cenoura — um pouco pesado para junho, eu diria, mas o que é que eu tenho com isso?

A mulher — Maeve —, agora que consegui ver seu rosto, é loura e tem as bochechas rosadas, parece um anjo de uma pintura. Tem um quê de frescor de querubim, porque já foi uma garota rural. Pode estar vivendo em Dublin no momento, mas o ar doce e limpo dos campos ainda está apegado a ela. Essa mulher não tem medo da lama. Ou do excremento das vacas. Ou de galinhas em trabalho de parto. (Por alguma razão, tenho a sensação de estar ligeiramente errada.) Mas essa mulher tem medo de outras coisas...

É difícil enxergar o homem — Matt —, porque eles estão muito entrelaçados; o rosto dele está quase completamente escondido. O engraçado é que estão assistindo ao mesmo programa de jardinagem que Jemima, no andar acima deles. No entanto, diferentemente de Jemima, parecem achar que é um exemplo maravilhoso de diversão televisiva.

Inesperadamente, sinto a presença de outro homem no local. Não muito clara, mas clara o suficiente para me fazer vasculhar o lugar para confirmar. Como os outros apartamentos do prédio, este tem dois quartos, mas somente um é usado como quarto de dormir. O outro, menor, foi transformado em escritório/quarto de coisas — escrivaninha com computador e equipamentos esportivos abandonados (estacas para trilhas, raquetes de badminton, botas de montaria, esse tipo de coisa), mas nada em que uma pessoa possa dormir.

Investigo um pouco mais. Duas canecas combinando na cozinha, dois potinhos iguais para comer cereal, dois iguais de tudo. Qualquer que seja essa presença masculina extra, não mora aqui. E, pelo estado selvagem do jardim dos fundos, que pode ser visto da janela do quarto, também não corta a grama. De volta à sala, me aproximo da angelical Maeve, para me apresentar — *amigavelmente* —, mas ela começa a sacudir os braços, como alguém nadando em terra seca, afastando-se de Matt. Solta-se dele e senta-se ereta. O sangue sumiu de seu rosto, e sua boca está aberta num O silencioso. Matt, saindo com dificuldade do amasso no sofá, senta-se e está igualmente atormentado. — Maeve! Maeve! É sobre jardinagem, só isso! Eles disseram alguma coisa errada? — O susto está estampado em seu rosto. Agora que consigo enxergá-lo melhor, vejo que tem um rosto jovem, agradável, confiante, e suspeito que, quando ele não está tão preocupado, é um sujeito sorridente.

— Não, nada... — diz Maeve. — Desculpe, Matt, eu senti... Não, tudo bem. Está tudo bem.

Eles voltam — com alguma dificuldade — à posição enganchada de antes. Mas eu a perturbei. Perturbei aos dois e não queria ter feito isso. Gostei deles, fiquei tocada pela candura incomum que compartilham.

— Tudo bem — digo (apesar de eles não poderem me escutar, é claro). — Vou embora.

Sento-me do lado de fora, na escada da frente, um pouco desconsolada. Mais uma vez, confiro o endereço: Star Street número 66, Dublin 8. Uma casa de tijolos vermelhos, estilo georgiano, a porta da frente azul, com aldrava em formato de banana. (Um dos ocupantes anteriores era um divertido artesão de metal. Odiado por todos.) Isso mesmo, a casa é, definitivamente, de tijolos vermelhos. Isso mesmo, estilo georgiano. Isso mesmo, porta da frente azul. Isso mesmo, aldrava em formato de banana. Estou no lugar certo. Mas não me informaram que morava tanta gente aqui.

Espere o inesperado, fui aconselhada. Mas esse não era o tipo de inesperado que eu esperava. Isso era um inesperado *errado*.

E não tem ninguém a quem eu possa perguntar. Fui lançada aos leões, como um agente disfarçado. Vou ter que resolver por conta própria.

# *Dia 61...*

Passei minha primeira noite na Star Street número 66 indo de apartamento em apartamento, perguntando-me, ansiosamente, qual deles era o meu. O de Kate estava vazio. Logo depois da minha chegada, seus amigos foram embora, numa nuvem de tensão, para um restaurante caro. No andar de baixo, enquanto Andrei e Jan limpavam a cozinha, Lydia se aboletou na pequena escrivaninha espremida no canto da sala de estar e passou longos e intensos minutos navegando na internet. Quando foi para o quarto descansar, Jan e Andrei se retiraram para o quarto que dividiam, com duas camas de solteiro, para estudar seus livros de administração — bons garotos — e eu desci ainda mais um piso, até o apartamento de Jemima. Tomei muito cuidado para me manter distante dela; não queria que gritasse comigo de novo. Devo admitir, porém, que me diverti bastante brincando com o cachorro, Rancor — se é que esse é realmente o nome da criatura. Apareci na sua frente e ele me encarou, numa perplexidade engraçada. No frescor do momento, decidi fazer uma pequena coreografia e — todos os créditos a ele — sua grande cabeça cinzenta se moveu comigo, em ritmo perfeito. As ondas emanadas por mim ondularam mais rapidamente e fizeram piruetas acima da cabeça dele, e o cão fez de tudo para me acompanhar — pobrezinho — até ficar tão hipnotizado que começou a se sacudir e a latir para si mesmo. Nesse momento, infelizmente, parei. Não seria nada legal se ele vomitasse.

Então, finalmente, voltei à Matt e Maeve. Era onde eu queria estar o tempo todo; no entanto, profissional como sou, achei melhor explorar todas as possibilidades. Bem, as possibilidades foram exploradas até o momento em que eu, de consciência limpa, pude voltar ao casal namorando no sofá.

Fosse qual fosse o programa ao qual assistiam, tinha acabado naquele instante, e Maeve, automaticamente, abriu os braços para libertar Matt do seu abraço. Matt rolou do sofá até o chão e se levantou de um pulo, como um agente secreto adentrando uma embaixada inimiga. O movimento foi feito com precisão e suavidade, obviamente já fora repetido algumas vezes, e, por sorte, os pratos de jantar, que estavam ali antes, haviam sido retirados, senão a bela camiseta de Matt teria ficado suja de molho.

— Chá? — perguntou Matt.

— Chá — confirmou Maeve.

Na pequena cozinha, Matt colocou a chaleira no fogo, abriu a porta do armário e quase foi atingido pela avalanche de biscoitos e de bolos que caíram dali. Selecionou dois pacotes — de chocolate e de chocolate com gengibre e amêndoas; os de chocolate eram os preferidos de Maeve, os de gengibre com amêndoas, seus preferidos — e usou as duas mãos para empurrar o restante dos pacotes de volta ao armário, fechando a porta rapidamente, antes que caíssem sobre si novamente.

Enquanto esperava que a água fervesse, abriu o pacote de biscoito de chocolate com gengibre e amêndoas e, sem perceber, comeu dois, mal sentindo o gosto. Uma atitude tão casual em relação à gordura trans e a açúcar refinado fez com que eu suspeitasse que ele consumia bastante desses ingredientes e, observando mais atentamente, percebi que tinha uma tendência pequena... a... uma *ligeira* inclinação à gordurinha. Seu corpo inteiro apresentava excesso de — honestamente — não mais que uma camada de um milímetro de gordura. Mas insisto que essa não é uma tentativa covarde de anunciar que ele era gorducho. Sua barriga não estava explodindo dentro da camiseta, ele só tinha uma... papada, e essa papada era muito bem-plantada no rosto. Ok, talvez ele pudesse perder um pouquinho de peso, mas estava bem do jeito que estava. Se fosse um pinguinho mais leve, talvez perdesse um pouco do charme; talvez parecesse ambicioso demais, eficaz demais, o cabelo talvez um pouco perfeito demais.

Duas colheres de açúcar em cada xícara de chá e de volta para Maeve. Um programa novo havia começado na TV, um dos favoritos do casal, pelo que pude perceber. Um deles sobre culinária, apresentado por uma personalidade jovem, um homem chamado Niven Maguire. Enroscaram-se um no outro e ficaram assistindo ao preparo de frutos do mar, bebendo chá e fazendo incursões vorazes nos pacotes de biscoitos. Com espírito de inclusão, Maeve comeu um dos de Matt, apesar de eles conterem chocolate amargo, ingrediente de que não gostava, e Matt comeu um dos de Maeve, apesar de achá-los tão doces que faziam seu maxilar travar. Eram muito, muito gentis um com o outro e, no meu estado de confusão, isso era calmante.

Um cínico poderia sugerir que aquilo era perfeito demais. Mas essa pessoa estaria errada. Matt e Maeve não estavam simplesmente fazendo o papel de Casal Muito Apaixonado. O sentimento era real, porque o coração deles vibrava em perfeita harmonia.

Nem todo mundo sabe, mas cada coração humano descarrega uma corrente elétrica que se estende para fora do corpo até uma distância de três metros. As pessoas se perguntam por que gostam ou desgostam instantaneamente de alguém. Imaginam que isso tenha a ver com associações: conhecem uma mulher baixinha, monocelha, e se lembram da vez em que uma outra mulher baixinha, monocelha, ajudou a consertar seu secador de cabelos, e não conseguem impedir a sensação de proximidade com essa nova, totalmente desconectada, mulher baixinha monocelha.

Ou o primeiro homem que lhes trapaceou se chamava Carl e, portanto, dali em diante, todos os Carls se tornam suspeitos. No entanto, simpatias ou antipatias instantâneas também são o resultado de harmonia (ou desarmonia) de vibrações do coração, e os corações de Matt e Maeve Batiam Como Um Só.

* * *

O momento em que Matt se apaixonou por Maeve...

Aquele momento vinha se aproximando havia algum tempo, para ser honesta, e finalmente chegou numa manhã gelada de março, há mais ou menos quatro anos e três meses, quando Maeve tinha 26, e Matt 28 anos. Estavam no trem e não estavam sozinhos — havia mais três pessoas entre eles, duas meninas e um rapaz, todos a caminho do treinamento de um dia. Os cinco trabalhavam na Goliath, empresa multinacional de software, na qual Matt era chefe de uma das equipes de venda. Matt era, na verdade, chefe de Maeve (na verdade mesmo, era também chefe das outras três pessoas presentes), apesar de nunca ter se comportado de maneira particularmente mandona — seu estilo como gerente era encorajar e elogiar, conseguindo assim o melhor de sua equipe, porque todos eram (homens e mulheres) apaixonados por ele.

O fato é que Matt nem mesmo deveria estar lá. Tinha um carro da companhia, portanto, normalmente, dirigia até seus compromissos (sempre oferecia carona aos menos afortunados que ele), mas, naquele dia, o carro se recusara a dar partida, então ele se juntara aos outros e fora de trem com o restante da equipe. Muitas vezes, durante os agonizantes momentos que se seguiram, perguntou-se se, caso seu carro não tivesse dado defeito, ele teria cruzado a linha entre adorar Maeve e se apaixonar por ela. A resposta era, claro, sim. Matt e Maeve haviam sido feitos um para o outro, *alguma coisa* teria acontecido.

Matt era um cara urbano, nascido e criado em Dublin. Nunca chegara a cem metros de uma vaca; Maeve vivera numa fazenda em Galway até os dezoito anos — na verdade, seu apelido entre os colegas de trabalho era garota rural. Certa vez, voltara para a fazenda para ajudar no parto de um bezerro e participara intensamente da saga de vida ou morte desta bezerrinha chamada Bessie, que nascera prematuramente e fora rejeitada pela mãe. Apesar de Matt ter zero interesse em coisas de fazenda, ficou tocado com a história da luta de Bessie para sobreviver. Quando Maeve chegou ao fim da história e confirmou que a bezerrinha agora estava indo bem, ficou surpreso com o alívio que sentiu.

— Não é bom ficar muito apegado a algum dos animais, não é mesmo? — perguntou.

— Com certeza — suspirou Maeve. — Tive uma porquinha durante algum tempo. Pobre Winifred. Virou torresmo. Nunca mais cometo esse erro. Agora tenho um marreco, e ele vai morrer de causa natural, não vou deixar que o matem.

— Um marreco? — perguntou Matt.

— Um pato macho.

— Eu sei. — Depois da explicação dela, ele ficou sabendo.

Maeve riu do embaraço dele. — Ah! Você é *tão* convencido.

Os outros três membros da equipe ficaram ligeiramente tensos. Por mais tranquilo que Matt fosse, ainda era o chefe. Será que era certo chamar o cara de convencido? Mas a risada de Maeve foi tão afetuosa que, certamente, não se sentiu ofendido. Ele e Maeve sorriam e piscavam um para o outro. Na verdade, sorriam e piscavam bastante um para o outro...

— Tenho uma foto dele na minha carteira — disse Maeve. — Roger. Ele é uma graça.

— Foto de um pato? — Matt não sabia o que pensar daquilo; achou muito estranho, mas, ao mesmo tempo, muito engraçado. — Isso está ficando cada vez melhor. E o nome dele é Roger? Por que *Roger?*

— Ele tem cara de Roger. Juro, é verdade. Vou lhe mostrar. — Maeve tirou a carteira da bolsa e procurou a foto. Mas, em seu entusiasmo, abriu demais, acidentalmente, a carteira, e um jorro interminável de moedas, uma cascata de metal sobre o chão caiu chocando-se e rolando por toda a extensão do vagão.

Todos os outros passageiros fingiram que nada estava acontecendo. Aqueles que tiveram os pés atingidos por uma moeda, apenas a chutaram ou olharam rapidamente para baixo, somente para conferir se não era um camundongo roendo o seu sapato, voltando em seguida às suas mensagens de texto, revistas ou introspecção aborrecida.

— Meu Deus! — Maeve se levantou, rindo descontroladamente. — Lá se vão minhas moedas da lavanderia. — Como se dotada de uma força magnética, depois dessas palavras todos os treze passageiros levantaram a cabeça e, de repente, Matt percebeu o poder que Maeve possuía. Não um poder explícito e arrogante, não o poder conquistado com roupas caras ou boa maquiagem — já que o jeans e as botas peludas de Maeve, além de seus cachos, dificilmente fariam com que os *hosts* das boates liberassem sua entrada. O que fazia de Maeve um ser tão potente era o fato de esperar o melhor das pessoas.

Nunca considerava a possibilidade de estranhos à sua volta não estarem dispostos a ajudar — e sua fé era recompensada. Matt assistiu, hipnotizado, a quase todos no vagão ficarem automaticamente de joelhos, como se na presença de uma divindade inspiradora, em busca de qualquer moeda visível. Matt e seus colegas ajudaram, bem como terapeutas lituanos, ajudantes de cozinha sírios, enfermeiras filipinas e estudantes irlandeses. Todos no chão, agachados, como cossacos em câmera lenta.

— Obrigada — agradeceu Maeve, repetidamente, ao receber as moedas devolvidas. — Obrigada, muito obrigada, você é um amor, que Deus lhe pague em dobro, que Deus o abençoe, muito obrigada.

Essa é a pessoa de quem quero ficar perto, Matt flagrou-se pensando. Depois, repensou. Não, essa é a pessoa que quero *ser*.

Dois pontos adiante, quando Matt e sua equipe saltaram do trem, Maeve gritou: — Mil vezes obrigada, gente, vocês são demais. — E seria possível assar batatas no calor emanado por ela. Matt sabia que aqueles passageiros voltariam para casa naquela noite e relatariam o acontecido. "Uma moeda de dois euros bateu no meu pé e pensei: dane-se, moça, você deixou cair o dinheiro, você pega. Tive uma semana pesada, mas ela parecia uma pessoa bacana, então, *ajudei* a moça a pegar o dinheiro, e sabe de uma coisa? Estou feliz de ter feito isso, me senti bem..."

Minha viagem às lembranças de Matt e Maeve foi interrompida pela atividade súbita dois andares acima. Encaminhei-me para ver o que era.

# *Dia 61...*

Andrei e Jan haviam guardado suas apostilas e passavam pelo corredor, olhando, amedrontados, para Lydia. Eu ainda achava difícil distinguir um do outro — viviam tomados por tanto medo que suas vibrações ficavam confusas. Reparei no seguinte: Andrei tinha os olhos incrivelmente azuis, intensos como os de um religioso fanático, mas *não* era nem religioso. Jan também tinha olhos azuis, mas os dele não tinham a mesma intensidade. No entanto... é, no entanto, ele tinha um livro de orações que lia frequentemente com — sim! — *fé*.

É bem verdade o que dizem: não se pode julgar uma pessoa pela aparência.

Pegaram cerveja, batata chips e sentaram-se na sala para assistir à "Entourage". Eram loucos por "Entourage". Era o programa favorito deles. Um dos pontos altos da semana. Morriam de vontade de ir para a América e viver uma vida tipo Entourage — sol brilhando, carros e, é claro, mulheres lindas, mas, acima de tudo, as paredes intransponíveis da solidariedade masculina.

Silenciosos e hipnotizados diante da televisão, não ouviram Lydia entrar na sala. Perceberam que estava ali somente quando ela quebrou o encantamento do programa dizendo: — Meninos, por que vocês estão tão *caidinhos*?

— *Caidinhos*? Como assim *caidinho*? O que quer dizer *caidinho*? — perguntou Jan, ansioso. Imediatamente, arrependeu-se de ter falado. O conselho constante de Andrei era: melhor não se envolver com Lydia.

— O que significa *caidinho*? — considerou Lydia. — *Caidinho* é infeliz, triste, para baixo, deprimido, sem esperança. — Ela olhou para eles com uma expressão de pseudossimpatia. — Banzo, saudades da pátria, esse é o diagnóstico da Dra. Lydia. — Num tom carregado de falsa simpatia, perguntou, gentilmente: — Pobrezinhos, estão com saudades de Minsk?

Nenhum dos dois disse nada. Durante as últimas três miseráveis semanas, familiarizaram-se com essa rotina infernal: Lydia fazendo piada com cidades cujos nomes terminavam em "sk".

— Minnn*ssskkk!* — Lydia saboreava a sonoridade. — *Ssskkk?* Estão com saudade?

Como não ouvisse resposta, disse, falsamente surpresa: — Não estão com saudade? Nossa, vocês não são nada patriotas.

Isso foi demais para Jan, que, a cada minuto que passava na Irlanda, sofria desesperadamente para voltar para casa. — Garota da Irlanda, a gente não é de Minsk! A gente é de Gdansk! Polônia, não Bielorrússia!

Assim que as palavras foram pronunciadas, Jan quis cortar a própria língua. Lydia conseguira derrubá-lo! Ele traíra, mais uma vez, a resistência!

Profundamente envergonhado, olhou para Andrei. *Desculpe. Não sou tão forte como você.*

*Tudo bem*, respondeu Andrei silenciosamente. *Você não deve se culpar. Ela pode destruir o mais corajoso dos homens.*

(As identidades independentes estão entrando em foco agora. Andrei — mais velho, mais inteligente, mais forte. Jan — mais jovem, mais doce, mais bobo.)

Lydia saiu e, depois de um tempo em silêncio, Jan admitiu: — Eu estou *caidinho*.

Vários segundos se passaram antes que Andrei dissesse: — Eu também estou *caidinho*.

# *Dia 61...*

De volta ao térreo, parecia que Matt e Maeve planejavam sair para uma corrida noturna. No quarto de dormir — um paraíso da mobília pré-fabricada, as mesinhas de cabeceira ligeiramente bambas porque as instruções do manual eram em tcheco e Matt dissera que, se tivesse que voltar à loja para pegar um em inglês, se mataria —, despiram-se, Maeve dando as costas para Matt enquanto tirava o sutiã. Imediatamente, vestiram-se de novo, colocando ainda mais roupas do que antes. Maeve agora estava coberta do pescoço aos pés com moletons cinza, e Matt vestira cueca samba-canção, calça de moletom e camisa de manga comprida. Então... Incrível!... Deitaram na cama! Para que tanta roupa? A noite estava quente.

De repente me ocorreu que talvez fossem partir para preliminares e que se despiriam sensualmente. Mas qual o problema de tirar as roupas que já vestiam?

Eu não estava nem um pouco feliz imaginando que testemunharia algum jogo muito esquisito, mas me forcei a ficar. Eu não tinha escolha! Era importante ter um panorama geral da situação. Recostado em seu travesseiro, Matt folheava uma revista automobilística, virando rapidamente as páginas, ansioso para ver o conteúdo da próxima, enquanto, ao seu lado, Maeve lia *Orgulho e Preconceito*... E isso foi tudo o que aconteceu. Fiquei mais um pouco, reparei na pilha de outros livros de Jane Austen na cabeceira de Maeve — obviamente uma fã. E fiquei ainda mais um pouco, até ter certeza de que nenhum jogo preliminar estava prestes a acontecer.

Admito que senti certo alívio.

* * *

O único problema de Matt ter se apaixonado por Maeve quatro anos e três meses antes era o fato de que já tinha uma namorada...

Isso, a adorável Natalie. E ela era realmente adorável. De todas as garotas bonitas e inteligentes da Goliath — e havia mais de duzentas jovens empregadas lá; portanto, a possibilidade de escolha era enorme —, Natalie era a mais bonita e a mais inteligente de todas: pele lisa e morena, coxas longas e torneadas, um olhar intrigante, muita facilidade para exercer seu trabalho. (Uma preciosidade belga, uma excelente propaganda para o seu país famoso pela inexpressividade.)

Matt — o sorridente e amável Matt, com a convicção absoluta de que iria longe na vida — estava à altura da adorável Natalie.

Matt e Nat gerenciavam, cada um, uma equipe de vendas e, mesmo amantes, eram rivais. Competiam, triunfantes (tudo com muito bom humor, é claro), cada vez que fechavam uma venda de software para a Goliath. "Menos uma para você, companheiro."

Portanto, quando Maeve começou o treinamento, não foi surpresa que Matt, com sua gloriosa namorada e o trabalho exigente, mal a notasse. Diga-se de passagem, a Goliath, sendo o que era (uma companhia em plena expansão), tinha gente nova entrando nas equipes toda hora — no mesmo dia em que Maeve começou, também começaram Tarik, do Paquistão, e Yen-Wei, de Taiwan —; portanto, eram sempre vários rostos novos na sala de jogos ou na fila do café da manhã. Era difícil acompanhar.

Maeve, amigável e otimista, com seu sotaque musical, era popular entre os colegas de trabalho, mas ainda não se registrara como uma presença significativa diante do radar de Matt, até uma certa noite, quando Matt e Nat saíam do trabalho. Cruzaram-se rapidamente no corredor de mármore impecável, sapatos de couro preto, roupas sérias de trabalho, os cabeças da equipe de vendas. Movendo-se em harmonia, abriram as maciças portas duplas da Goliath — cada um abrindo uma delas — e passaram por Maeve, agachada, destravando sua bicicleta.

— Boa-noite, gente — disse ela.

Em perfeita sincronia, Matt e Nat viraram suas cabeças para ver quem falara com eles — como se fossem um só — e caíram, juntos, numa gargalhada incontrolável.

— O que foi? — perguntou Maeve. Sorriu, dando-se conta. — É o meu gorro?

— É!

O gorro de Maeve era laranja e rosa, com padrões incas. Um triângulo de crochê cobria cada orelha, uma franja de lã descia até seu ombro e um pompom laranja enfeitava o topo da cabeça.

— É tão feio assim? — Maeve ainda estava sorrindo.

— É horroroso — disse Nat.

— Mas é de Machu Picchu e esquenta minhas orelhas. — Isso fez com que os três rissem mais ainda. Então, com um ruído de metal, Maeve soltou sua bicicleta da corrente, montou nela e, movendo-se com facilidade, pedalou em direção ao tráfego.

— Ela é um amor — suspirou Nat. — O que você acha dela e do David? Que tal?

Matt não fazia ideia. Mal notara Maeve até cinco minutos atrás; não podia imaginar que ela estava saindo com David.

— Eles têm tanta coisa em comum. — Nat sorriu, simpática. — Os dois são de Galway.

(David era, na verdade, de Manchester — não era necessário vir de Galway para ser chamado de galovídio. O termo implicava o gosto por faláfel, por macacão e por festivais — música, obviamente, mas também comédia, poesia, cerveja... Qualquer uma dessas coisas. Se envolvesse lama e canecas de cerveja, perfeito. Se o festival ainda pudesse ser combinado a uma marcha de protesto, melhor ainda. Na verdade, o fim de semana ideal, a *utopia* para alguém de Galway, era ser pego numa manifestação contra a globalização, levar uma cacetada na cabeça e ser jogado numa cela por vinte e quatro horas com outros três ferozes integrantes genoveses do protesto. Galovídios eram fortes, dormiam feito bebês no chão frio da casa de amigos. Gente de Galway tem orgulho de ser irlandesa — mesmo quando não é irlandesa — e usa muitas expressões típicas em conversas. A maioria dos funcionários da Goliath é de Galway. Uma frase popular na empresa: "Birita pra hoje?" Querendo dizer: "Vamos tomar um drinque?"

O engraçado era que, naquela época, Matt cobiçava David muito mais do que cobiçava Maeve.

— Adoraria ter o David na minha equipe — dizia, ambicioso.

— Nós dois adoraríamos — completava Natalie.

David era o bem mais valioso da equipe de Godric. Era superinteligente, um gênio da matemática e capaz de desfazer o nó do problema mais complicado. Simplesmente seguia em frente, tentando diferentes soluções, até que funcionassem.

— O David podia gerenciar uma equipe se quisesse — dizia Matt.

David era provavelmente apenas um pouco mais velho do que quase todo mundo na Goliath, mas o suficiente para ser um líder natural. Mesmo assim, resistia a todas as tentativas de ser direcionado para o gerenciamento.

— Qual você acha que é o motivo dele? — perguntou Matt para Nat.

— Ele diz que não quer ser rotulado — respondeu Nat.

David já fizera muitas coisas aos trinta anos. Viajara o mundo inteiro e tivera uma enorme variedade de empregos, desde professor de física nas Guianas até babá numa família de pensamento progressista em Vancouver.

— Não quero ter uma "carreira", ele me disse. — Nat balançou a cabeça e riu. Não compreendia as pessoas que não tinham a mesma ambição que ela.

— Muito nobre da parte dele.

— Talvez um pouco nobre demais?

— Talvez.

Os dois se lembraram do incidente da semana anterior. David — sempre acaloradamente contrário às injustiças — se irritara tanto contra a cobertura pró-Rússia a respeito da guerra na Chechênia que imprimira a matéria ofensiva do site da Reuters e juntara vários seguidores em volta da sua mesa enquanto queimava a página numa espécie de cerimônia. Disparara todos os alarmes de fumaça.

— Ainda bem que os dispositivos de água não dispararam — disse Matt.

— Ele podia ter destruído todas as nossas máquinas — complementou Nat.

— E não deu a mínima. Disse que princípios eram mais importantes.

— Princípios. — Nat revirou os olhos. — Pelo amor de Deus.

Depois do incidente hilário do gorro, Matt ficou sabendo quem era Maeve. Mais ou menos uma semana mais tarde, enquanto dirigia até o trabalho, viu um pompom laranja balançando no meio do tráfego. Disse para si mesmo: É aquela moça, a Maeve, que tem um gorro assim.

Na bicicleta, costurava o trânsito até desaparecer de vista. Quando o sinal abriu, Matt arrancou e a alcançou. Enquanto ele ficava mais uma vez preso no mar de carros, lá ia ela, ganhando distância. Então o sinal abria novamente e lá ia ele, atrás dela. Isso virou um padrão. Maeve na frente, Matt a seguindo, procurando o pompom laranja, até que ela se distanciava e ele agarrava o volante do carro, esperando pela chance de adiantar o veículo.

Apesar de Maeve não saber de nada disso, Matt imaginava que os dois estavam disputando uma corrida. Sua trajetória até o trabalho nunca fora tão divertida.

Quando se aproximou da bifurcação de Hanlon's Corner, Matt se encontrava na frente. O sinal estava verde, mas a angústia de estar tão adiante e distante de Maeve fez com que diminuísse a velocidade, e o sinal amarelo o ajudou neste plano. Assim que a luz ficou vermelha, Maeve passou por ele e parou por alguns segundos no cruzamento, como quem faz cálculos mentais muito rápidos. Matt quase podia senti-la contabilizando a velocidade, o tempo disponível para cruzar, os motoristas pisando nos aceleradores, prontos para darem partida assim que o sinal piscasse verde, uma vez que já estava vermelho do cruzamento. Então, ela se lançou, parecendo pequena e incrivelmente corajosa, como a estudante diante de um tanque de guerra. Todos os olhos no pompom laranja enquanto ela cruzava a zona de perigo e, quando alcançou a segurança do outro lado da rua, Matt ficou tomado de alívio e admiração.

O episódio causou-lhe tamanha impressão que, ao chegar ao trabalho, ele fez uma visita especial ao local compartilhado pelos funcionários em treinamento.

— Bom-dia, senhorita Maeve. Alguém já disse que você avança sinal vermelho muito bem? Fica tão calma, tão desafiadora?

Maeve tirou os olhos da tela do computador, surpresa.

— Alguém já disse que você é falastrão?

— Falastrão?

— É, puxa conversa, é cheio de lábia, esse tipo de coisa.

— Entendi. — Mais uma de suas gírias. — Vi você vindo de bicicleta para o trabalho. Cruzando a Hanlon's Corner no sinal fechado. Nervos de aço.

— Gosto de me arriscar.

— Você tem sorte de não ter morrido.

— A sorte anda com os corajosos.

— Você nunca me veria pedalando na cidade.

— Devia tentar. Enobrece a alma.

— Minha alma já é nobre o suficiente.

— Ah, é? — Provocou ela, encarando-o, divertida.

— Para com isso!

— Que foi?

— Para de me olhar desse jeito, como se soubesse de alguma coisa que eu não sei sobre mim.

— Eu? — Ela riu. — Eu não sei de nada.

* * *

Matt não contou a Natalie sobre seu episódio de perseguição a Maeve no caminho para o trabalho. Não havia necessidade, não tinha sido nada de mais. O engraçado era que Natalie era tão fã de Maeve quanto ele próprio e os dois reclamavam uma espécie de posse em relação a ela, um sentimento parecido ao devotado a um amável e inofensivo filhote de cão. Numa noite de sexta-feira, tomando drinques num bar, garantiram lugares perto dela e ficaram ouvindo-a falar, com seu sotaque melodioso, as estranhas palavras que usava. "Abrigo", quando queria dizer suéter, esse tipo de coisa.

No fim do expediente de uma sexta-feira, Nat se aproximou da mesa de Matt. — E aí, vamos?

— Dez minutos.

— Me encontra no bar. Leva a Maeve. — E foi embora.

Matt nem se deu o trabalho de pedir que Nat o esperasse. Ela não gostava de perder tempo.

Quando terminou o que estava fazendo, foi até a baia de Maeve.

— Vamos tomar um drinque?

— Um drinque? — Maeve ficou olhando o vazio enquanto considerava a hipótese. Depois de uma pausa, sorriu e disse: — Hoje não vai dar, Matt.

— Por que não, Garota Rural? — Sentiu-se... *rejeitado*. — Vai sair com o namorado?

— E se eu for? — Seu tom era suave.

— Tudo bem. — Matt foi tomado por uma repentina e absoluta implicância com David. Ele era um cara decente e certinho, sempre apoiando causas, organizando eventos de caridade, sempre tão *cuidadoso e preocupado*.

— E estou de bicicleta — complementou.

Matt não entendeu.

— Não posso beber mais que um drinque se estou de bicicleta — explicou Maeve. — Melhor nenhum do que um.

Imediatamente, Matt transferiu a implicância de David para a bicicleta de Maeve, como se o objeto fosse um guarda-costas destinado a afastá-la dele.

— Bem, *eu* vou tomar um drinque — disse Matt, num tom de desafio que ele mesmo não compreendeu.

— Bom proveito para você.

— *Isso*, bom proveito para mim.

No pub, Nat perguntou: — Cadê a Maeve?

— Não vem.

— Não? — Nat pareceu desproporcionalmente desapontada.

Matt olhou para ela, preocupado. — O que foi?

— Maeve vai encerrar o treinamento semana que vem.

— Já?

— Duas semanas antes. É segredo. Ela foi muito bem. Quero que entre na minha equipe.

*Mas eu quero Maeve na minha equipe.*

— E ela quer ser da sua equipe?

— Não perguntei. Ia fazer isso hoje à noite.

— Então ela ainda não sabe de nada?

— Não.

*Vou chegar primeiro.*

Quando Matt convenceu Pong, da Tailândia, a trocar sua equipe pela de Nat, e pegou Maeve para si, Nat pareceu um pouco estremecida pela traição de Matt. Mesmo assim, ergueu uma taça e declarou-o um adversário à altura.

Nas semanas seguintes, Matt começou a dizer "falastrão", "bom proveito para você" e "poder na peruca".

— Poder nos cotovelos? — Nat riu. — Meu irlandesinho de Galway.

Era uma piada. Como se ela, a adorável Natalie, fosse sair algum dia com um irlandesinho de Galway.

# *Dia 61...*

Onze e meia da noite, a Star Street estava em silêncio. Eu esperava Katie voltar para casa, mas percebi que isso não aconteceria. Localizei-a do outro lado da cidade, entrando numa casa grande, vitoriana, prestes a receber um presente especial de aniversário do poderoso Conall.

Katie falava pelos cotovelos. Resultado da quantidade exorbitante de champanhe que havia ingerido. Conall tentava, com bom humor admirável, abrir a porta da frente e, ao mesmo tempo, manter Katie de pé.

— Quem ganharia a luta? — perguntava Katie. — Você ou o gerente de investimentos?

— Eu. — O tom da resposta de Conall dava a entender que a questão já existia havia algum tempo.

Seus dedos enlaçaram o braço dela, encaminhou-a para dentro de casa e desarmou o alarme.

Katie encostou no interruptor e exclamou, surpresa, quando as luzes se acenderam: — Eu fiz isso? *Luz, câmera, ação*! Não precisa ficar me escoltando, não vou cair.

— Pode cair, se quiser. É seu aniversário.

— Bebi champanhe demais. — Ela fez um gesto afirmativo com a cabeça. — Estou bêbada. Acontece.

Conall foi com ela até a escada e, juntos, bem lentamente, subiram, Katie parando com frequência para rir sem motivo.

No quarto degrau, ela se recusou a continuar. — Essa é boa! Conall, quem ganharia a luta? Você ou o presidente do Banco Mundial?

— Eu.

— É bom encostar em alguma coisa, sabia? Assim. — Deixou o peso do corpo cair sobre os braços de Conall, que a seguravam pela cintura. — Você não vai me deixar cair. A gente fazia isso na escola, ver o quanto podia confiar em alguém.

— Opa! A gente vai continuar subindo.

No nono degrau, ela parou novamente. — Quem ganharia a luta? Você ou o diretor da Jasmine Foods?

— Eu. Com as duas mãos amarradas.

Isso fez com que ela soltasse uma gargalhada, e o progresso foi interrompido. — Não consigo rir e andar ao mesmo tempo.

Finalmente, chegaram ao segundo piso e Conall abriu a porta do quarto. Katie entrou, foi até a cama, deitou-se e ergueu uma das pernas. — Tira a minha bota.

— Não. Fica de bota.

— É? Ah. Ok. Quem ganharia a luta?

Conall cobriu a boca de Katie com a sua e, depois de uns instantes, ela parou de falar. Nunca saberia quem ganharia a luta. Ele ou o diretor do Banco Central, mas, de repente, isso não mais parecia ter importância. O presente especial de aniversário estava começando.

Em seu guarda-roupa em Star Street, calcei um par de sandálias de sola vermelha e tive acesso a algumas de suas lembranças.

Como Katie conheceu Conall...

Bem, assim como na história de Matt e Maeve, também conheceram-se no trabalho. A empresa chamava-se Apex Entretenimento, porque queriam que parecesse multimídia e moderna, mas era, basicamente, uma gravadora, braço irlandês de uma multinacional. Katie trabalhava lá havia cinco anos, recebendo rock stars de passagem pela Irlanda, organizando suas entrevistas, cuidando dos bastidores dos shows e — a parte mais importante de seu trabalho — cuidando de seus porres. Era mais difícil do que parecia, porque era ela quem tinha de permanecer sóbria e coerente o bastante para pagar pelas garrafas de Cristal, colocar os artistas na cama e estar de volta ao trabalho às dez da manhã do dia seguinte, depois de quatro horas de sono.

Se alguém a conhecesse num batizado, provavelmente jamais imaginaria que trabalhava para uma gravadora. É preciso admitir, ela sempre usava salto alto e, às vezes, jeans colados, mas nunca cheirava cocaína, e suas coxas eram mais largas que seus joelhos. Apesar desses impedimentos, Katie era popular entre as estrelas visitantes, que se referiam a ela como "Tia Katie", o que não a incomodava. Ou "Mamãe", o que a incomodava bastante. Artistas voltando à Irlanda a tratavam como uma velha amiga e, às vezes, tarde da noite, tentavam levá-la para a cama, mas Katie sabia que o coração deles nunca estava presente, que era só uma reação instintiva, algo programado nos homens quando na presença de uma mulher. Quase sempre os rejeitava.

Portanto, sim, Katie estava trabalhando, nem exatamente feliz nem infeliz, quando começara o boato de que o braço europeu Apex se desligaria da matriz americana. Os novos donos provavelmente demitiriam todos os funcionários antigos. Mas aqueles rumores eram constantes, então, Katie resolveu não perder tempo se preocupando. Não tinha a mesma energia de antes e, ao longo dos anos, gastara muita adrenalina com desastres que nunca tiveram a decência de ocorrer.

No entanto, dessa vez era verdade. Uma nota na imprensa anunciara que a empresa fora comprada pela Sony, que planejava manter a Apex como um selo independente. O alívio gerado com essa notícia foi passageiro, porque a frase seguinte dizia que a empresa seria "racionalizada" pela Morehampton Green.

— Quem é essa gente? — perguntou Tamsin. (Frequência baixa. Não muito inteligente. Usava batom branco. Pernas longas, seios grandes. Popular entre os artistas visitantes.)

— Quem se importa? — disse Katie. Sua frequência baixara consideravelmente, tremia de medo. Não porque amasse o trabalho, mas agora que existia a possibilidade de perdê-lo...

— Monstros — disse Danno, com desprezo. (Danno, 23 anos. Frequência aguda, rápida. Precisava de muito pouco sono. Sempre vestia preto. Capaz de consumir quantidades astronômicas de cocaína sem efeitos colaterais aparentes. Também popular com os artistas visitantes.)

— Morehampton Green sempre aparece entre as piores empresas para se trabalhar — explicou Danno. — Tiram os benefícios, demitem um monte de gente e não deixam nada para trás, fora seu rastro de surpresa e choque.

— E qual é a vantagem? — perguntou Katie.

— Deixam a empresa muito mais eficiente, economizam muita grana, *o de sempre*. Normalmente, trabalham na Ásia, mas estão fazendo uma exceção no nosso caso.

— Quanta decência.

— O que vai acontecer com a gente, Katie? — perguntou Tamsin.

— Sei lá.

Por causa de um estranho defeito de hierarquia, Katie não tinha chefe. Oficialmente, seu superior era Howard Cookman, presidente do setor de publicidade da Europa, mas ele ficava em Londres e não tinha interesse algum na filial irlandesa, o que normalmente era muito bom para Katie, porque ele costumava carregar no sotaque — meio Los Angeles, meio Inglaterra — toda vez que encontrava: a) Mark Knopfler, b) Simon Le Bon e c) Debbie Gibson.

Katie achava importante proteger sua pequena autonomia, mas, repentinamente, achava isso ruim. Não era nada bom ser a única adulta e desejava alguém de mais poder que lhe prometesse que tudo ia ficar bem.

Alertados por um chiado, todos os presentes (seis da equipe de relações públicas e catorze do marketing) se voltaram para as portas de vidro automáticas, estilo *Star Trek*. Era Graham, do departamento pessoal. Em circunstâncias normais, ele exalava vibrações de confiança, mas hoje sua força vital estava bastante reduzida.

Silenciosamente, entregou um memorando a todos: duas linhas que informavam que o Sr. Conall Hathaway estaria fazendo contato em breve.

— Quem é ele? — perguntou Katie.

— O novo mandachuva — disse Graham. — Ele *é* a Morehampton Green.

— Como assim, ele *é* a Morehampton Green? — perguntou Danno, irado com o fato de alguém saber mais que ele.

— A Morehampton Green é basicamente uma empresa de um homem só. Parece que tem um monte de gente trabalhando para ele, mas Conall Hathaway é quem decide tudo.

— Um centralizador doentio — disse Danno, cheio de desprezo.

— Por que ele quer fazer contato comigo? — gemeu Tamsin.

Graham baixou a cabeça e não disse nada.

— Para você saber se ainda tem emprego ou não — deduziu Katie. — Estou certa, Graham?

Graham fez que sim, resignado.

— Conall Hathaway? Certamente, você está se referindo a Conall, o Bárbaro — disse Danno. Danno gostava de apelidos. (Gente de frequência como a dele geralmente gosta.)

Durante dois dias, nada aconteceu. Todo mundo continuou trabalhando normalmente, porque, até que algo realmente acontecesse, sempre existia a possibilidade de não acontecer nada. Na tarde do terceiro dia, Danno detinha informações tão importantes para dividir com os colegas, que as portas de vidro não se abriram com a velocidade de que ele precisava; portanto, acabou dando uma pancada violenta com o rosto no vidro. — Abram, suas porcarias inúteis — gritou ele, batendo com o pé, tentando ativar o que quer que precisasse ser ativado. Àquela altura, ele já tinha a atenção de todos. Finalmente, as portas se abriram, e Danno adentrou o escritório como se tivesse sido cuspido de uma máquina.

— Ele tem o olhar gelado de um assassino! — declarou. — Acabei de subir com ele no elevador e, juro, quase me borrei.

— Quem?

— Monstro Hathaway. Conall, o Bárbaro. Ele vem demitir todo mundo.

— Tão rápido assim? — Katie ficou alarmada. — É quase indecente.

— Ele tem vários asseclas, jovens espinhentos aprendendo sua tarefa imunda, mas ele é quem vai colocar a mão na lama. É ele quem manda — avisou Danno. — Melhor ficar de olho aberto. A gente está ferrado antes do fim do dia.

Katie o encarou com incerteza. Danno era um alardeador de catástrofes, parecia se dar bem na adversidade. Mais uma vez, ela se questionara se ele não era, talvez, um viciado em adrenalina, sua cocaína.

Chamou Audrey. (Uma vibração tão silenciosa que era quase um pedido de desculpas. Confiável, meticulosa. Não tão popular com os artistas visitantes quanto Tamsin e Danno.) — Vai lá e vê qual é a desse Conall. Discrição, por favor.

Em minutos, Audrey estava de volta, com uma expressão de eficiência. — É verdade. Ele está com Graham. Estão olhando os contratos dos funcionários.

Katie mordeu o nó do dedo. — Como ele é?

Depois de pensar por alguns segundos, Audrey disse: — Cruel.

— Meu Deus!

— Mesquinho e faminto.

— Não parece tão mal assim.

— Mesquinho *e* faminto *e* cruel. — E acrescentou: — Está comendo chocolate.

— O quê?

— Tem uma barra enorme de chocolate na mesa, e ele fica comendo enquanto conversa com o Graham. Uma fileira de cada vez. Não quebra em quadradinhos nem nada.

— Qual é o tamanho da barra? Cem gramas? Duzentos gramas?

— Uma dessas grossas, que a gente compra no freeshop. Quinhentos gramas, eu acho. Sabe do que mais, Katie? Ele até que é gatinho. Acho que fiquei a fim dele. Sempre fico a fim de homens que têm poder sobre mim.

— Você não pode ficar a fim dele — disse Katie. — Você acha que os homens com cara de maus precisam do amor de uma mulher para deixarem de ser maus. Mas eles continuam maus, ok? Pode chorar. — Sentiu-se velha dando esse tipo de conselho.

— Talvez você também fique a fim dele — sugeriu Audrey.

— Não vou ficar a fim dele.

— Você pode falar o que quiser, mas a gente não tem controle sobre essas coisas — alertou Audrey, sombria.

O telefone tocou: o carro tinha chegado.

Katie considerou por um ligeiro instante a possibilidade de ir embora e se livrar de tudo, abandonar os integrantes do Knight Ryders e seu mau humor. Afinal, ela seria demitida, de qualquer maneira...

Mas, e se ela fosse uma das que teriam o emprego mantido?

— Ok — disse Katie. — Danno e Audrey, vão pegar suas coisas. Os carros chegaram.

Foram para o Four Seasons buscar o Knight Ryders para o show daquela noite. O Knight Ryders era uma banda de heavy metal, um quarteto de roqueiros coroas, sobreviventes do vício, dos divórcios, das falências, dos ataques cardíacos, dos acidentes de moto, das crises existenciais, dos problemas com filhos adotivos, e mais, muito mais. A maior parte de seu público, que pagava preços nas alturas para assisti-los, ia aos shows não para ouvir os sucessos dos anos setenta, mas, simplesmente, para se maravilhar com o fato de que os quatro ainda estavam vivos.

Os "rapazes" estavam no oitavo mês de uma turnê internacional de nove meses, e se encontravam na Irlanda havia dois longos dias. A maior preocupação de Katie era Elijah Knight, o cantor, lenda viva e proprietário orgulhoso de um fígado de segunda mão (órgão cujo dono fora um cuidadoso proprietário). Estava sóbrio havia quase um ano, mas rumores chegaram aos ouvidos de Katie de que ele estava cansado disso. Verdade seja dita: cada palavra proferida por ele era uma reclamação: o hotel era muito fajuto, a imprensa irlandesa muito servil, e os encontros do AA da Irlanda muito chatos.

Katie ou um dos membros de sua equipe se esforçavam para estar com ele o tempo todo — Tamsin estava com ele naquele momento — e um guarda-costas (leia-se, guarda) o vigiava de noite, do lado de fora do quarto.

Quando Katie entrou na limusine de vidro fumê, recebeu um telefonema de Tamsin. — É o Elijah.

— O que foi?

— Está na hora de ele começar a ajeitar o cabelo, mas o cara fica sentado de braços cruzados, como se fosse uma criança.

— Eu vou para aí. — Katie cruzou os dedos e rezou em silêncio para que Elijah Knight não escolhesse voltar às drogas naquela noite. Não sob os cuidados dela. Se Elijah, pelo menos, esperasse até o dia seguinte, quando ele e os três amigos enrugados, cabeludos e donos de fígados de pudim fossem para a Alemanha, ficaria muito grata.

O problema, na verdade, foi que tudo correu às mil maravilhas. Com a interferência suave de Katie, Elijah fez o cabelo, de maneira que ficasse onze centímetros acima de sua cabeça. Os Knight Ryders tocaram um set inteiro e nenhum deles teve um derrame, até mesmo recusaram uma viagem grátis ao bordel mais chique de Dublin.

E quando Katie chegou em casa no horário inesperadamente cedo de duas da madrugada, havia espaço em sua mente para que a realidade de sua situação profissional a alarmasse. Estava acabado, ela se dera conta abruptamente. Era melhor encarar os fatos: levar Elijah Knight para a cama do hotel em segurança talvez fosse seu último ato como RP da Apex Entretenimento.

Fazia sentido se livrar dela — dos seis RPs da equipe, era ela quem ganhava mais. E, também, um pensamento ainda mais doloroso, era a mais velha, e o mundo da música era lugar para mulheres jovens. Tenho trinta e nove anos, disse para si mesma, avaliando a situação. Trinta e nove! É um milagre ter sobrevivido até agora.

Precisava dormir. Mas, como poderia? No dia seguinte, seria demitida, não teria mais dinheiro e, no momento de recessão atual, nunca mais conseguiria um emprego, porque não tinha qualificação para nada a não ser levar rock stars para se divertirem.

Estou arruinada, pensou.

Perderia seu apartamento, o carro, as mechas do cabelo e o personal trainer, embora só fizesse um treino por semana, mas o tempo que passava com o grandão, Florence, era *vital* — sem ele talvez fosse incapaz de fazer qualquer exercício.

Ah, e seu adorável apartamento. Não haveria a menor possibilidade de mantê-lo. As parcelas do financiamento eram caras, mesmo para o seu salário atual. Comprara-o quando o mercado estava aquecido, quando conjugados valiam 1 milhão de euros. Pagara por cada metro quadrado de sua casa. E como a adorava... Era pequeno — como havia sido um sótão, a maioria dos quartos foi reduzida —, mas era aconchegante, iluminado, bem-localizado, perto de tudo. Podia fazer tudo a pé. Não que ela o fizesse, não com os próprios pés.

O pior é que nunca pensara em trabalhar com música. Por que teria pensado, *por quê*? Ficara absolutamente lisonjeada quando lhe ofereceram o emprego, tão lisonjeada que fechara os olhos para o fato de que o dinheiro não era tão bom quanto se era de imaginar. Tudo em que pensara era que deviam achá-la muito legal para quererem empregá-la. Ela deveria era ter aceitado o emprego na assessoria de imprensa do governo, em vez disso.

Gente velha não era desvalorizada naquela indústria; era, ao contrário, reverenciada por sua sabedoria. Ninguém se importava se você tivesse coxas gordas. Ninguém se importava se você tivesse pelos no rosto (e fosse uma mulher)(não que ela tivesse). Na verdade, *realmente* gostavam de porta-vozes feios na política, porque tinham mais credibilidade.

Arruinada, pensou. Isso, *arruinada*.

As horas da noite iam passando, e sua cabeça zumbia com cálculos e considerações: se alugasse seu apartamento, ganharia o suficiente para cobrir as parcelas do financiamento e as contas do cabeleireiro? Se conseguisse um emprego na Blockbuster, como faria para comer? Lera, certa vez, uma matéria no jornal sobre pessoas que ganhavam um salário mínimo: mesmo que comprassem apenas as promoções do supermercado, ainda assim, ficariam com fome. A coexistência com seu apetite já era complicada o suficiente com um salário saudável, e desde que dava a primeira mordida em alguma coisa, ela se preocupava com a última. Como lidaria com a fome genuína?

Não teria dinheiro sequer para se matar. Nos últimos anos, provavelmente desde Jason, mantinha um plano ridículo para o caso de a vida se tornar realmente insuportável, como as pílulas de cianureto que espiões costumavam carregar entre os dentes, caso fossem capturados.

Sua ideia mais brilhante era que comeria até explodir — isso acontecia, pessoas faziam isso, médicos sempre alertavam os obesos de que, se continuassem com seus maus hábitos alimentares, explodiriam. Sempre pensara ser essa uma boa maneira de morrer, entupida de bolo de chocolate.

Mas bolo de chocolate custava dinheiro, e ela precisaria de muito bolo de chocolate para chegar a uma dose fatal. Tomada pelo terror da madrugada, percebera como fora uma idiota todos aqueles anos. Poderia ter começado a estocar alimentos havia muito tempo. Mas ela não era boa de estoque. Se estivesse dentro do seu apartamento, comeria, sem dúvida, o estoque inteiro. Nada duraria mais que um dia.

De repente, seus pensamentos se desviaram numa direção inesperada, e ela começou a culpar Jason. (Entre trinta e um e trinta e sete anos, Jason fora seu namorado. O sexto ano de relacionamento, quando começaram a tentar ter um bebê, sofreram o tremendo choque de descobrir que não se amavam mais. Fingiram por quase um ano, na esperança de reacender a chama, mas estava encerrado. Era o fim. Tudo acabado.)

Se ela e Jason tivessem se casado e tido um bebê, se Jason não tivesse se casado com Donanda, a bela portuguesa, Katie não teria as preocupações de hoje.

Mas, não! Jason tinha que decidir parar de amar Katie, depois tinham que se separar, e ela tinha que comprar um apartamento sozinha. Bem, na verdade, Katie também parara de amá-lo, mas isso também era culpa de Jason. Se ele, *ao menos*, não tivesse se tornado uma pessoa não amável, tudo seria diferente.

A raiva preencheu seu estômago, depois o peito, até que ela começasse a ter dificuldade de respirar, e, apesar de serem seis e cinco da manhã, tarde demais para tomar um remédio para dormir — inferno, não dormira um só segundo! —, precisou sentar, acender a luz e pegar seus livros antiamargura para impedir-se de morrer afogada pela própria bile.

Sem ar, leu as primeiras linhas de *Minha felicidade, minha responsabilidade,* mas não adiantou. Deixou o livro de lado e folheou avidamente *As leis espirituais do sucesso*: baboseira, *porcaria*! Começava a pensar que teria que chamar uma ambulância quando abriu o livro seguinte e uma frase se destacou à sua frente: "a palavra chinesa para 'crise' também significa 'oportunidade'".

Isso foi suficiente.

Sentiu-se como se estivesse caminhando por cima densa floresta e, de repente, se encontrasse no topo de uma montanha, onde a luz era clara, e o ar fresco. Libertou-se de um peso enorme. Sim, sua vida acabara! Sim, *ela já era*. Desempregada — possivelmente não empregável —, sua crise poderia se transformar em oportunidade. Certamente, faria alguma outra coisa da vida, não? Moraria na Tailândia, aprenderia mergulho? Ou, melhor ainda, iria para a Índia e se iluminaria e, quando voltasse — se voltasse, ha-ha —, não se importaria de se tornar uma sem-teto. De usar sapatos horríveis e ser sua própria motivadora para uma corrida.

Ficaria tudo bem.

# Dia 60

O número 66 da Star Street permaneceu em silêncio até as cinco e meia da manhã, quando Lydia acordou. Foi até o banheiro e tomou banho, sentindo-se — só existe uma palavra para descrever seu sentimento — desagradável. Não gostava de se molhar. Tinha medo de água. (Não sabia disso, mas, numa vida anterior, havia sido um suricato, criatura do deserto que não gosta de umidade. Alguns traços permanecem em vidas subsequentes.)

Pegou o condicionador às suas costas, e seu cotovelo deixou cair o sabonete de Andrei da bancada. Não! Que dificuldade tentar pegá-lo, o objeto escorregando de sua mão molhada, caindo no chão e quicando três vezes. Droga! Não queria acordar Andrei nem Jan. Eles já eram chatos o suficiente quando dormiam uma noite inteira, duplinha insuportável... ficariam mais mal-humorados e irritados ainda se fossem despertados antes da hora.

Caramba, eles eram difíceis. Nenhum dia das últimas três semanas ela os vira rir. E não se poderia dizer que não se esforçara, tentando animá-los com sua sedução bem-humorada, do tipo que usava com todos os homens. Mas, em vez de aceitarem o desafio e entrarem no jogo, ficavam confusos.

Estava presa com eles: o aluguel se encontrava no nome dos dois rapazes. Na verdade, perguntava-se por que eles simplesmente não a expulsavam, porque era óbvio que a detestavam.

Talvez fosse porque seu quarto era ridiculamente pequeno, praticamente um armário. (Aparentemente, fora uma cozinha antes de algum misterioso proprietário anterior resolver converter o segundo quarto numa cozinha maior, espaçosa o bastante para comportar uma mesa. Tudo bem, mas isso significava que o espaço que sobrara mal merecia o título de "quarto".)

Lydia suspeitava — corretamente — que a ex-cozinha tivesse sido recusada por vários potenciais inquilinos anteriores a ela. A cama era pequena e estreita. Não havia espelho de penteadeira (porque não havia penteadeira) onde pudesse colocar seu abajur de flores laranja, e também não havia um armário; portanto, a maior parte das roupas de Lydia ficava guardada em caixas debaixo da cama. Também suspeitava — mais uma vez, corretamente, Lydia quase nunca se enganava — que Andrei e Jan esperavam que ela trouxesse um toque feminino ao apartamento. Estavam, é claro, enganados. Não fora fácil aguentar Andrei e seus escalonamentos — ele era um tipo determinado, e ela precisara de toda concentração e resolução para tanto —, mas era importante estabelecer desde o princípio quem mandaria ali. Assim que tivesse certeza de que os rapazes *não esperavam* que ela fizesse faxina, entraria na linha.

Talvez...

Enquanto isso, o aluguel do quarto era incrivelmente razoável, cem euros por semana mais barato do que seu aluguel anterior, e, convenientemente, perto do Centro da cidade. Quando ela descobriu que os dois eram de Gdansk, começou a prestar atenção às palavras terminadas em "sk". Gdansk! Gostava tanto de dizer essa palavra que procurara na internet nomes de cidades similares. E havia uma multidão deles! Tomsk e Omsk, Minsk e Murmansk. Usava-os bastante. Não sabia dizer exatamente o motivo, simplesmente gostava do som. Gdansk era uma palavra positiva, porque, de alguma maneira, parecia com "thanks", obrigada, mas, todas as outras, especialmente Minsk e Irkutsk pareciam palavrões, um pouco mais sibiladas e tortuosas do que as outras.

Minsk! Soava como uma irritação! Incrível. Seria possível assustar terrivelmente uma pessoa usando tais palavras no momento certo. Irkutsk! Alguém poderia parecer muito bravo se fizesse um pequeno esforço de pronúncia. Eram palavrões de qualidade que haviam custado precisamente nada, e, na sua atual situação de miséria financeira, adorava prazeres gratuitos.

De qualquer maneira, apesar dos palavrões grátis, morria de saudade de Sissy e do grande, adorável e fresco apartamento que dividiam. Impossível pensar em tal luxo no momento. Ela e Sissy *tinham uma faxineira*. A moça, na verdade, só ia uma vez por semana, mas era o suficiente. Mesmo quando a cozinha estava imunda o bastante para que camundongos dançassem na pia, Lydia era capaz de, literalmente, ignorar o fato, porque sabia que a situação seria resolvida em um ou dois dias.

E Sissy era igualzinha. Sissy não ligava. *Nunca* esfregaria uma escala de faxina na sua cara. Dias de folga eram para ficar de pijama debaixo da coberta, assistindo à televisão e comendo porcaria; não para arregaçar as mangas, colocar luvas de borracha e esfregar o chão.

Mas os dias de faxineiras e armários e amigas normais tinham ficado no passado de Lydia... De pé, diante do espelho do banheiro, passou uma boa quantidade de produto no cabelo para combater as pontas duplas. Porque, fossem quais fossem as circunstâncias de empobrecimento, jamais desistiria de seu cabelo.

Passaria fome, mas não viveria sem seus produtos. Lydia e seus cachos revoltados viviam numa guerra de vontades. A falta de dinheiro não seria desculpa para que se entregasse, como muitas mulheres faziam. O cabelo de Lydia não era seu mestre. Não, ela mandava *nele*.

Na cozinha, colocou oito colherinhas de café instantâneo numa caneca enorme, chamada Caneca da Lydia, e encheu-a até a metade com água fervendo, completando a outra metade com água fria. Tomou o café como se fosse remédio, engasgando ligeiramente no último gole, abandonou a caneca na mesa, vestiu rapidamente jeans, tênis, suéter de capuz e saiu.

Na rua, a manhã estava ensolarada, porém fria. E Lydia foi em direção a um táxi. Um táxi? Que espécie de cara de pau era ela para desprezar o transporte público?

Bem, que surpresa quando se sentou no banco do motorista! Podia-se pensar que tentava fazer ligação direta no veículo, mas, quando enfiou a chave na ignição, ficou claro que era a dona do carro e que trabalhava como chofer de táxi!

O veículo era uma espécie de Toyota genérico, não era um bom carro. Também não era ruim; simplesmente um desses tipos inexpressivos que taxistas parecem preferir. Mas, diferentemente da atitude de Lydia em relação à higiene da casa, seu carro era limpo e cheiroso. Evidentemente, tinha orgulho do carango.

Ligou o rádio e, com interferência de estática, foi informada de uma corrida: pegaria um homem em Shelbourne e o levaria para o aeroporto. Fez um retorno cantando pneu e se dirigiu à cidade, os sinais abrindo no exato momento em que se aproximava deles. "Gdansk." Disse, com satisfação, quase jogando beijinhos de prazer ao dizer essa palavra.

O sinal seguinte também estava verde. — Gdansk. — Fazia gestos de agradecimento enquanto falava.

Mas, quando chegou a Shelbourne e o cliente sentou-se no banco de trás do carro, Lydia percebeu seu olhar perscrutador. *Irkutsk!*, pensou.

— Você é mulher? — perguntou ele.

— Era, da última vez que conferi — respondeu Lydia, séria.

*Irkutsk! Irkutsk! Irkutsk!*

Por que um passageiro que gostava de bater papo? Por quê? Ainda era muito cedo, e ela só tomara oito colheres de café.

— Como é? — perguntou o cliente, ávido. — Ser motorista de táxi mulher?

Lydia pressionou os lábios. Como ele achava que era? Exatamente a mesma coisa que ser motorista de táxi homem, só que idiotas como ele ficavam fazendo perguntas irrespondíveis nas piores horas da manhã.

— Como você lida com problemas? — perguntou ele. Todos perguntavam a mesma coisa. — E se a pessoa não pagar?

— Posso *lhe* fazer uma pergunta? — indagou ela.

— Lógico! — Ele estava encantado com a interação com aquela deusa de cabelo encaracolado, ainda úmido e cheiroso do banho matinal.

— Você já aceitou Jesus Cristo como seu Senhor e Salvador?

Isso fez com que ele se calasse. O resto da viagem transcorreu em silêncio.

# *Dia 60...*

De volta ao número 66 da Star Street, pessoas em pleno movimento. Andrei estava acordado desde cinco e trinta e cinco, quando Lydia, deliberadamente, deixara alguma coisa cair no chão do banheiro, fazendo barulho. Desde que ela se mudara, ele e Jan andavam em estado de choque. Nunca haviam conhecido uma garota como ela, e a única coisa boa de Lydia era o fato de ser pequena. Pequena o bastante para caber na caminha do quartinho.

Andrei olhava o vazio, lembrando-se dos dias do inquilino anterior, um ucraniano que tocava acordeão eletrônico, chamado Oleksander. A vida com ele era tão harmoniosa — porque ele nunca estava em casa. Passava as noites no apartamento sofisticado da namorada, Viktoriya, e seu quarto na Star Street, 66, funcionava, na maior parte do tempo, como seu guarda-roupa. Até Viktoriya cair na lábia de um irlandês, um servidor público de alta posição no Ministério da Agricultura, e Oleksander ser jogado de volta ao seu domínio anterior. Suportara uma sucessão de noites em claro, as pernas estendidas seis centímetros além do espaldar da estreita cama de solteiro. Quando tentou remediar a situação, colocando uma cadeira na extremidade da cama para que apoiasse os pés, a beirada de madeira do espaldar arranhara tanto a batata de suas pernas que ele ficara com duas manchas roxas na pele, que permanecem até hoje. Oleksander conseguiu remover o dito espaldar, mas a extremidade da cama desmoronou. Sua outra brilhante ideia foi colocar o colchão diretamente no chão, mas a lombar reclamou e, depois de trinta dias de dor alucinante, disse a Andrei que não suportava mais.

Muitas pessoas, a maioria homens poloneses, foram visitar o quarto, mas todos, sem exceção, declararam-se grandes demais para caber naquela cama. Também se divertiram diante da imagem de Oleksander Shevchenko (figura conhecida; suas performances musicais fora de Trinity tinham se tornado praticamente programas turísticos) tentando dormir naquele quartinho de bonecas. Portanto, quando a irlandesa Lydia apareceu, Andrei e Jan ficaram tão impressionados com suas proporções diminutas, certamente proporcionais àquela cama, que falharam completamente, não percebendo que ela era um tipinho difícil.

Agora, estavam pagando o preço.

Tinham discussões intermináveis e se perguntavam: *Por quê?* Por que ela era tão desagradável? Tão preguiçosa? Tão cruel?

Andrei alertou Jan para o fato de que talvez nunca encontrassem uma resposta. Provavelmente seria melhor se aceitassem que sua natureza amarga era um fato da vida, tão inevitável quanto a chuva e tudo o mais neste país úmido e desagradável.

Depois do banho, vestidos, os rapazes foram para a rua e viraram as palmas das mãos para cima, expressando grande e sarcástica surpresa diante do fato de não estar chovendo, antes de andarem dez minutos até o ponto. Dali, seguiram em direções opostas, Andrei para o Leste, a caminho de um prédio industrial, e Jan para o Norte, seguindo para um shopping center.

Jan gostava de dizer que trabalhava com TI (Tecnologia de Informação), o que, de certa forma, era verdade. Era empregado de um grande supermercado e cuidava dos pedidos on-line. Passava os dias em meio aos corredores de produtos, arrastando um carrinho gigantesco, que continha doze cestas, representantes de doze clientes diferentes, cada uma com sua lista independente de compras. Quando localizava todos os itens de todas as doze listas e os colocava dentro das respectivas cestas, depositava as mercadorias na área de entrega, para que o caminhão as distribuísse por Dublin, depois voltava à impressora para pegar mais doze listas, enchia doze novas cestas e começava todo o procedimento outra vez. Já tinha perdido a conta de quantas vezes por dia repetia esse exercício.

Andrei também trabalhava com TI. De verdade. Dirigia pela cidade uma van branca, consertando computadores quebrados de escritórios. A van em si ocupava grande parte de seus pensamentos. Era um homem pragmático e ficava terrivelmente irritado por ter que devolvê-la à base todas as noites, onde ficava parada no estacionamento por catorze horas, quando podia muito bem ser usada para assuntos pessoais — especificamente, para buscar Rosie. Sua fantasia era estacionar na porta da casa que ela dividia com outras quatro enfermeiras, buzinar e vê-la descendo os degraus da varanda da frente, a admiração diante do tamanho da van espelhada no rosto em forma de coração. Namorava Rosie (também uma garota irlandesa, mas, fora isso, completamente diferente da demoníaca Lydia) havia dois meses e oito dias, e ela, até agora, se recusara a entregar sua virgindade para ele. Andrei, com seus músculos, seus olhos azuis e incrível beleza estava acostumado a conseguir o que queria com as meninas, mas ficava verdadeiramente impressionado com o puritanismo antiquado de Rosie, e seu desejo inicial se transformara em algo bem mais complexo.

# *Dia 60...*

No piso térreo do número 66 da Star Street, Matt e Maeve foram acordados gentilmente pelo alarme zen de seu despertador, um plimplim suave que lembrava o som de sinos tibetanos. Começava com um plim baixinho, como toques espaçados num xilofone, depois, com o passar dos minutos, crescia e se tornava uma cacofonia deliciosa. Não muito a cara de Matt. Ele parecia mais o tipo de homem que preferiria um despertador que se comportasse como um desfibrilador, bipes discordantes que fizessem todos os nervos do corpo entrarem em estado de alerta, fazendo com que a pessoa saísse imediatamente da cama, batesse no peito e gritasse feito um Tarzan. Atenção, mundo, aí vou eu!

Mas Maeve preferia o plimplim; então, plimplim. Ela também gostava de um farto café da manhã. Matt, suspeito, ficaria feliz com uma barra de chocolate a caminho do trabalho, mas, em vez disso, fazia chá para Maeve, Maeve fazia mingau para ele, eles se sentavam no balcão da cozinha, espelhando as ações um do outro, conferindo se o parceiro tinha mel, suco de laranja e mais tantas coisas de café da manhã.

No parapeito da janela, num porta-retratos enfeitado, havia uma foto do casamento deles. Oi dois estavam muito bem, devo dizer. Sobretudo Maeve. A julgar pela fotografia, o casamento fora tradicional, aquela coisa toda de branco e tal. O vestido de Maeve era disfarçadamente simples: saia sem adornos, cintura alta, várias camadas de cetim saindo de um corpete. O decote que deixava o colo aparente revelava dois ombros bonitos, cor de creme, e um arranjo de pérolas prendia seu cabelo cheio num coque, do qual escapavam alguns cachos, emoldurando seu rosto. Parecia uma das meninas dos romances de Jane Austen, dos quais era fã. Matt, agarrado a Maeve, olhava para a câmera com a expressão de um homem que acabara de ganhar na loteria, mas tentava não se gabar disso, vestido num terno escuro, bastante sóbrio. O tipo de terno que se usa para assinar tratados de paz. Evidentemente, conseguira encontrar o mais adequado para passar a mensagem de que aquele casamento era muito importante para ele. (Sem querer ser indelicada, havia muito menos deles, três anos antes, quando a foto fora tirada. Os dois eram muito, bem, muito mais *estreitos*. Certamente a dieta de gordura trans não era tão *farta* — peço desculpas pela piada — na vida deles naquela época.)

Maeve tomou o restante do suco de laranja, Matt raspou sua tigela vazia com a colher, os dois tomaram um comprimido de vitamina, empurrando-o goela abaixo com um copo d'água e — finalmente — saíram para trabalhar. Matt tinha carro, usava sapatos engraxados, terno bem-cortado, cabelo bem-cortado. Maeve tinha bicicleta, protetor labial sem gosto e calças compridas de algodão pouco atraentes (grandes demais e verde-oliva, cor sem graça) que pareciam ter sido escolhidas exatamente pela feiura.

Beijaram-se, despedindo-se.

— Cuidado — disse Matt.

*Com o quê?* Eu me perguntava. Qualquer pessoa aventureira o suficiente para atravessar o trânsito de bicicleta na hora do rush deveria esperar advertência dos seres amados e próximos, mas, mesmo assim, eu sei que dar de cara com um motorista descuidado não era o medo de Maeve. Ah, ela tinha medo, com certeza, não me entenda mal, mas eu não sabia de quê; ela estava me bloqueando. Tudo que podia dizer olhando para ela era que não temia ser avacalhada por conta das roupas horrorosas. *Fascinante.*

Matt observou até que Maeve fosse absorvida pelo tráfego, depois pensou no seu carro. Estava estacionado tão longe que cogitou a possibilidade de pegar um ônibus até ele.

# *Dia 60...*

No apartamento de Jemima, o cão, aparentemente, não sofria efeitos colaterais da tonteira da noite anterior. Jemima tentava levá-lo à cozinha, mas ele se fazia de difícil. — Rancor, Rancor, meu amorzinho. — Então, parece que o animal se chamava, mesmo, Rancor! Que... bem, que coisa *atípica*.

Jemima estava de banho tomado e roupa trocada desde 6h15. Não suportava ficar embromando na cama. Abaixou-se, os joelhos estalaram como dois tiros de pistola, até que seu rosto ficou no mesmo nível da cara rabugenta de Rancor.

— Só porque o Fionn vem para cá não significa que ame você menos — disse.

Agora estava claro: Rancor estava mal-humorado porque descobrira que o Homem Bom vinha para uma visita.

— Vamos comer.

Em minutos, Rancor estava fazendo a dança do Café da Manhã. Uma criatura ultrassensível, com dificuldade de perdoar, a menos que houvesse comida envolvida.

Fiquei longe de Jemima. Não queria assustá-la. Não, a menos que fosse necessário. Sua vibração era forte, regular, estridente, buscava espaço no apartamento entulhado, insistindo em pedir atenção.

Ela estava concentrada pensando na palavra *rancor*. Que palavra esplêndida, pensou. Tão funcional: impossível dizê-la sem que o rosto se contorcesse numa expressão ilustrativa de amargura. *Krompir* era outra palavra de que gostava; batata, em sérvio, e produzia o som satisfatório de mastigação. Ou *bizarro*, sua preferida, um som festivo, delicioso, que sempre lhe trazia à mente a cacofonia dos tamborins.

Rancor era tido por muitos como um nome estranho para um cachorro, mas, quando as pessoas eram grosseiras o bastante para mencionar isso, a resposta de Jemima era que ele mesmo o escolhera. Disseram-lhe, no abrigo de cães, que se chamava Bispo, mas ele era tão santo quanto ela. Jemima acreditava que deveria confiar em que o cão escolheria melhor o próprio nome; portanto, quando chegou em casa — onde ele se acomodou num canto, quieto e sofredor —, listou uma porção de nomes sofisticados. Campeão? Herói? Rebelde? Príncipe? Observou-o cuidadosamente, esperando uma reação positiva depois de cada sugestão. Mas Bispo rosnava, "Rrrraann" e, em seguida, dava um latido ligeiro, que parecia "Corrrr". Finalmente, entendeu-o: Rancor, e não se falava mais nisso.

Disseram também, no canil, que ele era um cão estranho. Não tolerava muitas coisas. Homens de peruca. Cantores de música country. Ruivas. Sotaque de Yorkshire. A música do George Michael, mas só as antigas (nada de Wham! — ele abominava Wham!).

Era uma criatura tensa, mercuriana, capaz de requerer cuidados especiais, mas Jemima não se assustava. Sua filosofia, como relatara ao homem do canil, era que cães equilibrados sempre teriam um lar, mas eram os estranhos que precisavam realmente de um.

*Aqui entre nós, me pergunto se minha impressão inicial de Jemima como velha rabugenta não foi muito precipitada.*

Terminado o café da manhã, Rancor lançou à Jemima um olhar derretido, depois, olhou rápida e ansiosamente em volta. Era um cachorro maravilhoso, pensou Jemima, orgulhosa. Mais intuitivo do que a maioria dos humanos. O que não é nada difícil, visto que a maior parte da humanidade circula por aí com a cabeça exclusivamente voltada para o próprio umbigo.

— É, eu também sinto — disse Jemima para Rancor. — Mas não iremos nos acovardar! — Deu um giro de cento e oitenta graus e firmou os pés no chão, como uma guerreira. — Ouviu? — disse, desafiadora, os olhos arregalados (porém voltados para o lado errado do cômodo, por Deus). Em tom agudo, repetiu: — Não iremos nos acovardar!

*Calma, Jemima. Isso não tem nada a ver com você.*

# *Dia 60...*

Matt gostava de se livrar de sua Boa Ação do Dia logo cedo. Enquanto dirigia para o trabalho, vistoriava as ruas em busca de uma oportunidade de praticar o bem. No ponto de ônibus adiante, uma mulher esperava sozinha. Estava claro que acabara de perder a condução, porque, naquela hora do dia, dezenas de pessoas estão reunidas, observando umas às outras como águias, cuidadosas para não ficarem para trás numa confusão quando o ônibus finalmente aparece.

Abriu a janela do lado do motorista e perguntou: — Para onde a senhora está indo?

Assustada, a mulher tirou os olhos do celular, no qual digitava uma mensagem de texto. Uma moça elegante, de casaco laranja, por volta dos trinta e seis, trinta e sete anos.

— O que você tem a ver com isso?

— Quer uma carona?

— Com *você*? Não vou entrar no carro de um estranho. Você não lê jornal?

Ui, ui!

— Não sou um estranho, sou um cara legal.

— Lógico que você não vai admitir que é um serial killer.

— Sou casado. Amo a minha mulher. E não ando armado.

— Filhos?

— Ainda não.

— Eu tenho quatro.

— Entra. No caminho você me fala deles.

— É, e você me mostra a sua arma.

— Trabalho com software.

— Jack, o Estripador também trabalhava.

— Não senhora!

— Olha só. Talvez você seja um cara legal, de verdade, você parece um cara legal, mas não posso arriscar. Meus filhos não conseguiriam lembrar a roupa que estou vestindo para dizer para a polícia. E minhas fotos recentes são horríveis, péssimas. Não ia querer vê-las coladas nos postes da cidade. Pode ir.

Droga.

Desanimado, Matt se afastou com o carro. A Boa Ação do Dia era como uma corda no pescoço. Perturbava-o vinte e quatro horas como um cílio dentro do olho. Os dias corriam tão rapidamente, parecia que assim que ele alcançava uma B.A.D., um novo dia começava e era hora de outra ação. E ai dele se chegasse em casa de noite sem ter Feito Pelo Menos Uma Boa Ação Do Dia. Era incapaz de mentir para Maeve, e a culpa o tiraria mais uma vez do sério proibindo-o de retornar até que a tarefa tivesse sido realizada.

Praticar uma boa ação era mais difícil do que se poderia imaginar. Eram tantas regras (de Maeve). Simplesmente comprar o jornal da mão de um sem-teto não bastava: era fácil demais. Dar dinheiro a um músico de rua também não — a menos que você engatasse uma conversa com ele, parabenizasse sua performance, pedisse uma música específica, ficasse ali e prestasse atenção, o corpo expressando apreciação (pé acompanhando o ritmo ou balancinhos de cabeça eram aceitáveis; se você se forçasse a dançar, estaria se excedendo, e nenhum excesso seria encarado como crédito no dia seguinte).

A Boa Ação do Dia tinha de ter custo emocional. Tinha de ser algo que ele realmente não queria fazer.

No entanto, ir trabalhar não contava. Por incrível que pareça, Matt normalmente gostava de seu trabalho na Edios (Easy Does It Office Systems). (Saíra da Goliath havia algum tempo.) Mas essa negociação com o banco o estava enlouquecendo. Podia-se dizer que a culpa era sua, ele sabia. O pessoal do banco estava absolutamente feliz com o antigo sistema de software. *Absolutamente* feliz, até Matt começar a persegui-los, tentando persuadi-los a mudar para a Edios.

O que mais poderia fazer? Era seu trabalho conseguir novos contratos. Telefonara para o escritório do Bank of British Columbia e, quando lhe disseram que não estavam interessados, Matt respirara fundo e telefonara de novo e de novo, finalmente sendo recebido por alguém que, cansado da insistência, aceitara uma reunião. Matt fora triunfante. Um encontro cara a cara pode parecer simplesmente o começo de um processo, mas, para Matt, significava contrato assinado. Não é certo dizer que era sempre fácil. O esforço e a dedicação de Matt eram sempre enormes. O tanto de charme e sedução que ele despendera ao longo dos anos vendendo softwares seria capaz de levar a paz ao Oriente Médio. Seja como for, ele estava acostumado a obter resultados.

No entanto, o Bank of British Columbia estava deixando-o em banho-maria. Nos últimos oito meses haviam flertado, sugerido e usufruído de incontáveis encontros sociais às custas da Edios — um jantar de sete horas num dos restaurantes mais caros de Dublin, uma estreia de cinema, corrida de cavalos. Agora, insinuavam algo sobre ingressos para os jogos de Wimbledon — ingressos para os jogos de Wimbledon eram ouro em pó! — e, ainda, não tinham dado nenhuma indicação mais forte de que comprariam o sistema. Matt sabia o nome das esposas, namoradas, filhos e cachorros de todos, mas, fato incomum para ele, não conseguia ter uma intuição com relação à decisão que tomariam.

O banco requisitara uma reunião, mais uma reunião, para esta manhã, e Matt não conseguia identificar o motivo. Ele e sua equipe haviam feito cinco apresentações sensacionais; cada pergunta fora respondida satisfatoriamente; ele atendia, pessoalmente, telefonemas a qualquer hora do dia ou da noite, nos quais prometia o mundo em modificações, suporte e rapidez de implementação. O que mais poderiam querer? Ingressos para o Centre Court*, provavelmente.

---

*Centre Court — local onde ocorre o torneio de Wimbledon. (N. T.)

* * *

Resmungou durante quatro segundos até que sua atenção fosse desviada para o rádio, e ele se distraísse. (Resmungar não era natural para ele e Matt jamais conseguia sustentar o mau humor por muito tempo.) Pedaços de gelo haviam começado a cair misteriosamente do céu em toda Europa. Um, do tamanho de uma poltrona, se chocara contra o para-brisa de um carro estacionado em Madri. Uma semana mais tarde, outro, tão grande quanto, fizera desabar o teto de uma casa em Amsterdã e, somente um dia depois, um pedaço de gelo alcançara Berlim, derrubando a estátua de algum militar famoso. Peritos foram levados para examinar o fenômeno, mas, até o momento, ninguém sabia dizer definitivamente o que estava causando tais eventos. Ou em que lugar poderia cair um novo pedaço de gelo.

Matt escutava, encantado. Gostava desse tipo de coisa. Era mais ou menos como se o assunto fosse disco voador.

Estava tão envolvido com a história que nem percebeu ter passado por dois sinais verdes seguidos. Depois mais um. Somente quando o quarto sinal se abriu para ele foi que percebeu o que acontecera. Quatro sinais verdes consecutivos! Na hora do rush! Será que isso podia contar como uma bênção da Trindade de Bênçãos do dia? Com certeza, Maeve não compraria essa ideia; não aceitara a vaga em frente ao prédio deles como uma bênção; portanto, dificilmente aprovaria os quatro sinais abertos. Mas, para *ele*, era como se fosse uma bênção.

Por um instante, divertiu-se com o inesperado da própria vida, com as Boas Ações do Dia, Trindades de Bênçãos e coisas do gênero. Tudo graças a Maeve, ao fato de ela ter despejado moedas por todo o chão do trem quatro anos e três meses antes e ele ter percebido: Meu Deus, estou apaixonado. E não pela minha namorada.

Tentara fingir que não estava acontecendo. Não poderia estar apaixonado por Maeve, porque ele e Natalie formavam um casal perfeito. Natalie com seu pescoço elegante, seus lindos olhos castanhos e sua sagacidade. Já saía com Natalie havia quase um ano, mas Maeve continuava ocupando espaço em sua mente. Era seu primeiro pensamento do dia, o dia todo, e todos os dias era atormentado por sussurros fantasmagóricos e malignos: *Você está vivendo a vida errada.*

Ficara tão assustado que, pela primeira vez na vida, perdera completamente o apetite. Nunca precisara tomar uma decisão tão adulta antes, era óbvio que feriria Natalie, e ele não gostava de causar dor e sofrimento a ninguém.

Repentinamente, se dera conta do romance entre Maeve e David. Sua vigilância constante revelara que eles eram um casal. Maeve amava David? Matt concluíra que provavelmente sim, porque ela não era do tipo que brinca com o sentimento dos outros. Mas, mesmo que não o amasse, certamente existiriam outros homens na terra desejando-a, certo? Teria que lutar com cada um, com todos eles. Coisa que estava disposto a fazer. Mas uma moça tão legal como Maeve provavelmente o desprezaria, ele e seu estilo de vida nada rural. Jamais fora vítima de gás lacrimejante em algum protesto!

Se ele falhasse na conquista de seu coração? Como sobreviveria?

Então, foi a vez de reafirmar seu otimismo. Tinha tanta chance com Maeve quanto qualquer outro homem, não é? Era um cara decente, nunca prejudicara ninguém e, apesar de jamais ter sido apaixonado por nenhuma causa, isso provavelmente se devia ao fato de ainda não ter encontrado a causa certa. Golfinhos! Gostava de golfinhos! Talvez devesse comprar uma camisa Salve os Golfinhos e vesti-la para trabalhar. A menos que... Será que estava enganado? Talvez os golfinhos não estivessem em perigo... Bem, *alguma coisa* estaria. Podiam ser as tartarugas... Esse é o tipo de problema que se encontra quando se tenta ser alguém que não é. Ele era Matt Geary, um cara decente. Talvez isso fosse o suficiente para Maeve e, é claro, ele podia mudar um pouquinho, encontrar Maeve no meio do caminho. Como, por exemplo... o Brad Pitt, uma hora um menino tolo de rosto bonito, fazendo dietas malucas com Jennifer Aniston, na outra um homem de valor, adotando crianças a torto e a direito, de braços dados com a adorável Angelina.

O mais sutilmente que pôde, Matt começou a juntar informações sobre Maeve. Era filha única, ficou sabendo, rebento adorável, nascido tardiamente de pais que pensavam jamais ser abençoados com uma criança. Era formada em Economia pela universidade de Galway. Depois de deixar a faculdade, fora para a Austrália — com um *namorado* — e morara em Melbourne durante dois anos, até o vencimento de seu visto. Depois passara um ano viajando pela Ásia e pela América do Sul — *sem o namorado*; *obviamente haviam terminado* — antes de voltar para a Irlanda e começar a trabalhar na Goliath.

Matt reuniu essas pequenas gemas de conhecimento sobre Maeve, sempre faminto por mais informações — depois, caiu em si. O que estava pretendendo?

Tentou convencer-se a ser a pessoa que era antes da fatídica viagem de trem. Estava angustiado, tão assombrado e confuso que se surpreendia que ninguém percebesse.

Em alguns momentos, tinha certeza de que entre ele e Natalie estava tudo acabado, e outras vezes tinha tanta certeza quanto de que eram um casal sólido que acabaria morando junto em algum momento.

Numa tentativa de facilitar sua libertação, Matt tentava encontrar falhas em Natalie, mas a única coisa que conseguiu foi concluir que depilava demais a sobrancelha. Às vezes, até pontinhos de sangue podiam ser vistos no seu supercílio. Terrível. Que tipo de mulher era capaz de fazer aquilo consigo mesma? Que tipo de mulher *mutilaria* o próprio corpo?

Dez dias depois desse primeiro questionamento, lá estava Matt, deitado na cama de Natalie, vendo-a se preparar para sair.

Ela experimentou um jeans e olhou-se no espelho, mas, o que quer que tenha visto, não a fez ficar satisfeita, porque tirou a calça e escolheu outra. Também não gostou; experimentou outra. Logo, lá estavam as calças no chão e, finalmente, Matt perguntou:

— Quantos jeans você tem?

— Sei lá.

Para ela não saber, deviam ser realmente muitos!

— Chuta — pediu ele. — Cinco?

— Mais.

— Dez?

— Mais.

— Mais?

Ela parou para fazer um cálculo mental.

— Mais ou menos uns dezesseis — concluiu. — Mas é *óbvio* que não uso todos.

— É óbvio?

— Porque boca de sino está fora de moda. Nunca mais vou poder usar. Devia doar para caridade.

— Achei que boca de sino tinha voltado.

— É outro tipo de boca de sino.

— Quantos jeans você acha que a Maeve tem? — perguntou Matt.

Era uma pergunta desafiadora. Será que Natalie se perguntaria qual o motivo de ele estar falando sobre Maeve?

Mas Nat também se apaixonara por Maeve, achava a moça a coisa mais fofa do mundo, e Matt, desbravadoramente, perguntou-se se, talvez, os três não poderiam morar juntos.

— Maeve? Sei lá. Dois?

Dois. Isso, o número correto de jeans para um ser humano. A pessoa usa um enquanto o outro está lavando. Qualquer coisa acima de dois era grotesco, consumismo desenfreado. Então, Matt se lembrou de que possuía pelo menos seis jeans. Mas tudo isso poderia mudar, prometeu-se silenciosamente. Tudo isso mudaria quando... Não! Não, ele não podia pensar nisso. Não aconteceria. Nada iria mudar. Ele e Natalie ficariam juntos para sempre.

Natalie estava pronta. De pé na sua frente, elegante, um pescoço lindo, vestida com uma de suas dezesseis calças jeans.

— Você está linda — disse ele.

Mas, com um temor ligeiro, sabia que isso não era suficiente.

# *Dia 60...*

Às cinco e trinta e cinco da manhã, na cama obscenamente confortável de Conall, Katie foi acordada pelo beijo de despedida do namorado. Barbeado, de terno, com um perfume forte e cítrico.

— Ligo para você — disse ele.

— Ok — murmurou ela, voltando a dormir. Tirara o dia de folga. Não estava se fingindo de doente como daquela vez em que telefonara com a voz rouca para o trabalho e dissera: "Acho que estou com intoxicação alimentar". Este era um dia de folga genuína, anual, combinada com antecedência, porque Katie queria poder beber despreocupadamente no seu jantar de aniversário, sem ter que pensar no trabalho no dia seguinte, exausta e lutando contra o desejo de vomitar. É claro que, num mundo perfeito, ninguém comemoraria o aniversário numa noite de segunda-feira — e, na verdade, seu aniversário era só na sexta —, mas a celebração tivera que ser antecipada, porque Conall ia para Helsinki naquela manhã, para acabar com empregos e plantar o terror no coração de alguns desafortunados finlandeses, exatamente como fizera com todo mundo na Apex Entretenimento dez meses antes...

Na manhã seguinte da epifania de Katie, que dizia que sua crise podia se transformar numa oportunidade de ir para a Índia, Danno cumprimentou-a, dizendo: — A noite dos enforcados. Metade da equipe de vendas foi demitida. Ouvi dizer que o Destruidor vendeu as mesas de trabalho dos demitidos durante a noite no eBay.

— Quanto disso é verdade? — perguntou Katie. Estava mais preocupada em despachar os Knight Ryders. Depois que alcançassem o espaço aéreo alemão não seriam mais responsabilidade sua.

— Ele demitiu cinco pessoas da equipe de vendas — disse Danno, ligeiramente mal-humorado.

Katie checou seus e-mails: o avião que levaria a turnê para a Alemanha pousara no aeroporto de Dublin...

— Cinco de quantas?

— Trinta e sete.

... Lila-May estava no Four Seasons buscando Elijah e os rapazes.

— Isso não é nem a metade, certo? — Mesmo assim, sentiu um arrepio de terror. Pessoas estavam sendo demitidas. Estava acontecendo. — Ele vendeu mesmo as mesas?

— Claro. — Danno acreditava que, quando era flagrado mentindo, nunca deveria perder a pose. — Conseguiu quinze euros pelo lote. Quem comprou foi uma empresa espanhola que faz trens de madeira. De brinquedo. Ah, e casas de bonecas. E...

O telefone de Katie tocou, e ela teve uma intuição de que não deveria atender à chamada. Seria a ruína de sua vida.

Era Lila-May: — Elijah Knight sumiu.

A primeira coisa que passou pela cabeça de Katie foi: Será que vão me culpar? Depois, pensou: Vou ser demitida mesmo, quem se importa?

Talvez Elijah tivesse saído para comprar meias, mas era improvável. Principalmente porque Lila-May disse: — Ele deu uma pancada na cabeça do segurança com o salto da bota de cowboy e saiu correndo. O cara vai precisar de pontos.

Katie pressionou os olhos com as mãos. Lendas vivas davam tanto trabalho.

— Ok, pede para darem uma busca no hotel. E você, dê uma olhada nos bares. — Desligou e falou em voz alta: — Gente, para tudo. O Elijah sumiu.

Gritos chocados tomaram o ar, alguns até mesmo vindos de membros do marketing, o que era decente da parte deles, porque esse era um problema da área de RP.

Danno pegou um pilot preto e começou a inalar tinta o mais discretamente possível, preparando-se para o drama que tinha pela frente.

— George! — exclamou Katie. — Telefone para todos os jornalistas que você conhece, para todos os seus contatos nos tabloides de fofoca, para ver se alguém viu o cara por aí.

(A vibração de George era fria e inconsistente; somente um ligeiro rastro de canalhice impedia-o de se transformar num nada absoluto. Gostava de sua grande popularidade com os jornalistas, que o enxergavam como um autêntico farejador de mexericos.)

— A gente não devia tentar conter isso? — perguntou Audrey, ansiosa.

— Não, não temos tempo. — Em meio ao pânico, Katie percebeu que um homem — só podia ser o famigerado Bárbaro, o Destruidor — aparecera no escritório. — É para espalhar a notícia em todo canto; assim achamos o cara mais rápido.

Agora, ele estava ao lado da sua mesa. — Meu nome é Conall Hathaway — disse. — E você é?

— Katie Richmond.

Conall fez um gesto afirmativo de cabeça, como se estivesse arquivando a informação para quando fosse a hora de demiti-la, foi isso que Katie pensou.

— O que está acontecendo? — Conall gesticulou indicando o escritório. O pânico era quase visível.

— Não sabemos onde está um cantor. O Elijah Knight. — Com sarcasmo não característico, ela acrescentou: — Ele é do Knight Ryders, a banda metaleira da Apex...

— Eu conheço.

O telefone dela tocou, interrompendo a interação. Era o agente da turnê, querendo saber por quanto tempo deveria segurar o avião em solo. Katie franziu o cenho, procurando a decisão correta. Ficar ou ir? Ir ou ficar? A equipe precisava de, pelo menos, cinco horas para montar o palco. No entanto, qual a função de um palco sem um cantor? E para que um cantor sem um palco?

— Katie...?

— Vai agora. — Seu aparelho digestivo foi tomado pelo medo de uma decisão errada. — Manda o restante da banda e a equipe para Berlim, eles precisam de tempo para se preparar para hoje à noite. Se eu não conseguir encaixar o Elijah num voo mais tarde, contrato um jatinho.

*Fui eu que dei a ordem de o avião de Elijah levantar voo sem ele. E se eu não conseguir colocá-lo em outro voo? Vai ser constrangedor o bastante para a situação ir parar nos jornais.*

Conall Hathaway ainda estava ali, o olhar de pedra. Perscrutando sua caneca, planejando vendê-la no eBay, com certeza. Protegeu-a com a mão.

*Odeio meu trabalho. Odeio essa angústia. Odeio que as consequências das minhas decisões afetem tanta gente.*

— Se você veio aqui para me demitir — disse para Conall, assustada demais para ser cuidadosa —, vai ter que esperar. — Assoviou para Danno como se ele fosse um cão fiel. — Você, aqui, comigo. Você também, Audrey. — Para Connal Hathaway, ela disse: — Porque agora vou ter que sair para procurar o Elijah.

— E se vocês não o encontrarem?

— Temos que encontrá-lo. A banda vai tocar para oitenta mil pessoas hoje à noite, em Berlim. — Que loucura!

— Onde você vai procurar?

— Vou começar pelos bares.

— E se ele não estiver em nenhum?

— A gente sempre pode partir para garotas de programa...

— E se ele não estiver com elas?

— Então acho que... acho — Katie fixou o olhar longe e começou a sentir o peso da noite maldormida, de seu surto noturno, crise versus oportunidade, e ouviu-se dizer: — Acho que o show de hoje à noite em Berlim talvez tenha uma versão instrumental. Os fãs provavelmente vão se revoltar, oitenta mil sonhos vão ser destruídos, milhões de euros perdidos e...

— E?

— E... — Ela encolheu os ombros e sorriu, aliviada, porque, por um instante, tudo ficou claro. — E um dia todos nós vamos estar mortos e nada disso vai ter a menor importância.

No final, deu tudo certo. Seguindo a pista de um anônimo, Elijah fora descoberto, bêbado e sentimental, num restaurante em Dublin. Katie e Danno conseguiram enfiá-lo num avião, foram com ele até Berlim, entregaram o artista ao empresário alemão e voaram de volta para Dublin. Elijah cantou como sempre e nenhum dano maior foi causado. Mas o choque da confusão ainda atormentava Katie no dia seguinte: e se eles não tivessem encontrado Elijah? E se ele estivesse bêbado demais para se apresentar? É óbvio que, se ela fosse demitida de qualquer maneira, que importância teria isso? Na hora do almoço, em busca de conforto, resolveu ir à papelaria. Gostava de olhar canetas e cadernos, achava que seu colorido tinha um efeito curativo sobre sua alma ferida. Encontrou um diário que tinha florzinhas decalcadas. Bonito. Teve de admitir que talvez as páginas fossem muito exageradas, não muito práticas para o uso, mas não tinha importância, tinha gostado e o compraria assim mesmo... Caracas! Na seção de post-its coloridos, comendo sem entusiasmo um mix de nozes e frutas, estava ninguém menos do que o Famigerado Hathaway.

Por que ele tinha que estar ali, no seu santuário?

Instantaneamente, tentou se esconder. Iria à farmácia em vez disso; gostava de farmácias tanto quanto gostava de papelarias. Podia passar horas olhando cremes, remédios homeopáticos e produtos de cabelo. Uma farmácia era um paraíso de deleites, uma força do bem, um raio de luz num mundo frequentemente sombrio... Tarde demais! Conall Hathaway a vira! Seus olhos se encontraram, ele amassou a embalagem do petisco e limpou rapidamente a boca com as costas da mão.

— Katie. Oi. — Seu pomo de Adão em movimento enquanto o último pedaço da guloseima atravessava seu esôfago. — Como vai?

— Bem. — Um silêncio se interpôs entre eles e, num reflexo de educação de alguém que trabalha como relações-públicas, ela perguntou: — Como vão as coisas?

Conall encolheu os ombros, desanimado. — Não se pode dizer que sou o favorito do mês na Apex.

*Quanta audácia! Quanta... Qual era a palavra? Isso! Quanto cinismo.*

Olhou para ele, sem expressão, e pensou: *Você é cínico. Estou disfarçando, pensando que você é um cínico e você nem percebe. Provavelmente, vai me demitir, mas, mesmo assim, posso achar você cínico e não existe nada, ha-ha, nada, que você possa fazer para mudar isso.*

Foi muito divertido. Tão divertido que Katie disse: — Talvez você devesse tentar outro tipo de trabalho. — E continuou: — Se é amor o que você está procurando. — *Eu realmente disse isso de verdade?* Para a própria surpresa, acrescentou: — Quem sabe o sacerdócio?

Índia, pensou ela, examinando o rosto espantado dele. Índia. Nada que ele fizesse poderia feri-la. A pior coisa que poderia fazer seria demiti-la e, então, ela iria para a Índia. Onde seria iluminada. E, também, de preferência, contrairia uma infecção intestinal causada pela água e perderia muitos quilos. Perder quatro quilos e meio seria uma bênção e, realmente, faria toda diferença. O problema era a comida; se ela, pelo menos, não fosse tão gulosa. Mas a Índia cuidaria disso. Índia, pensou ela. *Índia.*

— Sacerdócio? — perguntou Conall.

— Ou talvez você pudesse ser um médico capaz de curar a cegueira — sugeriu Katie. — Eles devem ser muito amados.

Conall observou Katie com desejo enquanto ela saía da loja, mantendo a postura admiravelmente ereta nos saltos altos. Garota impressionante. Não que ela fosse exatamente uma garota, Conall sabia. Era mais velha do que seu tipo usual — lera sobre Katie nos arquivos; portanto, sabia exatamente quanto ganhava, seu endereço, sua *idade*: 39. Mas ele mesmo tinha quarenta e dois, e, talvez, fosse a hora de ter uma namorada que não fosse uma década mais jovem do que ele, alguém com quem compartilhasse referências culturais, que se lembrasse do início da carreira de David Bowie. E de sua volta às paradas.

Conall Hathaway ficou caidinho por ela. Havia sido o comentário de Katie no dia anterior: "Um dia todos nós vamos estar mortos e nada disso vai ter a menor importância". Por um momento, a frase o fizera pensar de maneira completamente diferente. Estava sempre tão focado no trabalho, nas escolhas brutais que tinha que fazer; e, de repente, toda essa ansiedade diminuíra e ele enxergara a própria vida como algo pequeno, suas decisões absolutamente sem importância, e ficara impressionado com a liberdade que isso lhe proporcionava. Estava intrigado com a originalidade de Katie, com sua coragem e, acima de tudo, com sua sabedoria. Era ainda mais impressionante o fato de que rira dele, de seu choque manifesto.

*Se, ao menos, ele soubesse que a verdade era muito, ah, muito mais complexa. Antes de mais nada, os corações de Conall e Katie vibravam em harmonia. E, mais: o formato do rosto de Katie — o grande espaço entre seus olhos e a doçura da covinha no seu queixo — atiçava uma lembrança vaga e inconsciente de Conall, uma professora por quem fora apaixonado na tenra idade de cinco anos. Nessa mistura incendiária, ainda entrava um atraente perfume de petróleo — do pilot preto de Danno —, o que fez com que Conall voltasse aos seus ilícitos, porém excitantes, tempos de adolescente. E, é claro, Conall prestara atenção nos seios generosos de Katie, apertados dentro de um casaquinho justo, em delicioso e delirante conflito que fazia com que ela parecesse maternal e, ao mesmo tempo, muito pouco maternal.*

O que faria? Perguntou-se, com o olhar perdido sobre uma caixa de tachinhas coloridas, como se elas tivessem acabado de soltar um pum. Não poderia convidá-la para sair e depois demiti-la. Nem demiti-la e depois convidá-la para sair. Outra opção, claro, seria não demiti-la, mas não sabia se conseguiria justificar isso.

Encontrava-se numa posição absurdamente esquisita. Normalmente, quando queria alguma coisa, a coisa era dele. Sou Conall Hathaway, pensou, e sempre consigo o que quero.

Desconsolado, pegou um pacote de post-its vermelhos em formato de coração e encaminhou-se para o caixa.

# *Dia 60...*

No parque, Rancor sonhava estar numa corrida de obstáculos. Saltava alto e distante, livrando-se de barreiras invisíveis enquanto Jemima, sentada num banco, respirava o ar saudável da manhã. Rancor se divertia, as orelhas compridas de burro para trás, o pelo cinza ao sabor do vento. Um homem sentou-se ao lado dela e ficou observando o atletismo do cão com um interesse que beirava a fascinação.

— Olha só esse cachorro — disse.

— É meu — respondeu Jemima de primeira. — E é muito amado. — Disse isso para evitar que o homem constrangesse aos dois dizendo: "Não é o animal mais doido que você já viu?"

— Ele é cheio de energia, com certeza... ah, de que raça ele é?

— Me disseram no canil que era um cocker spaniel...

— Um *spaniel*? Não é um pouco grande para ser um spaniel?

— Misturado com collie...

— Collies, criaturas adoráveis, temperamento muito tranquilo.

— ... e uma pitada de fox terrier...

— Fox terrier? É verdade... — O homem olhou, ainda com certa dúvida. — Acho que estou vendo alguma coisa de...

— ... e me disseram que um dos avós dele era um bassê irlandês.

— Ótimos cães da pátria.

Jemima se levantou e assoviou para Rancor. — Preciso ir — disse ao homem. — Meu filho, Fionn, vem me visitar. Quero dar um jeito no apartamento.

Jemima não tinha realmente que ir para casa, só queria uma desculpa para dizer aquelas palavras deliciosas: *Meu filho, Fionn, vem me visitar.*

Claro que ele não era seu filho legítimo, era filho de criação, mas não havia necessidade de dizer isso ao homem.

— Ele é jardineiro. — Não conseguia evitar, o orgulho era muito grande. — E acabou de ganhar um programa de televisão. Seis semanas. Para começar. Mas, se a audiência *bombar*... — Isso, checou consigo mesma, *bombar* foi, quase com certeza, a palavra usada por Fionn. — Se bombar, talvez renovem a temporada.

— Muito bom.

— Ele mora em Monaghan, mas vai ficar na minha casa durante as gravações. Ofereceram um hotel, mas ele disse que preferia ficar comigo.

— Muito bom. — O homem mudou de posição.

— Tem um buraco no mercado... com certeza se pode dizer que é um rombo... no quesito programas de jardinagem. Ando fazendo uma pesquisa, e esse ramo é uma pobreza. Ontem à noite, tive o desprazer de assistir a um, apresentado por um tal de Monty Don e, nossa, que horror...

— Mas o Monty Don é maravilhoso!

— Mas nada *relevante*, não é?

— Ele é um jardineiro que faz programas sobre jardins. Precisa ser mais relevante que isso?

— O programa do meu filho oferece muito mais. "Um sistema de apoio completo para o nosso estilo de vida do século 21." — Ela repetia exatamente as palavras de Fionn. — "Nossa vida é cada vez mais rápida, mas a gente precisa voltar a olhar a terra. As palavras-chave são: *Fresco! Orgânico! Plante você mesmo!*"

— Bacana. — O homem se levantou.

— O título é Seu Jardim Particular — Jemima gritou para ele, que se afastava apressado. — Preste atenção. Canal 8, logo, logo.

# *Dia 60...*

O percurso de Maeve até o trabalho era uma performance de tão alto risco que talvez se pudesse vender ingressos para se assistir. Estava ainda mais audaciosa e desafiadora do que quatro anos e três meses antes, quando Matt avistara seu gorro laranja no meio dos carros pela primeira vez. Agora, ziguezagueava como um feixe de luz cortando desfiladeiros estreitos formados de caminhões e ônibus, esgueirava-se por filas imensas de carros e — o mais incrível — avançava sinais vermelhos, tecendo caminhos miraculosos diante de motoristas chocados na direita e na esquerda. Um exercício de pura adrenalina que parecia quase contrário à delicadeza de seu despertador matinal.

Não trabalhava mais numa empresa de software, e sim no departamento de reservas da Emerald, pequena rede hoteleira. O escritório da equipe administrativa da Emerald ficava no sótão de seu hotel principal, o Isle. Maeve cruzou o escritório sorrindo, cumprimentando colegas até chegar à sua mesa, no final da sala.

Ligou o computador e começou a trabalhar imediatamente. À sua volta, colegas discutiam o que cada um jantara na noite anterior, mas Maeve mantinha os olhos na tela e digitava com eficiência.

Parecia que Maeve não trabalhava somente no departamento de reservas, mas sim que *era* o departamento de reservas. Somente ela. Os vinte e poucos colegas estavam na folha de pagamento ou eram temporários ou cuidavam do estoque, o que significava que Maeve não precisava passar pela mesa de ninguém e dizer coisas do tipo: “Está vendo essa reserva? Será que você consegue o que eles estão pedindo?”. No entanto, também não se permitia muito bate-papo nem queixas. Tudo muito perfeito e civilizado, não me entenda mal, mas Maeve mantinha-se muito reservada, o que era surpreendente. Assim como surpreendente era a natureza simples e sem desafios de seu trabalho — honestamente, um macaco bem-treinado conseguiria executá-lo e não era isso o que se poderia esperar de uma mulher com seu charme e sua capacidade. Quem sabia o que acontecera desde os gloriosos dias na Goliath, quando ela demonstrara tanto potencial para que seu período de treinamento acabasse se encerrando duas semanas mais cedo? Talvez, depois de Matt trocar a adorável Natalie por Maeve, as coisas tenham se tornado estranhas e eles tenham preferido trabalhar em outro lugar, e, talvez, nas atuais circunstâncias econômicas do país, este tenha sido o melhor emprego que ela conseguira encontrar.

Durante toda a manhã, Maeve cumpriu seus deveres, reservando suítes para não fumantes e quartos com duas camas, de acordo com as solicitações. Tinha certo orgulho de seus afazeres: pessoas visitavam cidades estrangeiras e encontravam camas esperando por elas, porque Maeve assim o providenciara.

À uma em ponto saía de sua mesa e ia a um pub próximo para comer um sanduíche, e era cumprimentada muito calorosamente pela mulher com cara de dona de casa que trabalhava no balcão.

— Oi, Maeve. O que vai ser hoje?

— Oi, Doreen. Salada de presunto...

— ... Pão preto, sem mostarda? Batata frita e uma lata de Fanta? Não sei por que ainda me dou o trabalho de perguntar.

— Quem sabe um dia não surpreendo você?

— Não faça isso. Não suportaria o choque. Já existe muita incerteza nessa vida. Gosto do jeito que está.

De posse de seu almoço, Maeve sentou-se ao sol, na escadinha do lado de fora do Banco Central, e observou os turistas e consumidores, procurando a chance de fazer sua Boa Ação do Dia. Será que estava certa ao pensar que isso era mais fácil nos meses mais frios?, perguntou-se. Começara em março, um mês em que as pessoas deixavam cair no chão itens como luvas, echarpes, chapéus, gorros, e tudo que Maeve precisava fazer era pegar a peça perdida e correr atrás da pessoa, que emanava gratidão. Por outro lado, o verão trazia turistas, pobres estrangeiros em estado de choque com a geografia ilógica das ruas, e, nas duas últimas semanas, as boas ações diárias de Maeve acabavam lhe chegando de mão beijada quando algum italiano ou americano desnorteado lhe pedia direções. No entanto, hoje o movimento estava fraco. Ninguém perdido consultando mapas, ninguém precisando de ajuda para carregar sacolas escadaria acima, ninguém em situação de urgência pedindo celular emprestado. Eram dez para as duas, quase hora de voltar ao trabalho, e ela ainda não encontrara alguém com quem pudesse ser gentil e boa quando — ahá! — avistou uma possibilidade. Um casal jovem, turistas, obviamente. A moça estava ao lado de uma caixa de correio verde — tipicamente irlandesa —, e o rapaz tirava uma fotografia dela.

Maeve se levantou. Não queria fazer isso, nunca *gostava* de fazer isso, mas se sentiria melhor, depois. Foi até eles e forçou um sorriso.

— Querem que eu tire uma foto de vocês dois juntos? Do lado da caixa de correio?

Eles a encararam como se fossem estátuas de pedra. Talvez não falassem inglês.

— Francês? *Voulez-vous...*

— Nós dois somos americanos — disse a menina.

— E vocês querem uma foto juntos? Perto da, ahn, caixa de correio?

— É... — disse o rapaz, protegendo a câmera.

Então, Maeve compreendeu. — Olha só, não vou roubar a câmera. Toma — ofereceu sua bolsa à garota —, fica com isso como garantia. — A jovem resistiu. — Por favor — pediu Maeve. — Só quero ajudar.

— Este é um ato de boa ação voluntária?

— Exatamente! — O rosto de Maeve se iluminou.

— Tudo bem. — disse a moça para o rapaz. — Entendi o que é. Pode dar a câmera para ela.

Maeve tirou várias fotografias, o casal era adorável e, agradecido, disse que ela era "show de bola" e "se um dia você for a Seattle..."

— Você tira uma foto minha com meu marido?

— Com certeza!

No final, sentiu-se muito melhor. A questão era que o livro que recomendava essa prática diária — um manual qualquer de autoajuda — não levava em conta o fato de que os destinatários das boas ações de Maeve nem sempre eram agradáveis ou gratos. Muitas vezes, ficavam confusos ou desconfiados, até mesmo desdenhosos. Apenas na última semana Maeve perdera vinte minutos de seu horário de almoço carregando uma lata de lixo enorme — não uma dessas pesadas, mas uma dessas esquisitas — pelo meio das pessoas na rua, de Abbey Street até a estação de Tara Street, e a mulher, a estranha escolhida casualmente, dona da lata de lixo, pareceu chateada com o fato de Maeve pegar o trem com ela para ajudá-la a carregar o objeto até seu destino final.

Hoje, porém, fora um bom dia. Perguntou-se como estava a situação da Boa Ação do Dia de Matt. Certamente algo relacionado ao carro, dar passagem a outro motorista, esse tipo de coisa. Era sempre assim. Ela e Matt eram tão diferentes em tantas coisas que era estranho que tivessem acabado juntos. Maeve sempre tivera carinho por ele e ainda era capaz de apontar o momento exato em que começara a se apaixonar...

Quatro anos e três meses antes, numa noite de sábado de abril. Maeve estava enroscada na cama de David, meio dormindo, meio acordada, quando, de repente, deu um pulo da cama, completamente desperta. Agarrou o pulso dele para ver o relógio.

— Caramba, David, são oito e meia. Levanta! Quem toma banho primeiro?

— Espera. — Ele tentou acalmar sua agitação. — Se acalma um minuto.

— Mas as pessoas estão esperando! Se a gente não agilizar, talvez perca a banda.

— Calma. — Mais uma vez, ele tentou acalmá-la. Olhou-a nos olhos, e ela sentiu o relaxamento voltar ao seu corpo. — Calma — repetiu ele. — Cinco ou dez minutos não vão fazer diferença.

— Ok — respondeu ela, liberando a ansiedade numa longa respiração.

— Ok.

David e Maeve. Maeve e David. De certa forma, a Goliath era como uma grande agência de namoros. Eram mais de duzentos funcionários, a maioria na faixa dos trinta, e tendiam a andar em bando, fazer coisas em grupo, bem ao estilo de Galway, indo juntos para o trabalho, para festivais e bailes beneficentes. Se alguém ficasse a fim de alguém, bastava garantir a permanência no mesmo grupo. Encontros de verdade, como jantares a dois, eram malfalados, pelo menos entre as abelhas trabalhadoras. Claro que era diferente no escalão superior — gerentes como Matt e Nat eram de outra estirpe, gostavam de feriados em hotéis do campo, massagens de casal, serviço de quarto, todas essas coisas. No entanto, nenhum julgamento era feito; cada um com seu cada um, cada macaco no seu galho.

Logo depois de Maeve iniciar seu treinamento na Goliath, percebeu que seus colegas acreditavam fielmente em "é dando que se recebe". Antes mesmo de saber onde ficava a máquina de café, viu-se envolvida num comitê de organização de um espetáculo de comédia beneficente para ajudar os sem-teto. David era quem comandava o evento. Ele e outros voluntários persuadiram vários comediantes conhecidos a participarem — abrindo mão do cachê, é óbvio —, com a equipe da Goliath, sendo todo o valor revertido para caridade. Durante o mês seguinte, quando Maeve abriu mão de várias noites para dar apoio ao evento, notou o interesse de David, mais e mais intenso com a proximidade da apresentação. Também percebeu que algumas das outras meninas do comitê estavam com ciúme do interesse de David por ela — que não conseguia evitar se sentir lisonjeada. David era viajado, inteligente, apaixonado pela justiça, um pouco mais velho do que o restante deles e, mesmo assim, era dela que ele gostava. Seu namorado anterior, Harry, que conhecera na

Universidade de Galway e com quem fora para a Austrália, era legal e tudo o mais, mas não tão impressionante quanto David.

A noite da apresentação chegara, finalmente, e tudo correra bem, graças à eficiência da organização. Milhares de euros foram levantados e, depois, quando a comemoração do comitê chegara ao fim, Maeve fizera o que já sabia havia semanas que faria naquela noite: fora para casa com David.

E foi isso, ficaram juntos. Tinham muito em comum. Bicicletas. Cerveja. Bandas de música. Bodyboard em Clare. Pasta de grão de bico na geladeira. Romances de Barbara Kingsolver. Tendências altruísticas. David era a pessoa mais cheia de princípios, a pessoa mais *verdadeiramente* boa que jamais conhecera.

— Ok. Vou tomar uma chuveirada — disse Maeve.

Mas David abraçou-a com força e enrolou um dos seus cachos no dedo. — Vamos ficar aqui.

— O quê? Como assim?

— Não vamos sair hoje à noite.

Maeve ficou chocada.

— O que vamos ficar fazendo?

— Várias coisas me ocorrem.

Já haviam passado a tarde na cama. Maeve achava que era o suficiente.

— Nunca vi o Fanfare Ciocărlia — disse. — Quero ir.

— E eu quero ficar com você.

— A gente já comprou os ingressos. — Esse argumento funcionaria, pensou ela. David não gostava de desperdício.

— É só dinheiro.

— É, mas...

— Ok — suspirou David. — Você prefere sair com as pessoas do trabalho do que ficar comigo.

— David... — Ele saiu da cama e se encaminhou para o banheiro.

* * *

No show — era uma banda de ciganos que tocavam tubas freneticamente, reproduzindo temas dos filmes de James Bond —, com quem Maeve esbarrou? Matt. Ele dançava como um louco com os outros! Foi uma surpresa porque, fora os drinques das noites de sexta-feira, chefes não socializavam com os membros da equipe. Foi uma surpresa bacana, porque todo mundo amava o Matt. A equipe dele era a melhor de todas. Certo, era trabalho, e trabalho é geralmente frustrante, angustiante, mas, como Matt era sempre animado e positivo, dava para se divertir.

— Matt! — gritou Maeve acima do volume da música. — Não sabia que você gostava desse tipo de coisa.

— Nem eu, mas é puro poder!

*Puro poder?*

— Cadê a Nat? — gritou.

— Não veio. Isso aqui não é para ela.

Legal da parte dele ir sem ela, e o que fazia dele ainda mais encantador era que... era que... ele era, bem, dançava muito mal. Se sacudia feito um filhote de cachorro, sem medo de que rissem dele. Era fofo. O coração suavizado pela doçura dele, Maeve pensou, *Matt...*

*Essa coisa de entrar e sair de pântanos de memória — sou capaz de fazer isso, mas não é um trabalho limpo. Não posso simplesmente pular para o passado das pessoas, buscar o que quero encontrar e sair de novo, deixando tudo do jeito que está. Já estou causando ondas, inquietação, confusão. Ando me enfiando na vida deles, aparecendo nos seus sonhos, me esgueirando nos seus pensamentos. Daqui a alguns dias e semanas, todo mundo vai dizer que sabia que isso ia acontecer. Que pressentiam.*

# *Dia 60...*

Fionn estava a quilômetros de distância, no solo cinzento de County Monaghan, mas a conexão entre ele e Jemima era tão forte que tudo que precisava fazer era agarrar-se a ela, como um teleférico a um fio, e deslizar através do éter. Fionn podia ser encontrado numa casa branca, num pequeno terreno rochoso a três quilômetros de uma cidade chamada Pokey. Um lugar de beleza avassaladora. Uma névoa encobria sua casa, mas o sol também estava aparente, brilhando com furor, tentando contrabalançar a neblina, de modo que a casa parecia estar cercada por um halo.

E, meu Deus, a vibração que emanava daquele homem! Tão poderosa, tão colorida: charme com pitadas de dourado, firmeza marrom — e mais alguma coisa... um toque de prata mercurial, visível somente quando não se olhava diretamente para ele.

*Devo admitir: não consegui uma leitura apropriada de Fionn. Pelo menos, ainda não.*

Mas posso dizer o seguinte: ao cabelo provavelmente faria bem uma água. Ao jeans também. E à bancada da cozinha. Nada imundo, não, nada tão mal assim, mas um pouquinho menos que limpíssimo. Parecia que Fionn não confiava na higiene. Inconscientemente, suspeitava que fosse um conceito artificial, uma invenção da Procter & Gamble, para assustar as pessoas e fazer com que comprassem produtos para limpar carpetes. Alguns germes não matam um ser humano, sempre dizia. (Fora aqueles, claro, que matam.)

Estava enchendo a boca de granola ao mesmo tempo que dava goles numa caneca de chá. Eram cinco para as duas e estava atrasado para o trabalho. Fionn tinha mais clientes do que era capaz de atender, a maioria mulheres, residentes na cidade de Pokey, pequenos pontos de luz vermelha brilhando num mapa.

Fionn vivia sozinho — bastava olhar para sua casa. Os lençóis eram de poliéster, os travesseiros tão antigos que ja estavam achatados, e o sofá não tinha mais molas. Tudo era funcional, frio, quase triste.

Terminou a última colherada de cereal, ergueu a tigela na altura da boca e bebeu o restinho de leite. Indicando o *grand finale* da refeição matinal, limpou o leite do queixo com a manga da camisa, vestiu uma jaqueta, botas de bico fino — escolha nada prática para um jardineiro — e saiu de casa.

No jardim, atravessou uma pequena faixa de lama, agarrou três tufinhos verdes e arrancou cinco cenouras gordas da terra. O terreno em volta de sua casa fora destinado à plantação. Havia tomates cerejas, *framboesas* subindo em pauzinhos e um grande canteiro de batatas. Sacudiu as cenouras para limpar o grosso da sujeira, colocou-as no banco de trás do carro, lata velha de treze anos, e seguiu para a cidade.

# *Dia 60...*

Katie dormiu até o meio-dia e acordou na magnífica cama de Conall, no lindo quarto de Conall da enorme casa de Conall. O edredom mágico, que parecia recheado de marshmallows macios, enrolava-se ao redor dela com profundo amor. *Está tudo bem*, sussurrava ele, *está tudo bem*. A parede em frente, pintada de cor pastel, espécie de ameixa desmaiada, sorria para Katie. O teto alto olhava bondosamente para baixo, como se dissesse: *Sinto-me honrado de fazer o papel de teto para você*. As pesadas cortinas de cetim roçavam e balançavam, perguntando se ela estava pronta para receber a luz de um dia ensolarado. Aquele quarto era divino. Quando Katie e Conall rompessem — como todos secretamente previam —, essa seria uma das coisas de que mais sentiria falta.

Disso e do "prazer".

Todas as mulheres que conhecia (exceto sua mãe) eram ávidas por descrições detalhadas da performance de Conall entre seus deliciosos lençóis texturizados.

— É bom — sempre dizia Katie. — Gostoso.

— Bom? Gostoso? Nada de outro mundo?

— Bom, gostoso.

— Mas ele é tão lindo, tão poderoso, tão intenso... Pensei que fosse incrível.

— No fim das contas — Katie tinha profissionalizado o gesto de encolher os ombros em conjunto com a frase —, ele é apenas um homem.

Ninguém gostava de ouvir isso. Mas, pensava Katie, como cada pessoa que conhecia a aconselhava criteriosamente a ter um pé atrás com Conall, ninguém poderia objetar se ela assim o fizesse. (Ou, pelo menos, fingisse que o fazia. Sim, era cuidadosa para não ser tomada pela personalidade forte e pelo colchão tamanho king de Conall, o prazer, porém, era uma área à qual sucumbia completamente. Tinha trinta e nove anos — ok, quarenta recém-completados —, era uma mulher no auge da sua sexualidade!)

Do lado de fora do quarto, o piso de tábuas corridas parecia rústico e áspero sob seus pés descalços, e as paredes empoeiradas, feridas abertas. Entediado num fim de semana, Conall decidira arrancar o papel de parede, mas, rapidamente, desistira da empreitada ao descobrir sete ou oito camadas de revestimento debaixo daquele que arrancava. No chão do corredor, os quadros estavam descuidadamente empilhados uns sobre os outros, e várias caixas ainda estavam fechadas. Exceto pelo quarto e pelo banheiro, a casa inteira permanecia como quando Conall se mudara, quase três anos antes. O belo dormitório fora cortesia de Saffron, que precedera Katie, obviamente uma mulher de bom gosto; mas, infelizmente, Conall terminara com ela antes que pudesse emprestar suas habilidades a outros cômodos. (O banheiro devia agradecimentos a Kym, antecessora de Saffron, mas, na opinião de Katie, Kym não tinha o talento de Saffron.)

A cozinha era o pior cômodo, uma briga de formas geométricas, de cores laranja e amarelo no piso, armários mostarda, caindo aos pedaços. Espalhadas na mesa jamais utilizada, catálogos de empresas alemãs, responsáveis por cozinhas maravilhosas, amostras de mármore, cerâmicas e diferentes tipos de madeira que Conall encomendara, mas nunca parara para escolher. Às vezes, o olhar de Katie ficava fixo nessas amostras — especialmente nas lâminas imitando madeira — e ela quase morria de frustração e desejo. Podia transformar aquela casa num lugar tão agradável! Bem, na verdade, qualquer um que tivesse acesso ao dinheiro de Conall poderia.

Desviou o olhar das belas tábuas corridas, porque estava em busca de comida. Não haveria nada apropriado para comer nos armários de Conall, mas, certamente, encontraria chocolate, barras e barras de chocolate, sacos e sacos de jujuba, além da possibilidade de encontrar algum sorvete incrível na geladeira, como alternativa. Seu ritual costumeiro era abrir a porta do freezer e olhar admirada para a seleção de delícias — um Ben & Jenny's, talvez dois ou três diferentes sabores, e uma lista imaginativa de picolés: cornettos, caramelados, pedaços de chocolate, e o prêmio máximo: pistache. Todos de tamanho normal, nada de amostra grátis para Conall Hathaway. Katie concordava com isso: sorvete que acabava em duas dentadas — que graça tinha?

E, da vez seguinte que fosse à cozinha — o que não demoraria muito, no fim das contas, talvez menos de uma semana — todos os sorvetes teriam desaparecido, teriam sido substituídos por sabores completamente diferentes, mas igualmente incríveis.

Açúcar, parecia que Conall vivia à base de açúcar. Era o único homem que conhecia que comia sobremesa. Mas, graças ao metabolismo masculino, o açúcar não tinha para ele o mesmo preço que tinha para ela. As coxas de Conall eram duras e musculosas, não se via um pingo de flacidez nelas, diferentemente das de Katie. Como o invejava...

Mas, hoje, Katie não precisou ir ao freezer. Em cima da bancada toda riscada estava uma série de presentes para ela. Uma garrafa de champanhe com um bilhete dizendo "Beba-me"; uma caixa de um quilo de chocolates Godiva dizendo "Coma-me"; um buquê enorme de rosas gritando "Cheire-me"; e uma caixa com laço de fita cor-de-rosa pedindo "Vista-me".

Juntou tudo nos braços e levou para a cama, triste por Conall não estar presente para usufruir das coisas com ela. Perguntava-se como estariam os finlandeses, se Conall já demitira muita gente.

Ainda se lembrava vivamente da temporada de demissões na Apex...

* * *

Conall começara pelo térreo, passando o rodo em um quinto do setor de vendas, e continuara sua escalada pelo prédio. No primeiro piso, um quarto da equipe de contabilidade fora lançada à escuridão. Em seguida, seria a vez do jurídico, no segundo andar. Enquanto isso, no terceiro e último andar, o departamento de publicidade e marketing aguardava, com ansiedade e rostos pálidos, na expectativa da chegada do carrasco e sua guilhotina.

O prédio fora tomado pelo que Danno chamava de avatares — subordinados da Sony —, que agarravam uma mesa sempre que podiam, espalhando-se sobre contratos, preparando avaliações e relatórios para Conall Hathaway, nas mãos de quem a papelada toda ia parar.

— Ele é Shiva, destruidor de mundos — dizia Danno, e, pela primeira vez, Katie não achou que era exagero. Não eram somente os funcionários que estavam sendo demitidos; os selos de menos sucesso também estavam sendo abatidos. Incontáveis vidas sendo destruídas em nome das decisões de um homem.

— O que esse trabalho deve fazer com a alma dessa pessoa? — questionava Katie.

— Alma? — desdenhava Danno. — Conall Hathaway não tem alma.

— Ele vendeu a alma ao diabo — completava Lila-May.

— Não! — consertou Danno. — Melhor dizer que o diabo vendeu a alma para *ele*. Depois, Conall tirou a parte boa e a vendeu com um lucro gigante. De qualquer forma, Katie Richmond, com o que você está preocupada? É a única pessoa que ainda vai ter um emprego quando tudo isso acabar.

Por mais bizarro que fosse, Conall parecia fascinado por Katie. Ninguém acreditava no começo, depois passara a acreditar, mas não compreendia. Por que Katie entre tantas mulheres mais jovens e sensuais que ela?

Conall, no entanto, não demonstrava o menor interesse por elas. Apesar de estar ali para racionar as operações europeias da Apex, estava passando tempo demais no escritório de Dublin, continuava aparecendo sem marcar hora, desorganizando tudo, até ir parar em Katie, com alguma pergunta idiota que um dos subordinados poderia facilmente ter feito. Sendo objeto de atração de Conall, Katie sofria o ressentimento dos colegas.

— Eu estava ao telefone com meu namorado em Calgary — disse Lila-May —, e, quando olho para cima, dou de cara com o Destruidor Hathaway na minha frente. Ele devia estar em Amsterdã. Meu coração quase parou! Só porque ele queria dar sua olhada regular nos peitos da Katie.

Lila-May, de beleza virginal, não estava confortável em ser sombreada por Katie. Nem Tamsin. Audrey não ligava.

— Sou Conall Hathaway e sempre consigo o que eu quero! — Danno se levantou e começou a marchar pelo escritório. Agarrou Katie, inclinou-a nos braços, aproximou seus lábios dos dela e levou a mão livre ao seio esquerdo de Katie. — Preciso ter você — ronronou. — Vou *ter* você.

— Para, Danno! — Katie se debateu para sair dos braços do colega. — Pelo amor de Deus, para de fazer isso.

— Por que você? — Lila-May se surpreendia, olhando para Katie com ares de raios X. — Sério... por que você?

Katie ficava tão impressionada quanto todo mundo. Homens como Conall, com seus ternos óbvios, relógios óbvios e ares óbvios de poder, deveriam ter namoradas óbvias. Ela era velha demais, marcada demais pela vida, *quadradinha* demais para ele.

— Não sei, mas, quando a gente vive demais, nada nos surpreende — disse ela.

— Você não é velha demais — rebateu Danno.

— Então, por que está agindo como se eu fosse?

— Você transaria com ele para salvar nosso emprego? — perguntou George.

— Isso não salvaria o nosso emprego.

— Ahá! Então você está *pensando* em transar com ele!

Bem, é claro que estava. Ou eles pensavam que ela, além de velha, era burra?

Mas Conall Hathaway andava demitindo gente em massa — seus colegas, provavelmente a própria Katie, dali a alguns dias. Dormir com ele só aceleraria o processo.

— Ela pensa! Ela pensa! — cacarejou Danno. — Mas você despreza o cara.

Verdade, ela desprezava o cara e o trabalho do cara, mas o interessante era que, desde que Conall deixara claro que a considerava atraente, passara a desprezá-lo menos. Não porque fosse uma tela em branco, uma dessas mulheres que automaticamente se interessa por um homem só porque ele se interessa por ela, mas porque ele a surpreendera. Como seus colegas adoravam lembrar, Conall poderia ter paquerado a jovem e linda Lila-May, ou a não tão linda quanto Lila-May, mas ainda assim mais linda que Katie, Audrey. Recusara, porém, todas elas e encantara-se pela mulher mais velha. Como alguém pode não se impressionar com isso?

E, não importava o que Danno dissesse, Conall Hathaway não tinha os olhos gelados de um assassino. Certamente, não o tempo todo. Havia momentos em que seus olhos faziam com que ela...

— Melhor você tomar cuidado — Danno fez a advertência. — Você está feito folha seca que não vê chuva há um ano. Se deixar Conall Hathaway acender seu fogo, ele poderá acender um inferno grande o suficiente para destruir todo mundo aqui.

Irritante como Danno era, havia falado a verdade. Já fazia um ano desde que ela fizera sexo. (Zerogamia, costumava dizer sua amiga Sinead.) Era importante, vital, que não se comportasse como uma solteirona de meia-idade, desesperada pelo toque de um homem.

Porque não era o seu caso.

# *Dia 60...*

Fionn dirigia somente com uma das mãos e rápido demais. Em dez minutos, estava na entrada de uma casa estilo rancho — uma tenebrosa residência do tipo Southfork —, dando a volta até os fundos, carregando casualmente as cenouras.

— Jill — chamou, batendo no vidro da porta dos fundos. — Sou eu, Fionn.

(Jill, uma mulher frágil que doava tanta energia aos outros — aos quatro filhos, ao marido, à mãe idosa —, quase não tinha reservas para si mesma. Exceto por uma ligeira emanação de medo, sua força vital estava tão descompensada que, por um breve período, achei que estivesse morta.)

Ao ouvir a voz de Fionn, foi tomada de uma lufada de energia. Fionn era o presente que dera a si mesma, parte do acordo secreto que fizera para não se entregar completamente. Seu único prazer costumava ser um comprimido para dormir, responsável por sete horas de um sossego piedoso até o dia em que Tandy, a filha de quinze anos, lhe roubara a receita e tivera uma overdose. Tandy contara imediatamente o que fizera para todos; portanto, houvera tempo para uma lavagem estomacal, mas foi o fim dos comprimidos para dormir na vida de Jill. Não se podia ter *nada* com uma filha adolescente em casa, nem rímel, nem botas de cano curto, facas de pão, sedativos; elas pegavam tudo, as egoístas! Assim que Tandy saiu do hospital e voltou para casa, levou a faca de pão para o quarto e fez alguns cortes experimentais no braço — lera sobre autoflagelação numa revista e gostara da ideia. A garota da revista dizia que não sentira nada, que ficara completamente dormente. Enquanto Tandy procurava outra maneira dramática de chamar atenção, pensando na possibilidade de talvez engravidar, Jill tinha de seguir marchando sem remédios para dormir, sem a promessa do fim de cada dia.

Então, conheceu Fionn, e ninguém o tiraria dela. A não ser, talvez, o próprio Fionn. Ele era artigo de muita procura e poderia abandoná-la por outra a qualquer momento.

Estava quarenta minutos atrasado — nunca chegava na hora, e Jill ficava pensando se chegaria o dia em que não apareceria mais; no entanto, diante da necessidade de sua presença, esse temor não era nada.

— Entre. — Fechou os olhos para as manchas de lama que ele deixava no seu chão tão limpinho.

Fionn levou as cenouras para a mesa da cozinha.

— Saíram da terra não tem nem dez minutos.

— Cenouras! — Jill recebeu o presente com a mesma felicidade de quem ganha um diamante. — Com pedaços do seu jardim ainda grudados nelas.

— Adoráveis e doces — disse ele, sorrindo. — Como você. Agora, um pouco das novidades. Vou passar um tempo em Dublin.

— É aquela história do programa de TV? — Jill prendeu o ar.

Todo mundo em Pokey ouvira falar no que acontecera quando a irmã de Carmine Butcher, a "mulher que trabalhava na televisão", viera para o batizado do filho da irmã: conhecera Fionn e concluíra que ele tinha carisma suficiente para ter seu próprio programa de jardinagem; uma BMW prata aparecera alguns dias depois na porta da pequena casa e o levara para Dublin, onde se submetera a testes de câmera, leitura de teleprompters, entrevistas com a produtora e coisas desse tipo.

— É o programa de TV — confirmou Fionn. — Não é uma boa época do ano para eu ir, é a época mais florescente dos jardins, mas acho que devo arriscar e ver no que vai dar.

— Ah... — Jill ficou desolada, mas era inegável que seu jardineiro merecia parabéns por ter seu próprio programa de TV. — Todo mundo acha que você vai arrasar.

— Deixa disso. — Ele ficou sem jeito.

— Acho bom se lembrar de mim quando virar uma estrela.

— Não vou virar uma estrela. É só um programa de jardinagem. E só vou ficar lá um mês, por aí.

— Vão arrumar um lugar para você ficar?

— Ah, não. Vou ficar com Jemima.

— Não vão acomodá-lo num hotel? — O deslumbre de Jill já diminuía.

— Ofereceram, mas prefiro ficar com Jemima.

— Prefere? — Jill ficou desapontada. Nada contra Jemima, ela era boa demais para uma protestante, mas Jill era obcecada por hotéis. Sua maior fantasia era que sua casa caísse num buraco, fosse culpa da construtora, ela ganhasse um dinheiro do seguro e, enquanto a residência era colocada em pé novamente, tivesse de morar num hotel. Adorava hotéis. Podia-se bagunçar tudo, absolutamente tudo — largar as toalhas no chão, deixar cair maquiagem nos lençóis, ketchup no tapete, até mesmo quebrar taças de vinho — e o problema era deles. (Às vezes, em seus maus dias, a fantasia incluía uma subtrama: os quatro filhos, o marido e a mãe haviam ficado presos na casa derrubada. Jill não desejava mal a eles, simplesmente não os queria no hotel com ela; portanto, estavam bem e vivos, jogando banco imobiliário e sobrevivendo à base de enlatados.)

— Vou começar. — Fionn fez um gesto em direção ao jardim. — As plantas cresceram muito desde a minha última visita.

— Não vai ficar longe muito tempo, hein? O jardim vai sentir a sua falta — disse Jill. — E eu também — acrescentou, de maneira desafiadora.

— Também vou sentir a sua falta — respondeu Fionn, com um sorriso travesso. Sedutor, muito, muito sedutor.

Por um breve segundo sem ar, Jill perguntou-se se Fionn algum dia...

Mas ele não o faria.

Fionn flertava com todo mundo — até sua fotografia flertava —, mas não se envolvia com mulheres casadas. Não era certo. Ou não valia a pena. Não queria maridos irados aparecendo em sua casa, estragando seu jardim. (Uma vez acontecera um mal-entendido. A mulher de Francy Higgins gostava de se encontrar com Carmine Butcher, mas concluíra que Fionn seria um melhor amante — baseada no fato de que Fionn tinha beleza de astro do cinema, e Carmine estava mais para filme de terror. Fionn conseguiu escapar de Francy, porém não antes de ela quebrar o vidro de sua estufa de tomates e atirar várias batatas do próprio jardim contra o carro de Fionn. Nada de mais acontecera, mas o incidente prejudicara as plantas, e Fionn não suportava isso. Uma batata não pedira para ser batata; nunca pedira para ser arrancada prematuramente da terra e lançada contra o para-brisa de um carro.

*Não era de estranhar que eu estivesse tendo tanta dificuldade de ler o que se passava com Fionn: ele era um homem de grandes contradições. Queria que o mundo inteiro o amasse — mas não era mulherengo, um Don Juan, pelo menos não ao pé da letra. Acreditava em monogamia. Mesmo não sendo capaz disso sempre.*

Mulheres pareciam pulular na vida de Fionn, e ele ficava feliz em poder atendê-las, caso fossem atraentes o bastante. No entanto, à vezes uma mulher atraente e agradável aparecia e demonstrava o desejo de ser sua escolhida, mas, se examinarmos bem os fatos, Fionn *já tinha* outra mulher. Nesses casos, achava melhor deixar que as moças entendessem isso por conta própria. Às vezes, tentavam envolvê-lo com lágrimas, pedindo que escolhesse uma delas, mas ele se mantinha fora dessa disputa. Se escolhesse uma em detrimento da outra, a rejeitada ficaria com raiva dele, e Fionn não gostava que pessoas ficassem com raiva dele. A verdade era que achava que, fosse qual fosse o desfecho da história, tudo ficaria bem — a garota nova, a anterior; fosse como fosse, ficasse ele com quem ficasse, tudo daria certo.

No entanto, às vezes a vencedora achava que ela e Fionn se casariam e deixariam a cama de solteiro com lençóis de poliéster para trás, os dois indo morar numa rua sem saída em Pokey, onde sofás seriam fofinhos e a casa teria aquecimento central. Invariavelmente, a moça tinha visões de Fionn como um empresário rico, cheio pedidos oficiais, uma van nova e limpíssima, o número do celular pintado nas laterais. Era normalmente nessa fase que descobriam que Fionn só era *tranquilo* até certo ponto. Quando algo era realmente importante, Fionn sabia resistir.

# *Dia 60...*

No apartamento do último andar do número 66 da Star Street, percebo que o Poderoso Conall não apareceu naquela manhã para pendurar o espelho de Katie, antes de ir para Helsinki. O objeto ainda está no chão. Isso me deixa em estado de nervos. O problema virá — tenho certeza — se o espelho não estiver na parede quando Katie chegar em casa.

Meu Deus, e lá vem ela.

Katie largou a bolsa e tirou as botas — uma caindo em segurança no chão, a outra quicando no piso —, depois foi direto até a sala de estar, em busca do espelho.

Primeiro — talvez ingenuamente? —, olhou para a parede e, como não viu o objeto lá, mirou o chão. Lá estava, exatamente como da última vez que pousara os olhos sobre ele, encostado no armário, com uma expressão, se é que fosse possível, de desculpas por seu estado.

Katie encarou o espelho por um bom tempo, a boca contraída numa linha, como se estivesse provando algo de gosto ruim.

Katie não ficava irritada com frequência, mas, neste momento estava.

*Eu não queria um relógio de platina*, pensou. Aquele fizera todos os outros presentes parecerem piada (a mãe lhe dera uma cesta de pães). Tampouco queria que Conall pagasse o jantar para os dez convidados da noite anterior, porque todos os homens de sua família implicavam com Conall pelo fato de ser rico. (Ouvira o pai resmungar, reclamando de "caras exibidos", apesar de ele negar ter dito tal coisa.) Tudo que Katie queria de presente de aniversário era que Conall mantivesse a promessa que já durava dezessete dias e colocasse um prego na parede para que ela pudesse pendurar o espelho novo. Mostrara o lugar exato, marcara com pilot e Conall dissera, com toda credibilidade, que passaria lá antes de ir para Helsinki para fazer o serviço. Não levaria mais que cinco minutos, prometera.

Fizera com que parecesse tão simples que Katie se perguntara se não deveria tentar ela mesma, mas não tinha furadeira e não queria uma; portanto, não começaria a colecionar pregos, parafusos, caixas de ferramentas e coisas do tipo.

Conall poderia ter chamado um homem para fazer isso, um faz-tudo qualquer — quando ela comprara o espelho, ele oferecera exatamente isso —, mas Katie não quis saber da oferta. Seu espelho seria colocado na parede pelas mãos de Conall, e pronto. Queria um gesto dele, uma doação de tempo e energia, algo que o dinheiro não pudesse comprar.

Foi até o telefone e digitou uma mensagem de texto.

Espelho, espelho na parede. Ops, não.
Espelho, espelho ainda no chão.

Estava irritada, muito irritada. Conall é um egoísta, era o que pensava, Conall é um cara de pau. Ela pensava nisso cada vez mais e cada vez com mais força. Todas as promessas quebradas de Conall passaram por sua cabeça como discos voadores coloridos, mas era de si mesma que tinha mais raiva. Nunca deveria ter concordado em sair com ele, para começo de conversa.

Oito dias úteis depois de chegar à Apex, Conall pediu uma reunião com Katie. Ela sabia o que iria acontecer e tinha bastante tempo para preparar sua recusa. Mas não fez isso.

Conall deu início à conversa falando de trabalho. — Tenho novidades — disse.

— Você vai me vender no eBay?

— Não. Recebi os relatórios dos artistas, são todos seus fãs. Dizem que você é uma mãe para eles. Você vai manter seu emprego.

— E a minha equipe?

— Eles também.

— *Todo mundo?*

— *Todo mundo.*

— Mesmo esquema de salário?

— Mesmo esquema de salário.

Katie e o observou, com suspeita.

— Não é uma pegadinha — disse ele. — Tudo às claras. Os novos contatos de trabalho estão sendo preparados e, em uma hora, vai estar tudo com você. Quer sair comigo?

Katie baixou os olhos e não respondeu. Foi aí que seu interesse pessoal brigou com a lealdade para com os colegas que Conall demitira.

— Posso levá-la ao balé? — Ouviu-o perguntar.

Katie ergueu a cabeça. — Pelo amor de Deus, não. Acho insuportável, me dá vontade de chorar, e, quando as bailarinas ficam na ponta do pé, acabo sentindo uma dor medonha nos meus dedões, em solidariedade.

Um sorriso estampou o rosto dele, talvez o primeiro sorriso que ela o via esboçar. — Dor nos dedões? — Conall olhou para ela como se fosse rara e fascinante. — Entendi. E ópera? Você gostaria de ir?

— Não, não, não. Não suporto. Já tenho que ouvir música demais no trabalho. Detesto tudo.

— Detesta tudo? — Ele pareceu chocado. — Até Leonard Cohen?

— Até Leonard Cohen.

— Nossa, que pena. Para você... eu amo música.

— Porque você é homem.

Isso o fez rir. Silenciosamente, mas ainda assim, riu.

— E de que tipo de música você gosta? — perguntou Katie.

— Ópera, obviamente, mas, na verdade, de qualquer coisa. Fora, talvez, baladas.

— Bem, eu gosto de silêncio.

— Silêncio? — Balançou a cabeça, intrigado. Katie estava numa posição bastante atípica, cada palavra que saía de sua boca era recebida como algo sedutor. Saboreie isso, disse para si mesma. A memória será sua companheira na velhice.

— Você não gosta de balé, não gosta de ópera, não gosta de música. Do que você gosta?

Katie pensou no assunto. — Comer. Dormir. Tomar vinho com amigos e falar da vida das celebridades. — Os dias de mentir para os homens para parecer fascinante estavam no passado mais remoto.

— Comer...? — perguntou ele. — Dormir...? — Mais uma vez seu rosto estava radiante de admiração.

Katie não fazia ideia de que era tão interessante.

— Principalmente comer.

— Não parece que você adora comer.

Se ele soubesse a batalha que ela travava com seu apetite. O troço parecia um rottweiler, pulando e se debatendo para se livrar da coleira e comer tudo que via pela frente.

— Tenho um personal trainer — admitiu.

— Eu também — disse Conall.

— A minha se chama Florence. Me leva para correr na chuva e me obriga a fazer polichinelos no estacionamento do supermercado. A gente só se vê uma vez por semana, mas ela confia em mim para fazer os exercícios sozinha, e morro de culpa quando não faço.

— O nome do meu é Igor. A gente malha na academia.

— Nunca quis ser o tipo de pessoa que tem personal trainer — confidenciou ela.

Mas também nunca quisera ser do tipo que usa jeans tamanho 50, e, se deixada aos próprios caprichos, seria exatamente o que aconteceria.

— Que tal no próximo sábado? — perguntou ele.

— Por que você quer sair comigo? Eu não posso ser o seu tipo ideal.

— E não é. Mas eu... — Balançou a cabeça. — Eu, ahn, não consigo parar de pensar em você.

Katie o encarou, suplicante. Isso era muito difícil.

— Só um encontro — propôs ele.

Um encontro. Não era como se ele a pedisse em casamento. Não que Katie quisesse se casar. Sim, uma vez na vida, havia muitos e muitos anos, desejara uma aliança, um vestido de noiva, bebês — sem sucesso. Eram muitas as coisas que desejara, muitos e muitos anos atrás: vestir 38; falar fluentemente italiano; saber que Brad voltara com Jennifer. Nada disso acontecera, mas ela sobrevivera.

Mesmo que quisesse se casar, era óbvio que não seria com Conall. Era muito difícil um homem chegar aos quarenta e dois anos (como Conall) sem ter se casado, mesmo que acidentalmente. Até um solteirão convicto como George Clooney falhara na tarefa em algum ponto do passado.

— O que você estava fazendo na papelaria? — perguntou ela, com repentina urgência. — Lembra que um dia a gente se encontrou...

— Lembro. Só estava... olhando.

— Ou seja, você não tinha ido comprar nada específico? Estava só... dando uma olhada?

— Dando uma olhada? — Experimentou a frase. — Acho que você pode chamar assim. Acho que.... *gosto* de papelaria.

O coração de Katie disparou: tinham um interesse comum. — E farmácia? Você também gosta de dar uma olhada na farmácia?

— *Gosto* de farmácia — disse ele com cuidado.

— Amo farmácia. Farmácia é uma coisa do bem. Me ajuda a dormir melhor, a acabar com a má digestão, a bronzear a pele...

— Concordo. Mas o que gosto mesmo é de ir a uma loja de informática. E você?

— Lojas de informática são úteis — concluiu ela com o mesmo cuidado empregado por ele. Não suportava lojas de informática, eram sempre tão frias. Mas estava preparada para demonstrar interesse.

— Sábado? — perguntou Conall novamente, percebendo que Katie relaxara um pouco.

E as pessoas que Conall demitira? Bem, a gente só tem uma vida e uma chance de ser feliz...

— Você tem algum chocolate? — Katie quis saber.

Ele pareceu surpreso. — Tenho.

— Eu quis dizer, agora?

Ele bateu no bolso. — Tenho.

— Você sempre tem chocolate com você?

— É... sempre.

Um homem que sempre tem chocolate? Seria a morte da sua dieta. Mas, como não ficar encantada — pelo menos um pouquinho — com um homem que amava as coisas que ela amava?

— Ok — disse Katie. — Sábado.

Ele suspirou. — Deus a abençoe.

Isso causou preocupação aos amigos e à família de Katie. Todo mundo tinha uma opinião.

Sua amiga Sinead ficou eufórica. — Esperança para todas nós! — Sinead e Katie eram solidárias nas agruras da vida de solteira. — Promete, Katie, que você vai transar o tempo todo. Por mim, por todas nós, solteiras.

A amiga MaryRose, no entanto, foi mais cuidadosa. — Você tem que manter a rédea curta, de todo jeito, e não vai achando que, só porque é mais velha, não engravida. — MaryRose tinha quarenta anos e dera à luz recentemente pela primeira vez — e era solteira. — Que seu mantra seja: precaução, precaução, precaução!

A mãe de Katie, Penny, disse: — Não sei por que você vai perder seu tempo. Se aos quarenta e dois ele nunca casou, dificilmente vai querer casar agora.

E a irmã de Katie, Naomi, fez as piores previsões. — Ele vai fazer gato e sapato de você.

— Não vai, não — protestou Katie. — Não vou me apaixonar por ele.

— Então, para que o trabalho?

— Só estou matando tempo até morrer.

# Dia 59

Coisas que Lydia odeia (não nesta ordem, necessariamente):

Músicos de rua
Ciclistas
Repolho
Gente que diz: "Sei como você está se sentindo", quando, na verdade, não sabe.
O irmão Murdy
Gente que depois do jantar diz "estou satisfeito" em vez de "estou cheio"
Motoristas de ônibus
Motoristas aprendendo a dirigir
Motoristas de vans
Sotaque de gente de Canvas
Dia dos namorados
O irmão Ronnie
Envelhecimento

Por favor, atenção: não é uma lista completa.

# *Dia 59...*

Maeve mal se sentara para trabalhar quando Matt telefonou.

— Já fiz minha boa ação do dia!

— A questão não é fazer rápido, Matt — disse, mas sorriu.

— Para mim, é. Quer escutar?

— Claro.

— Dei passagem para um carro no cruzamento.

— Matt! No seu caso, sempre tem a ver com trânsito!

— Mas, Maeve, foi difícil! Tive que ficar parado, uma fila de carros atrás de mim! Todo mundo enlouquecido, buzinando. Achei que ia ser linchado.

Maeve teve que rir. Matt era tão fofo.

*Quatro anos e pouco antes...*

David e Maeve estavam na cama, lendo o *Observer*, quando, no meio do artigo sobre ajuda humanitária à África, Maeve pensou subitamente em algo. — David, não foi engraçado o Matt aparecer no show, ontem à noite?

— Matt Geary — disse David, pensativo. — Um Homem Jovem que Vai a Lugares. — Fez com que parecesse algo vergonhoso.

— Ah! Acho totalmente normal — combateu Maeve. — Acho o Matt um chefe muito bacana.

— É?

— Ele mantém o moral de todo mundo alto. É ótimo para dar confiança à equipe.

— Para fazer com que vocês trabalhem mais.

— Ele paga os drinques de sexta-feira, nunca esquece um aniversário... — É sempre o primeiro a ajudar com um cliente difícil, e, se Maeve tivesse de descrever Matt em uma só palavra, usaria: *fofo*. Não que ela e o restante da equipe parassem para fofocar sobre as fofuras de Matt. Eram funcionários sérios; não seria legal.

E certamente não diria isso a David.

— Ele está sempre rindo e fazendo piadas — disse David, com certo desprezo.

Qual é o problema disso?, perguntou-se Maeve.

— Seja como for — concluiu David —, quero falar com você sobre outra coisa. Na próxima sexta, você tem a festa de despedida do Mahmoud. Mas Marta e Holly vão viajar no final de semana. — Marta e Holly dividiam apartamento com ele. — A gente vai ficar sozinho. Que tal pular os drinques de sexta?

Ela balançou a cabeça. — Não posso.

— Claro que pode.

— Não, quis dizer que não posso nenhuma das duas coisas. Tenho que ir para casa no fim de semana. Tenho prova de direção na semana que vem e não tenho mais grana pra pagar aulas. Preciso de um veículo para praticar.

— Entendi.

Houve uma pausa estranha, e David disse: — Posso ir? — perguntou. — Para sua casa, com você?

— Claro que pode. — Ela não sabia por que não pensara nisso antes. — Vai ser legal. — Talvez. — Só que a mamãe e o papai são fazendeiros, entende? Gente do interior. Não é uma galera inteligente, feito você. Você não vai rir deles, vai?

— Rir deles? — David ficou indignado. — Por que eu riria deles?

Como poderia explicar? David era tão erudito, sabia tanto sobre tantas coisas. Já a mãe e o pai dela... bem, seu mundo era pequeno e descomplicado. Úberes de vacas eram grande parte de seu dia a dia, e eles provavelmente nunca tinham ouvido falar em Darfur, portanto, não saberiam o que dizer se David começasse a falar sobre isso.

— Já é hora de eu conhecer seu pai e sua mãe — disse David. — Andei pensando...

— E?

— Por que a gente não mora junto? — Encarou-a com olhos intensos, e Maeve ficou sem palavras.

— ... Ah... você está falando, tipo, nós dois? Só nós dois?

Não seria a primeira vez que Maeve morava com alguém. Quatro anos antes, quando fora para a Austrália com Harry, seu namorado na época, naturalmente dividiam um apartamento. Mas isso tivera mais razões práticas que românticas — haviam viajado juntos de Galway, gastado todos os tostões, estavam à deriva num lugar estranho e precisavam um do outro como suporte emocional. E, o mais importante, não era a vida real. Seus vistos durariam dois anos, e Maeve sabia que, quando tivessem que deixar a Austrália, tudo mudaria. A experiência tinha data de validade e, com certeza, ao final de sua temporada, ela e Harry estariam terminados, passar bem, obrigada. Continuariam amigos, de certa forma — se é que se veriam novamente, o que não aconteceu —, mas sem vestígios remanescentes de romance.

O que David estava sugerindo era completamente diferente. Sério. Quase assustador.

— E aí? — Ele ainda a encarava, esperando pela resposta, as pupilas concentradas.

— ... eu... eu preciso pensar, David.

— Pensar? — Ele pareceu confuso, depois ferido.

— É um passo enorme — protestou ela.

— Mais ou menos. A gente está junto há cinco meses.

— São só quatro.

— Quatro e meio.

— David, é que... sei lá, me parece precipitado demais.

— *Precipitado?*

— É. Precipitado.

David a olhou, em silêncio. — Ok. — balançou as mãos, vencido. — Você tem o tempo que quiser para pensar. E me avisa quando não achar tão... *precipitado*.

# *Dia 59...*

— O Destruidor apareceu? — gritou Danno para Katie quando ela entrou na sala.

— O quê? — Deus, mal passara da porta.

— Eu disse — repetiu Danno, com paciência elaborada: — O Destruidor apareceu no seu jantar de aniversário?

— Apareceu.

— Jura? Merda!

Do outro lado da sala, George gritou, com prazer: — Falei que ele ia aparecer! Cadê minhas dez pratas?

Katie viu Danno abrir uma carteira de textura estranha — ele dizia que era feita de pele humana — e o viu passar uma nota de dez euros para George.

— Vocês apostaram? Se Conall ia aparecer ou furar?

— Tinha certeza de que não ia aparecer — disse Danno. Fez um gesto para a tela do computador. Mantinha um gráfico de todas as vezes que Conall dera um bolo em Katie. Inicialmente, a média era de um para quatro, depois se transformara em um para três. — Pelos meus dados, tendo em vista que ele furou três vezes consecutivas, ou seja, um relacionamento em estado de *estagnação*, calculei que apareceria. Qualquer matemático faria o mesmo.

— Mas sou intuitivo, trabalho com minhas pistas interiores — disse George. — Achei que três cancelamentos seguidos significariam um erro fatal. Além do mais, era seu aniversário. Ele não poderia decepcioná-la. Finalmente, como o jantar era um facilitador, já que ele estaria fora no dia de verdade do aniversário, tinha que estar lá.

— Falácia — Danno levantou o indicador. — Ele poderia muito bem telefonar de Mogadíscio, ou de sei lá onde ele estava demitindo gente a torto e a direito, para o restaurante e deixar o número do cartão de crédito. A família e os amigos da Katie poderiam comer e beber vinho caro, sem precisar da presença dele. Provavelmente, todo mundo teria preferido, não é? Katie?

— Provavelmente — admitiu ela.

— Muita tensão? — perguntou George, tentando angariar simpatias.

— Bastante — respondeu Katie. — Ele chegou lá em casa com champanhe.

— Nossa! — Danno fez ar de desdém. — Que clichê! Ninguém bebe champanhe hoje em dia. Agora é só Prosecco.

George olhou para a tela do seu computador com intensidade exagerada; George *adorava* champanhe. Se desse vazão a todas as suas fantasias, passaria os dias bebendo Veuve Clicquot com um par de plataformas Christian Louboutin que já haviam pertencido à Nicole Kidman.

— Charlie — disse Katie.

— É o irmão dela — disse Danno para George.

— Eu *sei*.

— O Charlie não aceitaria uma taça, porque champanhe faz ele peidar.

George gemeu diante de comentário tão estúpido.

— E Ralph...

— É o cunhado dela — disse Danno para George.

— Eu *sei*.

— ... Não tomaria, porque só menina bebe champanhe.

— Francamente! — George revirou os olhos. — E sua mãe perguntou para o Conall se ele tem alguma intenção de se casar com você?

— Não em voz alta. Mas deu para escutar ela perguntando.

— E o Conall respondeu?

— Não em voz alta. Mas deu para ouvir a resposta. É melhor eu começar a trabalhar — disse Katie, dirigindo-se à sua mesa, mas, depois, pareceu mudar de ideia. — Quero ver o gráfico. — Falou com Danno. — Imprime para mim.

— Para que você quer se torturar? — perguntou George.

— Deixa! Se ela quer se torturar... Deixa a Katie aproveitar os poucos prazeres que ainda tem na vida. Daqui a dois dias, ela faz quarenta.

Danno mostrou o gráfico, e Katie olhou para o padrão dos dois últimos meses. Teve de admitir que era um bom gráfico, muito fácil de seguir.

— Está vendo essas duas áreas escuras aqui? — perguntou Danno. — São as decepções. Como você pode ver, ele perdeu o batizado do bebê da Mary Rose, o aniversário de setenta anos da sua mãe e o jantar de pazes por esquecer os nove meses de namoro.

— Muito obrigada, Danno — murmurou Katie. — Você deixou tudo muito claro.

— Olhando de trás para frente — ele apontou com a caneta —, a gente entra em outra área escura. A noite do baile de caridade, que ele faltou, seguida da tentativa de você fazer uma surpresa para ele com a lingerie de motivos tropicais.

Havia sido uma falha particularmente mortificante, admitiu Katie. Fora à casa dele, enchera o lugar de pétalas de rosas, vestira a roupa de baixo ridiculamente desconfortável e esperara Conall chegar em casa. Esperara... esperara... e, finalmente, descobrira que ele não estava preso no trânsito, mas no aeroporto, esperando por uma conexão para Cingapura. Aparentemente, uma emergência.

— E esses pedacinhos dourados? — perguntou George.

— Essas são as vezes em que o Conall realmente apareceu.

Katie estudou o gráfico. Eram muitas as partes douradas, mas, também, muitas as escuras. Pensou no espelho, ainda no chão, na mensagem de texto que mandara, ainda não respondida...

— O Conall lhe deu presente de aniversário? — George interrompeu sua introspecção.

Katie ergueu a mão e a manga de sua camisa escorregou até o cotovelo.

Ao ver o relógio, George empalideceu. — Platina? Diamantes? Tiffany? Viva a *namorada*. O homem está apaixonado.

— De maneira nenhuma — disse Danno, imediatamente. — O Destruidor Hathaway marca território gastando dinheiro. Podia muito bem ter feito xixi nela. Não quer dizer nada.

# *Dia 59...*

Mais coisas que Lydia detesta:

Golfistas
Meias furadas no dedão
Gente que diz: "Eu lhe agradeço."
O irmão Raymond
Doenças mentais
O cheiro da urina de outras pessoas
Gente que diz: "Muito, muito obrigada."
Gente que diz: "Muito obrigada, amor."
Gente que diz: "Muito obrigada, de montão."
Gente que diz: "*Muchas gracias*" (a menos que a pessoa seja espanhola, mas nunca é o caso)
Gente que diz: "*Merci beaucoup*" (a menos que a pessoa seja francesa, o que nunca é o caso)
Passageiros que pedem recibo
Gente que diz: "O negócio é o seguinte."
Gente cujo nome é, na verdade, sobrenome (exemplo: Sr. Buchanan Buchanan)
Crianças, particularmente as muito pequenas
Sinais vermelhos
Faixas para pedestres
Seu pai

Por favor, atenção: não é uma lista completa.

# *Dia 59...*

Jemima estava no seu turno da tarde. — Alô? Disque-Vidência. Mística Maureen falando, como posso ajudar? Cartas? Muito bem. Seu nome? Laurie. Qual é o problema?

Jemima ouviu. E ouviu. Quando o rosário de desgraças eventualmente terminou, Jemima disse, ríspida. — Não, querida, ele não vai casar com você.

— Isso apareceu nas cartas? — Laurie gemeu.

Jemima, na verdade, ainda não consultara as cartas. Rapidamente, cortou o baralho. Valete de copas, jovem solteiro hedonista: isso não era surpresa. Cortou novamente. Dez de espadas: sofrimento, tristeza, perda da liberdade.

— Minha querida, permita-me ser franca: a pessoa não precisa ser vidente para saber que esse seu camarada é um perdido, um sem-vergonha. Um canalha, se é que posso ser sincera. Chuta que é despacho! — Pegou outra carta. Rainha de ouros. Meu Deus! — E não se surpreenda se ele der em cima da sua irmã.

— Mas ela está grávida de sete meses.

— Vejo uma moça loura, fofoqueira, de gosto refinado. Um flerte maldoso.

— Essa é minha mãe! Dificilmente ele paqueraria minha mãe.

— São poucos os limites para a perfídia desse jovem — disse Jemima, sombria. — Isso mesmo, ele é um erro, não se engane.

— Mas sou apaixonada por ele.

— Você pensa que é. Mas existe alguém muito melhor no seu caminho. — Pensou não haver mal nenhum em dizer isso. Provavelmente *haveria* alguém no caminho de Laurie, mas ela nunca o encontraria se estivesse presa a esse bunda-mole. Pegou outra carta. Ás de copas. — Você vai ficar calma e contente.

— Não quero ficar calma e contente! Tenho dezenove anos!

— Está certo. — Pegou outra carta. O dez de paus. — Vejo uma viagem marítima.

— A balsa da baía de Dublin. — Laurie pareceu chateada.

Jemima pegou a última carta. Ás de paus. Essa era uma carta muito boa, apesar de se fingir que não existe isso de carta "boa" ou carta "ruim", que tudo é uma questão de interpretação. — Ah! Notícia boa. O dinheiro também está a caminho.

— Ok, isso parece realmente melhor.

— Desejo tudo de bom para você, minha querida, e peço que não ligue de novo. O custo da ligação por minuto é altíssimo — eu não tenho a menor influência no preço cobrado — e a resposta não vai mudar. Gaste seu dinheiro com coisa melhor. Compre uma bela... — Que tipo de roupa gente jovem veste? — ... uma tanga bonita e vá... — O que moças jovens fazem? — ... Vá beber até cair com esse dinheiro.

— Beber até cair?

— Não, não até ficar inconsciente, mas um pouco... como é mesmo o nome daqueles drinques vermelhos e lindos? Ah, e vá dançar. Sorria. Divirta-se. Esqueça esse rapaz. Tchau.

Desligou. Deveria mantê-los na linha pelo máximo de tempo possível, gerando contas astronômicas no cartão de crédito dos clientes. Era um horror, uma das muitas maneiras de o mundo moderno se aproveitar dos pobres e solitários, e Jemima era uma subversiva, à sua maneira. Mais cedo ou mais tarde, os proprietários do Disque-Vidência descobririam o que fazia. Mas, enquanto isso, eram tantas as pessoas precisando de ajuda, e o tempo, tão curto.

Enquanto esperava pela ligação seguinte, o que não levaria muito tempo — parecia haver um sem-fim de jovens mulheres buscando a ajuda de videntes para encontrar o amor —, olhou em volta de sua sala escura, entulhada. Isso sempre levantava o seu astral.

Jemima morava naquele apartamento havia cinco anos e o adorava. Giles, seu falecido marido, de quem sentia muita falta, fora um arquiteto que ganhara um prêmio por um monumento modernista, que fora construído (em virtude da vasta objeção dos residentes de quase todas as partes da Irlanda) em County Monaghan. O ícone moderno se traduzia numa construção de vidro, muito, muito vidro. Acres de vidro. Jemima costumava ter pesadelos nos quais recebia a tarefa de limpar todas as janelas do mundo, e suas únicas ferramentas eram um frasco de limpa-vidros e um pedaço de jornal velho. Então, descobria que não estava, de fato, dormindo.

Além da rotina diária de limpar vidros, Jemima também não se sentia completamente confortável em atender suas necessidades privadas. Por exemplo, se estivesse relendo *Madame Bovary* e fosse tomada por uma vontade básica e irresistível — coisa que pode acontecer a todos os seres humanos, independentemente de sua retidão moral ou posição social —, como coçar o bumbum, checava primeiramente se não havia alguém por perto olhando para ela. Esse era o maior problema de Pokey: não havia absolutamente nada para se fazer, e espionar a protestante esquisita no seu incrível cubo de vidro era atividade aceita como um hobby pelos empregadores da cidade, assim como jogatina compulsiva e ideais suicidas.

Quando Giles encerrou sua existência, Jemima sentiu sua perda com grande choque, no entanto, não perdeu tempo colocando sua Casa de Vidro no mercado. Para o prazer quase sexual do corretor, disse que estava disposta a entregar com a residência todos os incríveis móveis de titânio que haviam sido desenhados especialmente para o lugar. Eram bem-vindos ali, pensou. Foi para Dublin, com grandes planos de arrematar peças pesadas, escuras, móveis de substância.

Estava cansada de Pokey. Não havia gente carente o bastante para que pudesse dar vazão total à vontade de fazer o bem. E, se quisesse ser absolutamente honesta, estava absolutamente de saco cheio do campo. Para ser mais exata: queria o barulho de Dublin, o mais perto do centro da cidade que pudesse comprar. Queria sentir a vida à sua volta. Por sorte, tendo em vista o preço das casas de Dublin nos últimos cinco anos, suas necessidades eram modestas. Dois quartos, para que Fionn pudesse visitá-la sempre que quisesse, mas, mesmo assim, um lugar pequeno. Queria um apartamento que desse o mínimo de trabalho, não tivesse janelas para limpar e — o fator mais libertador de todos — nenhum jardim que precisasse de cuidados constantes!

A mudança não ocorreria sem transtornos. A questão era Fionn. Sentiria muita falta dele e, é claro, ele sentiria falta dela. Mas Jemima não viveria para sempre. Era hora de cortar o cordão umbilical.

# *Dia 59...*

Lydia estava tendo um péssimo dia. A cidade estava cheia de turistas de verão, e um músico de rua — uma porcaria de músico, um maluco com um acordeão — atraíra uma multidão para a Westmoreland Street; era gente para todo lado, *dançando*, fazendo com que ela tivesse de desviar e quase atropelar um ciclista, que gritou, o rosto vermelho, coisas do tipo "olha o abuso de emissão de gás carbônico". Odiava músicos de rua e sua pretensão passiva-agressiva de prestar um serviço. Mesmo quando eram péssimos, você acabava se sentindo obrigado a dar alguma coisa, só pelo esforço deles. Vagabundos que simplesmente pediam dinheiro na rua; com esses, sim, Lydia conseguia lidar. Era uma transação muito mais honesta, porque você sabia o que recebia em troca: precisamente nada.

*E* Lydia odiava ciclistas — outro grupo santificado pela lenga-lenga sustentável; portanto, tudo bem que pedalassem pelas ruas como loucos, era obrigação dos motoristas de táxi, gente decente como ela, ser responsáveis por sua segurança. Se Lydia comandasse o mundo, ciclistas seriam mortos a tiros.

Então, desembrulhou seu bagel de café da manhã e descobriu que o garoto da sanduicheria tinha, por conta própria, adicionado repolho ao cream cheese. Mesmo que ela não abominasse repolho — o que só acontecia com malucos —, em que universo ele imaginava que cream cheese e repolho combinavam?

Chocada com a atrocidade do bagel, começou a pensar em outras barbaridades até que teve que estacionar o carro e telefonar para o irmão Murdy, que murmurou: — Sei como você está se sentindo... — E ele, obviamente, não sabia, porque, se soubesse, faria alguma coisa.

— Vem para cá no fim de semana — disse ele. — A gente fala sobre isso aqui. Tenho que desligar.

Lágrimas de frustração interferiram em sua visão, e voltou para a pista, quase batendo num ônibus, quase alcançando a traseira do carro de um aprendiz de autoescola, que a tratou abusivamente, com sotaque acentuado de Canvas. Abuso ela podia aceitar, com abuso estava acostumada, mas não abuso com sotaque de Canvas, isso já era demais. Motoristas de táxi, pensou com tristeza, são o bode expiatório do planeta da direção. Somos o saco de pancada de todo o mundo.

De qualquer forma, talvez devesse esperar até estar um pouco mais calma antes de continuar o seu dia de trabalho. Assim que encontrou vaga, estacionou e telefonou para o irmão Ronny, para, em seguida, se arrepender.

# *Dia 59...*

Por mais brutal que fosse o relacionamento de Katie e Conall, segundo a ótica de Danno, ela precisava admitir que o rapaz tinha certa razão. A culpa é toda minha, concluiu. Desde a primeira vez que saíra com Conall, os sinais de alerta estavam presentes. Depois de toda a confusão, pensou, sombria, poderia ter encerrado a história ali mesmo.

Fora uma coisa tão cheia de importância, aquele primeiro encontro. Conall, na verdade, lhe dera um folheto de viagem. — Amanhã, um carro irá buscá-la em casa ao meio-dia. Você tem um voo às duas.

— E depois?

— As coisas vão sendo reveladas conforme o andamento.

— A gente não podia fazer uma coisa simples e normal, tipo dar uma volta e comer em algum lugar?

Conall rira; pensara que Katie estava brincando.

— O que deverei vestir para esse passeio misterioso? Porque, se tiver que usar botas e gorro com protetor de orelha, vou logo avisando que não irei.

Conall riu novamente. Ainda achava cada comentário dela encantador. — Vestido. Pode ser um pouco formal.

Quase desesperada, Katie disse: — Preciso de mais informações.

— Juro, você vai ficar linda de qualquer jeito.

— Estou falando sério. Se você não me der mais detalhes não vou poder ir.

— Ah... ok... Vestido preto. Salto alto. Bolsa pequena.

Katie correu para casa e esvaziou o armário em cima da cama. Vestido preto não era problema: tinha dezenas, dúzias, era quase impossível distinguir um do outro. Pelo menos, Conall não pedira nada muito fashion (será que um heterossexual conhece esse tipo de termo?) Katie nunca fora muito moderna no seu modo de vestir, nem mesmo quando tinha idade para isso (de dezesseis aos vinte e dois). Algo relacionado ao tamanho do seu peito significava que parecia absurdamente engraçada em trajes da moda: se usava faixas coloridas no cabelo, parecia uma solteirona ainda morando com os pais.

Com o guarda-roupa exposto à frente, ficou alarmada com a quantidade de peças clássicas e bem-cortadas que possuía. Parecia uma francesa, caramba! Socorro! Não queria ser uma francesa. Não *pensava* como uma francesa. Preferia ser uma dessas mulheres do começo dos anos noventa como as do filme *Um caso meio incomum*, de leggings listradas de vermelho e preto, botinas Doc Martens e short jeans, mas, para isso, era preciso ser muito magra.

Graças a Deus existiam sapatos e bolsas. Mesmo que tivesse de se garantir no terreno do básico, seus sapatos e bolsas eram desafiadoramente *cool*. E, pelo menos, podia voltar a usar jeans. Na época áurea de Jason, quando tudo que faziam era ficar aninhados na felicidade do lar, comendo tortas de maçã, era muito gorda para jeans. Então, terminaram e foi horrível, mas, olhando o lado positivo das coisas, perdera três numerações.

Para o misterioso encontro com Conall, finalmente escolheu um tubinho sóbrio (preto, é claro), que diminuía o quadril e a barriga. Cobriu-o com uma jaqueta para o voo e também por certo ressentimento: seria constrangedor entrar num avião — sozinha — com um vestido sexy e sapatos sexy no meio da tarde. As pessoas poderiam pensar que ela vivia no mundo da lua, como uma dessas duquesas velhas e piradas que vão à lavanderia com tiara e roupa de baile.

Quando saiu do avião em Heathrow, um homem a esperava com uma plaquinha onde estava escrito seu nome. Ele a acompanhou até uma escadinha, e suas costas queimavam com olhares acusadores e invejosos dos outros passageiros do mesmo voo. — Onde ela pensa que vai? — Ouviu alguém dizer. — Cara de pau.

O homem colocou-a num carrão e levou-a até — o que era aquilo? — um helicóptero. — O que está acontecendo? — perguntou.

— Você vai entrar no helicóptero.

— Para onde?

— Não sei. Você pode perguntar para o piloto, acho eu.

Mas o piloto estava muito ocupado, colocando nela fones de ouvido e cinto de segurança.

— Para onde a gente vai? — perguntou novamente.

— Aperta mais isso.

— Já está apertado. Para onde a gente vai?

— Glyndebourne.

E Katie pensou: *Glyndebourne*? O que sabia sobre Glyndebourne? Ópera, era isso que sabia. Mas talvez outras coisas além de ópera acontecessem em Glyndebourne. Porque detestava ópera e Conall sabia que detestava ópera; portanto, dificilmente a levaria para fazer uma coisa que ela detestava.

Quando o helicóptero pousou, Conall estava esperando por ela, de terno escuro, parecia um agente mortuário gato.

Com a mão na cabeça, Katie cruzou a pista apressadamente e disse: — Que diabos...

Conall sorriu, aparentemente muito feliz, e respondeu: — Só vou pedir um favor. Sem perguntas, ainda. Pode confiar em mim. Você está linda, diga-se de passagem.

Confiar nele. No entanto, estavam no lugar da ópera. Todo mundo muito bem-vestido, andando pelos lindos jardins, segurando o programa e falando sobre — sim! — ópera. Conall levou-a para um local reservado sombreado por árvores, onde beberam champanhe, e se recusou a responder perguntas. Depois, ele disse: — Hora de ir. — Todas as outras pessoas estavam se movendo na mesma direção, e ele a guiou até um auditório enquanto ela pensava: isso *não* pode ser ópera, porque eu disse o quanto detestava ópera. Olhou para ele, perscrutando-o; Conall encarou-a nos olhos e repetiu: — Pode confiar em mim. — E, apesar de insegura, Katie respondeu. — Ooook. — As luzes baixaram, as cortinas se abriram e a coisa seguinte que Katie viu foi um bando de gente gorda no palco, cantando com as cabeças gordas balançando. Isso, *ópera*. Katie ficou tão chocada, não sabia o que pensar. Decidiu que estava com muita raiva. Depois, mudou de ideia e decidiu que estava muito triste: por que ninguém escutava o que dizia? Por um ligeiro instante, considerou a possibilidade de levantar e ir embora, mas imaginou um atirador de elite, com óculos de visão noturna, dando-lhe um tiro na cabeça. Interrupções não eram bem-vindas na ópera; não se podia nem tossir.

Depois de um século de gritaria esganiçada, finalmente chegou a hora do intervalo.

— Então? — perguntou Conall ao acender das luzes.

— Você está se achando engraçado? — questionou Katie, ficando de pé.

— Como assim? — Conall parecia surpreso.

— Pagou caro para se divertir, não acha?

— Como assim? — Ele a seguia apressado, tentando acompanhá-la.

Katie se virou para encará-lo, pessoas passando por eles. — Isso é ópera, não? Disse para você que não suportava ópera. Não disse?

— Mas, por que você não gosta?

Irada, ela rosnou: — Não gosto, ponto final. Um dos motivos, não que eu tenha que lhe dar nenhum, é que os homens cantando sempre parecem estar com prisão de ventre.

— Pensei que, se você visse uma boa ópera, poderia mudar de ideia.

Isso, essa desculpa, na verdade, incitou-a a continuar. — O quê? Você achou que eu era tão... *inculta* que não era capaz de uma opinião embasada?

— Não, eu...

— Você não escutou o que eu disse.

Conall estava pálido e envergonhado. — Eu errei. Desculpa. Como amo ópera, queria dividir isso com você. Queria lhe fazer uma surpresa.

— Com certeza você me surpreendeu. — Apesar de trabalhar com música, e estar exposta diariamente a egos enormes, nunca conhecera alguém tão egoísta, egocêntrico, megalomaníaco.

— Desculpa.

— Na verdade, eu acho... — Franziu o cenho e balançou a cabeça. — Na verdade, acho que você é meio maluco. E quero voltar para casa agora.

— Vou chamar o helicóptero.

Mas o helicóptero estava a duas horas dali.

— O que você quer fazer enquanto a gente espera? — perguntou Conall.

— Sentar num bar, tomar uma garrafa de vinho tinto e mandar mensagens de texto para minha irmã e para minha amiga, dizendo que você é um idiota.

Conall engoliu com dificuldade.

— Você quer que eu te acompanhe?

— Não.

# *Dia 59...*

Coisas que Lydia ama (não necessariamente nesta ordem):

Salgadinhos

Nomes de cidades terminados em sk (exemplo: Gdansk e Murmansk)

A mãe

Gilbert. Talvez.

Por favor, atenção: esta *é* uma lista completa.

O dia de Lydia não melhorou nem um pouquinho. Cada corrida foi mais aborrecida que a anterior. Em rápida sucessão, ela escutou: "Obrigado", "Muito obrigado, de coração", "Valeu, amor", "*Muchas gracias*" e "*Merci beaucoup*" — e todos os cinco quiseram recibo! Não havia fim para seu tormento! No entanto, esses chatos não eram nada comparados a Buchanan, o turista americano que explicara o sistema eleitoral dos Estados Unidos para ela, começando cada frase com: "O negócio é o seguinte." Tentara fazê-lo calar a boca, fazendo sua pergunta de segurança sobre Jesus Cristo (percebera que as pessoas se assustavam muito mais quando dizia Cristo Senhor em vez de Jesus Cristo), mas ele, na verdade, *tinha* aceitado Jesus como seu senhor e estava feliz por ter a chance de falar sobre isso. O tiro havia saído pela culatra religiosa.

O trânsito estava terrível. Toda hora era presa de sinais vermelhos, obras, pedestres e, pior, guardas de porta de escola. Quando, finalmente, entregou os pontos e resolveu encerrar o dia, desejou que os rapazes não estivessem em casa.

* * *

Os rapazes, porém, estavam em casa. Jan também tivera um dia ruim. Uma mulher em Enniskerry ficara irritadíssima ao pedir vinagre de vinho branco e receber um tinto, e uma em Terenure, cuja vida dependia de vinagre de vinho tinto, recebera uma garrafa do branco. Um desastre, culpa de Jan.

Estava melancolicamente contando as broncas recebidas quando Lydia chegou, exausta e mal-humorada. Ela os viu sentados na sala e ficou paralisada.

— Pelo amor de Deus — declarou. — A dupla de cara mais miserável que já vi na vida. O que houve?

— A gente está mal — disse Jan, quase feliz. Como era útil a palavra "mal". Mal, mal, mal.

— Por quê?

— Eu me enrolei com um pedido. Entreguei o vinagre errado para duas mulheres. Minha chefa ficou louca. Fiquei péssimo.

Lydia olhou para ele, surpresa. — Meu Deus, Jan, seu inglês realmente está melhorando.

— Obrigado. — Ele sorriu, com orgulho tímido.

— E você, Andrei? Por que *você* está mal?

Andrei não lhe contou a verdade, que era: estou mal porque tenho que morar com você.

Deu de ombros. — Não vim para este país para ser feliz. Vim para ganhar dinheiro para a minha família. Não espero ser feliz.

— Isso não é jeito de viver. — Diga-se de passagem, Lydia podia falar. Deixara o lindo apartamento que dividia com Sissy para morar naquela pocilga. Trabalhava setenta horas por semana, mas morria de medo de comprar roupas para o verão — o excesso da semana anterior, quando gastara sete euros num pacote com três camisetas, deixara-a péssima, quase devolvera a compra.

— Sou forte — disse Andrei. —Vou aguentar.

— É, eu também — suspirou Lydia com extravagância. Então, sem aviso, sentiu aquela urgência. Tinha que entrar na internet. Precisava conferir novamente. Talvez desta vez fosse diferente.

Puxou o banco até a mesa de plástico encostada no canto perto da janela e começou a mexer no mouse.

Atrás dela, Andrei perguntou: — Vai sair hoje à noite?

Lydia digitou alguma coisa e encarou a tela do computador. *Anda, anda. Por que tanta demora?*

— Lydia? Vai sair de noite?

— Pode ficar feliz. Vou sair.

Os rapazes ficaram, de fato, felizes. Tinham planos de assistir a *O Aprendiz* e fazer anotações detalhadas. Um dia, também seriam como Donald Trump. Sem aquele cabelo.

— Você vai sair com o Pobrezinho?

Quando Lydia se mudara e mencionara que tinha um namorado, Andrei não fora capaz de esconder sua descrença. — Você tem namorado?

— Claro que tenho namorado! — Que cara de pau.

Andrei pensou que seu coração fosse explodir, tamanha a pena que sentia do pobre desconhecido. Não havia expressão polonesa que definisse o tamanho de sua pouca sorte; portanto, Andrei fora obrigado a usar outro idioma. — Pobrezinho.

— Isso. Vou sair com o Pobrezinho. E o nome dele é Gilbert.

# *Dia 59...*

Então! Gilbert! Que tipo de homem era ele? Com certeza, devia ser alguém bastante especial, para aguentar Lydia. (Era ele a pessoa misteriosa para quem ela aceitava fazer limpeza? A razão para se recusar a lavar a louça do próprio apartamento?)

Gilbert podia ser encontrado num pequeno e sombrio pub, quase uma taverna, numa rua estreita ao norte da cidade, sentado a uma mesa com quatro homens, falando calorosamente em iorubá. Nativo de Lagos, Nigéria, tinha Dublin como lar havia seis anos.

Quando Lydia apareceu à porta, a discussão entre os homens era tão intensa e apaixonada que nem a viram. Lydia não falava iorubá — fora os palavrões ensinados por Gilbert para fazer as pessoas rirem —, mas a conversa parecia tão durona quanto se estivessem planejando um golpe.

— Chão de floresta. — Escutou ela. Depois: — Delícia de morango. — Humm.

De repente, deram-se conta da presença de Lydia, e a conversa foi encerrada abruptamente, os homens se afastaram, deixando somente Gilbert à mesa.

— *Baby* — disse ele. Sua voz parecia de chocolate. Estendeu a mão de dedos longos para ela (tinha mãos lindas e elegantes, mãos de músico) (coisa que não era). Era, como Lydia, motorista de táxi, fora assim que se conheceram — num café frequentado somente por motoristas de táxi e somente de madrugada. Era um lugar livre de possíveis passageiros, onde podiam tomar uma xícara de chá e falar mal do comportamento absurdo de seus clientes.

Na noite em questão, Lydia comeu seu sanduíche de bacon bem devagar e observou o corte de cabelo de Gilbert, muito curto, a cabeça bem-formada, os cílios longos, e pensou: muito bem. Sabia que não fazia o tipo de todos os homens — algo relacionado à língua ferina espantava-os aos montes —, mas reconheceu que Gilbert era homem o bastante para ela.

*Eu, diferentemente de seres menores, não me deixo levar pela aparência, mas pelas vibrações, e a força contundente de vida de Gilbert me chama atenção para sua tendência aos segredos. Ele parece preferir compartimentar sua vida privada, impedindo o choque de certas áreas de sua existência com os outros. Não confio inteiramente em Gilbert, mas não posso deixar de gostar dele.*

Um homem que evidentemente curtia roupas, o Gilbert. Hoje estava com um par de sapatos azul-marinho de bico fino, um tanto — se formos falar francamente — feminino. Mais preocupante ainda era o casaco. Havia algo muito *estranho* na região da cintura: era apertado, quase um corpete.

Lydia parecia o tipo de pessoa que fazia piada daqueles muito cuidadosos com a aparência, mas se enroscou em Gilbert como uma gata e nenhuma piadinha foi pronunciada.

— Oi, gente — dirigiu-se aos quatro homens que se levantaram com a sua chegada. Conhecia-os bem; eram todos motoristas de táxi. — E aí? Que é que está acontecendo? Por que a gritaria?

Foram voltando à própria órbita, encaminhando-se para os lugares recentemente deixados.

— Deixa para lá — disse Gilbert.

— Não, deixa todo mundo sentar. Quero saber o que está acontecendo.

Os quatro homens retomaram seus lugares.

— Então? — perguntou Lydia. — Qual o motivo da discussão?

Finalmente, Abiola abriu a boca: — É o Odenigbo. — Com isso, Odenigbo explodiu em gritaria iorubá, seguido pelos outros.

Lydia conseguiu pegar uma ou outra palavra dita em inglês — merengue de limão, tempestade — e ergueu a mão, silenciando os homens. Irritada, disse: — Eucalipto? De novo? Não aguento mais esse assunto.

Diferentemente de Lydia, dona do próprio carro, os nigerianos dividiam três táxis entre sete motoristas. A escolha de eucalipto para perfumar o carro tivera consequências para todos.

— Eu *gosto* de morango — disse Odenigbo, com um tom de desafio que sugeria que estava sozinho.

Um surto de discordância contradisse suas palavras. — Morango é horrível — disse Gilbert.

— Pior que cheiro de cecê— retrucou Modupe.

— Pior que o cheiro dos passageiros!

— A gente já discutiu isso um milhão de vezes! — disse Lydia. — Cheiro de floresta é bom, de ervas também, o resto é lixo! Fim de papo. Agora, quem vai me pagar um drinque?

Rapidamente, ficou claro que Gilbert tratava Lydia como uma rainha. Depois de pagar dois drinques para ela naquela taverna, levou-a para sua casa, uma espécie de cortiço que dividia com outras seis pessoas. Na cozinha, tomada de música, cozinhou para ela uma humilde pizza. Não por suas limitações como cozinheiro, mas por respeito ao cuidadoso gosto alimentar irlandês de Lydia. Bafejando o ar estavam as sobras de experiências prévias, em que servira delícias nigerianas para que ela saboreasse: ostras apimentadas, sopa de cabra, arroz com carnes e pimenta. Não fizeram sucesso. As palavras rançoso e nojento ainda ecoavam. Parecia que o gosto exótico de Lydia estava restrito aos homens.

Ela comeu a pizza em concentração silenciosa. Gilbert tentou começar uma conversa, mas ela o cortou: — Shh. — Não gostava de distrações enquanto estava comendo. Depois de consumir três pedaços triangulares e lamber a gordura da pizza dos dedos, empurrou o prato vazio na direção de Gilbert e ele levou o objeto até a pia.

— Valeu. — Ela se lembrou de dizer.

De acordo com as regras da casa, Gilbert fez um esforço de limpeza, usando um pano de prato para limpar a superfície da mesa, deixando para trás visíveis semicírculos de gordura, depois jogou os pratos debaixo da água da torneira.

Lydia observou-o, sentada. Não moveu um dedo. Fosse quem fosse o receptor de seus cuidados domésticos — que horror —, obviamente não era Gilbert.

— Ok — disse ela, ficando de pé, assim que os pratos foram depositados no escorredor. — Vamos.

Foram a uma festa numa boate cavernosa, onde a música era muito alta e a luz, muito baixa. Quase todos eram nigerianos, muitos interrompiam os beijos de Lydia e Gilbert, para cumprimentos respeitosos. Quando Lydia se cansou dos incessantes tapinhas nos ombros, gritou: — Eu sou o quê? Invisível? — Insistiu para que fossem embora e voltaram para a casa dele.

*Havia uma forte conexão entre eles, além da ótima sintonia física, mas — atenção — seus corações NÃO batiam como um só. No entanto, isso não significava que jamais aconteceria. Não havia impedimento óbvio... fora as grandes quantias gastas por Gilbert com trajes esquisitos.*

Não que Lydia parecesse preocupada. Deitou-se na cama, observando-o enquanto guardava a jaqueta-corpete numa gaveta.

— Você é um dândi — disse.

Ele gostava. — Repete.

— Gilbert Okuma, você é um dândi.

— Dândi — Gilbert riu, os dentes muito brancos estampando o rosto de pele escura. — Você sabe outras palavras?

Lydia adorava o sotaque dele, a lentidão deliberada, a ligeira pausa entre as palavras.

— Um pavão — sugeriu ela. — Uma vítima da moda. Um fresco. Um metrossexual. — Com certeza, para a juventude local, para os nativos de Dublin, seria outro o termo para descrevê-lo: uma *desgraça.* "Olha só aquele palhaço! Olha os sapatos dele. E o casaco!"

Mas Gilbert não ligava. Os jovens eram pobres mal-educados, meninos tolos que não sabiam de nada.

* * *

Gilbert, um homem interessante, vivia o momento.

*O momento...*

Mas isso pode estar prestes a mudar.

# *Dia 59...*

Matt e Maeve aproveitavam a noite agradável com um jantar farto de carnes, seguido de sobremesa, enroscados no sofá, assistindo a um programa de reformas de casas. Era uma demonstração adorável de duas pessoas apaixonadas — apesar da presença casual de um terceiro, um outro homem tentando abrir caminho, como se a fumaça de um cigarro permeasse o apartamento.

Às onze e meia da noite, Matt e Maeve se retiraram para o quarto, e minha ansiedade para ver o que aconteceria em seguida cresceu. Como na primeira noite, despiram-se, *depois se vestiram novamente*, como se fossem sair para correr. Mas, em vez disso, deitaram-se. Leram por um tempo, depois, Maeve abriu a gaveta da mesa de cabeceira e me preparei para algemas peludas, vendas e outros brinquedos sexuais. Mas, em vez de brinquedos sexuais, Maeve pegou dois cadernos, um com a fotografia brilhante de um Lamborghini na capa, o outro exibindo a reprodução de um quadro de Chagall, um homem de mãos dadas com uma mulher que sobrevoava sua cabeça como se fosse um balão.

Com certa tristeza, Matt aceitou o caderno com o Lamborghini e uma caneta. No topo da página em branco, escreveu: AS TRÊS BÊNÇÃOS DE HOJE. Depois, pareceu perder a inspiração. Olhou para a folha vazia e mordeu a ponta da caneta como se estivesse numa prova e não soubesse nenhuma das respostas.

Precisava localizar três coisas boas daquele dia. Mas nada lhe vinha à mente. Deus, ele detestava isso, como detestava.

Com caneta dourada, Maeve escreveu: "Vi um balão verde no sinal verde."

Na linha seguinte, colocou: "Uma menininha sorriu para mim sem motivo."

E a terceira? "Matt", ela escreveu e fechou o caderno, sentindo-se satisfeita e em paz.

Matt ainda mordia a ponta da caneta; não produzira uma única palavra. Ah! Tomado de súbita inspiração, rabiscou:

*Um misterioso bloco de gelo não caiu sobre o meu carro.*
*Um misterioso bloco de gelo não caiu sobre o meu apartamento.*
*Um misterioso bloco de gelo não caiu sobre o meu...*

... sobre o meu...

Paralisado, olhou em volta do quarto. Agradecia o fato de o misterioso bloco de gelo não ter caído sobre o que mais? O que mais tinha valor para ele? Bem, Maeve, obviamente. Posicionou a caneta novamente.

*Um misterioso bloco de gelo não caiu sobre o meu carro.*
*Um misterioso bloco de gelo não caiu sobre o meu apartamento.*
*Um misterioso bloco de gelo não caiu sobre a minha mulher.*

Pronto! Fez uma linha grossa na página, de puro contentamento, bastante feliz consigo mesmo, e entregou o caderno para Maeve. Era uma boa lista. Às vezes, Maeve inspecionava suas listas de bênçãos, só para ter certeza de que ele estava fazendo tudo direitinho, mas Matt tinha confiança plena no que escrevera naquela noite.

# Dia 58

Fionn não gostava de Dublin. Apesar de ter vivido ali até os doze anos e poder chamá-la de lar, a cidade lhe inspirava muitas lembranças tristes. Esperou até que todos saíssem do ônibus — o Meteorito de Monaghan — antes de se levantar e descer até o caos da rodoviária.

Precisava achar um táxi. A produtora o esperava para uma reunião, e ele não fazia ideia de como chegar lá. Procurou as placas indicativas, abriu caminho em meio à multidão e, por instantes de absoluta vulnerabilidade, pensou em voltar ao Meteorito de Monaghan e insistir para ser levado de volta a Pokey.

Bastou pensar no quanto Jemima ficaria desapontada para que seguisse adiante.

Endireitou as costas, enrijeceu o maxilar anguloso, pendurou a mochila no ombro e se dirigiu à fila de táxis. Estava vinte minutos atrasado, e o relógio não parava.

A seis quilômetros de distância, numa casa que já fora uma cocheira, Grainne Butcher cruzava o lobby de pé-direito alto, amplamente iluminado, em busca de um táxi. Celular na mão, pressionou o botão de rediscagem pela sétima vez e, de novo, foi recebida pela caixa postal de Fionn.

— Que espécie de ser humano desliga o celular? — perguntou, incrédula. Virou-se e encarou Alina, sentada atrás da mesa de madeira clara da recepção.

— Não sei — resmungou Alina. Na última posição do último escalão, geralmente ouvia a queixa de todo mundo. Havia muita gente cronicamente irritada na empresa, desde Mervyn Fossil, o proprietário e produtor, a Grainne, diretora (que também era mulher de Mervyn), até a figurinista. Uma cadeia organizada de culpas estava em funcionamento, sendo que Mervyn descarregava em Grainne, que descarregava no editor, que descarregava no pesquisador mais velho, que descarregava no mais novo, que descarregava em Alina. A única pessoa que não fazia parte dessa cadeia de raiva era a figurinista, e isso porque era freelancer.

— Ele não ligou? — perguntou Grainne Butcher novamente.

— Eu teria lhe avisado se ele tivesse ligado.

— Não seja atrevida! Sim ou não, por favor.

— Não — sussurrou Alina. — Não, ele não ligou.

Mervyn Fossil apareceu no corredor. — Cadê? Inferno. Ele vem?

— Ele está a caminho — respondeu Grainne. — Anda, continua dando seus telefonemas. Eu aviso quando ele chegar.

Mervyn, um tirano de bronzeado artificial, olhou para Grainne, a boca num esgar de irritação.

— Vai — disse ele.

Em silêncio, mas com olhar letal, Mervyn voltou para seu escritório. Assim que a porta se fechou, Grainne voltou a andar de um lado para o outro.

— Olha ele aí! Graças a Deus! — Um táxi estacionara na porta. Grainne foi até o lado de fora, estendeu uma nota para o motorista: — Pode ficar com o troco. — Arrancou Fionn de dentro do carro. Abriu o porta-malas e deu de cara com o vazio. — Onde estão suas coisas?

Fionn indicou a mochila média no próprio ombro.

— Você só trouxe isso? Para um mês?

— Do que mais preciso?

Então, Grainne se lembrou do motivo de ter se encantado com ele.

Quem teria imaginado que, num buraco como Pokey, ela esbarraria em alguém como Fionn? Nem mesmo sabia por que resolvera ir ao batizado do pequeno Carmine: detestava seu irmão, detestava a mulher dele, simplesmente detestava o ar de Pokey.

Estava na mesa da cozinha da cunhada, tentando respirar, contando os minutos para ir embora, quando Fionn apareceu no jardim de Loretta. Grainne olhou para o cabelo, o maxilar, as mãos grandes e fortes e teve aquela sensação deliciosa — tão rara e tão desejada.

— De que planeta ele é? — perguntou para Loretta.

— Ele é daqui.

— Desde quando?

— Anos e anos.

— Não me lembro de ter encontrado com ele quando morava aqui. — Talvez, se tivesse acontecido o encontro, ela não tivesse ido embora tão rápido.

— Vocês devem ter se encontrado. Ele veio pra cá com a mãe quando tinha uns doze anos. Ela não conseguia lidar com ele, coitada. O menino andava meio rebelde, adolescência turbulenta, essas coisas, até que foi adotado pelos Churchill. Adotado, não. Ficou sob os cuidados dos Churchill.

— Quem? Ah, o casal maluco da casa de vidro no vale.

— Isso. O Giles morreu alguns anos atrás e a mulher dele, Jemima, se mudou para Dublin.

Do nada, Grainne foi tomada pela lembrança de uma mulher bonita e confusa, sendo incapaz de pagar pelas compras no supermercado. Angeline, mãe do Fionn. — Meu Deus, é mesmo, me lembro da mãe dele! — Depois, lembrou-se de Fionn. Ele e Grainne ficaram ao mesmo tempo em Pokey talvez durante um ano, antes de Grainne, aos dezessete, escapar para Dublin. Mesmo naquela época, fosse qual fosse sua idade, Fionn era — doze ou treze, talvez — muito bonito, mas jovem e rebelde demais para Grainne.

Quem teria imaginado que ficaria assim?

Sob o olhar de Loretta, chocada pelo interesse repentino, Grainne foi em direção ao jardim e disse para Fionn: — Alguma chance de você me dar uma aula rápida de jardinagem?

Fionn fez uma pausa, interrompendo o movimento de levantar um saco de adubo: — Você é?

— Grainne, irmã do Carmine.

— E você quer uma aula de jardinagem?

— Isso.

Não pareceu terrivelmente surpreso — provavelmente acostumado às mulheres se jogando em cima dele, Grainne pensou.

— Não tenho tempo para dar aulas, mas você pode me acompanhar enquanto trabalho — disse. — Pode ficar me assistindo.

*Tranquilo*, pensou ela. *Bom*. Seguiu-o pelo jardim até um canteiro de batatas ao lado de um punhado de terra.

Fionn se agachou e cuidadosamente removeu uma delas. Que mãos! — Você quer me ajudar a plantar esses lírios?

— Ok.

— Abaixe-se — acrescentou ele, diminuindo a velocidade dos movimentos. Profundamente surpresa, Grainne estreitou os olhos, tentando saber se aquelas palavras queriam sugerir algo. Já concluíra que era fisicamente lindo, apesar de bobo, baseada na ideia de que Deus só dá certa quantidade de sorte para cada pessoa. Mas, estaria errada? — Você não vai poder fazer muita coisa aí em pé — acrescentou em tom completamente inocente.

As coisas que fazia pelo trabalho, pensou ela, finalmente de joelhos na terra úmida, deixando que ele colocasse a planta em suas mãos em concha.

— Faz um buraco — disse ele, mais uma vez parecendo falar sobre sexo; ela não estava imaginando, tinha certeza. Quase certeza...

— Tem luvas? — Ela não queria pedaços de natureza enterrados debaixo das suas unhas.

— Não, não tem — disse ele. — Enfie as mãos direto. Não precisa ter medo de ficar suja.

Dessa vez, Grainne não teve dúvida da dubiedade do tom. Olhou para ele, e os dois se encararam longamente, lendo o que os olhos de um e de outro diziam.

Fionn estava debochando de si mesmo. Debochando da pessoa que Loretta e outras donas de casa de Pokey cobiçavam, a persona que ele sabia Grainne ser capaz de detectar. Gostou mais ainda dele por isso. Apesar de sua admiração ser puramente profissional, estava feliz por ele não ser um bobo. Pelo menos seria capaz de decorar suas falas.

— Então, você adora ser jardineiro, não adora? — perguntou. Fionn não sabia, mas era uma entrevista de trabalho.

— Adoro!

— Falando sério — disse ela. Percebeu que o subestimara. Os dois estavam de acordo quanto a isso. Mas agora precisavam conversar sério.

— Falando sério? Você quer que eu fale sério? Ok. — Suspirou. Fionn também sabia falar sério. Podia ser o que qualquer mulher quisesse. Por algum tempo, pelo menos. — Não consigo me imaginar fazendo outra coisa.

— Por quê?

— As flores, as plantas... são como milagres. Você coloca uma muda na terra. Tudo em volta morre, e, surpresa!, dali a dois ou três meses, as flores de Lázaro começam a despontar. De volta do mundo dos mortos.

— Continua... — A luz no rosto dele! Grainne conseguia ver como a câmera captaria aquilo. Ouro televisivo!

— E não é só uma questão de embelezar o mundo; você pode plantar a própria comida.

— *Eu* não seria capaz. Meu jardim é do tamanho de uma caixa de fósforo.

— Não precisa de muito espaço. Isso aqui. — Fionn apontou para o terreno de Carmine e Loretta. — Isso poderia ser seu jardim do Éden particular.

Grainne quase caiu diante de tanta perfeição: Seu Jardim do Éden Particular! Esse seria o nome do programa! Ou talvez, Seu Jardim Secreto, que carregava certa tinta de conotação sexual, o que seria útil sendo Fionn tão absurdamente bonito. Sua cabeça começou a pulular de ideias e, quando ela voltou à produtora, passaram longas horas discutindo o título: Seu Éden Particular? Seu Jardim Secreto?

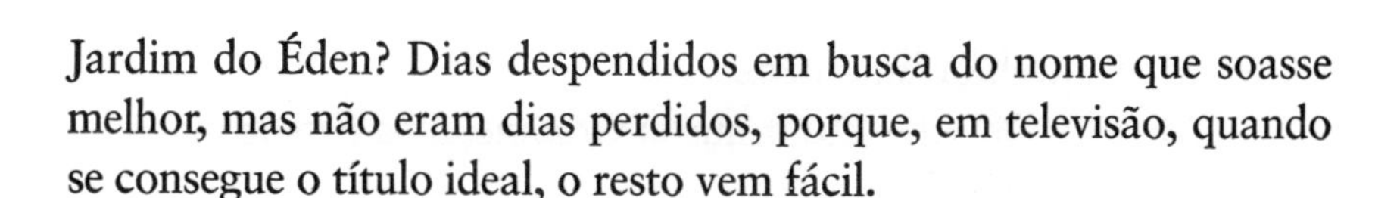
Jardim do Éden? Dias despendidos em busca do nome que soasse melhor, mas não eram dias perdidos, porque, em televisão, quando se consegue o título ideal, o resto vem fácil.

— Vamos em frente — disse Mervyn Fossil, apressando as pessoas em direção à sala de reunião. — A gente já perdeu tempo demais esperando... — Foi flagrado pelo olhar de advertência de Grainne: Não insulte o artista. Relutante, engoliu as palavras *esse idiota*. — Vamos — disse. — Vamos ao trabalho.

Mas Fionn ficou onde estava, colocou a mão no bolso da jaqueta e olhou para alguma coisa. — O que é isso? Está maltratada, mas parece... uma valeriana — disse para Mervyn Fossil. — Você acha que é?

Mervyn Fossil se retraiu. — Eu não saberia distinguir uma valeriana nem que ela se jogasse na minha frente gritando o próprio nome.

Fionn pareceu ligeiramente confuso — claramente não fora exposto muitas vezes a pessoas tão desagradáveis quanto Mervyn Fossil. Mas isso não pareceu incomodá-lo. No seu tempo, enfiou a mão no outro bolso e pegou um livrinho velho e bastante surrado. Era uma enciclopédia de ervas, com ilustrações e descrições. Calmamente, passou as páginas até encontrar uma valeriana e compará-la à planta em sua mão. — É. Exatamente o que eu pensei. Uma valeriana. Ajuda a acalmar, a dar esperança, ajuda a aplacar o sofrimento... — Olhou atentamente para Grainne, Mervyn, a figurinista e os outros, mas não encontrou o que estava procurando. Então, girou nos calcanhares e encarou a mesa à sua frente, onde Alina estava sentada, absolutamente pasma.

— Você — disse. — Qual é o seu nome?

— Alina.

— Alina, acho que você precisa disso.

Depois de um silêncio abismado, aceitou a valeriana e lágrimas gordas, dramáticas, começaram a rolar pelo seu rosto.

— O que foi? — perguntou Mervyn, de supetão.

— Meu gato morreu ontem.

— Ah, meu Deus... — murmurou Grainne, uma pessoa que adorava gatos.

Com o rosto molhado e cheio de gratidão, Alina perguntou para Fionn: — Como você sabia?

— Eu não sabia — disse Fionn, com modéstia.

— Sabia, sim.

Mervyn Fossil estreitou os olhos, suspeitando de Fionn, e disse:

— Qual é a jogada, rapaz?

— Cala a boca — disse Grainne imediatamente, e ele calou a boca.

# *Dia 58...*

Pedalando para o trabalho, Maeve esteve a poucos centímetros de ter a sua traseira atingida por um carro, mas o veículo desviou bem na hora, sorte dela. Isso fez com que pensasse numa fala de que se lembrava vagamente do filme *O Grande Gatsby*, que dizia que tudo bem ser um motorista descuidado, porque todos os outros seriam cuidadosos. Não que Maeve estivesse, na verdade, dirigindo, claro. Porque não sabia dirigir.

Não, quatro anos antes, não passara na prova de motorista, e perguntava-se, com frequência, se, caso tivesse passado, as coisas seriam como eram.

*Quatro anos antes...*

— E então? — Pelos menos dez pessoas esperavam à mesa de Maeve, e ela sentia as vibrações de um cartão, de um bolo, talvez até mesmo uma garrafa de espumante. Tudo que tinha a fazer era dizer a palavra mágica, e todos sairiam de seus esconderijos.

Maeve baixou o rosto. — Não passei.

— Ahhh!

Ninguém esperava por isso, não mesmo. Claro, todos tinham histórias terríveis de provas de autoescola, sobre todas as coisas inesperadas que podiam acontecer até mesmo a alguém muito bem-preparado, mas, com seu jeito suave, tranquilo, Maeve era uma conquistadora.

Rapidamente, David disse: — Todo mundo é reprovado na primeira vez. É um rito de passagem. A gente ia achar você uma esquisitona se passasse de primeira.

— Com certeza!

— A gente comprou um bolo para você — disse David, e Roja tirou o dito-cujo de trás das costas. Tinha uma camada de glacê e a exclamação: Parabéns!

— Obviamente, são parabéns por não ter passado — disse David. — Renzo, você corta os pedaços?

— A gente também comprou uma garrafa de espumante — disse Tarik.

Humildemente, Maeve balançou a cabeça. — Trabalho com as pessoas mais legais do mundo.

Mas compartilhou um sorriso com David, como querendo dizer que ele era a força por trás de tanto amor.

— Bebemos agora ou esperamos o fim do expediente? — perguntou David.

— Agora, claro, que se dane!

A rolha foi tirada, e copos de plástico distribuídos. — Ao fracasso!

Fátima, entregando fatias de bolo de chocolate em guardanapos de papel, perguntou: — Você quer falar no assunto?

— Pode ser. — Maeve sentia-se melhor agora. A primeira pontada de humilhação passara. — O melhor conselho que posso dar para qualquer um que queira passar é: não praticar no trator do pai! Não serviu para nada. Fiquei me sentindo tão baixinha na rua, tudo errado!

Maeve não precisava explicar que aulas de autoescola eram muito caras; todo mundo sabia.

— Mas, sabe o que realmente me deixa irritada? Meu pai tem um carro.

— Por que ele não deixou você treinar no carro, então? — perguntou Franz. — Medo de você bater?

— Não — disse Maeve, com pesar. — Exatamente o contrário. Segundo ele, qualquer um pode dirigir um carro, já um trator... só quem tem muita habilidade. Ele me acha brilhante, acha que posso fazer qualquer coisa. É um castigo.

— Ele não vai ficar nada feliz quando ouvir a novidade. — David presenciara, em primeira mão, o quanto os pais apostavam nela.

— Ele já sabe — falou Maeve. — E está indócil. Uma falha na justiça, disse ele. Quer saber o nome do instrutor da prova para poder fazer uma reclamação oficial.

Em meio à gargalhada, interrompendo Maeve, que dizia: — Pelo menos posso arar um campo inteiro, sem problemas. — Ouviu-se a voz de Matt:

— Acabei de saber! — disse. — Estava numa reunião e acabei de saber!

Moveu-se intencionalmente na direção de Maeve e abriu caminho de braços abertos. Instintivamente, as pessoas abriram espaço para sua passagem.

— Esses instrutores canalhas! Tiranos desgraçados.

Matt abraçou Maeve, apoiando a cabeça dela no ombro, no seu terno escuro. Todos ficaram tocados com a demonstração de humanidade. Uma coisa eram os colegas se preocuparem com ela, mas Matt, por mais acessível que fosse, era o chefe. E o abraço não fora previsto, não tivera aviso, não fora longo, mas também não fora rapidinho; durara mais do que o meio segundo obrigatório. Matt estava sendo claramente sincero em relação à humilhação de Maeve. Como era gentil, pensaram todos. Que grande cara ele era. Várias pessoas sorriam, os olhos estranhamente iluminados. Então, vieram os sinais de alarme. O abraço poderia ser encerrado agora. Já durara um segundo a mais do que o aceitável. Era hora de parar. *Chega. Agora, chega!* Mas Matt e Maeve permaneceram um nos braços do outro. Para aumentar a confusão geral, Matt ainda apertou-a mais para perto do próprio pescoço.

*Parem agora e não terá sido nada de mais.* Sorrisos congelados estampavam os rostos presentes. Estavam como estátuas em torno de uma figura dupla tornando-se única e trocavam olhares assustados, intrigados — mas ninguém olhava diretamente para David.

Emoção irradiava como calor de Matt e Maeve, indo além do círculo imediato, alcançando partes mais distantes do escritório, chegando até Natalie. *Alguma coisa está errada.* Ela se levantou e foi até o amontoado de pessoas em volta da mesa de Maeve.

Finalmente, para grande alívio da plateia, eles se moveram. Maeve levantou a cabeça. *Afastem-se*, pedia, com urgência, o pensamento coletivo. *Matt, volte para sua sala. Maeve, sente-se. E todos faremos o possível para fingir que essa loucura jamais aconteceu.*

Mas, para as testemunhas em choque, as coisas só pioraram. Matt também levantou a cabeça e seus olhos encontraram os de Maeve, com um jorro de energia quase audível. Com o rosto coberto de perguntas e surpresa, olhavam-se, numa troca de almas. Maeve levantou uma das mãos e tocou o rosto de Matt, como se conferisse se era real, se tudo aquilo estava, de fato, acontecendo. Todos em volta deles sabiam que não deviam estar assistindo àquele momento de extrema intimidade, mas ninguém conseguia desviar o olhar.

Não era assim que Matt planejava contar para Natalie que não a amava mais, no entanto, de qualquer maneira, ela captou a mensagem. Mais digna do que nunca, abandonou a cena comovente, deixou o escritório, foi até a cidade, ficou sentada no carro dentro do estacionamento de um shopping e chorou. Depois, comprou um sabonete, cortou seis centímetros do cabelo, comeu onze macaroons, dos grandes, e sentiu-se pronta para seguir adiante.

O rosto pálido de cera de David foi a primeira coisa que Maeve viu quando voltou à Terra. Era o rosto de alguém que conhecera muito tempo atrás. No decorrer de quarenta e sete segundos, seu mundo inteiro mudara de posição.

Precisava pensar em palavras para que voltasse ao normal, mas nenhuma lhe ocorreu. Como quem implora perdão, olhou para David.

*O que foi isso?*, os olhos dele perguntavam.

Não sei.

*Eu te amo.*

Eu sei.

*E pensei que você me amasse.*

Eu também.

*Você me humilhou.*

Não fazia ideia de que isso fosse acontecer...

Em volta deles, todos, a não ser Matt, haviam desaparecido.

— David, eu... — Mas Maeve não conseguiu pensar em nada para dizer. David a observava, esperando que ela consertasse as coisas.

— Desculpa — sussurrou. Não conseguia olhá-lo nos olhos, o choque, a dor, a raiva. — Mil vezes, me desculpa.

— Você não serve para lamber as botas dela — David se dirigiu a Matt, a voz trêmula. — Você não passa de um... de um *terno*. Desviou o olhar enfurecido para Maeve. — E você, não sei o que está fazendo e acho que você também não sabe. Isso ainda não acabou, não pense nem por um minuto que já acabou.

# *Dia 58...*

Katie tivera um dia desafiador tentando atrair o interesse da mídia para um novo e desconhecido cantor/compositor, supostamente o mais novo sucesso do pedaço. Finalmente, conseguira ir para casa e estava quase dormindo no sofá, assistindo a *The Gilmore Girls*, perguntando-se se deveria simplesmente subir e ir para a cama, quando o telefone de casa tocou. Estranhando, checou o número. Quase ninguém mais ligava para seu telefone fixo mais. A não ser sua mãe. E, certamente, era ela. Pensou em não atender, mas experiências do passado diziam que continuaria ligando até que eventualmente atendesse.

— Mãe?

— Como você sabe? Preferiria que você não fizesse isso. É irritante.

— Tudo bem, mãe?

— Liguei para desejar feliz aniversário, porque amanhã meu dia vai estar muito cheio.

— Ok. Obrigada. Obrigada pela cesta de pão.

— Não é tão glamoroso quanto um relógio de platina, claro. Mas é útil.

— Com certeza é útil.

— Quarenta, Katie. Não é difícil de acreditar? Para onde foram os anos? Bem, acho que chegou a hora de você começar a se preocupar com o seu cabelo.

— Qual o problema do meu cabelo?

— Está muito comprido.

— Meu cabelo está na altura dos ombros.

— Mas, agora, você tem quarenta. Chegou a hora de começar a cortar.

Penny Richmond vivia sob códigos de conduta rígidos, códigos baseados no medo. Tinha todas essas *regras*, e Katie nunca sabia muito bem de onde tinham vindo. (Exemplos: se você não pintar a fachada de casa a cada quatro anos, a associação de moradores pode muito bem autorizar a venda; se escutar seu vizinho batendo na esposa toda noite, deve ficar calada; deve-se ir aos eventos sempre que for convidada, mesmo que odeie todo mundo que estará lá porque falta de educação pode matar.)

— E a cor, Katie. Você precisa parar de pintar tão escuro.

— Mas é minha cor natural. Só estou cobrindo a raiz.

— Todo mundo sabe que, na sua idade, a cor da pele perde o viço e...

As palavras escaparam da boca de Katie. — Olha só, sei que se deve clarear o cabelo com a idade, mas gosto da cor do meu como está!

Um engasgo agudo veio do outro lado da linha, seguido de um silêncio longo, ofendido. Katie estava impressionada com a própria audácia: confrontara Penny Richmond.

— Desculpa, mãe — disse, confusa. — Não sei o que me deu.

Com a voz trêmula, Penny disse: — Eu também não. Não vou fingir que não estou magoada, Katie. Mas, como é seu aniversário, vou fazer o possível para esquecer.

Assim que Penny desligou, Katie telefonou para MaryRose. — Atende, atende — pediu, mas a ligação foi encaminhada para a caixa de mensagens. Era isso que acontecia quando sua melhor amiga tinha um filho com um homem casado. Sua disponibilidade para ouvir as queixas da amiga em relação à mãe de repente diminuíam dramaticamente, porque vivia esterilizando coisas, fazendo purê de batata ou andando de um lado para o outro com uma criança aos gritos no colo.

Katie não sabia como MaryRose aguentava, e a própria MaryRose ameaçara pular da ponte de Stillorgan quando descobrira que estava grávida, aos trinta e nove anos. Estava tão *velha*, dissera — teria quarenta anos e meio quando o bebê nascesse. Como isso acontecera? Parecia que todas as mulheres do mundo estavam fazendo fertilização *in vitro* e, lá estava ela, praticamente na menopausa, depois de um, *um* acidente sem camisinha, descobrindo-se grávida. Estava errado!

Mas, depois de alguns dias do surgimento da linha azul no palito do teste, MaryRose mudara o discurso. Orgulhosa, contara para Katie que acabara de ler sobre sua situação na Vogue. Havia uma matéria sobre mães de primeira viagem quarentonas e solteiras.

— Não quero me gabar, mas acho que sou a primeira da Irlanda. Não é incrível? Faço parte do *zeitgeist*. Acho que isso nunca me aconteceu na vida. E fui poupada de fertilizações e de doadores de esperma, mesmo da possibilidade de ter que adotar crianças chinesas. Sou uma sortuda — dissera.

Katie ficara chocada. — Não sabia que você queria ter filho.

E Mary Rose respondera: — Eu não queria. Mas, agora, quero.

Hormônios de grávida, as duas concluíram.

Katie deixou uma mensagem rápida para MaryRose, depois se perguntou para quem mais poderia ligar. Não fazia sentido ligar para Conall. Ele telefonara mais cedo, antes de voltar ao trabalho, e ela não queria perturbar suas demissões. Sinead, Katie também tentara Sinead. Mas a amiga estava em algum bar e mal conseguia escutá-la, recusando-se a mudar de lugar, porque "tem um cara gato olhando para mim". No final, não sobrara ninguém, a não ser Naomi. Ela não seria cúmplice, mas, pelo menos, entendia a mãe delas.

— Acabei de me desentender com a mamãe.

— Qual o motivo?

— Nenhum.

— Pode ir se acostumando — disse Naomi. — No segundo em que você faz quarenta anos, começam os confrontos.

— Meu Deus! Isso faz a vida ficar tão esquisita. E ainda nem tenho quarenta, oficialmente. Só amanhã.

— Isso porque você sempre foi boa menina, construiu bem suas bases. — Naomi lhe dissera que começasse a se preparar quando fizesse trinta e oito. — Você tem que ficar repetindo: tenho quarenta, tenho quarenta. Porque aí, quando chega, não fica tão devastada.

Mas Sinead lhe aconselhara exatamente o contrário. — Negação é o melhor caminho. Mesmo quando chega, você continua com trinta e nove. Finge que tem trinta e nove para sempre. Até morrer. Claro que vão descobrir que você mentiu, todo mundo vai ficar chocado, mas você já vai estar morta, então, que importa?

— Que bom que você ligou — disse Naomi. — Seu aniversário, no sábado... Dawn pode ir? Desde que o bebê nasceu, há sete meses, ela não vai a lugar nenhum.

Dawn era amiga de Naomi, não de Katie, mas era legal. — Acho que sim, por que não?

— Quem mais vai? — quis sabe Naomi.

— MaryRose, Sinead e Tania.

— Tania vai! — Naomi pareceu feliz. — Vou ter alguma coisa em comum com alguém. — Tania era casada e tinha dois filhos. — Em vez de ter que me enturmar com todas as suas amigas solteironas e amargas.

— Elas não são amargas! Não mais do que vocês, mulheres casadas falando que desprezam os maridos. E a MaryRose não é exatamente solteira!

— O namorado dela, pai dessa criança de dez meses, mora com a mulher e os dois filhos, faz pagamentos esporádicos e não vê a Vivienne há quase quatro meses. Pode acreditar, Katie, a MaryRose é, *definitivamente*, solteira.

Um ligeiro silêncio se seguiu, e Katie se arrependeu de nunca conseguir esconder nada de Naomi. (Fora o segredo espetacular sobre o irmão, Charlie — uma cortesia de Conall —, que estava guardando para quando realmente precisasse revelá-lo.) Depois, ela disse: — Você precisa tomar cuidado, Naomi. Você está virando a mamãe.

# *Dia 58...*

Encontraram um grupo de sikhs, também em despedida de solteiro na fila do lado de fora do Samara, e um deles sugeriu que sequestrassem o Viking. Lydia foi a favor porque detestava filas; filas eram humilhantes.

— Você é muito impaciente — dissera Shoane mais cedo quando se juntaram na fila. Shoane queria ver o interior do Samara; exibia novos sapatos vermelhos, já vistos pela maior parte da população de Dublin, e queria incluir nesta lista as pessoas lá de dentro. — É a despedida de solteira da Poppy — disse. — A gente tem que fazer tudo que ela quiser.

— Detesto perder tempo — disse Lydia, frustrada. Havia tirado a noite de folga...

— A gente está andando o mais rápido possível. — Poppy acalmou a todos. — Vai dar para entrar em dez minutos.

— Dez minutos! — exclamara Lydia. — Pobre homem. — Indicara o bisavô da festa dos sikhs, um cavalheiro saudável, porém idoso, exibindo uma barba impressionante, ao estilo Velho Testamento, e um turbante do tamanho de um carro pequeno. — Ele pode *morrer* nos próximos dez minutos. Sem ofensa — acrescentou, dirigindo-se ao homem.

O velho respondera que tudo bem, que concordava com ela, no estágio da vida em que se encontrava, aos oitenta e um anos, gostava de otimizar cada segundo. — Sempre quis morrer nobremente — dissera. — Morrer nas primeiras horas da madrugada; esperando para não entrar num pub da moda de Dublin não seria nobre. O obituário teria de ser deliberadamente vago.

— Poderia dizer que o senhor morreu entre familiares e amigos — sugerira Lydia. — Essa parte seria verdade. — Gesticulara em direção aos muitos homens de turbante na fila. A despedida de solteira — que viera de Birmingham — contava dezessete pessoas e havia quatro gerações ali presentes: o noivo, o pai, o avô e o bisavô, além de primos, irmãos e tios.

— Você parece uma jovem de recursos — disse o senhor. — Se conseguisse me tirar desta fila, eu ficaria muito grato.

— Ok. — Sempre pronta a aceitar um desafio, Lydia ergueu a voz e gritou: — Ei! Parece que o vovô aqui não está muito bem.

Várias pessoas pareceram levar a sério, então alguém — tentaram reconstituir o episódio no dia seguinte, mas a memória de ninguém era confiável o bastante para que se identificasse o autor da proposta — gritou: — Vamos sequestrar o Viking Splash! — E a sugestão encontrou aprovação geral, até mesmo de Shoane.

Os sikhs, Lydia, as três amigas e outros da fila se amontoaram e tomaram a Dawson Street, passando pela multidão e indo até onde o Viking Splash esperava.

Era um veículo anfíbio, bastante popular entre os turistas. Sua rota passava por vários pontos turísticos de Dublin e, como *grand finale*, mergulhava no Grand Canal e deslizava um pouco até voltar à terra firme. Só funcionava de dia, porém — mais uma vez, os detalhes eram incompletos — os sikhs haviam angariado alguns novos amigos e se preparavam para um tour noturno mediante o pagamento de uma módica e extraoficial quantia.

Preocupados com a possibilidade de não terem álcool para o passeio (quarenta e cinco minutos), Poppy comprou dez latas de "cidra maluca" com alguns mendigos e distribuiu-as entre Lydia, Shoane, Sissy, os três Kevin, a hilária depiladora búlgara, a amiga hilária da búlgara, e a mulher alta e caladona que não pertencia a nenhum grupo. ("Achei que ela era uma das búlgaras. Os Kevin acharam que era uma de nós.") Os sikhs, por incrível que pareça, não bebiam.

Todos entraram no veículo — os coletes salva-vidas laranja não passariam pelos turbantes dos sikhs, mas não tinha importância, já estavam quebrando tantas regras que uma a mais não seria problema — e partiram no meio da noite.

* * *

Isso sim, pensou Lydia, feliz, enquanto via os prédios passarem por ela. Se tinha de perder o dinheiro de quinta-feira, uma das noites mais lucrativas da semana — e *tinha* de perder: era melhor amiga de Poppy desde o primeiro dia de colégio; portanto, não poderia perder sua despedida de solteira —, que fosse por uma boa causa.

Quinta-feira era dia de grandes festas, talvez ainda mais que sexta, e Lydia estava acostumada a passá-las transportando garotas bêbadas que vomitavam no banco de trás do táxi de uma festa para outra, enquanto pernas, unhas coloridas e cabelos feitos se misturavam no carro, cantando, chorando e resmungando. Seu plano para esta noite era ser uma delas.

Saíra de casa com maquiagem pesada nos olhos, salto alto e vestido curto. Tão curto que Jan tapara os olhos com uma das mãos e com a outra se benzera. Andrei assistira a tudo, mas não se pronunciara.

— Pode falar — dissera Lydia.

— Pode falar?

— Pode falar o que lhe vier à cabeça. Dá para ver que você está louco para dizer alguma coisa.

Ele encolheu os ombros, indiferente. — Você está bonita.

Lydia esperou. Devia haver mais.

— Vulgar, mas bonita.

Um sentimento ruim nascera entre eles.

— Melhor do que guardar a flor preciosa no freezer — respondera ela.

Andrei parecia ter aumentado de tamanho. — Você está falando da Rosie?

— Quem mais a gente conhece que guarda seu lado mulher no freezer? — Lydia — bem, não havia outra palavra, realmente — Lydia *odiava* Rosie. Todo o comportamento de mocinha que Rosie apresentava, as saias modestas, o vinho gaseificado, as boas botas de couro compradas em liquidação. Lydia nunca conseguia encontrar nada que não fosse porcaria nas promoções, e, se fossem botas, quando começasse a esfriar o suficiente para que pudesse usá-las, elas já seriam botas do inverno passado, e ninguém, em sã consciência, sairia com botas do inverno passado.

Lydia passou gloss nos lábios, olhou para Andrei com um desprezo que tinha efeito dobrado, por causa do delineador verde-escuro nos olhos, e deixou o apartamento.

Havia onze deles no começo da noite, e as chances de ser um passeio calmo jamais haviam sido grandes.

— Preciso de quatro doses de álcool — disse Lydia para o barman. — O que você quiser, pode me surpreender.

Quando seu drinque surpresa chegou (um daiquiri com frutas vermelhas), Lydia disse: — A gente vai encher a cara. Ou seja, eu sei que a gente vai encher a cara, mas, mesmo se essa não fosse a proposta, ia acontecer. Duas garrafas de Magners significam encher a cara hoje em dia.

— Não é de estranhar que se resolva encher a cara de verdade, já que as pessoas veem com tão maus olhos a bebida comum — disse Shoane, e todos concordaram que, já que seriam acusados de bêbados, melhor que se embriagassem de fato.

— Nós somos as garotas que mencionam nos artigos.

— Pelo menos a gente usa roupa de baixo — disse Poppy.

Apesar de algumas delas terem dúvidas quanto a Shoane.

— Mais quatro desses aqui ou a gente vai ter que beber em outro lugar?

Shoane decretou que deveriam ir a outro bar, para que as pessoas de lá também pudessem ver seu sapato vermelho. Ao longo da noite, foram de bar em bar, todas de excelente humor, o grupo ganhando e perdendo agregados ao longo do percurso. Quando encontraram os sikhs, já tinha passado das duas da madrugada, e o grupo tinha se reduzido ao núcleo mais forte de Poppy, Lydia, Shoane e Sissy.

* * *

O passeio ilegal no Viking Splash foi seguido de outra festa improvisada no quarto de hotel do padrinho sikh. Depois de toda a bebida do minibar ter sido consumida, todo mundo foi embora para casa.

Sissy pegou o motorista do táxi. Shoane apareceu na casa dos pais às cinco da manhã, apesar de não morar mais com eles há sete anos, chorando, incoerente e sem o sapato vermelho. Poppy acordou com pedaços de comida no cabelo, o que rapidamente identificou como vômito — quase certamente, insistira, com fervor, não seu. ("Posso fazer muitas coisas, mas não vomito.") E Lydia acordou na cama de Gilbert, onde ele explorava seu corpo com as lindas mãos e descobria três hematomas misteriosos na canela esquerda da moça.

Havia sido, todos concordavam, uma grande noite.

# Dia 57

— Normalmente, não sou muito fã de cachorro, mas você é diferente. Acho que confio em você e não sou muito de confiar nos outros. Quer alguma coisa? O que é isso aqui? Biscoito de cachorro. Toma dois, eu insisto. Você merece. Se quiser, como um também, para lhe fazer companhia.

Em seu quarto, Jemima podia ouvir Fionn tentando amolecer Rancor, na cozinha. Uma batalha de vontades. Rancor, criatura paranoica, vingativa, que se sentia constantemente ameaçada, odiava Fionn. Fionn, no entanto, precisava fazer com que todo mundo, até mesmo um cão, o amasse. Se não acontecesse de primeira, nada o impediria de partir para a conquista; seguiria tentando e tentando, com sorrisos, elogios, simplesmente corromperia a pessoa que acabaria por se render e, frágil, concordaria em amá-lo de todo coração. Considerando tudo por que passara, pobre alma, até que se saíra muito bem. Talvez uma ligeira propensão a preferir a companhia dos vegetais à dos humanos, mas, quando se pensava na gama de comportamentos potencialmente disfuncionais em oferta — vício em drogas, compulsão por decoração e por aí afora —, Jemima não tinha do que se queixar.

Jemima ainda se lembrava do dia em que Fionn, aos doze anos, chegara à Pokey com Angeline, sua mãe. A chegada fora como um terremoto na cidade. Somente na televisão as pessoas de lá já tinham visto alguém como Angeline, com seus glamorosos olhos azuis, a beleza de tirar o fôlego, e a filha, uma impressionante réplica sua em miniatura. (Porque, com o cabelo louro encaracolado na altura dos ombros, e o rosto lindo, petulante, foram precisos seis meses para que todos se dessem conta de que Fionn não era uma menina.

A história era que haviam se mudado de Dublin por causa do "clima". Naturalmente, isso fora aceito como eufemismo. Estaria Angeline fugindo da lei? De algum traficante a quem estava devendo? Quem, em sã consciência, se mudaria para Pokey por causa do clima? Na verdade, como muitos nativos diziam, quem se mudaria para Pokey *por qualquer motivo*?

Mãe e filha foram morar num apartamento de um quarto atrás de uma casa de apostas e, mal haviam assentado residência, começaram a atrasar o aluguel. Angeline conseguiu emprego num bar e perdeu-o quase imediatamente. Conseguiu outro, mas foi demitida em uma semana. O trabalho rotativo como faxineira também não durou. O problema era que Angeline estava sempre "doente".

*Preguiçosa*, era o consenso. Ou bêbada. *Uma bêbada preguiçosa de Dublin. Quem usa aquela quantidade de maquiagem? E flerta com os homens?*

*E tem uma filha falsa, não se esqueçam da filha falsa.* (Angeline nunca tentara enganar ninguém dizendo que Fionn era menina, mas o engano fizera com que as pessoas da cidade se sentissem idiotas, depois ressentidas.)

*Drogas*, segredara alguém, pelas costas. *E nenhum pai para o menino-menina.* Adoravam falar de Angeline. Sem descanso, observavam e falavam e falavam e observavam, perdendo completamente o interesse em espionar os protestantes malucos da absurda casa de vidro. A beleza de Angeline, a sombra preta nos olhos, o passado nebuloso — era melhor do que qualquer novela.

Ninguém acreditou quando morreu.

Na verdade, tinha enfisema pulmonar. A história de terem vindo para Pokey por causa do clima era inteiramente verdadeira. Buscava ar fresco para melhorar os pulmões adoecidos, mas, aquilo de que realmente precisava era medicação. No entanto, como era um tipo frágil, pouco prático, desesperado por resultados positivos sem compreender como atingi-los, não pedira ajuda.

Obviamente, ninguém na cidade oferecera assistência. Nem *podia*. Apesar de perceberem que ela vivia caoticamente — Fionn não frequentava a escola e sempre havia cenas no supermercado, porque Angeline nunca tinha dinheiro suficiente —, seria preciso que seus descendentes tivessem vivido em Pokey por quatro gerações para que Angeline fosse aceita. Regras duras, mas regras são regras.

Todos consideravam Angeline amoral, sem ideia de quem era o pai de seu filho, mas Fionn dava pistas, e um telefonema da polícia de Pokey foi o bastante para trazer à luz Pearse Purdue. Um homem bonito, na opinião de Jemima. Tão bonito quanto fora Angeline e, como ela, um espírito livre. (Ou, se quisermos ser impiedosos, o que Jemima não queria, patologicamente irresponsável.) Pescador, Pearse passara a vida trabalhando em embarcações, para cima e para baixo da costa Oeste. Fionn era resultado de um casamento curto, mas repleto de paixão, com Angeline, e, apesar de não terem ficado juntos — Pearse passava onze meses por ano em alto-mar, e Angeline falava um pouco devagar demais para o gosto de Pearse —, a relação entre eles permanecera cordial. Pearse amava Fionn, mas se sabia incapaz de criá-lo.

O menino tivera de ser entregue a pais adotivos.

E foi aí que Jemima e Giles entraram em cena. Ficaram chocados com a morte de Angeline.

— Como pudemos deixar uma coisa dessas acontecer? — perguntava Jemima a Giles.

— Você levava sopa para ela.

— Mas não percebi que estava tão doente. Fionn dava antitérmicos para ela. Achei que era só uma gripe forte.

— A gente não podia saber — disse Giles, afagando o ombro da mulher. — Não podia adivinhar. Mas nós podemos dar um lar para Fionn.

— O menino vai dar trabalho. — O homem do serviço social disse para Jemima. — Herdou a irresponsabilidade dos dois lados da família. Problema em dobro. É um caso perdido. E parece uma garota.

— Giles e eu não nos assustamos com isso — respondeu Jemima. — Uma criança equilibrada sempre há de ter um lar, mas são os problemáticos os que realmente precisam de um.

# *Dia 57...*

Era o dia verdadeiro do aniversário de Katie.

— Quarenta — disse Danno quando ela adentrou o escritório. — Próxima parada, morte.

Uma pequena parte da equipe foi até sua mesa. — Parabéns, Sra. Richmond — falou Danno. Entregaram a ela um cartão e um presente embrulhado. — É coisa à toa, a gente jamais poderia competir com o Demolidor, mas é de coração.

Era um diário de quarenta anos. Na capa, estava escrito: "A vida começa... Um guia para o que resta da sua vida." No topo da página de cada dia, um pensamento animador.

— Que incrível. — Katie folheou o volume. — Vou ler a mensagem de hoje. "Dance com alegria todos os dias da vida. Mas não deixe que ninguém veja, não na sua idade." Que lindo, gente. Não precisava.

— O Destruidor Hathaway está aqui!

Absolutamente surpresa, Katie olhou para Danno.

— Achei que você tinha dito que ele estava em Helsinki — acusou-a Danno.

— E estava.

— Voltou só para levar você para almoçar — falou George.

George provavelmente tinha razão, pensou Katie. Conall era excelente com grandes gestos.

— Num jatinho particular de estofamento de couro e tapete azul fofinho — disse George, sonhador. — Bebendo Krug e comendo caviar Beluga, apesar de caviar ser horrível. Aquela textura cheia de bolhas... poeira de estrelas para os gourmets...

— Cala a boca, maluco — rebateu Danno. Para Katie, disse: — Ele está esperando lá embaixo. Comendo chocolate, como sempre, tentando afogar toda a culpa que deve estar sentindo. Está louco para ver você.

Katie pensou no que tinha a fazer. Tinha outros programas agendados para aquele momento, seu almoço de aniversário, e estava irritadíssima com a presunção de Conall. Ok, seu único plano era visitar o setor de produtos para os pés da sua farmácia preferida, mas, para uma mulher que vivia de salto alto, era ali que seus interesses principais se encontravam. Andava ligeiramente obcecada com proteção para as solas dos pés — travesseirinhos invisíveis de gel, feitos para prevenir aquela sensação desconfortável de queimação nos calcanhares. Ainda não encontrara uma marca que não desgrudasse do sapato e colasse no pé, mas mantinha as esperanças. Além do mais, vira o anúncio de um produto novo, um esparadrapo de gel transparente que protegia o dedão quando se usavam sandálias abertas, e estava querendo dar uma olhada. Também estavam sem borrachinha protetora de calcanhares, e não podia viver sem isso. Não somente o produto impedia que formasse uma bolha, mas também ajudava a ancorar o pé dentro do calçado, impedindo que este saísse em momentos fundamentais da vida de uma pessoa, como ao cruzar o palco para receber um prêmio diante de centenas de pessoas, bem como acontecera com Katie quando fora nomeada RP do ano algum tempo atrás. A estatueta que ficava em cima da sua lareira acabou danificada, mas aquela memória particularmente humilhante, não. Jamais permitiria que isso acontecesse novamente. Deu os quatro telefonemas previstos antes que Danno anunciasse Conall e, depois, seguiu lentamente para o banheiro e passou no rosto toda a maquiagem que encontrou dentro da bolsa. Somente então pegou o elevador. Lá embaixo, como dissera Danno, estava Conall, mexendo no seu BlackBerry, perdido em pensamentos, a expressão melancólica.

Quando ela se aproximou, Conall levantou a cabeça e suas feições suavizaram. Endireitou-se. Katie deixou que Conall a beijasse, não um beijo completo, estavam em ambiente de trabalho, *e* ele não pendurara o espelho *nem* respondera sua mensagem de texto; portanto ela se afastou.

— Feliz aniversário — disse ele, encarando-a efusivamente.

— O que aconteceu com Helsinki?

Conall encolheu os ombros, ainda sorrindo. — É seu aniversário.

— Você quis dizer que deu uma pausa nos negócios, mas que amanhã volta para lá?

— É — suspirou ele. — Você não deixa passar nada. Nem sei por que ainda tento. Posso levá-la para almoçar?

Katie esperou. Pensou no espelho. — Provavelmente.

— E você vai tirar a tarde de folga para ficar na cama comigo?

— Tenho uma coletiva.

— Estou com saudades de você — disse ele, suave.

— Eu tenho uma coletiva — insistiu ela, com firmeza. Não se permitiria dizer mais nenhuma palavra.

Conall era desumanamente persuasivo. Nem sequer precisava falar para expor seu desejo; bastava olhar para ela com aqueles olhos que diziam que ele era um homem infeliz e que a única coisa que tornava sua vida suportável era Katie.

Conall era tão persuasivo que, depois do primeiro e terrível encontro em Glyndebourne, Katie ainda saíra com ele outra vez. Ela tinha certeza de que não tinha mais nada a dizer para ele, mas, de alguma forma, Conall a convencera a dar-lhe outra chance. No segundo encontro, que foi completamente diferente da expedição à ópera, mas provavelmente tão arriscado quanto, Conall levou-a para conhecer a família. Era aniversário de Laddie e Hector, seus dois sobrinhos, gêmeos idênticos, de quatorze anos, os dois meninos com cortes de cabelo idênticos e horríveis, a franja tapando os olhos, e também idêntica foi a falta de interesse em Katie quando ela entrou na pequena sala de estar. Somente a cumprimentaram depois de induzidos por Conall, mas permaneceram imóveis, um no sofá, o outro no chão.

Katie ficou irritada. Ninguém que não fosse doido teria achado aquela um boa ideia. Mas o irmão de Conall, Joe, um homem quase careca, foi bastante amigável, assim como sua mulher, Pat. Depois, uma menina entrou na sala e declarou: — Gostei do seu sapato.

— Você está falando comigo? — perguntou Katie.

— Quem mais aqui está usando sapatos irados?

Era Bronagh, sobrinha de sete anos de Conall, tão impressionantemente parecida com o tio que Katie caiu na gargalhada.

— Eu sei — disse Joe. — Você deve estar pensando que a minha senhora andou saindo com meu irmão às escondidas, mas ela jura que não.

Pat revirou os olhos. — Eu sou louca, mas não tão louca. — Tarde demais, percebeu o que acabara de dizer.

— Obrigado, Pat — disse Conall. — Como se eu já não tivesse dificuldade suficiente para convencer Katie de que sou normal.

— Mostra o carro novo pra gente! — disse Joe, encaminhando-se para a porta da frente. Até os gêmeos emburrados saíram do seu estado de torpor diante da ideia de passear no novo Lexus do tio Conall. Saíram de casa, e Pat encaminhou-se para a cozinha, deixando Katie sozinha com Bronagh. A menina suspirou exageradamente e disse: — Meninos e seus brinquedos. Deixa eu experimentar seu sapato e eu pinto sua unha de prata.

Quando os homens voltaram do passeio em volta do quarteirão, Katie havia sido levada para o andar de cima por Bronagh, que confessou ter gostado dela.

O risco de Conall tivera resultado positivo: o calor de sua família convencera-a de que ele talvez fosse ligeiramente são.

— Você pode me levar para almoçar — disse ela para Conall. — Depois, vá para o inferno. Não dá para você... Não dá para você simplesmente...

— Eu sei, não posso simplesmente aparecer aqui e esperar que você mude todos os seus planos agendados há semanas. De qualquer maneira, a culpa é minha de ter aceitado um trabalho na semana do seu aniversário e, ainda por cima, não ter pendurado seu espelho.

Katie abriu a boca, depois a fechou novamente. Ele dissera tudo.

— Exatamente.

— Exatamente — concordou Conall. — Mas você não pode culpar um homem por tentar.

A caminho do restaurante, um ciclista veio em velocidade na direção deles, fazendo com que Katie e Conall tomassem lados opostos da calçada.

— Jesus! — exclamou Conall. — Eles estão em toda parte.

— Fazem com que eu me sinta culpada. Fico pensando que devia começar a ir pedalando para o trabalho.

— Por causa da preservação do meio ambiente? — Conall abriu a porta do restaurante.

— Ah... — Isso e as próprias coxas. — Mas sou tão preguiçosa. Engraçado, porque amava minha bicicleta quando era criança.

Um tipo com cara de gerente reconheceu Conall e eles foram direto para a mesa.

Quando se sentaram, Katie perguntou para Conall: — Você já teve bicicleta?

Uma sombra tomou conta dos olhos dele.

— O que foi? — perguntou ela. — Você ficou estranho.

— Eu tive uma bicicleta.

— E qual foi o problema? Por que você ficou estranho? Fala. A sua resposta pode ser o meu presente de aniversário.

— Eu já lhe dei um relógio!

— Conta para mim.

Conall fez uma pausa. — Você sabe como fui criado?

Conall crescera sem muito dinheiro. Não em uma miséria absoluta, pai bêbado/mãe viciada como em *As cinzas de Ângela*, mas pobres.

O pai era encanador, a mãe costureira. Durante toda a sua infância, a sala da frente de sua casa fora o ateliê de costura da mãe, lotado de rolos de pano, moldes esquisitos e vestidos de casamento pela metade. Conall crescera rápido demais, e sua mãe estava sempre preocupada em lhe dar sapatos novos.

— Não existia dinheiro para bicicletas.

Katie levou a mão à boca.

— Desculpe. Eu não devia ter perguntado.

Conall dispensou as desculpas. — Tudo bem, tudo bem. Mas uma marca de batata chips lançou uma campanha que prometia uma bicicleta grátis pra quem colecionasse cinco mil embalagens.

— Quem consegue colecionar cinco mil embalagens de batatas fritas?

— Eu.

— Como?

— Eu precisava descobrir um lugar onde as pessoas comiam grandes quantidades de batatas fritas. Então, fui até o bar da vizinhança e fiz o pedido.

— Quantos anos você tinha?

— Nove. Não, dez. Não, nove.

— E aí?

— Eles morreram de rir de mim. Mas disseram que iam guardar as embalagens.

— E guardaram?

— Guardaram. E em três outros bares também.

— Três outros! — Mesmo aos nove anos, Conall já era empreendedor. O que ela estava fazendo com aquele homem?

— Levei quase quatro meses, mas consegui cinco mil pacotes de batata chips e ganhei a bicicleta.

— O que é que você está tentando me dizer?

Katie o observou, voltando ao seu momento introspectivo.

— Que ganhei uma bicicleta de graça quando tinha nove anos.

Que nunca desistia? Que, se quisesse algo, conseguiria? Que era movido por questões que ela jamais entenderia?

— Meu espelho... — disse ela.

— Está na parede.

— Desde quando?

— Desde... — Ele olhou no relógio. — Desde uma hora e quarenta minutos atrás.

— E o casamento do Jason?

— Volto para irmos juntos. Juro pela minha vida.

— Pela sua vida?

— Juro pela minha vida que vou estar lá. Todo mundo em Helsinki está sabendo.

Katie exalou devagar, perguntando-se se podia relaxar.

— Desculpe. — Conall deixou escapar. — Pelo espelho. Pelo jeito como eu sou. Sei que você está segurando uma...

Katie estava impressionada. Tomara cuidado para não render completamente seu coração, suas esperanças e seu futuro a um homem que talvez não fosse capaz de dar conta. Mas não se dera conta de que ele percebera.

— Quem sabe o que vai acontecer com a gente? — disse Conall. — Mas, seja lá o que for, não vai dar certo se só um estiver envolvido.

Ele nunca fora tão direto antes e ela não sabia bem como responder. — Mas, Conall, você é workaholic. Não dá para confiar em você.

Ele sentiu o golpe. — Vou mudar. Estou tentando. Desligo meu telefone quando estamos juntos, nunca reparou?

Notara. Mas... ela resolveu se arriscar e entrar em território virgem. — Já tive meu coração partido antes. Realmente não sei se tenho energia para isso de novo.

— E quem disse que é isso que vai acontecer? — Ele foi sincero. — Pode ser você a enjoar.

— Pode ser — reconheceu ela.

— Por favor, não enjoe.

Soou inesperadamente angustiado e, de repente, a palavra *AMOR* estava flutuando no ar, unindo-os, despejando flores, corações e passarinhos numa névoa cor-de-rosa. *Eu te amo*. Estava ali, bastava que dessem vida às palavras, bastava que um deles as pronunciasse. *Eu te amo*. Mas não seria Katie a tomar a iniciativa.

Apesar de ter se apaixonado por ele, um pouquinho. Impossível não se apaixonar. Ele era sexy, sexy, sexy.

Estava nas mãos dele.

Conall olhou para ela, interrogativo, uma sobrancelha arqueada. Ela o encarou, tranquilamente, e ele a observou por um tempo talvez longo demais. — Ok — suspirou. — Vamos fazer o pedido.

# *Dia 57...*

— Oi, Maeve.

— Oi, Doreen.

— O que vai ser hoje?

— O de sempre.

— Salada de presunto no pão preto, sem mostarda? Mesmo existindo uma variedade enorme de sanduíches para se escolher na Irlanda moderna?

— Estou satisfeita com o de presunto.

— Um pacote de batata chips. — Doreen colocou os itens no balcão. — E uma Fanta. — Mas não havia Fanta na prateleira. — Cadê a Fanta? — perguntou Doreen para alguém invisível atrás de uma porta.

— Está em falta — respondeu o ser invisível.

Maeve percebeu que a moça atrás dela na fila parecia quase tão aflita quanto ela estava com a novidade.

— Maeve, não sei o que dizer, mas estamos sem Fanta — disse Doreen.

— Ah, droga! — resmungou a garota atrás de Maeve. — Eu amo Fanta!

— Oi, Samantha. Desculpe, meninas. — Doreen parecia chateada. — Mil perdões, é só o que posso dizer. Vou fazer o possível para ter Fanta de novo na segunda.

De repente, houve uma agitação na porta do depósito, e alguém, segurando uma lata de Fanta, estendeu a mão. — É a última — disse a voz anexada à mão.

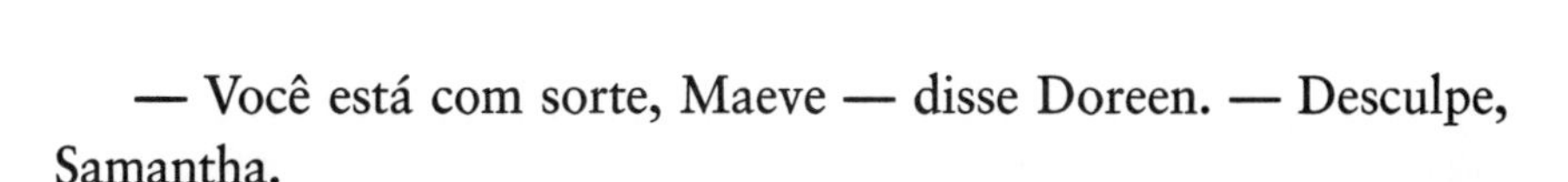

— Você está com sorte, Maeve — disse Doreen. — Desculpe, Samantha.

Era a chance de Maeve. Uma boa ação, bem ali, na sua frente. Forçou-se a presentear a tal Samantha, o que foi muito *difícil*, quase tanto quanto sorrir carinhosamente para estranhos. Mas Samantha foi efusiva na sua gratidão, Doreen deu a Maeve uma lata de outro refrigerante de graça, e Maeve tentou saborear o calor gerado por sua própria bondade. Mas não gostava de mudanças. Qualquer alteração na sua rotina, por menor que fosse, a derrubava, e, por mais que o outro refrigerante fosse gostoso e refrescante, passou o restante do dia desolada.

# *Dia 57...*

Lydia, exausta, de ressaca, acabara de encostar o carro para saborear seu almoço, um iogurte de morango e uma banana — era tudo que podia confiar ao seu estômago depois da quantidade de álcool consumida na noite anterior — quando seu telefone tocou. Era um número de County Meath, que ela não reconheceu — em seguida, soube quem era. *Merda.*

— Lydia? É Flan Ramble.

— Oi, Flan — falou rapidamente. Uma sensação de pânico tomando conta. Flan só ligava quando tinha más notícias. Na verdade, parecia gostar de fazer isso.

— Não me chame de Flan. Para você, sou Sr. Ramble.

— O que houve?

— Um... incidente...

— O quê? — *Fala.*

— Se eu dissesse as palavras *um pequeno incêndio em casa*, você captaria a mensagem?

— Um incêndio? Em casa? Pequeno?

— Exatamente! Deixaram uma panela no fogo por muito tempo, o troço ferveu, queimou as cortinas e a janela explodiu. Nada de mais, mas você vai ter um trabalhinho com as marcas de queimado. — Ele riu. — Melhor vir aqui logo, e traz o seu pincel.

— Estou em Dublin, Sr. Ramble. — *Flan, Flan, Flan.*

— Tentei falar com Murdy ou com Ronnie, mas não consegui encontrar nenhum dos dois.

Que surpresa. — Estou em Dublin — repetiu Lydia. — São oitenta quilômetros de estrada entre nós. De trânsito pesado.

— Alguém precisa vir aqui — disse Flan, parecendo desconfortável.

*Irkutsk, Irkutsk, Irkutsk.*

Por menos que gostasse de Flan Ramble, e não gostava nem um pouco, ele só estava passando a informação adiante.

— Ok, obrigada. Já estou a caminho.

Não havia tempo para almoçar. Desligou a luz de LIVRE do táxi, angustiada por perder metade da renda do dia. E se encaminhou para casa. Enquanto dirigia, telefonou para Murdy que, para sua surpresa, atendeu o telefone.

— Achei que era do banco — gritou ele. — Estou no meio de uma crise aqui! Cancelaram minha linha de crédito. Vou falir se não arrumar trinta mil até o fim do dia.

E desligou na cara dela. Desligou, caramba! Estava acostumada a ele fazendo isso, mas será que não percebia que desta vez era diferente? Pior. Incêndio. Chamas. Cortinas queimadas. Coisa séria.

Imediatamente, telefonou para Ronnie, que — inacreditavelmente — recusou envolvimento.

— Você está fazendo um dramalhão — disse ele, com calma revoltante. — De novo.

— A casa pegou fogo!

— Se você está tão preocupada, por que não está aqui?

Ronnie, também, desligou na cara dela. *Ssskkk!* Que loucura. Por que ela era a única...? Com os dedos trêmulos, ligou para Raymond, mas o telefone dele estava desligado. Por que o telefone dele estaria desligado? Porque ele sabia. Já fora avisado.

Dane-se ele. Danem-se todos eles, cambada de porcarias inúteis e egoístas. Que morram em Archangelsk. Que acabem em Murmansk, no pior dos invernos, sem luvas. Que caiam no convés de um navio em Gdansk. Lydia teria que dirigir até Boyne, County Meath, e teria que fazer isso nesse exato momento, se quisesse fugir do trânsito de saída de Dublin na sexta-feira. Se atrasasse mais vinte minutos, adicionaria três horas à viagem, a maior parte delas gastas na N-3, respirando gás carbônico de frente para um sol escaldante, dentro de um carro sem ar-condicionado.

Chateada, fez alguns planos. Quando chegasse a Boyne, iria diretamente falar com Buddy Scutt, aquele porcaria, e não arredaria o pé até que conseguisse o que queria, o que deveria ter recebido meses antes.

Seu último telefonema foi para Gilbert. O telefone tocou por um tempão e, finalmente, foi atendida pela caixa postal.

— Não vou estar por aí hoje à noite. Talvez amanhã à noite também não. Me liga — disse ela. Mas teve a sensação de que ele não ligaria. Provavelmente ficaria emburrado, numa tentativa infantil de puni-la por abandoná-lo sem aviso.

Às vezes, tinha dúvidas em relação a Gilbert.

Como Poppy dizia: — Nunca confie num homem que tem dois celulares.

E Gilbert tinha três.

Que ela soubesse.

Na Star Street, 66, subiu as escadas e entrou na cozinha para guardar seu iogurte na geladeira, mas estava cheia — completamente cheia — de latas de cerveja muito bem-arrumadas, estranhas comidas polonesas que os rapazes haviam comprado. Jan ia passar o fim de semana com a namorada; portanto, Andrei estava, obviamente, planejando um arrasta-pé com os amigos. Não havia, literalmente, espaço para o seu iogurte de morango. Um simples iogurte de morango! Muitas eram as moças que precisavam de espaço para leite de soja, brócolis, semente de linhaça e outras coisas espaçosas. Os dois não faziam ideia da sorte de tê-la morando com eles.

Tirou uma cerveja da embalagem plástica, colocou seu pequeno frasco cor-de-rosa de iogurte no meio daquele marrom todo e, cuidadosamente, colocou a lata de cerveja bem no meio do chão da cozinha, onde, assim esperava, Andrei pudesse tropeçar nela.

Depois, aliviada, começou a enfiar coisas — roupas de baixo, jeans, iPod — numa bolsa de viagem. De que mais precisaria para esse feriado repentino? Desodorante, pasta de dente, demaquilante... O interfone tocou, provavelmente alguém de um dos outros apartamentos que esquecera a chave. Lydia pressionou o botão para abrir a porta.

Da porta da sala, vislumbrou o computador. Deveria entrar na internet? Para uma olhadinha rápida? A urgência era, de repente, quase irresistível. Não, não tinha tempo. Uma passada rápida de olhos no banheiro, para o caso de estar esquecendo alguma coisa; claro que existia comércio em Boyne, mas talvez não tivesse tempo para — o que foi isso? Batidas na porta do apartamento. Irkutsk! Não deveria ter aberto a porta do prédio sem checar quem era. Tudo bem, estava apressada e, fosse quem fosse — mórmons, políticos —, faria com que desse no pé rápido. Faria com que descesse as escadas... Em quanto tempo poderia fazer isso, perguntou-se. Quinze segundos, concluiu.

Abriu a porta. — Sou cristã devota, não voto e não tenho dinheiro para comprar nada.

Ali estava uma garota — portanto, provavelmente não uma mórmon — e não parecia alguém da política. A ausência de um grande sorriso falso estampado no rosto era uma pista. Mas ela podia estar vendendo alguma coisa. Maquiagem fajuta, foi o palpite de Lydia.

— Estou procurando Oleksander — disse a garota.

— O leque o quê? — Obviamente, a moça não era irlandesa; devia estar misturando as palavras.

— Estou procurando Oleksander. Um homem.

— Vai ter que procurar em outro lugar. Aqui não tem ninguém com esse nome.

— Homem ucraniano.

— Aqui tem uma dupla de poloneses, se é que isso ajuda.

— Mas aqui é o apartamento do Oleksander!

— Aqui não tem nenhum Oleksander e estou com pressa.

A garota — escorregadia como uma enguia — passou por Lydia e entrou no quartinho pequeno. — Ele mora aqui.

— Esse é o meu quarto. Ah! Você deve estar falando do antigo inquilino. — Pensando nisso, Lydia lembrou que vira alguns envelopes endereçados a Oleksander não sei das quantas. Andrei organizara uma pilha na cozinha. — Nossa, você me preocupou. Achei que era uma maluca.

— O Oleksander foi embora! — A garota gritou. — Mas pra onde?

— Não faço a mínima.

— Preciso falar com ele! Oleksander é um homem bonito, sexy.

— Liga para ele.

— Eu deletei o telefone!

Lydia a encarou, sem saber o que fazer, tentando pensar numa solução, em algo que a livrasse daquela garota para que pudesse continuar fazendo a mala. — Provavelmente em algum momento ele vai voltar para pegar a correspondência. Escreve um bilhete. Eu entrego.

Mal acabou de falar, a menina já estava escrevendo o bilhete.

— Meu nome é Viktoriya. Por favor, fala para ele que ele tem que me ligar.

— Pode deixar, pode deixar. Agora eu preciso...

— Também, por favor, diz que cometi um erro. O homem do departamento de Agricultura era um idiota. E tinha cheiro de vaca.

— Cheiro de vaca. Saquei.

— Você promete que vai falar para ele?

— Prometo.

Mas Viktoriya ainda ficou um tempo, dando a impressão de que achava que, se ficasse o bastante, o tal de Oleksander sairia de debaixo da cama, coberto de poeira.

— Ele realmente não está aqui. Você tem que ir embora. Tenho um problema para resolver.

## *Dia 57...*

— Quer beber com a gente, Maeve?

Eram gentis por continuarem perguntando, seus colegas de trabalho, apesar de Maeve nunca ter se juntado a eles na bebedeira de sexta-feira.

— Estou bem, obrigada. — Sorriu. — Bom programa. A gente se vê na segunda.

Maeve tinha encontros regulares nas noites de sexta-feira. Era uma noite boa para isso, porque Matt também saía, ia beber com sua equipe para comemorar a semana que chegava no fim.

Às seis em ponto, Maeve saiu do trabalho e começou a pedalar na noite iluminada, em direção ao Sul. Depois de oito minutos, deu-se conta da natureza de seu encontro. Difícil acreditar que só então se lembrava, considerando que passara o dia inteiro planejando dias e datas. Passou alguns segundos em choque, depois surpreendeu várias pessoas — quatro motoristas, sete pedestres e, mais ainda, a si mesma — ao fazer um retorno abrupto. Encaminhou-se com propósito na direção oposta. Não de volta ao trabalho — portanto, não era como se tivesse lembrado ter deixado algo como o celular ou a carteira lá, e quisesse buscar o objeto —, mas ia em direção ao rio, à zona portuária. As ruas ficavam mais estreitas, pedalou em ziguezague, subindo calçadas, como alguém que sabe exatamente para onde está indo. Depois, diminuiu a velocidade até parar. Numa rua lateral, encostou a bicicleta num muro e digitou uma mensagem de texto.

Desculpa. Doente. Vejo vc semana q vem.

* * *

Meio escondida por um prédio, Maeve espiou um edifício comercial do outro lado da rua. Tecnologia Facilitada. Uma empresa de TI, mais uma; a cidade estava cheia delas. Pessoas saíam pela porta da frente, quase todas jovens e vestidas casualmente.

Maeve ficara observando durante um tempo, e seu rosto não refletia emoção alguma, apesar de torcer o tornozelo direito até que estivesse completamente para trás, como se a perna estivesse ao contrário. Era uma manobra angustiante, mas ela parecia não sentir dor, parecia até que quase nem respirava. Então, foi tomada por um redemoinho de emoções. Liberou o tornozelo, que voltou ao local certo. Um homem acabara de sair do prédio. Alto, magro e bonito, descabelado, roupas ligeiramente descuidadas, o retrato de um poeta.

Andava para o lado oposto do lugar onde Maeve se escondia, mas algo fez com que parasse e virasse a cabeça por cima do ombro. Ele a viu. Seus olhos se encontraram, e um cabo de energia branca e forte se estendeu, unindo-os. Pulsou por alguns segundos, estrelas e faíscas por todos os lados, então os olhos dele se apagaram e o rosto ficou sem expressão, como se tivesse sido desconectado. Baixou a cabeça e se afastou.

Era *esse* o homem, a presença no apartamento de Matt e Maeve. Era essa a pessoa que se esgueirava para dentro, corrompendo a perfeição a dois daquele lar.

De repente, Maeve desesperou-se para estar em algum lugar, em *qualquer lugar* que não ali, mas suas pernas tremiam tanto que não conseguia confiar na própria capacidade de pedalar. Lentamente, avançando com cuidado pela rua irregular, pedalou, pedalou, pedalou até que o tremor a abandonasse.

# *Dia 57...*

Andrei e Jan caminhavam na Eden Quay. Amparavam um homem grande, corpulento, aparentemente incapaz de andar ou mesmo manter-se de pé. Uma sessão de drinques no almoço de sexta-feira que fora longe demais era o que se podia presumir.

Causavam comoção enquanto caminhavam, uma parede inquebrantável de três no meio da calçada. Pedestres eram obrigados a desviar deles, depois se viravam para observar com hostilidade. No entanto, olhando mais de perto, ficava evidente que a pessoa do meio não era obesa, ainda mais pesada por causa do estado etílico, mas, na verdade, um urso de pelúcia gigante. Maior ainda do que Andrei ou Jan.

O trio continuou a caminhada pela Eden Quay, indo em direção ao ponto de ônibus.

Jan estava prestes a embarcar no ônibus para Limerick, onde seu amor, Magdalena, morava e trabalhava na recepção de um grande hotel. O aniversário dela era no domingo, e Magdalena era uma garota totalmente urso de pelúcia.

— Limerick? — perguntou o vendedor de bilhetes. — Uma pessoa?

— Uma pessoa.

O vendedor, um tal de Mick Larkin, avançou com o tronco na cadeira de rodinhas para dar uma olhada mais de perto. — Ele vai?

— Quem? — perguntou Andrei. — Bobo?

— Bobo é o urso?

— É.

— Bobo vai precisar de uma passagem. Ele é muito grande. Vai precisar de um assento só para ele.

— Ele está indo visitar a namorada — protestou Andrei.

— Quem? Bobo? — O Sr. Larkin era um burocrata que gostava de saber exatamente com quem estava lidando.

— Não, o Jan. Esse cara aqui. É aniversário da Magdalena; ela é uma mulher difícil. (Na verdade, Magdalena era doce e simples, mas Andrei adorava essa frase e a usava sempre que podia.) — O Jan fez um orçamento bem-detalhado e vai precisar de todo o dinheiro que está levando.

O Sr. Larkin encolheu os ombros. — O Bobo precisa de uma passagem.

— Você é um homem sem um pingo de romance na alma — reclamou Andrei.

— Vocês também. Vocês são poloneses, não são italianos.

A ira cresceu em Andrei. Eram mal-interpretados por todo mundo. As pessoas achavam que os poloneses eram trabalhadores sem vestígios de amor no coração. Não faziam ideia de como eram de verdade.

Jan calculou rapidamente suas economias, e o resultado fez com que dissesse: — Andrei, estou melancólico.

— Viu? — Andrei apontou para o rosto lastimável de Jan. — Viu como você fez o cara ficar melancólico?

— Melancólico. — Andrei escutou alguém atrás da fila dizer: — Taí uma palavra que não se ouve com frequência ultimamente.

— Não, e é uma palavra ótima — respondeu outra voz.

— Dá a sensação exata do que é. Melancólica! — A primeira voz se pronunciou novamente.

— Melancólico! Não sei por que saiu de moda — disse alguém novo. Várias pessoas entravam na discussão. — Melancólico, melancólico, melancólico, melancólico. O que a gente costuma dizer em vez disso?

— Passado.

— Chateado.

— Meio pra baixo Deprimido Detonado. Arrasado.

— Ah, *é por isso* que melancólico saiu de circulação. São tantas palavras novas. As leis de oferta e procura sempre dominando o mundo.

— O que está acontecendo aí na frente com esse urso? Vou perder meu ônibus — disse um homem seis pessoas atrás na fila. — Apesar de que isso seria uma bênção. Um fim de semana com a família, você sabe o que é isso...

— Sei, sim — falou a menina na frente dele. — Deprimente. Arrasadora. Detonante.

— Melancólica! — acrescentou ele, e uma gargalhada explodiu na fila.

— Não quero perder o ônibus — disse outra mulher. Veio até a frente e sugeriu: — Ele pode colocar o urso no colo.

O Sr. Larkin balançou a cabeça, pesaroso. — O Bobo é grande demais.

— Bobo é o urso? Ok, então o *cara* pode sentar no colo dele.

— Na verdade, até que *poderia*...

Quando Andrei se despediu, Jan se ajeitou no colo de Bobo e balbuciou pela janela do ônibus: — Você é um herói. — Assim que estavam fora do seu campo de visão, Andrei foi para a academia onde passava sessenta e sete minutos do seu dia levantando pesos, depois correu para casa para admirar sua cerveja. Esfregou as mãos diante da felicidade que era a liberdade. Andrei carregava muitos fardos: era a fonte principal de renda dos pais e das irmãs mais velhas de casa, em Gdansk; sentia-se profundamente responsável pela proteção de Jan, que parecia achar a vida neste país ainda mais difícil do que o próprio Andrei; e começara a se preocupar com a segurança de Rosie, ao voltar para casa depois do turno da noite, apesar de ela ainda se recusa a dormir com ele. Às vezes, Andrei sentia-se responsável pelo andamento do mundo. Mas, hoje, todas as cartas de alforria chegavam ao mesmo tempo. Mandara dinheiro para casa, o que levantara seu astral, perpetuamente atropelado por essa questão; durante todo o fim de semana, Jan estaria sob a responsabilidade de Magdalena; Rosie estava em Cork para uma despedida de solteira, portanto, fora da sua jurisdição; tinha uma geladeira lotada de cerveja e uma turma de amigos iria mais tarde para sua casa, mas o melhor de tudo, a jovem demoníaca viajara. Sabia disso porque sua mala de viagem desaparecera. Seu desodorante também.

Costumava passar os fins de semana fora, na casa do Pobrezinho, mas Andrei nutria uma esperança secreta e acalentadora de que a mala sumida pudesse ser sinal de uma ausência maior.

Nada, nem mesmo o fato de tropeçar na lata de cerveja que ela deixara no chão, no meio da cozinha, poderia diluir sua felicidade.

# *Dia 57...*

Mais coisas que Lydia odeia:

Revistas que têm mais de oito anos
Panelas com o fundo queimado
Salas de espera de consultório médico
Cheiro de comida estragada
Recepcionistas de consultório médico
Casas sem banda larga
Cheiro de luvas de borracha
Médicos
Seu irmão Murdy
Seu irmão Ronnie
Seu irmão Raymond
Dr. Buddy Scutt
Casas sem internet, nem mesmo discada

Por favor, atenção: essa não é uma lista completa.

# Dia 56

Matt e Maeve tentavam mover seu carrinho de compras no engarrafamento do movimentado setor de carnes.

— Domingo à noite, pizza. Cordeiro na segunda... — murmurava Maeve e contava os dias nos dedos. — Terça e quarta, peixe. Bife na quinta, restaurante na sexta. E hoje, o que vai ser?

— Maeve...

— O que foi?

— A gente vai sair, hoje à noite.

— Ah.

— Aniversário da mamãe. Sessenta e cinco anos. Maeve... — Matt balançou a cabeça. Era um gesto quase engraçado. — Esqueceu?

— Não esqueci — admitiu Maeve. — Fiz de tudo, mas como poderia esquecer, se você passou o mês inteiro me lembrando? Só entrei em estado de negação. Na esperança de que, se eu fingisse que não ia acontecer, não aconteceria mesmo.

— Mas está acontecendo.

— Então a gente não precisa comprar nada para jantar hoje à noite?

— Não. Vamos jantar no l'Ecrivain. Chiquérrimo.

— A que horas teremos que estar lá?

— Sete e meia.

— Então não faz sentido caminhar hoje à tarde. A gente teria que fazer um percurso menor para chegar em casa a tempo.

— É verdade. Que pena. — Matt tentou fingir que não estava aliviado.

Ele e Maeve faziam caminhadas em Wicklow Hills todos os sábados à tarde. Fora o fato de não fazerem isso havia semanas. E semanas. Agora, podia deitar no sofá e ver jogos de rúgbi em vez disso.

A Irlanda estava prestes a sofrer a humilhação de perder para a Inglaterra quando Maeve entrou na sala de estar: — Maaatttt!

— Oi? — Ele não conseguia desgrudar os olhos da tela da televisão.

— Matt. Estou enjoada.

Isso chamou a atenção dele. Virou o rosto para olhar para Maeve.

— Que tipo de enjoo?

— Meu estômago. Muita vontade de vomitar. Acho que não vou conseguir ir hoje à noite.

Matt encarou-a. De repente, teve vontade de chorar.

— Por favor, Maeve. Não dá nem para tentar? Eles não a veem há séculos. Vão pensar que eu assassinei você e enterrei no jardim.

Maeve inclinou a cabeça.

— Não vai ser tão ruim assim — tentou convencê-la Matt. — Somos só nós seis. Podia ser bem pior; podiam ter dado uma festa.

Mas festas eram melhores. Você podia desaparecer na multidão nas festas e, se fosse cuidadoso o suficiente, não precisaria falar com quase ninguém.

— Ok — disse ela. — Eu vou.

— Obrigado.

— Esse lugar é fino demais?

— Você conhece a mamãe. Ela gosta de lugares sofisticados.

— Posso ir de jeans?

— Por mim, você pode vestir o que quiser. Mas acho que se fosse de vestido...

* * *

Quando Matt e Maeve chegaram ao l'Ecrivain, Hilary e Walter Geary estavam no bar, tomando o primeiro drinque. Hillary, uma mulher *mignon*, de vestido rosa claro bem-cortado, o batom combinando, falava sem parar com Walter, homem grande, taciturno, de suéter amarela de golfe. Hillary tomava gim e Walter, uísque, reparou Matt com o coração pesado.

— Feliz aniversário, mãe. Desculpe o atraso — disse Matt. Maeve experimentara todas as roupas que tinha antes de encontrar um vestido com o qual se sentisse confortável.

Hillary se levantou para abraços afetuosos. — Vocês não estão atrasados! — contemporizou. — Nós é que chegamos cedo.

— Estão atrasados — disse Walter, dando um gole no drinque. — Mas não tanto quanto o irmão dele.

— Ignore seu pai. — Hillary envolveu Maeve num abraço perfumado. — Bom ver você, Maeve.

— Já estávamos começando a pensar que Matt tinha abandonado você — comentou Walter, depois tomou o resto do uísque.

— Shh! — Hillary repreendeu divertidamente o marido, dando-lhe um tapinha com as costas da mão. — Não liguem para ele. Sabemos que Maeve é ocupada. E ninguém evita ficar doente. Todo mundo fica doente de vez em quando.

Walter ergueu o copo para o barman. — Mais um desse.

— Lá vem Alex e Jenna — disse Hillary.

Um casal bonito: Alex era uma versão mais alta, mais magra e ligeiramente mais velha de Matt, e Jenna exalava um frescor de verão, cabelos louros, compridos e sedosos, olhos profundamente azuis. Usava um vestido coral deslumbrante, e sandálias muito sensuais.

— Você comprou o vestido! — exclamou Hillary, apontando para Jenna.

Jenna balançou a cabeça. — Devia tê-la escutado, Hillary. Não conseguia parar de pensar nele e acabei voltando na loja.

— Eu lhe falei! — Hillary riu. — Se conheço alguma coisa, é roupa. E esse vestido foi feito para você.

— Vou me lembrar disso da próxima vez.

— Cadê meu abraço? — resmungou Walter.

— Eu não vou abraçar você. — Jenna riu. — Você é muito rabugento. — Então, amoleceu e deu um beijo na testa dele.

— Oi, Matt. — Jenna beijou-o rapidamente e foi até Maeve.

Matt não deixou escapar o olhar perscrutador de Jenna para Maeve, conferindo seu jeito desleixado, o vestido simples, as sandálias *birkenstoks* e os cachos embaraçados. Não foi um olhar malévolo — Jenna não era má; a expressão em seu rosto era mais... piedosa.

— Agora que vocês finalmente chegaram, podemos ir para a mesa? — perguntou Walter. — Quero jantar.

— Mas, e os presentes de aniversário da Hillary? — Jenna carregava uma caixa decorada com bolinhas, estrelas e laços pendurados.

— Depois que fizermos os pedidos — disse Walter, encaminhando-se para a mesa.

— Quanto tempo a gente não se vê — disse Alex para Matt.

Matt forçou uma gargalhada.

— Você sabe, trabalho, essas coisas todas.

— Ainda muito ocupado?

— Demais! — Matt jamais mencionaria a demissão de dois membros de sua equipe no mês anterior. Alex era seu irmão mais velho, e tentar impressioná-lo era tão automático quanto respirar.

— Mesmo na ACE?

— O quê? Na Atual Conjuntura Econômica? É, a gente vai indo bem. — Uma venda grande seria bacana, mas estão segurando as pontas.

— Ouvi dizer que mandaram duas pessoas da sua equipe embora.

Merda. Como Alex sabia disso? Este era o problema da Irlanda: todo mundo ficava sabendo de tudo.

— É, mas, no mais, está tudo bem. — Paradoxalmente, o emprego das quatro pessoas restantes na sua equipe parecia mais seguro depois das demissões. O pior momento fora esperar para saber quem seria colocado no olho da rua.

— Alguma chance de você ser mandado às favas?

Matt balançou a cabeça. — Sou o gerente de Vendas, eles não têm um representante à altura. E com você? Como vão as coisas?

— Nunca estive melhor. Problema de crédito é o escambau. — Alex era representante de um laboratório farmacêutico. — Doença é um produto antirrecessão. É até melhor, diga-se de passagem. Todo mundo tomando antidepressivo.

— E os planos de casamento? Alguma novidade? — perguntou Hillary para Jenna. Alex e Jenna se casariam em outubro.

— Nada mudou desde o nosso último encontro, Jenna.

— Acho que isso foi alguns dias atrás. — Hillary ficou desapontada.

— Mas a despedida de solteiro... — Alex entrou na conversa. — Está caminhando muito, *muito* bem. Russ já entrou em contato com você?

Russ era o melhor amigo de Alex e seria padrinho do casamento juntamente com Matt.

— Não.

— Não? Ele disse que ia mandar um e-mail. Bem, de qualquer forma, já está tudo marcado. A gente vai para Vegas.

— Vegas! O que aconteceu com Amsterdã?

— Todo mundo vai para Amsterdã.

— É muito corrido passar um fim de semana em Vegas.

— Isso mesmo, meu irmão. Por isso a gente vai passar uma semana.

*Uma semana?* Matt e Maeve se entreolharam.

— Última semana de agosto — completou Alex. — Se organiza para tirar essa semana de férias.

— Olha só... Alex... Sou seu padrinho. Sou eu o encarregado da sua despedida de solteiro. Não você.

— Você é *um* dos meus padrinhos. Nem conseguiu ir aos dois últimos encontros para organizar as coisas; então, fomos em frente sem você e escolhemos o esquema de Vegas. Que funciona para todo mundo.

— Mas o que a gente vai ficar fazendo em Vegas durante uma semana?

— Posso pensar em muitas coisas — disse Walter.

— Você vai? — perguntou Matt ao pai.

— Claro que vou! É a despedida de solteiro do meu filho mais velho, semana da despedida de solteiro, seja lá como for. Acho que tem ótimos campos de golfe em Vegas... isso vai manter a gente bastante ocupado.

— Eu não jogo golfe — respondeu Matt.

— Então, pode começar a jogar — disse Alex. — Você ainda tem alguns meses antes da viagem. De qualquer maneira, já é hora de aprender; é uma das poucas coisas que você e Maeve ainda não tentaram. Montar a cavalo, esquiar, escaladas, mountain bike...? Falando nisso, como andam as caminhadas?

— Tudo ótimo.

— Vocês foram hoje? O dia estava perfeito.

— Não, achamos que estaria cheio de crianças e também teríamos que voltar cedo por causa do jantar.

— E na semana passada?

— Acho que a gente viajou no fim de semana passado. Não foi, Maeve?

— Acho que sim — disse Maeve.

Alex olhou para os dois: sabia que estavam mentindo.

De repente, Hillary levou a mão à boca e disse para Maeve:

— Deus do céu, acabei de me lembrar. A gente esqueceu o aniversário de vocês.

— ... Aniversário? — perguntou Maeve.

— Aniversário de casamento? Há duas semanas. Mil perdões, mas essa confusão toda com o casamento do Alex e da Jenna... Tudo bem com você, Maeve? Ficou um pouco pálida.

— Tudo ótimo.

Hillary estudou o rosto de Maeve. — Você *está* pálida. — Uma espécie de realização podia ser percebida discretamente no rosto de Hillary. — Meu Deus! Tem alguma coisa que você queira nos contar?

— O quê?

— Uma novidade para nós? — O rosto de Hillary estava radiante de esperança e gim.

— Mãe... — Matt enterrou a cabeça nas mãos. Era isso que acontecia quando Hillary não bebia vinho. — A Maeve não está grávida. Se e quando isso acontecer, a gente vai contar. Não precisa ficar perguntando.

— Mas eu não consigo me segurar! — Hillary tropeçava ligeiramente nas palavras. — Vocês já estão casados há mais de três anos e sou a única mulher do meu grupo de tênis que ainda não tem netos. É constrangedor!

— Desculpa, mãe — disse Matt, baixinho.

— Porque existem coisas que podem ser feitas — disse Hillary. — Se vocês estiverem tendo "dificuldades"...

— Meu Deus — resmungou Alex. — Quem deixou a mamãe tomar gim?

— Testes e outras coisas. Eles começariam por você, Matt. Você entraria num cubículo...

— Chega! Chega, mãe! — interveio Alex.

— Filho meu não entra em cubículo — resmungou Walter. — Filho meu não atira no escuro.

— Uma semana em Vegas? — perguntou Maeve, no táxi.

— Eu não vou.

— Ele é seu irmão, você é padrinho dele, vai ter que ir.

# *Dia 56...*

A menos de trinta metros do l'Ecrivain, Katie estava em outro restaurante, celebrando seu quadragésimo aniversário, com outras cinco mulheres.

— Pobre Katie — suspirou Dawn, bêbada. — Nunca chegou a ter filhos.

— Ainda não morri.

— Dá no mesmo — disse Dawn. — Agora não tem mais esperança para você. Esse Conall, ele não quer filhos, quer?

Katie olhou para Naomi que, obviamente, andara falando demais. — Como você sabe que ele não quer ter filhos?

Naomi enrubesceu. — Só disse que ele não era domesticado.

— Por quê?

— Não pendurou seu espelho.

— Está pendurado.

— Demorou para pendurar.

— Mas agora está pendurado.

— É melhor ele voltar de Helsinki para o casamento do Jason — deixou escapar Naomi.

— Ele vai voltar.

— E se não voltar?

*E se ele não...?*

— Ele adora a sobrinha, Bronagh. — Katie não deveria ter de defender Conall. — Ela é afilhada dele e se dão muito bem. E ela é uma criança; só tem sete anos.

— Jura? Isso não é muito a cara dele.

— Mas vocês nem se conhecem!

— Lá vêm os martínis! — disse Sinead, desesperada. — Delícia de drinque. Tudo de que a gente precisa!

A noite estava se tornando algo muito desgastante. Normalmente, sempre se davam bem, apesar das diferenças: Naomi era casada e tinha dois filhos; MaryRose, mãe solteira; Sinead, solteira e sem filhos; Tania, casada, dois filhos; Katie, namorada de Conall e, portanto, perdida em terra de ninguém, não era exatamente solteira, mas, definitivamente, não estava presa a algo seguro e permanente.

O problema era Dawn. Dawn era a fonte de confusão e nem mesmo era amiga de Katie; tivera permissão para comparecer por pura delicadeza.

— Aposto que você nem conhece os pais dele — provocou Dawn.

— Quem? Do Conall? Conheço.

— Eles odeiam você? Acham que está atrás do dinheiro dele?

— ... Não. — Estivera com Ivor e Ita algumas vezes, e os dois haviam sido carinhosos — mas não em excesso. Não tratavam Katie como a salvadora, a mulher que talvez finalmente forçasse o filho mais velho a se assentar na vida. — E encontrei o irmão e os filhos milhares de vezes. — Bem, talvez *milhares* de vezes fosse exagero. — Fui na primeira comunhão da Bronagh, mês passado.

Dawn tomou um gole de seu martíni.

— Como vai ficar quando ele der o fora em você?

Tensão tomou conta da mesa. Dawn estava simplesmente articulando aquilo que todo mundo pensava, mas, de uma hora para outra, começou a irritar Katie...

— Dawn... — interferiu Naomi, angustiada.

— Você vai acabar num hospício — concluiu Dawn.

— Chega — disse Katie, ríspida. — Você não sabe do que está falando.

— Mas eu... — Dawn pareceu horrorizada. Normalmente, Katie era tão gentil, tão agradável.

Katie estava tão chocada quanto Dawn. Era a segunda discussão que tinha nos últimos dias. A primeira com a mãe, sobre a cor do cabelo, e agora isso. Deus. Era verdade o que Naomi dizia: agora que tinha quarenta anos, passaria a ser mal-humorada e não havia nada que pudesse fazer contra isso. Teria inimigos em toda parte.

— Dawn, escuta, desculpa. — Não podia ficar com raiva de Dawn. Dawn tinha um bebê pequeno, não saía havia sete meses e perdera tanto o traquejo social quanto a tolerância para bebidas fortes.

— Não faço sexo há dois anos! — declarou Sinead, tentando, diplomaticamente, mudar o rumo da conversa. — A última vez foi no aniversário de trinta e oito anos da Katie. Foi uma noite ótima. Lembram-se da trupe de eslovacos que a gente conheceu...

— Não transo há onze meses — disse Naomi.

— Mas você é casada! Eu daria tudo para ter sexo regular — disse Sinead.

Naomi deu um muxoxo. — Não me importaria se não fizesse isso nunca mais.

Katie suspirou. Sabia onde a conversa iria parar. Chocolate. Todas as mulheres presentes que tinham parceiros de longa data (Naomi, Dawn e Tania) estavam prestes a começar a reclamar de seus homens, sempre importunando-as para transar, mas elas passariam muito bem o restante da vida se pudessem comer uma barra de chocolate por noite em vez do sexo.

Com toda certeza, falariam longamente sobre as marcas de chocolate de que gostavam: Mars Bars; Twirl; Twix (pouco popular); Bounty.

— Sexo com Ralph uma vez por mês ou um Twix toda noite? — Tania desafiou Naomi.

— O Twix, o Twix! E olha que nem gosto de Twix!

— Nem eu. Por que será?

— É a parte de biscoito — disse Naomi, com conhecimento de causa.

— É isso! *É* o biscoito.

Depois, Dawn mencionou o Green & Blacks, e a discussão ficou tão acalorada que um dos garçons pediu que mantivessem a compostura.

# Dia 55

Andrei chorava baixinho na cama. A combinação de saudade de casa, o resultado do final de semana de bebedeira e o fato de ser domingo, pior noite da semana, era demais para aguentar.

Quando ouviu o barulho de chave na porta, surpreendeu-se, porque não esperava que Jan voltasse de Limerick até a manhã do dia seguinte. Também não estava esperando a figurinha do mal. Lydia sempre passava as noites de domingo com o Pobrezinho. Mas, definitivamente, era ela; podia escutá-la movendo-se cuidadosamente pela sala, espalhando sua originalíssima dose de maldade pelo apartamento.

Enterrou a cabeça no travesseiro, tentando abafar os soluços. A malvada não podia ouvi-lo.

Lydia não estava exatamente no melhor dos dias também. Esgotada e deprimida com o fim de semana, começaria o dia às cinco e meia da matina, com a expectativa de uma semana de setenta horas de trabalho. E, pela rabugice que impregnava o ar, pelo menos um dos polacos estava em casa. Provavelmente Andrei.

Gilbert resolveria isso. Sentira falta dele no fim de semana. Procurou seu telefone, pressionou a tecla de rediscagem e foi tomada de irritação quando a ligação foi direcionada para a caixa postal — de novo. Gilbert saíra do mapa desde sexta-feira, obviamente com raiva do seu desaparecimento repentino. Fins de semana eram feitos para que ficassem juntos. Os dois trabalhavam nas noites de sexta e sábado, encerrando o expediente por volta das três da manhã, depois passavam o sábado e o domingo juntos, rolando na cama de Gilbert.

— Deixa de ser criança e para de fazer charme — disse Lydia. — Estou em casa e quero ver você.

Por um segundo, perguntou-se, *de verdade*, onde estaria Gilbert naquele exato momento e o que teria feito no fim de semana. Não havia nenhuma evidência de que saíra com outras mulheres, mas Lydia se surpreendeu com a cafonice de alguma espécie de emoção que sentia. Nada bom, nada bom mesmo.

Comeria alguma coisa. Ou talvez tentasse dormir um pouco.

Poppy sempre dizia que Gilbert provavelmente tinha mulher e seis filhos escondidos em Lagos. Era piada corrente entre as amigas de Lydia, essa história de Gilbert ter uma vida secreta. Lydia sempre desconversava. Uma pessoa que tivesse de sustentar outras sete não gastaria tanto dinheiro em roupas, como Gilbert fazia.

Mas *poderia* ser verdade, ela sabia. Não era impossível.

Gilbert era misterioso.

Desonesto, se preferir.

Quando se conheceram, dissera que tinha trinta anos, mas, algumas semanas depois, deixou escapar que só tinha vinte e sete. Havia coisas que ela sabia a respeito dele — por exemplo, que era sócio de um pequeno restaurante na North Great Georges Street — ficara sabendo por Odenigbo. Gilbert nunca falara isso para ela. Na verdade, por que deveria? Ela não era dona dele e havia muita coisa que Gilbert não sabia sobre Lydia.

No entanto, Lydia tinha de admitir que algumas das reclamações de Gilbert pareciam estranhamente gratuitas. Ele dizia que era alérgico a ovo. *Insistia* nisso. Um pedacinho de merengue o mataria, costumava dizer. No entanto, vira-o comer uma omelete todo alegre e não ficara inchado, rolando no chão, sem ar, suplicando por uma injeção de adrenalina.

Compreendia que Gilbert mentia para dificultar as coisas, para que não se soubesse exatamente quem ele era. Gilbert era um homem só e precisava guardar um pedaço de si. Esse era quem ele era e, na opinião de Lydia, era melhor que fosse assim do que um falastrão que insistisse em abrir o verbo e depois pedisse que ela fizesse o mesmo.

Mesmo assim, naquela noite, desejou que o namorado fosse um pouco menos misterioso. Era uma linda noite de verão, e ela estava enlouquecendo, presa ali no apartamento. Desesperadamente, enviou várias mensagens de texto, sem sucesso. Shoane ainda estava na cama, cuidando da ressaca da noite anterior, e Sissy estava num encontro! Algum homem que conhecera na fila do BusAras. Poppy estava diante de uma planilha, tentando coordenar os preparativos do seu casamento. Aparentemente, era complicado, vários membros da família não se falavam e tinham de ser mantidos bem longe.

— Deixa que eles resolvam isso — aconselhou Lydia.

— Não posso. — Depois de uma pausa, Poppy disse, chorosa: — Às vezes, tenho vontade de fugir disso tudo.

Lydia compreendia totalmente. Se fosse se casar aos vinte e seis anos, estaria tomada de pavor. Não entendia por que Poppy estava aceitando isso. Era tão jovem, ainda tinha tantos anos de vida e agora teria de passar o restante de seus dias com Bryan, que era legal e tudo, mas será que Poppy conseguiria continuar interessada nele nos próximos cinquenta anos? Só de pensar na possibilidade de ela mesma passar por isso ficava em pânico.

— Vamos sair hoje à noite. Uns drinques vão fazer você relaxar.

— Lids, eu não posso. — Havia uma ponta de histeria na voz de Poppy.

— Quer que eu vá até aí ajudar você?

— Mas não me ajudaria em nada. Você só ia colocar caraminholas na minha cabeça, dizer que sou maluca de casar aos vinte e seis anos e ficar falando que o Bryan é um mala...

— Eu nunca disse que o Bryan é um mala...

— Paradão! Você disse que ele era paradão. É a mesma coisa.

— Eu gosto do Bryan!

— Mas não quer casar com ele.

— Porque você vai casar com ele.

— Você também não quer que eu case com ele.

— Quero que você seja feliz. — Essa era uma das frases mais úteis que aprendera na vida, pensou Lydia. Ser diplomática sem ser desonesta. Não era bom mentir descaradamente. Uma mulher precisa de regras para viver.

— Mas você não acha que casar com Bryan vai me fazer feliz.

— Acho, sim, Poppy, acho, acho e acho.

— Mas...

— Juro que acho. Olha só, tenho que desligar agora, vou deixá-la em paz. Boa sorte. Beijo.

Desligou, bastante aliviada por ter-se livrado daquela espiral. Casar deixava as pessoas *malucas*.

Triste, Lydia considerou suas opções para a noite. Poderia trabalhar — na verdade, *deveria* trabalhar para tentar recuperar parte da renda que perdera com a viagem do fim de semana. Visualizou-se descendo as escadas, entrando no carro, acendendo a luz de LIVRE e vendo o que acontecia — mas cada célula do seu corpo entrou em estado de revolta. Simplesmente não teria estômago para uma rodada de "obrigados e *muchas gracias*." Não naquela noite.

Podia entrar na internet e fazer um pouco de pesquisa, mas até trabalhar seria melhor do que isso. Paralisada pela exposição das péssimas possibilidades em oferta, entrou num devaneio e tentou decidir que irmão odiava mais. Como tinha sorte, uma decisão realmente *difícil*. Murdy era, sem dúvida, um idiota, bastava olhar para ele para saber. Abandonara suas raízes de motorista de táxi para adentrar o império de acessórios de banheiro e agora se gabava de dois showrooms em Meath. Vivia como homem de posses, mansão colonial no subúrbio da cidade, com uma loura que dirigia um jipe e dois filhos infelizes. Dirigia uma BMW, tomava sol e tinha convidados para o jantar, tudo isso à beira da falência. Somente na noite anterior recuperara seus tacos de golfe. Pascal Cooper, da Cooper Sports ("Equipamentos esportivos para todas as modalidades de esporte"), aparecera em sua casa, e eles haviam discutido em tons sussurrados na porta da frente. Lydia escutara algumas frases tensas de Pascal: "Era um pedido especial do Jackson Hole"; "Ou a gente faz isso nas internas ou eu falo com o delegado — ah, oi, Lydia. Você está com a cara ótima. Cabelo bonito. Como a vida lhe tem tratado?" "Oi, Sr. Cooper." "Pascal, Pascal! Esse negócio de senhor faz com que eu me sinta um velho. Certo, Murdy, os tacos!" Os tacos foram retirados da mala do BMW de Murdy e colocados na do Civic de Pascal e, depois de algumas pisadas no acelerador, que Murdy encarara como sinal de desrespeito, Pascal tomara a estrada.

Ronnie, segundo irmão de Lydia, era diferente. Vivia apertado de grana, era reservado, misterioso e tinha, pelo menos, duas mulheres ao mesmo tempo. ("Suas bolas não sabiam o que seu pênis andava fazendo", para repetir as palavras de Raymond.) Sumia frequentemente, podia ser coisa de dois dias ou de uma semana, o celular desligado, e, quando reaparecia, não dava explicações. Tinha barba escura, cabelo cheio e preto, parecia ligeiramente satânico. Sua personalidade também tinha um quê de satânica, pensava Lydia. Cheio de vontade, na verdade, excessivamente cheio de vontade, uma coisa meio *anormal*. Nunca ficava com raiva, podia discutir um assunto por dez anos sem se alterar; no entanto, Lydia tinha quase certeza de que quantidades inumanas de raiva queimavam em algum lugar abaixo da superfície. Poppy costumava dizer que Ronnie era meio assustador, meio sexy. Sempre dizia — isso antes de Bryan Paradão entrar em cena — que tinha muita curiosidade de saber como seria o sexo com ele, mas suspeitava que acabaria ligeiramente dolorida.

E havia Raymond, que fugira para Stuttgart assim que tivera idade suficiente. Quando crianças, Raymond era o irmão favorito de Lydia, o mais divertido. Mas, no último ano e meio, passara a *odiar* completamente sua natureza divertida. Todas as vezes em que tentara falar com ele, o irmão mudara de assunto e contara uma história "divertida".

Levantou-se. Queria beber, e, se tivesse de ser sozinha, que fosse. Beber sozinha ainda não era ilegal. Saiu, comprou salgadinhos gostosos, uma garrafa de vinho e alinhou-os no balcão da pia da cozinha.

Para começar, Pringles sabor cebola e cream cheese, decidiu. O prato principal seria a Pringles sabor churrasco texano... *O que foi isso?*

Barulhos estranhos. Esforçou-se para ouvir. Vinha do quarto do polaco. Uma espécie de choro baixo. Aproximou-se da porta.

Alguém estava transando ali? Mas quem? Jan estava fora e não havia meios de Rosie ter aberto uma exceção para Andrei, a menos que houvesse um anel em seu dedo. Lydia tirou uns instantes para saborear seu ódio a Rosie. Não a suportava, nem suas roupas engomadas — a moça só tinha vinte e um anos, que pessoa de vinte e um anos passa as próprias roupas? — e o rabo de cavalo muito bem-preso, o falso ar de inocência e a maneira nada inocente com que usava o sexo como ferramenta de barganha... Talvez Andrei tivesse finalmente se cansado dela e estivesse ali dentro com outra? Mas era quase tão difícil acreditar nisso quanto pensar que estaria transando com Rosie; era tão cheio de regras, de certo e errado... Então, compreendeu o ruído: era choro! Andrei (ou talvez Jan, mas, por alguma razão, apesar de sua natureza resignado, suspeitava de Andrei) estava chorando! Bem, isso era engraçado demais para ser colocado em palavras. Isso ela tinha que ver.

Bateu na porta e abriu-a antes que Andrei (ou talvez Jan) pudesse mandá-la embora.

Era Andrei, que, diante da presença de Lydia, virou-se para encarar a parede e ficou secando as lágrimas dos olhos furiosamente.

— Oi, Andrei. Tem um gato aqui dentro? — perguntou. — Ouvi uns barulhos estranhos.

— Não tem gato nenhum. — A voz dele estava abafada.

— Você está chorando.

— Não estou, não.

— Está, sim. Eu ouvi. O que foi? A Rosie terminou com você?

— Não. — Isso sim teria sido motivo de choro.

— Levanta. Vem para a sala. Estou entediada.

— Não.

— Deve ser melhor do que ficar choramingando sozinho no quarto, feito uma menina. Vem. Comprei vinho e batata Pringles.

Andrei não teria sossego. Lydia ficaria ali até que ele cedesse. Relutante, levantou-se.

— Então? Por que você estava chorando? — perguntou Lydia.

Andrei pensou no assunto. Era difícil descrever a melancolia que às vezes tomava conta dele; a saudade de casa provavelmente tinha muito a ver com isso. É verdade que sofrera alguns surtos de desespero quando ainda morava na Polônia, mas não pensaria nisso agora.

Encolheu os ombros. — Queria poder viver no meu próprio país.

— Eu também.

Andrei levantou a cabeça. Será que Lydia estava sendo gentil?

Não.

— Era uma piada — disse ela, divertida. Fora longe demais. — Vocês não fazem piada na Polônia?

— Claro! — Tinham de tudo na Polônia e tudo era muito melhor do que o que estava disponível neste país. — Mas você... quando você diz isso, não é engraçado.

— Entendi, bebê chorão.

Com grande dignidade, Andrei desistiu das quatro batatas que tinha na mão e se levantou. — Vou voltar para o quarto.

— Fica aí onde você está. Isso vai animá-lo. Vou lhe contar como foi meu fim de semana.

Bem, ele chorou novamente. Estava com o humor sensível, e a história era muito triste. Mal podia esperar para contar a Jan.

E passou a ver Lydia com outros olhos.

— Então é por isso que você é essa pessoa horrível?

— Ah, é... acho que sim. — Era tão terrível assim? — E você? Qual é a sua desculpa?

# Dia 54

O pai de Lydia costumava brincar que ela começara a dirigir antes mesmo de andar. Não que fosse um homem engraçado, dado a piadas. Vivia ocupado tentando começar um negócio fracassado, inventando novas escolas de pensamento e tendo infartos.

Pobre papai, pensou ela. Não o odiava. Ele fizera seu melhor, trabalhara muito, muito duro e tentara manter as coisas de pé. O problema é que tinha o que se podia chamar de oposto ao toque de Midas e morrera aos cinquenta e nove anos, deixando para trás uma bagunça danada.

Lydia tinha quinze anos de idade na sua primeira corrida profissional como motorista de táxi. Não tinha seguro, carteira de motorista, mas não havia mais ninguém disponível para levar Peggy Routhy, já em trabalho de parto, para o hospital. Havia um carro reserva na porta da casa dos Duffy, uma perda de dinheiro a cada segundo que não estava nas ruas, e o pai de Lydia estava no rádio, gritando com ela para que pegasse no volante e dirigisse aquela porcaria, não podia ser tão difícil, e que cobrasse uma taxa extra caso a bolsa de Peggy Routhy resolvesse estourar em cima do estofado em excelente estado.

Os Duffy eram uma dinastia de taxistas. Auggie fora o motorista da cidade, tendo mais três ou quatro carros associados a ele e — o mais importante — sua própria central de rádio. A central do poder. Quem controlava o rádio controlava as ruas. E quem controla as ruas controla o mundo. Ficava na sala da frente, emitindo estática e mantendo os nervos dos Duffy à flor da pele. Nunca estavam livres de sua intrusão, mas, às vezes, pegavam a frequência da polícia local e convidavam os vizinhos para escutar e fazer piada.

Gerenciar uma cooperativa de táxis dentro de casa era caótico. O telefone podia tocar ou alguém batia à janela a qualquer hora do dia ou da noite. (Respeitando a divisão entre a vida pública e a privada dos Duffy, aqueles que procuravam táxi batiam na janela enquanto visitantes normais batiam na porta.)

Era sempre um esforço pagar os impostos, o seguro, qualquer coisa, e a renda de Auggie Duffy nunca era alta o bastante para conseguir um financiamento de casa própria.

As coisas eram difíceis para os Duffy, *mas não desastrosas*, até Auggie Duffy ler *O Manifesto Comunista.* A leitura surtiu efeito profundo sobre ele. A chave para se fazer dinheiro, se é que compreendera Karl Marx, era possuir os meios de produção. Mas, como ele, Auggie Duffy, subverteria os ensinamentos básicos do comunismo para usá-los com sucesso no capitalismo? Ahá! Os outros teriam de correr para alcançá-lo.

Armado de sua nova teoria, conseguiu convencer um banco a emprestar-lhe dinheiro suficiente para comprar quatro carros e informou aos motoristas que, dali em diante, teriam de alugar os veículos dele. Mas, por que, esses homens se perguntaram, pagariam diárias para Auggie Duffy se tinham seu próprios e perfeitos veículos? Auggie lembrou que ele possuía a central de rádio. Controlava o rádio, as ruas, lembrados? Mas — e Karl Marx teria ficado excitadíssimo — os trabalhadores se revoltaram. Esses homens possuíam celulares, e um deles teve a brilhante ideia de imprimir cartões (a papelaria de Corinne faria mil por dez) com seus telefones. Distribuiriam os cartões pela cidade, em bares e farmácias, no quadro de anúncios da igreja e, se cobrassem menos que Duffy, logo, logo os clientes viriam atrás deles.

Auggie descobriu-se na inesperada posição de ter um empréstimo enorme no banco, cinco carros (os quatro novos e o primeiro de todos) e ninguém para dirigi-los. Os filhos, Murdy, Ronnie e Raymond, e sua esposa, Ellen, foram pressionados a pegar no batente. A cada segundo que um de seus carros ficava parado, sem uso, Auggie sentia uma pontada de dor. Nenhum serviço podia ser recusado.

Portanto, quando Peggy Routhy apareceu na porta de Duffy, e Ellen, Murdy e Ronnie estavam na rua (nessa época, Raymond partira para a Alemanha para fugir das garras da central de rádio), Auggie ficou louco ao pensar que perderia uma corrida. Lydia tinha apenas quinze anos, mas era uma excelente motorista mirim. Muito capacitada.

— Faça a corrida — ordenou.

— Não tenho carteira.

— Bem-observado. Então, muito cuidado para não ser pega pelos guardas.

— Não tenho seguro.

— Então, não mate ninguém. E lembre-se do que eu disse. Cuidado para não ser pega.

Peggy estava de joelhos do lado de fora da casa dos Duffy, urrando de dor, e Billy Routhy batia na janela, gritando: — Lydia, rápido! Ela vai ter neném aqui na calçada!

Então, com uma sensação de destino, Lydia pegou as chaves do Corolla e tomou coragem; entrou no carro e dirigiu dezessete quilômetros até o hospital, excedendo todos os limites de velocidade, Peggy aos gritos e urros no banco de trás. Quando chegaram, os Routhy saltaram do carro e se encaminharam diretamente para a porta do hospital, mas Lydia pediu que parassem e solicitou que pagassem a corrida. Ainda insistiu na taxa extra, porque, sim, a bolsa de Peggy estourara no banco de trás. Billy fora hostil e lhe entregara o dinheiro, e Peggy, tomada de dor, o rosto contorcido, gritara: — Você é o fim. Achei que estávamos nessa juntos, como num filme. Ia dar o seu nome para a neném.

Lydia encolheu os ombros. Negócios são negócios. O banco de trás estava destruído. E se o neném fosse menino?

Isso foi só o começo. Quando fez dezesseis anos, tirou carteira e começou a trabalhar em tempo integral para o pai. Só durante alguns anos, mas o bastante para arruiná-la para qualquer trabalho regular. Quando se mudou para Dublin, conseguiu emprego num escritório, até descobrir que, se alguém a irritasse, não poderia simplesmente abrir a porta e mandar a pessoa descer.

Inevitavelmente, foi demitida; disseram que tinha problemas de comportamento. Para pagar as contas, voltou a trabalhar como taxista. Temporariamente, até que seu comportamento mudasse. Mas a mudança estava demorando mais do que esperava e, até lá, estava condenada a dirigir um táxi.

# Dia 53

— Jemima, por que você está demorando? — chamou Fionn. — O carro já está aqui.

— Já vou. — Estava com dificuldade de fechar o botão da saia. Coisa revoltante. A peça de roupa, de repente, ficara pequena demais. Mas não tinha planos de comprar uma saia nova, não àquela altura da vida. Não se permitia desperdícios (será que poderia dizer que sofria de antidesperdiciomania?): estava com oitenta e oito anos e, apesar de descender de uma ótima família, dificilmente teria mais quarenta anos para usar uma saia nova antes de morrer. O que não tinha nenhuma intenção de fazer tão cedo, independentemente daquela presença perturbadora à sua volta.

Nem pretendia entrar numa dieta para perder peso. Esse tipo de coisa era terreno das outras mulheres, mulheres diferentes dela, pobres criaturas incapazes de controlar suas urgências corpóreas, que comiam potes inteiros de sorvete de uma vez. Comida, sempre compreendera, não era para ser degustada. Era simplesmente combustível para o corpo, para que se tivesse forças para fazer o bem. Desde os dezessete anos pesava em torno de sessenta e três quilos — fora o pequeno período em que emagrecera um pouco por conta de uma luta travada contra o câncer, na qual a doença perdera fulminantemente e tivera de se retirar, abatida e humilhada — e não tinha intenção de alterar isso agora, fosse qual fosse o discurso daquele botão sem vergonha.

— Jemima, está *tudo bem*? — gritou Fionn. — O motorista está me ligando.

Que divertido! Fionn, a criatura com quem menos se podia contar no mundo, apressando Jemima Churchill, pessoa que tinha a Pontualidade Mais Próxima da Divindade correndo nas veias, era como tentar enviar uma mensagem pelo mar, amarrando-a numa pedra.

Com as mãos escorregadias pelo esforço, enfiou o botão na casa e respirou de triunfo. Mas o entusiasmo do ar que entrava em seus pulmões provou-se demais para o cós da saia, e o botão pulou de seu domínio, indo parar do outro lado da sala como uma bala, atingindo o olho direito de Rancor. Um gemido alto, agudo, foi emitido pelo cão que, secretamente, se deliciava. O olho não doía — a situação parecia muito mais dramática do que era de fato —, mas o acontecido queria dizer que teria motivos de sofrimento por uma semana.

— Jemima! — rugiu Fionn. — A maluca da Grainne está atrás de mim. A gente tem que ir!

Jemima teve de sorrir. Grainne Butcher dirigia um navio e tanto. Fionn estava no seu segundo dia de carreira televisiva e as horas longas de trabalho começando logo cedo já o deixavam nervoso. Não estava costumado a estar em lugares com hora marcada e depois ter de ficar até que a novidade acabasse. Mesmo assim, experimentar uma agenda com esse nível de rigor talvez fosse bom para ele.

Jemima beijou Rancor mais uma vez, alisou seu cardigã na altura da cintura estufada e pegou a velhíssima bolsa marrom. Fionn andava de um lado a outro no corredor, parecia aborrecido, mas estava tão inacreditavelmente bonito que Jemima deixou seu velho coração amolecer só de olhar para ele. A figurinista de Grainne Butcher pusera pressão e ele lavara o cabelo, o jeans e a jaqueta de muitos bolsos. Era um príncipe, pensou Jemima, um lindo e asseado príncipe.

Este era um dia muito especial para Fionn. Apesar de ele não saber disso. Não conscientemente, de qualquer forma. Muitas camadas abaixo de seu inconsciente, placas sedimentadas começavam a mudar de lugar, a rachar, prometendo uma rebelião próxima.

Hoje, Fionn estava vivo havia trinta e seis anos e cento e vinte e oito dias. Um dia mais velho do que sua mãe quando morrera. Ele a superara. Até hoje, Fionn trabalhara para manter-se vivo. Tanta energia tivera de ser gasta para proteger-se que não havia sobra para mais ninguém.

Mas hoje era o marco de um novo começo.

Pela primeira vez na vida, Fionn estava livre para se apaixonar.

*Honestamente, estou na beirinha da cadeira...*

Como pinto no lixo, esse era Fionn. Nenhum segundo a perder nesta nova fase de sua vida. Desceu correndo as escadas, Jemima e Rancor, que o acompanhariam nas gravações, logo atrás dele. Abriu a porta da frente... e, alguns metros adiante, envolta em uma nuvem de luz amarelada, estava a mulher mais extraordinária que jamais vira. Encantado, parou abruptamente, Jemima e Rancor tropeçando nas suas pernas. Olhou para os lábios volumosos daquela mulher, a pele rosada, os cachos louros, o frescor, a inocência, a bicicleta e...

Alterada pela intensidade do olhar dele, a mulher ergueu a cabeça num movimento de alerta, e uma expressão de assombro tomou conta de seu rosto.

Fionn desceu os últimos degraus da escada até a rua, o cabelo louro brilhando no sol da manhã. — Meu nome é Fionn Perdue. — Estendeu a mão para ela.

A mulher ignorou a mão de Fionn. Permaneceu em silêncio e, sem se mover, continuou encarando-o como se tivesse sido transformada em estátua.

Um homem apareceu, vindo de lugar nenhum, jovem, bem-vestido. Fionn não notara sua presença até então.

— Matt Geary — disse ele.

Mais uma vez, Fionn estendeu a mão, mas ela foi novamente ignorada.

— E... — Matt aproximou-se de Fionn e proferiu as seguintes palavras: — E essa é MINHA MULHER.

— Qual é o seu nome? — sussurrou Fionn para a bela. Mas ela não respondeu.

Fionn voltou-se para Matt, o rosto radiante ansioso por informações.

Segundos se passaram, depois Matt admitiu, com relutância.

— Maeve.

— Maeve — repetiu Fionn, maravilhado. *Maeve.* Que nome lindo, possivelmente o nome mais bonito que já escutara, e perfeito para ela, porque pertencia à mulher mais linda do mundo. — Maeve, rainha da guerra. Sou seu vizinho. Estou no primeiro andar, com Jemima Churchill. Você conhece a Jemima? — Freneticamente, bateu palmas, para que Jemima se apresentasse. Olhou por cima do ombro e encarou-a. — Vem aqui — sibilou. — Vem aqui dar bom-dia para Maeve!

— Já conheço o *Matthew.* E a Maeve — disse Jemima, educadamente.

— Vou passar uns tempos aqui — Fionn se dirigiu somente a Maeve. — Uns meses, por aí.

A buzina de um carro interrompeu o momento onírico. — Fionn, vamos embora? — Era Ogden, o motorista. — Grainne está quase tendo um surto!

De repente, Fionn ficou felicíssimo por estar fazendo esse programa. O horário terrivelmente cedo, o condicionador idiota de cabelo, as novas camisetas cheias de frescura, inesperadamente tudo isso pareceu valer a pena. Talvez impressionasse Maeve. — Estou começando a gravar meu novo programa de jardinagem — deixou escapar. — Se chama *Seu Jardim do Éden Particular*. No Canal 8. — Mal notou que Jemima agarrara seu ombro e encaminhava-o, determinada, até o carro. — Todas as quintas à noite — gritou por cima do ombro para Maeve que permaneceu rígida e calada. — Já, já estreia! Fica atenta!

Portas fechadas, Ogden pisou no acelerador, e Fionn olhou pelo vidro traseiro do carro até que virassem a esquina e não mais conseguisse vê-la.

— Quem é *ela*? — perguntou para Jemima.

— Deixe-a em paz. — Jemima foi ríspida, coisa nada característica.

Fionn riu, feliz. — Você não tem motivo para ficar com ciúme! Sempre vou amá-la mais. O que você pode me contar sobre ela?

Os lábios de Jemima se retesaram. Não fazia fofoca. Apesar de que gostaria de fofocar. Durante sua vida, experimentara muitos prazeres da carne: sessenta e sete taças de licor (uma a cada Natal, desde os vinte e um anos até os dias de hoje); fumara duas cigarrilhas dadas a Giles por um cliente; encorajada por Fionn, provara uma sobremesa chamada Morta pelo Chocolate, da TGI Friday; e, obviamente, tivera relações sexuais com seu marido. Mas nada lhe proporcionava tanto prazer quanto especular sobre a vida dos outros. Morria de vontade de ter o que as revistas femininas chamam de "Boa Fofoca". Tomar conhecimento de um segredo dava a ela uma euforia quase alarmante em sua intensidade, e passar a novidade adiante era ainda mais prazeroso. Mas não podia se permitir um falatório despropositado. Pessoas de bem não faziam isso. No entanto, havia momentos, pensou, em que desejava não ter sido educada da maneira que fora, quando desejava não ser tão boazinha.

Matt observou o carro que levava Fionn embora. Estava quase enjoado de tanta raiva. — Quem esse porcaria acha que é?

Maeve olhou para ele, ansiosa. — Melhor eu ir andando.

— Você viu? — Sua voz soou vários tons acima do normal. — Viu o jeito *descarado* com que ele... — Calou a boca. Claro que ela vira.

— Volto na hora de sempre — disse Maeve.

— Ok. — Matt a beijou, mas estava com tanta raiva que mal conseguia tocar nela.

Ficou vendo sua mulher ir embora de bicicleta, depois pegou o carro e encarou o trânsito, ignorando todos os pontos de ônibus e as pessoas ali paradas, para quem poderia oferecer carona. Para quê? Elas o acusariam de ser um serial killer.

No corredor da Edios, encontrou Niamh, uma das mais brilhantes integrantes da sua equipe. Parecia chateada. E diferente, de alguma maneira, de uma maneira ruim.

— O que foi? — perguntou.

— Não é óbvio? Meu cabelo. Cortei, ontem, depois do trabalho. Ficou um desastre.

Era exatamente isso que ela parecia, um desastre, percebeu Matt. Alguma coisa naquele corte transformara-a numa mulher muito masculina, alguém em duelo de hormônios, à beira de uma cirurgia de mudança de sexo. Lá estava a oportunidade de Matt tirar sua boa ação do dia do caminho, logo às nove horas da manhã. Isso o absolveria dos passageiros abandonados nos pontos de ônibus.

— Acho que você deve cortar o mal pela raiz, como sempre, Niamh. — Niamh tinha o dom de resolver de uma vez as situações mais complicadas. — Acho que você deve voltar ao salão e mandar fazerem alguma coisa. Nem sei o que sugerir; não entendo nada de cabelo. Mas você não pode sair por aí desse jeito...

... A expressão nos olhos dela. Encarava-o como um filhote de cachorro chutado pelo dono. Estava chocada até o último fio... de cabelo. *Achei que você era um amor*, diziam seus olhos, confusos e lastimosos. *Achava que você era um dos caras mais legais que eu conhecia. Como pôde ser tão cruel*?

Matt fez um ligeiro gesto afirmativo, louco para ir embora. Algo saíra errado, terrivelmente errado.

Antes que tivesse dado dez passos, compreendeu seu erro. Sua boa ação teria sido *mentir*, não ser honesto. Tudo que ela queria era algum apoio.

— Niamh — chamou.

Ela se virou.

— Niamh, desculpe — disse, humilde. — Pensei melhor. Seu cabelo. Ficou bom. A gente só precisa se acostumar.

Ela fez que sim, o queixo tremendo. — Obrigada. — Seus lábios estavam instáveis.

— Mil desculpas se chateei você com meu comentário.

— Tudo bem.

Mas não estava tudo bem. Ela perdera a fé nele. Jamais confiaria nele outra vez.

Profundamente deprimido, Matt seguiu até sua sala. Droga de Boa Ação do Dia e Trio de Bênçãos e essa porcariada toda. Nada funcionava. Nada ajudava.

Este podia ser o dia de fechar a venda para o Bank of British Columbia. Haviam solicitado mais uma reunião e não existia mais nada que pudesse ser discutido. Nada! Nem mesmo ingressos para Wimbledon. Não ganhariam nenhum, porque Matt não podia sair despejando mais dinheiro sem nenhum resultado. Uma vez, no passado — salientando: fora apenas uma vez —, chegara a esse mesmo estágio com um cliente e ele dera para trás. Um golpe que quase o derrubara de vez. Trabalhara tanto e gastara tanto dinheiro do orçamento de despesas especiais da Edios que, quando recebera o telefonema com a má notícia, um ruído adentrara seus ouvidos, sua visão ficara completamente turva e passara a enxergar tudo preto. Os colegas das mesas vizinhas disseram que ele desmaiara, mas não era possível. Claro que ele não desmaiara! Deixara cair o telefone, suas pernas pararam de suportar o peso do seu corpo por alguns instantes e ele ficara temporariamente cego, mas não desmaiara!

Era possível o Bank of British Columbia ter pedido o encontro para informar que não comprariam o sistema. Era possível que estivessem sendo corteses em dizer isso pessoalmente, em vez de enviarem um e-mail impessoal. Mas talvez fossem concretizar a compra. E, se isso acontecesse, se ele fechasse esse negócio...

Haveria uma comissão. Felicitações. E algo mais — não sabia exatamente como dizer, mas seria uma espécie de lembrete de quem ele realmente era.

Mas, primeiro, precisava ser entusiástico. Tinha de ser otimista. Dirigindo pela cidade, Salvatore, Cleo e Niamh espremidos no banco de trás do carro, Jackson no da frente, disse a si mesmo: Você é um vendedor. Seja um vendedor.

Mas, no banco, enquanto encaminhava sua equipe até a sala de reunião, onde o destino da venda seria selado, a confiança lhe faltou mais uma vez e ele parou.

— Abraço coletivo? — perguntou Salvatore.

— ... Não. Boa sorte, gente. Vamos lá. — Servindo-se do melhor sorriso que conseguiu montar no rosto — não se lembrava de ter forçado um sorriso antes; sorrisos sempre lhe aconteciam automaticamente —, adentrou a sala onde os homens o esperavam e conversavam animadamente. — Eeeiii! Como vão vocês?

— Tudo ótimo, Matt. E você?

— Ótimo. É isso aí! — Agarrava ombros e sacudia-os amigavelmente, empurrões e puxões suaves. Era assim que Matt fazia negócio. Companheiros, isso, todos eram companheiros. Melhores amigos, bastante contato físico, nada de fronteiras. Falavam dos dias de ressaca. De carros. De esportes. A Irlanda ia mal no rúgbi. — Ai! A gente vai de mal a pior.

— Com certeza!

— Mas a gente volta com tudo, no próximo jogo! Ah, volta!

— É isso aí!

# *Dia 53...*

— O Éden está em toda parte. — Fionn sorriu calorosamente para a câmera. — Mesmo num apartamento pequeno como este, no meio da cidade grande. — Acenou com a mão para indicar o espaço e a câmera o acompanhou com uma panorâmica, mostrando uma minicozinha.

— Bom, Fionn — disse Grainne. — Eu só queria um pouquinho mais de entusiasmo. O Éden está em TODA PARTE. Como quem diz: isso não é incrível?

— O Éden está em TODA PARTE. — Fionn sorriu calorosamente para a câmera. — Mesmo num apartamento pequeno como este, no meio da cidade grande. — Acenou com a mão para indicar o espaço e a câmera o acompanhou com uma panorâmica, mostrando uma minicozinha.

— Bom, Fionn. Só um pouco mais de maravilhamento. MESMO num apartamento pequeno — na verdade, vamos mudar para mínimo, mínimo é melhor. — Grainne corrigiu o roteiro. — Mesmo num apartamento MÍNIMO como este, no meio da cidade grande.

— O Éden está em TODA PARTE. — Fionn sorriu calorosamente para a câmera. — MESMO num apartamento MÍNIMO como este, no meio da cidade grande. — Acenou com a mão para indicar o espaço e a câmera o acompanhou com uma panorâmica, mostrando uma minicozinha.

— Quase lá. Vamos de novo.

Meu Deus, pensou Rancor, sorrindo desdenhosamente para si mesmo. Fionn não era muito bom nisso, era? Quantas vezes já repetira essa pantomima? Francamente, tantas que Rancor já perdera a conta.

— Fionn, só quero que você saiba que é normal repetir várias vezes a mesma *tomada* — disse Grainne. — Isso não significa que você esteja fazendo errado.

Meu Deus, meu Deus, pensou Rancor, olhando para as próprias unhas e escondendo mais um sorriso desdenhoso. Agora paparicavam Fionn; na verdade, estavam com *pena* dele. Logo, logo a Excellent Little Productions se daria conta de que cometera um terrível engano, Fionn Purdue voltaria a Pokey no Monaghan Meteorite e, envergonhado, juraria jamais retornar a Dublin.

Não que o idiota parecesse fazer alguma ideia do desastre que era. Dizia suas falas, acenava com a mão na hora certa, mas estava pensando naquela garota, a Maeve. *Apaixonado*, pensou Rancor com desgosto. Entre as tomadas, Fionn se perdia em devaneios, um meio-sorriso lânguido estampado no rosto, repetindo o nome Maeve mil vezes na cabeça. *Maeve, Maeve, Maeve, Maeve, Maeve, Maeve, Maeve, Maeve, Maeve, Maeve, Maeve, Maeve, Maeve, Maeve.* Rancor podia ouvir com clareza, mesmo que ninguém mais escutasse.

— Ok, Fionn. De novo — disse Grainne.

— O Éden está em TODA PARTE. — Fionn sorriu calorosamente para a câmera. — MESMO num apartamento MÍNIMO como este, no meio da cidade grande. — Acenou com a mão para indicar o espaço e a câmera o acompanhou com uma panorâmica mostrando uma minicozinha.

Grainne balançou a cabeça. — Desculpe, Fionn. Dessa vez não foi culpa sua.

*Pelo menos uma*, pensou Rancor, com prazer selvagem.

— Tem alguma coisa errada com o som. — Uma conversa sussurrada entre Grainne e o cara do som, que usava fones de ouvido ultrassensíveis. — Ônibus passando em cima de um bueiro na rua.

— Tem como pedir para pararem?

— A gente pode tentar.

A assistente, jovem cheia de piercings, de nome Darleen, foi enviada à rua com instruções de parar todos os ônibus até segunda ordem.

— Isso é impossível — protestou ela.

— Na sua entrevista de trabalho, você me disse que queria trabalhar na televisão — disse Grainne. — Disse que estava preparada para o que desse e viesse. — Deu de ombros. — Isso é o que é preciso.

Osso duro de roer, essa Grainne, pensou Rancor, com relutante admiração.

Darleen deve ter conseguido alguma coisa na rua, porque, depois de mais outras duas tomadas, Grainne ficou satisfeita com a performance de Fionn, com o som, a luz e todo o resto.

Na cena seguinte, a câmera seguiu Fionn enquanto se movia na direção da parede da cozinha, abria a janela e sorria para a câmera: — Senhoras e Senhores, o Éden. — Docemente, apoiou a mão imunda no parapeito da janela. — Mais conhecido como parapeito. — Sorriu novamente, como se compartilhasse um segredo com os espectadores, e Rancor sentiu um nó na garganta. Fionn lhe parecera uma estrela ali. Só por alguns instantes. Rapidamente, olhou para Jemima. Será que ela percebera?

Mas Jemima passara a manhã inteira olhando para Fionn como se ele fosse Daniel Day Lewis, numa interpretação merecedora do Oscar. Não era nem um pouco discreta no que dizia respeito a Fionn, Rancor sabia disso. Achava cada coisa mínima que ele fazia absolutamente genial. Na verdade, estendia a mesma generosidade a ele, Rancor. Mas era diferente.

No fim do dia, Grainne Butcher estava bastante satisfeita. Para alguém que nunca tinha feito isso antes, Fionn Purdue realmente não estava nada mal. E era lindo — o rosto, o corpo, o cabelo, as *mãos*. Aquelas mãos sujas, adoráveis. Haviam feito muitos closes enquanto ele afofava a terra nos canteiros, cuidadosamente replantando mudas, esfregando folhas entre o dedão e o indicador.

Grainne, que não gostava muito de ficar dando crédito às pessoas, a menos que realmente precisasse, foi forçada a reconhecer que Fionn era tão paciente quanto bonito. Achava que jamais trabalhara com alguém tão bem-humorado em relação à quantidade de tomadas. Obviamente, Fionn Purdue não era refém do ego.

Perguntou-se quanto tempo isso duraria. A primeira vez que viram suas fotografias no jornal foi quando o comportamento de diva tendia a dar sinal. E Fionn teria muita atenção; ela já tinha quatro pedidos de entrevistas e o release do programa só fora enviado às redações havia vinte e quatro horas.

Certamente, existia uma *pequena* chance de Fionn permanecer humilde. Ele fora sequestrado e importado de Pokey, onde Judas perdera as botas, sem nenhuma ambição além de manter as donas de casa desesperadas livres das ervas daninhas.

— Chega por hoje — disse Grainne. — Bom trabalho, Fionn. Vejo você amanhã de manhã. É... Jemima e Rancor vão estar aqui amanhã? Estranho dizer isso, mas esse cachorro me passou uma sensação estranha. De certo problema de temperamento.

— Ainda não sei — disse Fionn. — E se eu convidasse outra pessoa, em vez disso? Tudo bem?

— Claro, ótimo. Quem é?

Mas Fionn não pareceu escutá-la. Já desaparecera no seu mundinho particular. Artistas! Esse abandono místico! Era a característica que mais a exasperava. Aceitava pessoas transtornadas por todas as espécies de demônios, da raiva à necessidade de ferir, até o ciúme patológico suportava, mas, como mestre do pragmatismo que era, essa coisa mística (se essa era a palavra) a deixava maluca. Os olhos de Fionn voltaram ao foco, e ele voltou seja lá de onde estava.

— Grainne — disse. — Qual é o nome da emoção quando você não consegue parar de pensar numa pessoa específica?

— ... É... Obsessão?

Fionn estalou os dedos, agradecido.

— Obsessão! É isso!

# *Dia 53...*

Matt saiu do trabalho dez minutos mais cedo. A reunião da manhã com o pessoal do Bank of British Columbia não trouxera nenhuma conclusão. Haviam sido amigáveis, feito mais perguntas, dito que entrariam em contato, e a cabeça de Matt estava fervendo por causa disso. Quando voltou ao escritório, teve um momento de loucura em que considerou a possibilidade de pegar o telefone e se recusar a vender o sistema, apenas para colocar um ponto final na angústia da espera.

Passou sua hora de almoço sozinho na sala, lendo *Top Gear*, uma revista de informática. Quando terminou — o que lhe pareceu acontecer rápido demais —, flagrou-se pegando o jornal de Cleo, numa espécie de frenesi, e fazendo três sudokus, um atrás do outro. Mas, assim que colocou o último número e baixou a caneta, foi devorado pela culpa. Fazer o sudoku de outra pessoa não era certo. Era *roubo*. A mesma coisa que comer a fatia de bolo que alguém estava guardando na geladeira.

Ele teria de se entregar e se oferecer para comprar outro jornal. Colocar as páginas no lugar, para esconder o crime de si mesmo e, ao fazê-lo, leu um pequeno artigo falando de blocos de gelo que caíam a esmo do céu. Apenas um panorama geral sobre o que ele já sabia, ainda assim era agradável usar seu tempo nisso. Estreitou os olhos ao se dar conta de que as localidades onde o gelo caíra eram capitais. Nenhum dos peritos reparara nisso? O que significava? Seria o começo de um derretimento apocalíptico e as capitais do mundo seriam os primeiros alvos? Ele já era capaz de ouvir a CNN: "Enormes pedras de gelo estão caindo sobre Buenos Aires... notícias frescas de Washington D.C... pânico nas ruas de Tóquio..." Como num bom filme.

Quais as chances de um desses enormes blocos de gelo cair em Dublin? E, se fosse o caso, onde cairia? O carro de quem seria amassado e que telhado seria destruído ou — pensamento desafiador — a vida de quem seria tirada? Por um instante, a imagem foi tão deliciosa que ele fechou os olhos, para saboreá-la ainda mais.

No entanto, o ressentimento turvou o brilho de sua visão. Jamais aconteceria. Não existia justiça. Nenhuma. Nenhuma mesmo.

Nada conseguia tirá-lo daquele pântano. Nada, nem mesmo se Cleo o absolvesse pelo roubo do sudoku sairia do poço e voltaria a ser quem era. Era incapaz de trabalhar. Devia estar caçando novos negócios, buscando mais companhias que comprassem o software da Edios; naquele momento, porém, não tinha a menor condição de fazer isso.

Estava num mau dia; todo mundo tem um mau dia de vez em quando. Talvez o dia seguinte fosse diferente, talvez ele devesse desistir deste.

— Preciso ir. Tenho dentista — disse, casualmente.

Repostas, reações simpáticas e surpresa o seguiram ao sair. Corajoso Matt passara o dia todo sabendo que tinha dentista e nem tocara no assunto. Que grande sujeito ele era. Até Niamh (que saíra na hora do almoço para outro encontro, curador, com o cabeleireiro) se perguntou se deveria rever sua opinião a respeito dele.

Matt entrou no carro e saiu do estacionamento — mas não dirigiu até sua casa. Segui seu caminho, tentando encontrar algum sentido. Por um momento, eu me perguntei se a história do dentista era verdade e não somente um pretexto para sair do escritório mais cedo. Então, percebi que se encaminhava em direção à zona portuária. Isso significaria o que eu achava que significava?

... Significava.

Do mesmo lado da rua em que Maeve parara sua bicicleta quatro dias antes, Matt parou o carro. Colocou dinheiro suficiente no parquímetro para duas horas, depois se postou exatamente do outro lado da entrada principal da No Brainer Technology — às claras, não escondido como Maeve fizera — e ficou assistindo às pessoas indo embora, assim como Maeve fizera.

E lá vinha o cara, camisa folgada, sem botão, cabelo comprido despenteado, uma bolsa a tiracolo. Quando viu Matt, o medo se estampou em seu rosto, mas, quase imediatamente, recobrou o equilíbrio e riu — *riu* — para Matt. O ruído jocoso atravessou a rua, e o ódio nasceu em Matt, crescendo e tomando cada célula do seu corpo. O magrelo caminhava na maior despreocupação e Matt quis esmurrar uma parede.

Voltou para o carro, esmurrou a si mesmo cinco vezes e sentiu-se um pouco melhor: sua ira fora reduzida, e ele se ferira. O que era apropriado, porque a culpa disso tudo era sua.

*... Não adianta perguntar para mim, estou totalmente por fora.*

# *Dia 53...*

— O que devo vestir? — perguntou Connal quando telefonou de Helsinki. Telefonava quase toda noite, antes de Katie dormir.

— Seu terno Tom Ford e aquela camisa que comprei para você.

— A rosa?

— Não é rosa, é lavanda. Lavanda muito suave. Quase branco.

— Não exatamente; era um lavanda totalmente feminino, o que, paradoxalmente, fazia com que ele parecesse extremamente masculino. Mas não adiantava tentar explicar isso; em certos momentos, é melhor simplesmente insistir. — E deixei separada a gravata que quero que você use. Está na sua cama.

— E busco você à uma?

— Isso. Meu apartamento, treze horas, só para ficar bem claro. Seu carro está limpo?

Katie detectou uma ligeira hesitação. — Vai estar. Mas a gente pode ir no seu.

Não, não podiam. O carro dela era legal, mas não impressionava. Não como o Lexus de Conall. Podia-se dizer que isso era uma tolice, mas iam ao casamento do ex-namorado de Katie. Estava satisfeita com a felicidade de Jason, blá-blá-blá, *mesmo assim*.... não queria dar a impressão de que estava sofrendo.

— E seu voo? — perguntou. — É Finnair, não é? Chega às dez e quinze da manhã, no domingo? — Já sabia de tudo isso, cada detalhe, mas não podia haver espaço para o menor equívoco. Era muito, muito importante.

— Dez e quinze.

— Você podia vir na sexta à noite, para garantir que vai estar aqui, não acha? — perguntara isso milhares de vezes antes, mas estava tão ansiosa que não conseguia impedir-se de perguntar novamente.

— Vou estar aí.

— Ok.

— Prometo.

Um momento de silêncio.

*Não vou decepcionar você.* O que mais ele poderia fazer para convencê-la, Katie ponderou. E, pelo menos, ele não estava em Manila ou Saigon, como acontecia às vezes, com muito mais possibilidades de ter um voo atrasado e conexões perdidas. Helsinki estava a apenas algumas horas de viagem, voo direto. Tudo seria perfeito.

Claramente mudando de assunto, Conall perguntou: — E qual é o pensamento do dia?

— Espera um segundo. — Katie alcançou o diário que Danno e os outros lhe tinham dado de aniversário. Ela virou a página. — "Ame seu corpo exatamente como ele é. Você imagina que é imperfeito e está certa, mas a tendência é piorar."

— Seu corpo é perfeito — disse Conall, com suavidade.

Katie riu com desdém, mas ele a cativara com o comentário...

Depois de desligar, perguntou-se se Conall saberia que sapatos usar. Será que devia ligar de volta? Talvez não. Ele não era confiável, mas se vestia bem e, talvez, ela já o tivesse perturbado demais por causa desse casamento.

Em vez disso, resolveu jogar o lixo fora.

# *Dia 53...*

Fionn levantou-se.

— Aonde você vai? — perguntou Jemima, rispidamente.

— ... Ah... é... lugar nenhum. — Voltou a sentar-se na poltrona, concentrado na expressão de falso interesse na televisão pequena e bastante velha de Jemima.

Em silêncio, beberam chá. Então, Fionn colocou a xícara sobre o pires para sinalizar uma mudança de atividade. Levantando-se, disse, casualmente: — Acho que vou esticar um pouco as pernas.

— Elas já estão suficientemente esticadas. Pode sentar.

— Preciso dar uma volta, Jemima. Um cara do campo, feito eu, não se dá bem trancado dentro de um apartamento. Preciso caminhar um pouco.

— São dez da noite. As ruas estão cheias de bêbados e bandidos.

— E daí?

— Pode ser que você não seja capaz de se defender — disse, astuciosa. — Um cara do campo, feito você.

— Vai ser rápido... — Ele já estava na porta.

— Ela é casada — disse Jemima, em tom agudo.

— Quem?

— Você sabe quem. Maeve.

Não *parecia* casada, pensou Fionn.

— E, até onde sei, você já deu bastante colo para mulheres casadas.

Dera, claro que dera, qualquer pessoa decente faria isso. Mas Maeve era diferente. Não sabia como, não sabia dizer de que maneira, tudo o que sabia é que ela era diferente.

— Você foi educado para respeitar mulheres casadas. — Jemima tentava envergonhá-lo para que esquecesse Maeve, mas não conseguiria. Fionn não conseguia! Estava encantado com a intensidade de seus sentimentos. Pensara nela o dia inteiro, como um zumbido incessante. Era a primeira vez que uma mulher o afetava dessa maneira e, se fosse cem por cento honesto, não ligava para o que se dissesse. Queria-a e a teria.

— Sinto... como posso dizer? Que ela não é realmente casada. — Balançou a cabeça, os olhos estreitos, cheios de dúvida. — Aquele tal de Mark...

— O nome dele é Matthew!

— Tem alguma coisa errada ali, é como se ela fosse prisioneira dele.

— Você perdeu a noção das coisas? — questionou-o Jemima, os olhos brilhando como os de um pássaro. — Imploro que você escute o que está dizendo.

— Estou lhe falando, Jemima, alguma coisa não está certa ali.

— Isso é bobagem! Você está simplesmente arrumando desculpa para fazer uma coisa terrível. E não vou permitir.

— E como você vai me impedir? — De repente, todo cheio de audácia, parecia ter quinze anos novamente.

— Proíbo você de sair.

Jemima o encarou. Fionn se esquecera do poder do olhar daquela mulher. A força irresistível, ele e Giles costumavam dizer. Enquadrava-o como um raio laser, e Fionn flagrou-se caminhando de volta à poltrona. Sentou-se ali, vencido, ornbros arredados.

Jemima abriu-lhe um sorriso amplo. — Mais chá, meu amor?

*Você pode enfiar o seu chá na sua culatra protestante.*

— Ok — resmungou.

— Diz para mim — disse Jemima, com aspereza, ao erguer o bule de chá. — Qual é o seu plano? Bater na porta dela e convidá-la para sair, com o marido sentado a dois metros de distância?

— Pensei em convidar os dois para a gravação — disse Fionn, cheio de dignidade. — *Os dois*. Parece que as pessoas gostam desse tipo de coisa.

— Acho que podem passar muito bem sem um passeio num estúdio de televisão, muitíssimo obrigada!

# *Dia 53...*

Poucos metros abaixo de Fionn, Matt e Maeve estavam no seu habitual *dolce far niente*, embolados no sofá, assistindo a algum programa sobre coisas do lar. Eram criaturas que gostavam de rotina. Todos os dias, acordavam às sete e meia, tomavam um civilizado café da manhã, consistindo em mingau adoçado com mel e comprimidos vitamínicos. Às oito e meia, saíam para o trabalho e voltavam às seis e meia. Toda noite, cozinhavam um jantar robusto, acompanhado de batatas, e a refeição era seguida de alguma sobremesa — eram fãs de açúcar refinado, pães, bolos, sorvetes, tortas de maçã e coisas do tipo. Quando terminavam de comer, enroscavam-se um no outro no sofá e assistiam à televisão, sem se importarem com o que estava passando, e beliscavam mais algum docinho. Quando o relógio dava onze horas, vestiam várias camadas de roupas, deitavam-se na cama e anotavam seu Trio de Bênçãos.

Eram feitos um para o outro, Matt e Maeve.

A ironia era que, apesar de David — como Maeve — ser do interior e Matt não passar de um "terno", para citar as palavras de David, Maeve tinha muito mais em comum com ele do que jamais tivera com o ex. Com Matt, ela ria, ria bastante. Algo que não acontecia com frequência com David, homem que achava o mundo incrivelmente injusto e, portanto, excesso de gargalhada lhe parecia coisa de pessoas insensíveis e frívolas.

Mas, apesar de ela e Matt serem feitos um para o outro, Maeve morria de culpa por causa de David. Tudo que ele fizera fora amá-la, e Maeve ficava consternada e envergonhada por tê-lo humilhado publicamente. Do ponto de vista do novo relacionamento, enxergava o que dera errado com David, com muito mais clareza do que quando estavam juntos. Ficara tão lisonjeada pelo fato de ter sido escolhida por ele em meio a tantas outras garotas da Goliath — David era tão inteligente, apaixonante e carismático — que realmente não parara para pensar se ele era a pessoa que queria.

Ficara desesperada para explicar as coisas para ele, para, de alguma maneira, livrá-lo do sofrimento, mas David não permitira que Maeve "explicasse" nada. Diga-se de passagem, Maeve sabia, teria que se explicar por isso. Não sabia como acontecera. Num minuto, David era seu namorado, e ela tinha uma ligeira queda por Matt; no seguinte, estava violentamente apaixonada por Matt, e David fora relegado a um segundo plano.

Tentara marcar um encontro para conversar com David, mas era impossível. Ele desligava na sua cara, retornava sem ler seus e-mails e, com dignidade melodramática, passara a atravessar a rua quando via Maeve se aproximar. Nos encontros entre as equipes, fazia referências amargas sobre a dificuldade de se confiar em colegas de trabalho e, uma vez, quando Maeve encostou acidentalmente nele na sala de jogos, sussurrou, com ódio: — Não toque em mim.

O otimismo nato de Matt insistia em que David superaria o rompimento com Maeve, e logo, logo se envolveria com outra pessoa, mas Maeve não tinha tanta certeza. David sentia as coisas muito profundamente, e as qualidades que um dia admirara nele, como sua objeção apaixonada a todas as injustiças, de repente lhe pareciam impedimentos. David ainda guardava raiva de Henry Kissinger, por ter orquestrado o golpe no Chile que derrubara Allende, apesar de não ser nascido na época.

Com Natalie, a história fora diferente. Com pragmatismo admirável, aceitou a nova configuração — Matt e Maeve — quase da noite para o dia. — Vocês... — acenava ligeiramente para eles — olha só para vocês: são um casal de verdade, feitos um para o outro. Não gostei da ideia de cara, mas o que poderia fazer?

— O que a gente deve fazer com o David? — perguntou Maeve para Natalie.

Mas Natalie era da mesma escola de otimismo de Matt. Suavemente, aconselhou: — Basta dar tempo ao tempo.

Um mês se passara, depois dois, mas David continuara magoado e Maeve, tomada pela culpa, e, no fim das contas, tudo isso fazia com que trabalhar no mesmo lugar fosse muito estranho. E, com certeza, o lazer também. Matt ficava ansioso por estar com Maeve o tempo todo; ficava feliz de participar das coisas de que ela gostava, de comer faláfel na chuva, tomar cerveja no Gogol Bordello ou se jogar numa prancha e cair no mar gelado. Mas Maeve não podia fazer isso com David. Ele ficaria muito ferido, nada mais justo que ceder a ele a custódia dos amigos em comum e da vida social.

Com sorte, isso não seria sempre assim, mas, nesse ínterim, ela e Matt criaram um novo caminho, encontrando um meio-termo entre seus diferentes estilos de vida. Ela o fizera ler Barbara Kingsolver e ele a convencera a passar um fim de semana num Spa, até mesmo a participar de uma massagem de casal. Apesar de ter certeza de que morreria de culpa pelo trabalho que a massagista era obrigada a fazer, descobriu que dar uma gorjeta gorda à profissional ajudava bastante a aliviar seus sentimentos.

Na verdade, teve de admitir que achou o fim de semana inteiro uma delícia. Assim como Matt com o livro de Barbara Kingsolver. Mas é importante mencionar que achavam tudo que dizia respeito ao outro uma delícia; portanto, era difícil ter certeza.

# *Dia 53...*

Fionn mexeu-se ligeiramente na poltrona e pensou: Isso! Isso! Jemima teria de ir para a cama em algum momento. Esperaria a hora certa. Ela era uma mulher poderosa e, às vezes, apavorante, mas todo mundo precisava dormir. Então, tomou seu chá, assistiu aos programas tolos da TV e, às onze horas, quando Jemima anunciou que ia dormir, espreguiçou falsamente, bocejou e concordou que estava na hora. Deu-lhe um beijo de boa-noite na porta do quarto e esperou, esperou e esperou até ouvir os ruídos regulares de alguém que dorme, e, apesar de forçar-se a esperar mais quinze minutos, quando abriu a porta da rua teve medo sincero de que ela aparecesse na sua frente como um anjo vingador, mandando que voltasse para a cama. Mas tudo correu sem incidentes. Ela devia estar perdendo a mão.

Desceu as escadas na ponta dos pés e enfiou um bilhete debaixo da porta de Maeve. Nada controverso, nem um pouco. Endereçado ao casal, convidando-os para uma gravação do programa. *Quando for conveniente.* O número de seu celular. O telefone fixo de Jemima. Tudo bastante casual.

Katie, de pijama e salto alto, voltava para o apartamento, depois de jogar o lixo fora. A habilidade de fazer tudo na vida de salto era um talento semelhante ao de ter uma bela voz, algo a ser respeitado, cuidado e mantido com a prática. Da mesma maneira que cantores trabalhavam a voz todos os dias, fazendo escalas e coisas do gênero, Katie também precisava de exercício. Se perdesse seu dom, se começasse a tropeçar e torcer o tornozelo, reclamando que seus calcanhares doíam, seria o mesmo que perder uma parte de si mesma.

Subiu correndo as escadas e estava quase chegando ao apartamento de Lydia quando ouviu a porta de Jemima se abrir.

Droga! Como qualquer pessoa normal, morria de medo de ter de conversar com vizinhos, mas estava perto demais do apartamento de Jemima para escapar. Com grande apreensão, virou-se, preparando-se para um papo educado com a senhora. Mas, para sua grande surpresa, não foi Jemima quem apareceu no corredor, mas o homem mais lindo do mundo. Um deus louro, de cabelos compridos e corpo perfeito, um maxilar de ângulo inacreditável. Ouviu uma frase da mãe ecoando na sua cabeça: a beleza dele poderia tirar a visão dos seus olhos.

Quem era ele?

Apesar de estar paralisada no corredor, de boca aberta, ele não a viu — prova de que se tornara invisível agora que tinha quarenta anos. Fascinada, apoiou-se no corrimão e seguiu os passos iluminados do homem que descia furtivamente os degraus e enfiava um bilhete debaixo da porta de Matt e Maeve.

Então, assaltada por ligeira tonteira — o salto, o salto —, deu-se conta de que tropeçaria e rolaria um lance de escada, se não prestasse atenção. Endireitou o corpo e continuou a subida.

# Dia 52

Matt tropeçava e bocejava no corredor, a caminho da cozinha para preparar o café — sempre acordava antes de Maeve —, fazendo uma espécie de reconhecimento de campo, conferindo se era seguro estar vivo, quando reparou no pequeno pedaço de papel no chão. Ficou imediatamente claro que não era um *panfleto*; era um bilhete escrito à mão e só podia ser de algum vizinho. Ficou ligeiramente curioso. O que teriam feito? Será que o som da televisão estava muito alto na noite anterior? Então, leu o recado e, mesmo com a ira profunda que tomou conta de seu ser, entrou na cozinha e fechou a porta para proteger Maeve da força de seus sentimentos.

A bela luz da manhã entrava pela janela, feria seus olhos, e seu sangue fervia de tal maneira, percorrendo suas veias com tal velocidade, que sentia dor e calor nas orelhas. Apoiou as mãos na bancada da pia e baixou a cabeça. Que *desrespeito*!

Devia contar a Maeve? Até parece! Jogou o bilhete na lixeira, onde era seu lugar, onde apodreceria junto às cascas dos legumes e ao resto de comida.

Quando levou o café para Maeve, ela ainda estava na cama, deitada de barriga para cima, com a aparência particularmente entristecida. — Matt?

— Oi?

— Ando com a sensação de que... de que tem alguém me observando.

Pela segunda vez em dez minutos, Matt foi tomado de emoções. Uma dor intensa percorreu seu corpo, carregou-o em velocidade estonteante ao centro da Terra, e ele ficou impressionado com a própria falta de cuidado: a volta que dera no dia anterior, no que estava pensando? Devia ter deixado para lá. Trouxera o assunto à tona; atraíra o homem para eles. A menos que fosse esse tal de Fionn...

— Observando como? — conseguiu perguntar. — Pela janela?

— Não.

— Observando você no trabalho?

— Talvez.

— Esperando você sair do escritório?

— Não. É uma coisa mais... isso vai parecer loucura, mas é como se me observasse através das paredes.

— Através das paredes? — *paredes*?

— Sei lá, Matt. Desculpe. Mas ando sentindo isso.

Tomaram banho, prepararam mingau com mel, mas Matt não conseguiu comer. Sua garganta estava tão travada que ele mal conseguiu engolir seu comprimido de vitamina.

*Finalmente, saem para trabalhar, mas fico no apartamento. Procuro alguma coisa. O quê? Não há nada de errado com seu chá; as gavetas de roupas íntimas não escondem nada de errado, somente cuecas e calcinhas surradas e, no banheiro, uma caixa fechada de loção corporal Coco Chanel está coberta por uma fina camada de poeira, o que me entristece, mas não é fato exatamente relevante. Então, volto aos armários da cozinha e vejo o que devo ver e, cá entre nós, estou, na verdade, bastante envergonhada. Ando observando Matt e Maeve há mais de uma semana e demorei até agora para notar que o comprimido diário de vitamina deles não é, na verdade, um comprimido de vitamina. É antidepressivo.*

# Dia 51

Para cima, para cima, devia ter esfregado *para cima*. Fizera o movimento para baixo; portanto, tentando cancelar o dano, Katie passou mais uma mão de creme, agora esfregando na direção certa — contra a gravidade. De repente, sentiu uma presença e foi tomada de terror. Um arrepio na nuca e nos braços.

— Quem está aí? — sussurrou. Fechou os olhos com força, com medo de olhar para o espelho e ver uma silhueta sentada ao seu lado.

*Faço isso muito bem. Tão bem, que, às vezes, até eu me assusto comigo.*

— Quem está aí? — repetiu.

*Eu? Sou o vento nas árvores, o orvalho nas pétalas, o cheiro de chuva no ar.*

*Ah, não, estou brincando.*

— Vovó? — perguntou. — É você?

*Não, Katie, não sou sua falecida avó.*

Katie gostava muito de sua avó Spade, mãe de sua mãe. De certa forma, vovó Spade fora a salvação de Katie quando terminara com Jason. Inicialmente, o término fora bastante tranquilo, sem envolvimento de terceiros ou brigas por causa de CDs; Katie ficara triste, mas não perdera a esperança nem a fé na felicidade e no triunfo do espírito humano.

Até que... isso, até que, quatro simples meses depois do rompimento sem lágrimas, ficou sabendo que Jason tinha uma namorada nova (portuguesa) e — incrivelmente — ela estava grávida. Num piscar de olhos, como o leite que ferve de repente, Katie ficou amarga. Na verdade, ficou tão mal que teve de frequentar um curso de "desamarguramento". (Chamado Além da amargura: aprendendo a se livrar da culpa e a amar novamente.) Vovó Spade dera a sugestão em seu leito de morte. — Você ficou muito azeda, Katie — disse. — Procure este curso. — Estendera um prospecto a Katie, depois morrera. Bem, um pedido no leito de morte era um pedido no leito de morte, e Katie não era do tipo que correria o risco de ser assombrada por um espírito inquieto. Já era bastante difícil manter seu apartamento arrumado sem uma avó morta espalhando ovos, quebrando espelhos, fazendo bagunça em toda parte.

Durante quatro semanas, todas as noites de sexta-feira, Katie frequentara as aulas, e o que aprendera podia ser resumido numa só frase: a única maneira de superar a amargura não era, como sempre imaginara, derrubar a casa de Jason e Donanda, mas — você acredita nisso? — desejar que fossem felizes. No curso de quatro semanas, foi encorajada a fazer coisas impossíveis, como visualizar Jason e Donanda tendo tudo que ela, Katie, sempre sonhara ter: três filhos, abdômen de tanque, alguém para passar a roupa. Na primeira tentativa, ficou enjoada.

Era muito, muito difícil. Mas, empurrada pelo medo do fantasma de vovó Spade, continuou se esforçando e, no fim do curso, era uma pessoa diferente.

Claro, havia momentos em que sentia prazer tendo conversas animadas dentro da própria cabeça com todas as pessoas que já lhe haviam feito mal, nas quais ganhava todos os argumentos e reduzia seus combatentes a seres destroçados pelo remorso, mas, no mais, era livre.

# Dia 50

— Bem, *com* licença. — Lydia adentrou o banheiro de camisola (na verdade, uma camiseta, uma camiseta velha de Gilbert que ia doar para uma instituição de caridade e ela resgatara) e deu de cara com Andrei escovando os dentes.

Perdera a hora. Como poderia perder a hora se já perdera horas de trabalho nos últimos dias? Cada segundo que passava sem que estivesse nas ruas era dinheiro que deixava de ganhar. Em pânico, precisava tomar banho e sair *rapidamente* de casa, mas tinha um polaco seminu no banheiro. Lá estava ele, de peito nu, braços musculosos e nada além de uma toalha em volta da cintura estreita. Aquele... aquele *cara de pau*.

— O que você está fazendo aqui? — perguntou Lydia, sacudindo os braços.

Ele ergueu uma das sobrancelhas, sarcasticamente inquisitivo: o que ela *achava* que ele estava fazendo?

— O que seja — disse ela. — Sai daí. Estou atrasada. Preciso tomar banho. — Tinha muito pouco tempo para se aprontar; precisava maximizar suas chances.

Mas por que deveria sair do banheiro, Andrei se perguntou. Ele também tinha um trabalho. Também tinha higiene a fazer. E — sem querer ser infantil — chegara primeiro.

— Foraaa! — repetiu Lydia, ameaçadoramente. — Forararara. E — elevou a voz, tomada de irritação — você poderia, pelo menos, vestir alguma coisa!

Andrei pensara que Lydia já saíra; ela normalmente começava a trabalhar em horários bastante absurdos. Assumira que tinha todo direito de usar seu próprio banheiro, enrolado numa toalha.

Surpreendendo aos dois, Andrei esticou o braço direito, o ombro se movendo como se fosse manipulado por cordas sob a pele, e puxou-a para si. Os pés de Lydia resistiram, mas ele era forte demais para que pudesse fazer alguma coisa, e ela viu-se pressionada contra aquele peito nu. O braço de Andrei parecia uma rocha de encontro às suas costas; era tanta força que nem parecia humano.

*Como as barras de ferro que impedem a pessoa de cair de uma montanha-russa.*

Sem palavras diante da audácia dele, por ter a coragem de tocar nela, Lydia tirou os olhos daquele peitoral macio e olhou-o no rosto. Paralisado pelo momento, Andrei a encarou. O hálito dele era fresco de pasta de dente, e os olhos de um azul inebriante. Ela estava perto o bastante para ver que ainda não se barbeara.

O calor se espalhou entre eles e os dois deram-se conta de algo endurecendo sob a toalha, então ela se afastou e ele a encarou mais uma vez, confuso, antes de virar de costas.

# *Dia 50...*

Maeve estava enroscada em si mesma, a mão diante da boca. — Fico pensando... — disse, finalmente, depois voltou ao silêncio.

Dra. Shrigley olhou calmamente para ela.

Dra. Shrigley era psicoterapeuta. Alta, esguia e bonita, o rosto ligeiramente ossudo, usava mocassim, casaco de lã azul-marinho, que talvez tivesse roubado do marido, e calça comprida sóbria, bem-cortada, que talvez também tivesse roubado do marido. Ar calmo de intelectual, não usava maquiagem, não tinha tempo para bobagens. Bastava olhar para ela para deduzir que lia biografias de muitas páginas sobre mulheres que valiam a pena e que ficava acordada até tarde, tomando vinho tinto e discutindo o desconstrutivismo. Também havia bastante chance de que fosse boa velejadora.

Seu consultório ficava na Eglinton Road, sendo uma sala pequena mobiliada com duas poltronas confortáveis, mas não confortáveis demais. Uma caixa de lenços de papel descansava, convidativa, sobre uma mesinha lateral.

Enquanto Maeve se contorcia, transformando-se num pretzel, a Dra. Shrigley apresentava uma expressão adequada: preocupada, mas não condescendente; paciente, mas não martirizada; interessada, mas sem excessos. Dava a impressão de que podia esperar o dia inteiro ou, pelo menos, até o fim da sessão, sem que importasse o mínimo o fato de ninguém dizer uma palavra. Mas se Maeve *abrisse* a boca, bem, então ela ficaria satisfeita em ouvir o que quer que tivesse a dizer.

Não é de se estranhar o fato de as pessoas terem de estudar tanto tempo para se tornar terapeutas; podia-se levar anos para adquirir aquela aparência.

A Dra. Shrigley era uma boa mulher. Por trás da máscara de distanciamento profissional, pulsava uma frequência carinhosa, cuidadosa. Apesar de saber que era uma terrível violação de fronteiras, não conseguia evitar sua preocupação com Maeve. Pensava bastante nela, entre suas sessões semanais. Conseguia enxergar a pessoa que Maeve já fora e, às vezes, tinha vislumbres de quem ela poderia se tornar se permanecesse em tratamento, mas tinha medo de que Maeve perdesse as esperanças e abandonasse o processo antes de estar curada e inteira novamente.

Depois de algum tempo, Maeve falou. — Sempre esperei o melhor das pessoas. Achava o mundo um lugar bom. Mas agora...

— Sua confiança foi violada e leva tempo para se recuperar disso.

— Quanto tempo mais? Está demorando muito!

A Dra. Shrigley tentou sorrir para lhe dar apoio, mas sua boca tremeu um pouco. — É a sua jornada, Maeve. É difícil, mas você está indo. Colocando um pé na frente do outro, seguindo adiante.

— Será que algum dia vou me sentir bem de novo?

— Vai. Mas não há uma previsão para isso.

— Ainda faço minha Boa Ação do Dia e escrevo meu Trio de Bênçãos toda noite. Faço isso há meses. Isso tem que servir para alguma coisa, não?

A Dra. Shrigley fez que sim. Temia que Maeve depositasse fé demais nessas práticas, mas, ao mesmo tempo, isso provavelmente não lhe fazia mal. — Certamente esta é uma forma de tentar recobrar a fé na bondade do mundo.

Maeve fez um gesto afirmativo.

— Hora de encerrar — falou a terapeuta. — Mesmo horário, na semana que vem?

Maeve fez outro gesto afirmativo.

— E o motivo do cancelamento da semana passada? Você simplesmente não estava se sentindo bem, é isso? Só isso?

Maeve não conseguiu olhá-la nos olhos. — Só isso.

* * *

Maeve precisava pedalar rápido, pedalar para longe dos sentimentos. Pegou um caminho bonito, passando pela Ranelagh Road, as pernas trabalhando, os pulmões se enchendo de ar, e, quando viu que o sinal adiante estava vermelho, não conseguiu pensar em parar. Assumiria o risco. Lançou-se na zona de perigo e, de repente, ali estava um carro, prestes a colidir com ela. Maeve pedalou mais rápido ainda, o automóvel desviou e, ouvindo um milhão de buzinas às suas costas, atravessou em segurança. Fora coisa de um segundo. Seu coração estava batendo como palmas. Realmente, realmente arriscado, mas ela não fora capaz de impedir-se, e estava segura agora, não estava? Por um momento, ficou feliz, mas a sensação se esvaía quanto mais perto de casa chegava. Era aquele Fionn. Vira-o novamente de manhã quando saíra de casa com Matt. Ele estava entrando no carro, parara e olhara para ela com tanto... tanto... se o motorista não o tivesse apressado, talvez fosse até ela. E, mesmo depois que o carro se afastara, Fionn ficara olhando pela janela até virarem a esquina no fim da rua.

# Dia 49

Katie gastara uma fortuna naquele vestido. E uma fortuna nos sapatos — um par de sandálias douradas Dolce & Gabbana, puro glamour. E agora estava luxuosamente fazendo os pés. Conall a buscaria dali a uma hora, o que lhe dava tempo suficiente para voltar em casa, trocar de roupa... Seu telefone emitiu dois bipes, e ela teve *certeza*: ele ia cancelar.

Ainda em Helsinki. Emergência. Mil desculpas.

Leu novamente, desejando que dissesse algo diferente, então sentiu um nó na garganta, lágrimas de ódio. Quis chutar alguma coisa, mas as unhas dos pés estavam molhadas e ela não arriscaria o trabalho da pedicure. Conall não valia isso. Se era para ir sozinha ao casamento do ex-namorado, ela o faria de cabeça erguida, sabendo que seus pés não ficavam atrás dos de ninguém.

Na verdade, o serviço da pedicure fora uma dádiva de Deus, principalmente durante a cerimônia religiosa. Seus pés desviaram sua atenção da gloriosamente linda Donanda, da sinceridade dos votos de Jason e dos olhares piedosos dos amigos do ex-casal Katie-Jason que haviam ficado ao lado do vencedor depois da separação. Certamente, seus pés embelezados não se fizeram de rogados no momento em que a filhinha de Jason e Donanda lhes entregou as alianças numa almofada de veludo branco. *Vocês podem ter um bebê lindo, de tiara de flores, mas tenho unhas maravilhosas pintadas de rosa.*

Mas, quando chegou ao restaurante, perdeu a pose: descobriu pelo mapa de lugares que estava sentada na PMM, Pior Mesa do Mundo.

Falou consigo mesma, aconselhando-se contra paranoias. Ela e Jason se gostavam; por que ele a insultaria? Mas sua mesa era nos fundos do salão, cercada por duas paredes — uma ao seu lado, uma à sua frente. Os outros convidados, todos portugueses, claramente parte da enorme família de Donanda, eram quatro senhoras e um homem gordo na faixa dos cinquenta, que exibia um magnífico bigode e uma camisa aberta até o meio do peito. Não falavam uma palavra de inglês. Inegavelmente, a pior das mesas.

Havia outro lugar vazio — a cadeira supostamente ocupada por Conall e que não seria utilizada — e Katie depositou todas as suas esperanças ali. Não acreditou quando viu um homem muito atraente e descabelado se aproximando da mesa. O que será que ele fizera para merecer um lugar na Pior Mesa do Mundo? Obviamente, alguma ovelha negra da família. Drogas, talvez. Ou desfalques. Haviam resolvido colocá-lo num lugar onde não causasse muito estrago.

Quando chegou mais perto, o alarme em seu rosto tornou-se visível. Pegou o cartãozinho com seu nome e conferiu a caligrafia em dourado, como se não acreditasse. Depois, com olhos tomados de pânico, perscrutou os seis rostos ansiosos, guardou o cartão no bolso e fugiu.

— Nunca mais foi visto — disse Katie.

Piadas à parte, isso foi tudo. Ninguém se juntaria a eles. Ela estava presa.

Com galanteria exagerada, o homem de bigode mudou de lugar para ficar ao lado de Katie.

— Ahhhhh! — incentivaram todas as senhoras. Claramente apostavam nele.

Ele bateu no peito e disse. — Eu, Nobbie.

— Katie.

— Você ser lindo mulher.

— Você tem um bigode incrível. Deve ter muito orgulho dele.

— Tia-avó Donanda. — Uma das mulheres apontou para si mesma. Depois, indicou as outras três. — Tia-avó, tia-avó, tia-avó.

Katie apontou para o homem e disse: — Tia-avó?

Como riram!

— Tio, tio — consertou Nobbie, com sua voz grave, de macho.

— Você?

— Ex-namorada do Jason — explicou ela, como se falassem inglês fluente. — Provavelmente, o amor da minha vida. — Os portugueses balançavam a cabeça, educadamente. — Dos trinta e um aos trinta e sete. Vou contar qual foi o problema. — Cruzou as pernas e inclinou o tronco, de maneira confiante. — A gente resolveu que era hora de ter um filho, e foi só quando a gente começou a transar direto que descobriu que não gostava mais um do outro! Terrível, vocês podem imaginar. Por um tempo, achei que fosse ficar maluca. — Os portugueses começaram a aparentar nervosismo. Mas, na verdade, pensou Katie, eles tinham *perguntado*. — Aí, o Jason conheceu a Donanda.

— Donanda. — Gesticulavam entre si, aliviados por compreenderem alguma coisa. — Donanda.

— Quando ela engravidou, fiquei arrasada. Aí, depois de um ou dois anos, conheci o Conall, que, infelizmente, não pôde vir, porque está preso em Helsinki, demitindo pessoas. Então, aqui estou eu, sozinha, comemorando o casamento do meu ex-namorado! — No momento em que terminou a narrativa, foi tomada de vergonha. Aquelas pobres almas só estavam tentando puxar conversa. Em que se transformara? Era uma pessoa muito mais legal quando estava na casa dos trinta.

Imediatamente, resolveu ser extra-educada e gentil, mas bater papo em língua diferente da sua era muito difícil e aquela era uma recepção longa, cheia de discursos e espaços muito grandes entre as coisas. E não havia descanso. Os poucos rostos familiares na multidão não mais podiam ser vistos como aliados, haviam cortado relações com ela na época da separação. Na verdade, eram a única razão por que não se levantava e ia embora — quase podia ouvir os comentários falsamente penalizados: "Pobre Katie, pobre, pobre Katie. O namorado imaginário não pôde vir, e ela teve de aparecer sozinha. Viu o sapato dela? Imagina quanto custou? Quando a pessoa não tem filhos, pode muito bem tentar preencher o vazio com sandálias douradas."

O engraçado é que o sentimento que mais lhe causava dor ali era o tédio. Era tudo tão insuportavelmente *tedioso*. De vez em quando, exibia o pé para si mesma e admirava suas unhas pintadas: ainda estavam lindas. Então, levantava-se e ia até o banheiro, só para se divertir. Numa de suas excursões, Jason se aproximou.

— Tudo bem na sua mesa? — perguntou. — Como seu namorado fala português, a gente achou que era boa ideia...

Conall falava português? Isso era novidade para Katie. Porque Conall era um mentiroso. Um mentiroso que prometera, dera certeza de que a acompanharia ao casamento e não se envergonhava de ter deixado a namorada sozinha aparecendo com um trabalho de última hora.

— É, Jason, o Conall é bem-sucedido numa porção de coisas. Principalmente em *mentir*.

— Tenho que ir. Boa sorte, casando com alguém que não sou eu.

Àquela altura, quase não bebera, porque a) estava dirigindo, b) não queria ficar bêbada e começar a chorar e pegar Jason para um barraco: "Lembra da vez que você fez aquele piquenique para mim na cama? Lembra quando a gente... lembra daquele dia que eu... Seis anos, Jason, seis ANOS. E olha só você aqui, casando com uma portuguesa, e eu saindo com um mentiroso."

Mas, quando voltou para a mesa, toda a sua resolução desapareceu e ela bebeu quatro runs duplos com Coca-cola, em vinte e três minutos (curiosamente, um drinque que nunca tomara antes na vida), então ficou bêbada e quis voltar para casa, mas estava torta demais para dirigir e teve que chamar um táxi.

* * *

Para sua surpresa, o motorista era uma mulher. E Katie a conhecia! Moravam no mesmo prédio!

— Não sabia que você era motorista de táxi!

— Agora você sabe.

Depois de passarem um tempo em silêncio, Lydia perguntou:

— A noite foi boa?

— Não.

— Que bom.

— Eu estava no casamento do meu ex-namorado.

— Quem? Aquele cara mala que aparecia com flores?

— Quem? Ah, você está falando do Conall. Não, outro ex-namorado.

# Dia 48

Lydia bateu a porta e desceu as escadas, tomada de pensamentos. Era uma tremenda novidade, esse negócio de *amar* a mãe. Não que antes desgostasse dela ou qualquer coisa assim; se notava a existência da mãe, era com uma ligeira e vaga sensação de simpatia. Ellen sempre fora uma presença calorosa como pano de fundo, a cola que mantinha as coisas unidas; acalmava a ira de Auggie e, silenciosamente, provia a família com serviços de comida e lavanderia, apesar de ser também funcionária-membro em tempo integral das Operações Duffy ("Nós e as rodas levamos você!")

De vez em quando, como no dia em que Lydia viu Poppy às lágrimas, porque a mãe *dela*, a Sra. Batch, uma mulher amarga, desapontada, fizera com que se sentisse um fracasso por não ter se casado aos dezenove anos com um dentista, como a prima perfeita, Cecily, Lydia se dera conta de que, no quesito mãe, ela tinha se dado bem, a sua era muito boa. No entanto, ela e a mãe não eram, tipo assim, melhores amigas nem nada. Não como Shoane e a dela, Ligue-para-Carmel. Mas Ligue-para-Carmel era doida; se vestia igualzinho a Shoane — as duas trocavam modelitos — e saiu com elas para beber uma noite e ficou encarando ostensivamente um cara que não podia ter mais de vinte e sete anos. Fora inacreditavelmente horrível e isso fizera com que Lydia sentisse uma gratidão profunda por Ellen. Ellen jamais, *nunca*, se comportaria como Ligue-para-Carmel. Ellen era a melhor mãe do mundo! Mas o momento passou e todas as outras coisas na cabeça de Lydia voltaram à tona — o que fazer com o cabelo e com a ressaca, os colegas do apartamento, namorados, conta estourada, bons tênis — e a mãe voltou para onde normalmente vivia, enterrada lá no fundo da sua mente.

Mesmo depois de Auggie morrer tão inesperadamente e deixar Ellen viúva aos cinquenta e sete anos — pior, uma viúva com uma montanha de dívidas —, ela não virou uma senhorinha de cabelos brancos que chora as pitangas na mesa da cozinha. Simplesmente foi em frente. Embora seu império tenha sido reduzido a um único carro, continuou trabalhando as mesmas horas de antes, uma motorista confiável e agradável, cuja única falha, se é que isso pode ser visto como falha, era ser cuidadosa demais no trânsito. *É melhor não estar atrasado para pegar o trem*, como diziam seus fiéis clientes. (Isso não passava de piada, porque normalmente chamavam Ellen para levá-los à estação em Mullingar para pegar o Belfast Express.)

A única vez em que Ellen se permitira uma choradeira de verdade fora numa das rápidas e inconstantes visitas de Lydia. Elas se revezaram para imitar Auggie Duffy andando de um lado a outro diante da lareira, implorando a Deus para que conseguisse um trabalho. — Pobrezinho — dizia Ellen e Lydia respondia: — Pobrezinho. — Derramaram algumas lágrimas juntas; então, Lydia fungou bem alto e pediu: — Me dá o lenço de papel. De qualquer jeito, ele era um idiota, e a gente se deu bem em se livrar dele. — O que era mais ou menos verdade, e Ellen a abraçou e disse: — Você é muito corajosa.

Lydia estava tão perdida em pensamentos que não viu o homem do andar de baixo, até esbarrar nele.

— Ei — disse ele, os olhos brilhando, os dentes se abrindo num sorriso. — Meu nome é Fionn, sou seu novo vizinho.

Uma espécie de bonitão que queria ser amado por todos — Lydia percebeu imediatamente.

— Ah, é? — disse, com sarcasmo extra. — E para que esse sorriso todo?

# Dia 47

Connal não gostou.

— Mas, Katie, eu te amo. — Era a primeira vez que dizia.

— Não ama.

— Amo. Desculpa a história de Helsinki. Desculpa por eu não ter ido no casamento do Jason. Sei o quanto era importante para você. Mas a gente não conseguiu assinar os papéis a tempo e...

— Não quero saber.

— Vou trabalhar menos. — Pegou as mãos dela. — Eu vou. Juro.

— Você já disse isso antes, Conall.

— Mas agora é para valer.

— Não. — Katie afastou suas mãos das dele. — Você não é confiável e não quero passar por isso de novo.

A novidade era que ela realmente queria dizer isso. Não estava fazendo um joguinho nem estava vivendo um conflito entre razão e coração, no qual a razão lhe dizia que precisava dar um fim ao relacionamento, enquanto o coração esperneava.

Conall era sexy, era poderoso, era rico, tinha uma boca linda, um perfume delicioso, a pele perfeita, a barba por fazer, beijava bem — e nada disso importava. Ela não podia mais dançar conforme a música de Conall — um passo para frente, um para trás —, e jamais sentira algo parecido: estava triste, mas tinha certeza de que tomava a decisão certa. Tanta certeza que, na verdade, não havia decisão a tomar.

Era isso que os quarenta faziam com uma pessoa? Mandavam sua tolerância ao beleléu? Será que a pessoa só tem direito a certa quantidade de porcarias na vida e a dela, a de Katie, já havia sido toda usada? Seja lá como for, era muito estranho, muito, muito, muito perturbador.

— Estou falando sério — disse Katie.

A expressão de absoluto assombro no rosto dele significava que começava a se dar conta de que ela falava sério, sério mesmo.

— Não é culpa sua — prosseguiu ela. — Sei que você nunca quis me magoar. Você não é um cara mau.

— Pena! — exclamou ele. — Você tem pena de mim!

— Não... eu... — Deus, talvez ela tivesse.

— O que vou fazer sem você?

— Você devia tentar uma mulher mais nova — respondeu ela.

Conall ficou pasmo. — Não quero uma mulher mais nova. Quero você.

— Uma menina na faixa dos vinte — continuou Katie, como se ele não tivesse dito nada. — Elas normalmente não sabem a diferença entre um cara desafiador e um estragado.

Katie sabia que o que dissera era verdade. Passara seus vinte anos sem conseguir distinguir.

— O que aconteceu? — perguntou ele. — O que foi que mudou?

Ela não sabia. Não era como se tivesse tido uma infusão massiva de autoestima e agora andasse por aí gritando: "Sou fantástica e mereço mais, o melhor. R.E.S.P.E.I.T.O! R-E-S-P-EEEEEEEEE-I-T-O.

— Eu... só não aguento mais me aborrecer.

— *Aborrecer?*

— Conall, eu sempre acreditei no amor, sempre acreditei que o amor é capaz de conquistar tudo. Mas não é assim. Porque olha eu aqui, aos quarenta anos, e o amor não conquistou nada. Só o meu bom-senso, depois de duas décadas e meia.

— Mas, Katie...

— Quero que você vá embora agora. E não esquece o que eu disse: meninas na faixa dos vinte.

* * *

*A vibração dos corações de Conall e Katie não estava mais em harmonia. Alguma coisa mudara no coração de Katie, é claro — talvez fosse aquela porcaria de aniversário — e o coração de Conall sabe disso. Está todo espalhado, tentando ajustar-se dentro do peito, tentando acostumar-se com o ritmo novo de seu batimento, tentando encontrar o caminho de volta.*

# Dia 46

O despertador de Matt e Maeve disparou seu plimplim suave, e Matt saiu da cama, indo em direção à cozinha. Não sabia por quê, mas esperava encontrar outro bilhete de Fionn no hall naquela manhã.

Ele e Maeve o viam de vez em quando, no banco de trás de sua Mercedes, encarando Maeve como se quisesse comê-la. Talvez ele e Maeve devessem mudar a hora de sair para o trabalho, pensou. Então, um pensamento pior ainda lhe ocorreu: talvez Fionn não mandasse outro bilhete, talvez aparecesse na porta deles, perguntasse por que não haviam entrado em contato e, então, Maeve descobriria que Fionn enviara uma carta e que Matt a colocara junto com os restos de comida... Portanto, foi quase um alívio quando viu o envelope branco no chão, na frente da porta.

Pegou-o e olhou rapidamente para trás, para ter certeza de que Maeve não vira nada, foi direto para a cozinha e abriu o envelope. Exatamente como o bilhete anterior. Gravando um programa de jardinagem. Por favor, apareçam. O número do telefone. O outro número de telefone. Quando for melhor para vocês.

O ódio tomou forma no estômago de Matt. A *cara de pau* do homem. Maeve era sua *mulher*. Ele tinha de fazer alguma coisa. Mas, o quê? Teoricamente, Fionn não fizera nada de errado. Convidara os dois para a filmagem. Não apenas Maeve. Apesar de todos saberem que Fionn estava interessado somente em Maeve. O que devia fazer? Bem, destruiria aquela porcaria de bilhete, para início de conversa. Rasgou o papel em mil pedacinhos e jogou-os no fundo da lixeira.

# *Dia 46...*

Katie não perdeu tempo e deu logo a notícia do rompimento com Conall — quanto mais gente soubesse, mais real seria — e, considerando que todos pensavam que ela fazia de tudo para manter aquele relacionamento, ficaram surpreendentemente chocados com a novidade. E, quando souberam que fora ela a dar o golpe fatal, perderam completamente o chão.

— *Você?* — soluçou Naomi. — Achei que ele vinha melhorando ultimamente. Desligando o telefone quando vocês estavam juntos e tudo o mais.

— É verdade.

— Então, o que foi que aconteceu?

— Não sei explicar, Naomi. Simplesmente enchi o saco. Ele funciona de um jeito que nunca vou entender. Uma vez, me disse que trabalhar era a maior motivação da vida dele. Parece que cada um tem a sua.

— Bobagem. Eu, com certeza, não tenho. Você tem?

— A única coisa que me ocorre é roupa, comida, exercício. A santíssima trindade. Quanto posso comer para parecer relativamente decente dentro das roupas? Quanto exercício tenho que fazer para poder comer o quanto quiser? Obviamente, a gente era bastante diferente.

— Mas logo agora que ele estava começando a melhorar? Todo o esforço que você fez, toda a sua paciência!

*Não, amiga.* — A próxima vai se beneficiar.

Naomi não se aguentou. — Mas não é justo! Você não vai sentir falta dele?

— Difícil sentir falta de um homem que eu mal via.

— Vocês se viam, sim!

— Caramba, você mudou o discurso.

— Sei que você acha que todo mundo odiava ele...

— Vocês odiavam!

— ... É, de certa forma, sim. Mas porque ele dava a impressão de que o namoro não era sério para ele. Parecia que ele não queria um relacionamento longo com você.

"E porque era de lua."

"E porque era ciumento."

— Não estou dizendo que o Conall é um cara ruim — disse Katie. — Porque ele não é. Mas, sabe de uma coisa, Naomi? Se ele não fosse workaholic, se ele não fosse pouco confiável e... e... fosse *normal*, não ia ter prestado atenção em mim. Teria se casado com alguém como a Carla Bruni.

— Você ficou muito filosófica. Deixa eu ver se entendi: você nem sente falta dele? Tudo bem, só tem uma noite. Vamos tentar novamente daqui a uma semana.

— Naomi, por favor... estou realmente tentando não pensar no assunto. Só de pensar nele com outra mulher...

— E ele vai arrumar uma rapidinho, não vai?

— Quer parar? Sei de tudo isso; não precisa ficar me lembrando.

— Mas, se dói tanto, então, por que...

Como ela poderia descrever? A certeza de que era menos doloroso ficar sem Conall do que com Conall? De que a solidão era preferível ao desapontamento crônico?

— Porque... — Bem, é, era verdade! *Diga.* — Eu achei que merecia coisa melhor.

Naomi fez um barulho esquisito. Tentou guardar as palavras de volta, mas elas saíram de sua boca com força total: — Merece? Você tem quarenta anos, Katie! Isso é realmente bastante. Eu lhe garanto, a gente vive mais tempo hoje em dia, come melhor e tal, mas, mesmo assim, você já está, provavelmente, na metade da sua vida. Merecer não tem nada a ver com isso. Você pega o que estão lhe dando e deve agradecer por isso.

— Talvez o Conall é quem deva agradecer. Você pensou alguma vez que ele, na verdade, é que era o sortudo? Dei muita felicidade para ele. Mais do que ele me deu.

Um vazio preencheu o telefonema: Naomi estava chocada. Depois de uma longa pausa, ela perguntou: — Você andou fazendo outro curso? Vovó Spade apareceu numa visão e mandou você para outro lugar de gente doida?

— Não, mas realmente me sinto meio esquisita. Diferente de mim.

Naomi suspirou. — Que desastre.

— Achei que você ia ficar feliz de ele ir embora.

— Não agora, que ele estava *começando a melhorar*. — Naomi parecia, perigosamente, prestes a chorar.

— Naomi, só porque acho que mereço coisa melhor, isso não quer dizer que vá conseguir. Na verdade, é mais uma coisa do tipo é claro que eu *não* vou conseguir.

— Não vai? — Naomi pareceu amolecer.

— Não.

Bem, então, tudo bem.

# Dia 45

— Gilbert, eu dormi... — Lydia fez uma pausa. Se ia contar a verdade para o namorado, talvez fosse melhor fazê-lo de maneira apropriada. — Transei com o Andrei.

Esperou que um trovão se formasse no rosto dele, mas, fora um ligeiro tremor nos olhos, a expressão de Gilbert permaneceu impassível. Depois de olhar para ela alguns instantes, ele perguntou, muito educadamente: — Que Andrei? Aquele que divide o apartamento com você?

— Isso.

— Aquele que você detesta?

— ... Ah, isso.

— Talvez — disse ele, com sua voz de chocolate amargo — você deva fazer a gentileza de me dizer o que aconteceu.

— Tinha uma panela... — começou a falar.

— Uma panela?

— Sabe essas panelinhas pequenas? A gente estava na cozinha. Ele queria usar a panela, mas eu ainda não tinha lavado. Ele ficou irritado. Como se não estivesse sempre irritado...

Lydia questionou qual a melhor maneira de descrever o que acontecera em seguida. Andrei batera com a panela na bancada da cozinha e olhara para ela, os olhos de um azul que queimava, um músculo trabalhando no seu maxilar, ela o encarara de volta e, de repente — na verdade, não sabia mesmo descrever como começara —, estavam se beijando freneticamente, furiosamente, o que era um alívio enorme. Em seguida, começou a arrancar as roupas dele, com desespero. Ele a levou para o quarto, e ela, trancada naquele abraço de aço, caiu na cama, ele murmurando coisas gostosas em polonês, distribuindo beijinhos enlouquecedores no seu pescoço, ela esticando o braço que, de repente, estava nu e derrubando a foto de Rosie da mesinha de cabeceira, fazendo com que Andrei risse. E, apesar da cama estreita de solteiro, foi o melhor sexo da sua vida.

Mas ela não podia contar nada disso para Gilbert.

— O apartamento é muito pequeno — disse, sendo essa a única explicação que lhe ocorria e fazia algum sentido. — Não acho que homens e mulheres devam viver com tanta proximidade. Quando muitas mulheres moram juntas, as menstruações começam e ficar sincronizadas. Quando homens e mulheres moram juntos, acabam transando... — Parou de falar. Isso não convencia ninguém. — Não significou nada — concluiu.

Certamente, haviam sido os quinze minutos mais intensos que experimentara na vida; jamais ficara tão grata por ter nascido, por ter pele, terminações nervosas, tato, olfato e paladar, mas *não significara nada.*

— Não significou nada? Você parece um homem falando. — O rosto de Gilbert estava frio e inexpressivo.

— Não significou *nada*. Não vai acontecer de novo. Nem gosto dele... e gosto muito de você.

— Então, Lydia... — Bateu com seus longos e elegantes dedos na mesa. — Estou aqui me perguntando: por que você está me contando isso?

— Porque é certo. Tenho que ser honesta. Respeito você, Gilbert.

— Você me respeita? Você transa com outro homem e desrespeita ao me contar?

— Não! Transei com outro homem *por acidente*, devo acrescentar, e respeito você o suficiente para contar a verdade. Você acha que eu queria contar? Seria muito mais fácil não falar nada, tratá-lo feito um imbecil, um imbecil que podia ficar chateado, mas isso seria errado. Honestidade é importante. Se a gente não é honesto, não sobra nada.

Mas, mesmo enquanto dizia isso, perguntava-se se estava errada.

— Quando foi que esse *acidente* aconteceu? — quis saber Gilbert.

Lydia olhou para o relógio. — Uma hora e... trinta e sete minutos atrás.

— Você veio direto da cama dele?

— Eu tinha que lhe contar. — Sentia que cada minuto que se passava sem que contasse a Gilbert seria como um insulto a mais...

— Quanta gentileza.

... Mas Gilbert estava com tanta raiva que Lydia não tinha mais tanta certeza. Mas seria incapaz de viver encobrindo uma coisa assim. Seria melhor se não tivesse transado com Andrei, mas, infelizmente, essa não era uma opção.

— Você acha que é a única mulher com quem saio? — perguntou Gilbert com suavidade e uma maldade repentina estampada nos olhos.

Lydia engoliu um nó na garganta. — Na verdade, achava — respondeu.

— Mas não é.

Lydia engoliu outro nó. — Que ótimo. Entendi. Ok.

— Eu tive outras.

— Ok. — Lydia exalou o ar de uma respiração profunda, vinda do âmago do seu ser. — Então que ótimo a gente estar tendo essa conversinha, não é?

— Mas essas outras mulheres — Com um olhar triunfante, ele imitou sarcasticamente o jeito de Lydia falar —, elas não significaram nada.

— Não significaram nada? Exatamente como o que aconteceu comigo? Mas, engraçado — disse ela, ao levantar-se para ir embora —, a última coisa que você parece dizendo isso é um *homem*.

# Dia 43

Os anos foram bons com você. Os fins de semana é que causaram o estrago.

Katie estava tão entretida que um ligeiro ruído escapou de sua garganta. Podia-se dizer que rira alto, pensou ela. Isso fazia da citação do diário algo "para gargalhar"? Automaticamente, foi até o telefone: Conall adoraria essa.

Então, lembrou-se de que não podia ligar para ele. Nem naquele momento nem nunca mais. Outro ligeiro ruído escapou de sua garganta, e esse, definitivamente, não era uma risada.

Os dias em que podia pegar casualmente o telefone e ler as últimas dicas amargas de seu diário A Vida Começa haviam acabado, para sempre.

Ah. Agora ela não achava tudo tão bom assim. Não se sentia muito bem naquela manhã. Na noite de segunda-feira, quando rompera com ele, tinha ficado bem. A noite de terça tinha sido ok. A noite de quarta tinha sido ok. A noite passada *não* tinha sido ok.

Cometera o terrível equívoco de ler Anita Brookner — não sabia o nome do livro, eram todos iguais — e aquilo a apavorara. Estava convencida de que, para o resto da vida, passaria os feriados com alguma conhecida do trabalho, alguém com tendências lésbicas reprimidas e, juntas, visitariam igrejas. Usariam sapatos pesados e carregariam guias de viagem, gastando dias inteiros a admirar naves do século quinze. As noites seriam para degustação de menus de preço fixo acompanhados de uma taça do vinho da casa, e a lésbica reprimida diria: — Os homens são criaturas horríveis. Nós, mulheres, podemos dar conforto umas às outras.

Era isso que acontecia quando a pessoa tinha quarenta anos e era sozinha.

Na verdade, provavelmente morreria só. Estaria morta há oito dias quando fosse descoberta, e somente os miados dos seus vinte e sete gatos alertaria os vizinhos desinteressados e sem coração.

Mas isso não a incomodava tanto; afinal, estaria morta. Eram os feriados que a perturbavam: os sapatos pesados, as igrejas, a comida barata dos menus de preço fixo (sopa do dia, melão) e todas as coisas *à la carte* — as carnes de caça, os frutos do mar — seriam proibidas a ela. E se quisesse tomar uma segunda taça de vinho? Será que sua companheira sapatona permitiria tal depravação?

Esfregou os olhos com as mãos. Que quadro de vida terrível... *E* — pensou em algo mais — elas comprariam caixas de chocolate, uma marca caseira qualquer e, todas as noites, quando deitassem nas caminhas estreitas de solteiro para ler quatro páginas de seus livros de autoajuda, sua companheira a convidaria para escolher um bombom. Para demonstrar apreciação, Katie seria obrigada a passar horas lendo guias turísticos e ainda mais horas saboreando o único bombom, aquele único pedaço de prazer na vida, e a caixa seria recolocada na mala da companheira — trancada! —, até a noite seguinte.

Meu Deus! Meu Deus! Meu Deus!

O problema era não ter sido realista o bastante no começo. Conall era um homem especial, de grande presença; ocupava muito espaço. Não se corta alguém assim da sua vida sem passar por alguns reajustes. Iludira-se ao pensar que seria fácil. Juntando isso ao fato de que era seu primeiro rompimento aos quarenta, seria estranho estar tendo dificuldades?

Mas, o lado positivo, fora esse novo medo descoberto dos feriados com a lésbica reprimida, era que estava conseguindo. Bebendo uma garrafa inteira de vinho numa noite, verdade, dormindo muito mal, verdade, pegando o telefone doze vezes por dia para ligar para ele, verdade, mas *conseguindo*.

# Dia 41 (primeiras horas)

— Três expressos duplos — pediu Lydia.

— Só um para você — respondeu Eugene. Lydia mal podia vê-lo atrás da fumaça da máquina de café.

— Estou derrubada — disse ela. — Preciso aguentar até as nove.

Eugene olhou para o grande e gorduroso relógio na parede. Eram quatro e vinte da madrugada. -— Você ainda tem um tempinho pela frente Quer comer?

— Qualquer coisa cheia de açúcar.

— Beleza, vou trazer.

Lydia se virou, procurando um lugar vazio para sentar. O bar estava lotado de motoristas de táxi tomando café da manhã no meio da noite e — Gdansk! — viu um rosto conhecido. — Ei, Odenigbo!

Odenigbo ergueu a cabeça, a expressão alarmada, depois sossegou o rosto e cumprimentou-a rápida e friamente com a cabeça, desviando o olhar deliberadamente.

Irktusk! Nada de Gdansk! — Está cheio aqui dentro — disse para Eugene. — Vou ficar lá fora.

Fechou a porta, deixando para trás fumaça e barulho e, com o ar gelado da noite no rosto, Lydia sentiu um nó na garganta. Odenigbo a desprezara, isso era duro. No entanto só uma idiota esperaria que os comparsas de Gilbert continuassem amigos dela. Compreendia. Jogara sujo com Gilbert; claro que os *compadres* dele fechariam a cara. Mas ela se importava com a situação. Sentia falta dos outros nigerianos; eles eram divertidos. E Gilbert também jogara sujo com ela! Que injustiça!

Precisava falar com alguém. Eram quatro e vinte e cinco da madrugada — quais as chances de Poppy estar acordada? Bem altas, na verdade. Iria se casar em cinco semanas; não dormia uma noite inteira havia meses.

Acordada?

Dez segundos depois, Poppy ligou. — Você me pegou numa hora boa. Acabei de ter um pesadelo com as flores e estou aqui deitada, *tremendo*. E se elas murcharem?

— Não vão murchar! Por que murchariam?

— Minha mãe foi num casamento e disse que as flores estavam horríveis.

Sim, mas a Sra. Batch era uma velha chata que colocava defeito em tudo. Se fosse aceita no céu, arrumaria confusão logo na recepção e exigiria falar com o gerente para reclamar de que tudo estava radiante e alegre demais.

— Suas flores vão estar lindas, Poppy, relaxa! Nunca vou me casar, se casar faz isso com as pessoas. Acabei de ser ignorada pelo Odenigbo.

— Ah! Isso é chato. Mas você não esperaria que eu, a Sissy ou a Shoane fôssemos legais se encontrássemos o Gilbert.

Seguiu-se um ligeiro silêncio. As duas tinham suas dúvidas em relação à Shoane.

— Você tem razão, eu ia pirar. Foi só um... sabe? Um lembrete, acho. Faz o seu teste comigo, Poppy!

— Só pode responder sim ou não, tudo bem? Pergunta um: sua vida acabou?

— Não.

— Você nunca mais vai encontrar um homem, até o fim da vida?

— Não, não, eu vou, acho.

— Quando você pensa no Gilbert com outras mulheres, quer arrancar a própria pele?

— Quero.

— Você se arrepende de todas as vezes que mandou sua grande amiga Poppy calar a boca quando ela dizia que ele tinha uma família e seis filhos em Lagos.

— Não.

— Ah, tem certeza?

— Para!

— Seguindo em frente. Você fica fantasiando que ele vai bater na sua porta e dizer que faria qualquer...

— Queimaria a jaqueta do Alexandre McQueen, aquela que custou mais de mil euros, para me mostrar o quanto está arrependido.

— Vou tomar isso como um sim. Você disse que amava ele?

— Você sabe que não.

— Ele disse?

— Não, eu teria lhe contado.

— Você ama ele?

— Não sei. Eu estava esperando que o Teste da Poppy respondesse isso.

— Ele amava você?

— Bem, obviamente não, já que saiu com outras.

— Vocês fizeram planos de viajar juntos? De repente, um feriado em Barcelona?

— Não, mas não porque ele não iria. Mas porque eu não posso...

— O Teste da Poppy lida com sim e não. Então, isso é um não. Vou somar seus pontos. Ok. Muito pouca coisa nessa relação — na verdade, nem chamaria isso de relação. Você vai sofrer bastante durante um tempinho, mas a ferida não é profunda. É como se fosse um corte de papel.

— Um corte de papel! — Lydia gostou dessa ideia. — Entendi o que você quer dizer. Dói à beça, o que é *surpreendente*, principalmente porque é uma porcaria de *papel*. Não é feito um ferimento de espada, daquelas que a Al-Qaeda usa para executar as pessoas nos vídeos do YouTube.

— Durante alguns dias, tudo vai doer.

— Depois para?

— E você nem vai notar. Você não está pensando em voltar com ele, está? — perguntou Poppy, com delicadeza.

Lydia riu. — De jeito nenhum. Eu não aceitaria. — De qualquer forma, era complicado. Não era como outros términos, quando uma pessoa está errada e a outra espera, como mártir convencido, por pedidos de perdão. Os dois estavam errados e feridos, portanto, estagnados no erro.

— Bom. Você vai ficar ótima e tem um monte de homem lá de onde ele vem. Lagos — acrescentou Poppy.

Poppy estava certa quanto a uma coisa: sempre havia mais homens chegando. Mesmo que Lydia ainda estivesse esperando aquele que não a desiludisse com alguma idiotice, falta de fé ou completa estupidez. — Sabe de uma coisa, Poppy? No caso dos homens? Não é o desespero que mata...

Juntas, cantaram: — É a *esperança.*

— Quando vou ter superado o Gilbert? — perguntou Lydia.

— Já se passaram três dias? Espera uma semana. Posso voltar para o meu pesadelo agora?

Lydia queria continuar falando. Queria cuspir o quanto se odiava por imaginar que Gilbert a merecera. Mas, se dissesse isso, Poppy zombaria de sua autoestima anormal e diria que as outras mulheres não gostariam dela se andasse por aí falando esse tipo de coisa.

E tinha algo mais.

— E o... ele, o outro... — engasgou Lydia com a palavra — homem.

— Andrei, o cara do apartamento com quem você transou por acidente? Essa não é uma área coberta pelo Teste da Poppy.

— Mas o que você acha?

— Acho que você vai sentir culpa, confusão, toda vez que olhar para ele...

— Repulsa.

— *Repulsa*? É tão ruim assim?

— Ainda não consegui ficar no apartamento com ele, desde...

Desde aquele momento — ok, *aqueles momentos* — de loucura. Assim que terminaram, Lydia saíra de casa atrás de Gilbert, tentando se convencer de que, se confessasse, talvez conseguisse fazer com que não tivesse acontecido. Deus, como a pessoa pode se enganar.

Descobriu que, sim, *acontecera* e, pior, ela e Gilbert não ficariam mais juntos. O simples pensamento em Andrei era tão repulsivo que Lydia, literalmente, não se achava capaz de respirar o mesmo ar que ele. Mas não havia para onde ir — a casa de Gilbert não era mais uma opção —, portanto, zanzava a noite toda, pegando uma corrida aqui, outra ali. Quando, finalmente, voltava para casa, por volta de oito e meia da manhã, Andrei já saíra para trabalhar. Desde o ocorrido, começara a trabalhar no novo horário, dirigindo de noite e voltando para casa para dormir quando tinha certeza de que Andrei não estaria presente. Dali a algumas semanas, ele iria para a Polônia passar as férias de verão; talvez conseguisse evitar vê-lo até lá.

— Pessoalmente — disse Poppy —, acho esse Andrei uma graça. Entendo por que você...

— Por favor! Não! Para! — Sua pele se arrepiou ao pensar que eles — arrgh! — haviam transado. Sexo! Arrgh, arrgh, arrgh!

— Ok, repulsa. Você vai culpar o cara pelo fim do seu namoro com Gilbert. Mas vai ter que engolir isso até um dos dois se mudar. Vai ter que aprender a conviver com isso.

— Talvez eu não devesse ter contado para o Gilbert.

— Isso não mudaria o fato de que ele estava traindo você.

— É. Melhor eu ter ficado sabendo. — Pela milionésima vez, foi tomada por uma onda gigante, vermelha, de fúria.

— Lydia, preciso voltar a dormir. Esquece o Gilbert. Até mais tarde.

Poppy desligou, deixando Lydia sozinha com seus pensamentos. Não acreditava na rapidez com que tudo mudara. A essa hora, na semana passada, mesmo quatro dias antes, sua vida — quase tudo nela — estava ótima. Ela tinha um namorado gostoso, ele tinha amigos dos quais ela gostava e, juntos, formavam uma pequena comunidade, quase uma família. Então, uma loucura com Andrei acontecia, e, de repente, tudo ia para o espaço. Se, ao menos, ela soubesse como as coisas eram boas.

Irkutsk! Chutou uma lata vazia, que quicou algumas vezes na calçada fazendo um barulho horrível na noite calma. Realmente não se sentia bem. Ela e Gilbert, eles tinham uma ligação. Pareciam um casal sólido, mas bastara uma conversa para que tudo fosse para os ares. Os dois haviam se saído mal — egoístas, desleais e tolos — e isso era o bastante para acabar com as chances de cenas dramáticas de jaquetas em chamas e pazes. Não que ela o quisesse de volta, pensou, a imaginação provendo-a de imagens pornográficas de Gilbert com uma mulher misteriosa, fazendo com que outra onda de ódio subisse por suas entranhas. Ele que se danasse.

Um barulho agudo acordou Lydia. Seu rosto estava enterrado no volante do carro, a língua presa no céu da boca e o coração aos pulos. Ergueu a cabeça e viu o rosto assustado de Jan olhando pela janela do carro.

— O que foi que aconteceu? — Ouviu-o perguntar.

O que acontecera, na verdade? Estava tão assustada por ter sido acordada daquela maneira que nem conseguia falar. De qualquer forma, não sabia o que estava acontecendo. Confusa, tomou pé da situação. Parece que estava dentro do seu carro, estacionado na Star Street. Era dia. Fazia sol.

— Achei que você tinha tido um ataque do coração — disse Jan, esperançoso.

Desajeitada, ela abriu a janela. — Que horas são? — Sua língua estava grossa.

— Nove e meia.

— Da manhã? — Desde que trocara para o horário da noite, seu relógio biológico andava desnorteado.

— Da manhã. Trabalho agora. Até tarde.

Lembrou-se de tudo. Depois de três cafés e um donut, pegara a melhor corrida do mundo até Skerries. Mas, depois disso, a sorte a abandonara. Quando voltara ao centro da cidade, passara uma hora atrás numa fila de vários táxis e, mais ou menos às sete e meia, desistira de trabalhar. Voltara para casa e estacionara na Star Street, depois percebera que era domingo e cedo demais para que Andrei já tivesse acordado e saído, portanto, resolvera esperar. Em algum momento, pegara no sono.

— Meu rosto está marcado? — perguntou. — Do volante?

— Está. Você vai ser uma Toyota para sempre.

— O... é... quem está em casa?

— Ninguém. Andrei saiu.

Era tudo o que precisava saber.

Entrou no apartamento vazio e, apesar de ser tomada por uma vontade irresistível de entrar na internet, precisava de uma chuveirada primeiro. Continuava não gostando de tomar banho, mas, nos últimos dias, nos poucos minutos que passava debaixo da água quente, esfregava o corpo até ficar vermelha, tentando apagar as marcas dos toques de Andrei. Aaargh!

# Dia 40 (comecinho)

Katie estava ajudando Keith Richards a calçar as meias. — Isso, garoto, muito bem. Agora o outro pé. — Estranhos barulhos na porta da frente acordaram-na de seu sonho. Estava deitada de lado, congelada na sua pose de dormir. Eram cinco e vinte e nove, de acordo com os números vermelhos, demoníacos do despertador, e alguém invadia sua casa. Prestou atenção e, mais uma vez, ouviu aquele barulho estranho, como se alguém jogasse o próprio corpo contra a porta de madeira. Não deveria fazer alguma coisa? Tipo, ligar para a polícia? Tipo, correr para a cozinha e pegar alguma coisa para se proteger?

Mas não conseguia acreditar que estivesse acontecendo. E não acreditava que um ladrão pudesse ser tão barulhento. Estava impressionada com a falta de profissionalismo.

Barulhos mais altos — a porta da frente estava sendo esmurrada e empurrada. Então, o barulho mais assustador de todos: metal de chave em busca da fechadura.

Será que alguém roubara sua chave e mandara fazer uma cópia? Quase delirando de medo, pensou nos últimos acontecimentos, buscando pelo momento em que tivesse deixado a bolsa solta em algum lugar, um momento em que isso pudesse ter acontecido.

Havia outra explicação para essa pessoa na sua porta.

Podia ser... Conall.

Com um clique e um empurrão, a porta foi aberta, e a pessoa, fosse quem fosse, estava no seu hall de entrada.

— Katie. — Ouviu Conall chamar, num sussurro urgente. — Katie.

*Deveria ter trocado essa porcaria de fechadura.*

Ele bateu de leve na porta de seu quarto. — Katie. Você está dormindo? Acorda.

*Deveria ter mandado ele devolver a chave.*

A luz foi acesa, deixando-a quase cega. Conall, ligeiramente descabelado, se aproximou da beirada da cama. — Katie, estou enlouquecendo.

— Por quê?

— Porque te amo. Desculpe. — Fez um gesto com a mão, indicando o fato de estar no quarto dela às cinco e meia da manhã. — Eu devia ter ligado, mas agora é tarde demais. Ou talvez seja cedo demais.

— E você pensou que seria melhor vir em pessoa.

— Com certeza!

Conall estava, Katie se deu conta, completamente bêbado.

— Katie, quero casar com você. — Ele se ajoelhou, cambaleou um pouco, mas conseguiu manter o equilíbrio.

Ela o encarou, perguntando-se se realmente acordara ou se simplesmente mudara de sonho e passara a sonhar acordada.

— Casa comigo — pediu Conall.

— Isso é um pedido oficial de casamento?

— É.

Katie foi eletrocutada por um insight repentino. Este era um dos momentos mais importantes de sua vida. Ela se casaria com Conall Hathaway, aguentaria seu hábito de trabalhar demais e a falta de confiança nele, porque havia muita coisa bacana em Conall, e toda grande escolha na vida traz consigo perdas proporcionais. E, claro, havia sempre a possibilidade de ele mudar.

Sim, pensou ela, segura de sua decisão, seria mulher de Conall Hathaway e viveria todos os prazeres e infelicidades que isso lhe traria se, *e somente se*, ele tivesse trazido um anel.

— Anel? — perguntou, direta.

Seria um sinal de que a semana separados tivera operado transformações, de que ele estaria mais propenso a fazer concessões no futuro.

Conall apalpou o bolso do paletó, depois o outro, o bolso da calça, então admitiu a verdade inegável. — Não trouxe um anel...

Bem, era isso. A decisão fora tomada por ela e a visão de sua vida como esposa de Conall Hathaway se dissolveu e desapareceu.

— Eu teria comprado um, mas vim para cá com tanta pressa...

— Não é um pedido decente, sem um anel.

— Posso comprar um. — E pegou o telefone. — Trevor, Conall Hathaway. Acordei você? Minhas desculpas à sua boa senhora. — Estava definitivamente bêbado, pensou Katie, normalmente ele não falava como se tivesse saído de um livro de Dickens. — Escuta, preciso de um anel de brilhante. Agora. Top de linha. Abre a loja. Vai valer a pena.

Conall tapou o bocal e perguntou para Katie: — É de brilhante que você quer? — Como se estivessem pedindo comida num restaurante.

Katie balançou a cabeça.

— Esmeralda? Safira? O que você quiser, basta dizer.

Katie balançou novamente a cabeça. Ele não conseguiria sair dessa tão fácil.

— Trevor, ligo de volta. — Conall ficou confuso. — Katie, o que você quer?

— Nada.

— Mas... — Ficou perdido. As pessoas sempre queriam alguma coisa. — Eu mudei. Estou diferente. Vou arrumar um assistente. Amanhã já começo a procurar. Chega de viagens longas, longe de casa. Nada de correria, chega de dias de vinte horas de trabalho.

Katie balançou a cabeça novamente.

— Mas... por quê? Achei que era isso que você queria. — Conall não conseguia entender. Só podia haver uma explicação. — Você conheceu alguém?

— ... Não... Eu... — Claro que não conhecera ninguém, mas, por alguma razão, a imagem do homem de cabelos dourados do andar de baixo apareceu na sua mente — e Conall, sendo a máquina de astúcia que era, sentiu.

— Conheceu! — declarou ele, chocado.

— Não conheci.

Mas fora o bastante para Conall. Como um animal ferido, precisava ficar sozinho.

Um táxi estava passando. Presente dos deuses, pensou e estendeu a mão. O carro parou, ele abriu a porta e entrou no banco da frente.

— Pode saltar. — Foi o que ouviu ao sentar-se. — Não estou trabalhando.

— Donnybrook. O mais rápido possível.

— Já encerrei meu expediente. Minha luz está apagada. Pode saltar.

— Então, por que parou para mim?

— Não parei para você. Estava estacionando. — Com uma baliza perfeita, ela — o motorista era mulher — encaixou o táxi numa vaga muito pequena, a menor que ele já vira. — Pronto, estacionada — disse ela. — E você, fora.

Ele procurou a carteira. Precisava sair daquele lugar horrível, o lugar da sua vergonha. Pela segunda vez em cinco minutos, disse:

— Vai valer a pena.

— Não estou disponível; na verdade, estou dormindo de olhos abertos, não devo dirigir, sou perigo iminente... — Então, olhou para ele, cuidadosamente. — Qual o problema com você?

— Nenhum.

— Sua gravata está frouxa e seu cabelo, uma bagunça.

— Não preciso que ninguém tenha pena de mim.

— Não tenho pena de você. Pode guardar seu dinheiro. Levo você, no taxímetro, se me contar qual é o problema. A miséria dos outros sempre melhora meu ânimo. Para onde?

— Wellington Road.

Ela apertou os lábios e ligou o carro. — Era uma vaga ótima, a melhor do mundo, e não vai estar aqui quando eu voltar. É melhor sua história ser boa. Alguma relação com a professora primária sexy?

— Quem?

— A patricinha dos sapatos? Sua namorada? Gdansk!

— Você está falando da Katie? Como vocês se conhecem?

— Moro no mesmo prédio. No apartamento em cima do dela.

— Mora? No 66? Mundo pequeno. Mas ela não é professora primária.

— Governanta? Tutora? Então, ela deu o fora em você? Por quê?

— Porque trabalho demais.

— Por que você trabalha demais? Falta de grana? Economizando para quando sua mãe ficar lelé e tiver que ser internada num asilo?

— Não.

— Chefe exigente?

— Trabalho para mim mesmo, basicamente.

— Então, *basicamente*, você trabalha demais porque gosta?

— Não, não porque eu gosto...

— Precisa provar alguma coisa para si mesmo?

— Acho que sim. Pelo menos, é isso que minhas namoradas sempre dizem. Como você sabe?

Ela encolheu os ombros. — Sempre pego tipos feito você. Caras bem-sucedidos e emocionalmente problemáticos. Gdansk.

— Mas vou mudar.

— Se eu ganhasse um euro cada vez que escuto isso, provavelmente seria sua vizinha em Wellington Road.

— Por que você fala "Gdansk" toda hora?

— Gosto de falar "Gdansk".

Seguiu-se um silêncio prolongado.

Finalmente, Conall perguntou: — Por quê?

— A palavra começa animada, parece G'day ("good day", bom-dia) ou qualquer coisa assim, mas tem "ssskkkk" no final. Adoro o som de "ssskkk". Parece uma cobra. Você pode usar quando quiser se livrar de alguém. Assim — ela tirou os olhos da estrada e sibilou para ele, venenosa —: Sssskkk!

Conall se encolheu.

— Viu? — disse ela. — É uma palavra ótima: Gdansk! Se quiser usar, tem que dar uma trabalhada. É meu presente para você.

Conall a encarava, com súbito interesse. Que criatura engraçada, mordaz...

— Você, provavelmente, cobraria das pessoas para usarem — disse ela. — Acho que é por isso que pessoas como eu moram em Dublin 8 e pessoas como você, em Wellington Road.

... e agora que a olhava propriamente, via o quanto era bonita, aqueles olhos vivos, a boca sensual, o cabelo cacheado e escuro...

— Mas também... — disse ela, pensativa. — Não sou bem-sucedida e emocionalmente problemática feito você.

... e, de repente, ele se lembrava do conselho que Katie lhe dera... e o conselho que Katie lhe dera estava certíssimo.

Devagar, perguntou: — Quantos anos você tem?

— Não é da sua conta.

— Não é da minha conta. — Gostava cada vez mais dela.

— Vinte e seis.

# *Dia 40...*

De repente, Maeve estava acordada. Não sabia que horas eram, mas, pela luz da manhã, era muito cedo, tão cedo que o despertador ainda nem começara a fazer seus plings, plongs suaves. O que a perturbara? Fosse o que fosse, não acordara Matt. Ele roncava levemente, enroscado atrás dela, a frente do corpo colada nas suas costas. Então, ela sentiu. A ereção. Firme e pontuda, apesar de todas as camadas de roupa que os dois usavam. Insistente contra sua lombar e maior do que se lembrava. Precisava sair da cama.

Rápida silenciosamente, saiu de debaixo das cobertas, foi até o corredor e voltou a respirar — mas, quando viu o papel branco no chão, em frente à porta, o medo tomou conta dela novamente. Obviamente não era o cartão de um bombeiro ou de um eletricista oferecendo os seus serviços. Todas as correspondências eram deixadas na mesa do hall de entrada do prédio; portanto, deveria ter sido entregue por alguém de dentro do edifício. Ficou com medo de pegar o papel. Mas, na verdade, vinha tendo medo de tudo.

***Queridos Maeve e Mark,***

***Acho que vocês vêm me ignorando. Talvez não tenham recebido meus outros bilhetes.***

Que outros bilhetes?

***Pela terceira vez, gostaria de convidá-los para assistir a uma gravação de SEU JARDIM PARTICULAR. (Vai estrear no canal 8 em breve.)***

Uma porção de números de telefone em seguida.

*Deem sinal. Me avisem quando é melhor para vocês.*
*Tudo de bom,*
*Fionn*

Fionn. Desde o instante em que colocara os olhos no bilhete, descansando tão inocentemente no tapete, soubera que era dele. E os outros recados que mencionara? Matt devia ter feito algo com eles. Bem, ela faria algo com este. Dobrou-o em dois, depois em quatro, depois em oito, em dezesseis e continuaria dobrando-o para sempre, mas ficou gordo demais, recusando-se a ser dobrado mais uma vez. Foi na ponta dos pés até a sala e guardou-o na bolsinha de moedas da carteira, dentro da bolsa. Daria fim a ele quando chegasse ao escritório.

Pensou em Fionn o dia todo, como se fosse uma sombra. Fora com ela para o trabalho e ficara ao seu lado enquanto destruía o bilhete. Também a acompanhara na sua boa ação do dia, quando fora buscar o celular que sua amiga havia esquecido no pub na noite anterior, e não houvera um momento do dia em que Maeve não estivesse consciente da presença dele.

Quando voltou ao apartamento, esperou poder deixá-lo do lado de fora, no corredor, mas ele entrou junto com ela. Acompanhou-a até a cozinha para que discutisse o jantar com Matt, e somente quando ela se estendeu no sofá da sala, folheando o jornal, investigando a programação da televisão, lhe deu alguma paz.

Mas, de repente, lá estava ele! Fionn. No jornal. Numa fotografia colorida, sorrindo para ela. Maeve sentiu um arrepio e um frio percorreu sua espinha. *Isso não é real. Devo estar imaginando coisas.*

Pegou o jornal com a ponta dos dedos, e a fotografia não desapareceu. Havia um detalhe: dava para ver claramente as mechas do cabelo dourado dele, assim como a barba que despontava do seu maxilar. Pelo menos, *achou* que podia ver isso tudo. Daria qualquer coisa para que alguém confirmasse que não estava imaginando coisas, que não estava piorando e ficando completamente maluca, mas, a única pessoa no apartamento era Matt e, obviamente, ele era a última pessoa a quem deveria perguntar. As palavras em volta da fotografia pulavam como um circo de pulgas, portanto, era impossível descobrir por que esse homem teria saído de sua cabeça e ido parar na página à sua frente. Finalmente, as letrinhas pretas se organizaram, formando linhas, e essas linhas diziam que Fionn estaria apresentando um programa de jardinagem em breve — devia ser o mesmo que mencionara no bilhete.

Maeve começou a respirar com mais facilidade. Isso era normal. Uma coincidência, mas normal. Pessoas tinham suas fotografias publicadas no jornal quando estavam na televisão. E havia fatos ali que ela desconhecia, como Fionn ser de Monaghan e o show durar seis semanas. Não, ela não imaginara isso.

Mas, ver a foto de Fionn, exatamente no dia em que pensara o tempo todo nele...

Preparou-se para fazer a única coisa que ainda não fizera: olhá-lo nos olhos. Ele a encarou de volta... E, lentamente, piscou.

Maeve jogou o jornal longe, num movimento brusco, e enfiou as mãos entre as coxas para que parassem de tremer.

# Dia 39

— Que filme você pegou para a gente? — perguntou a mãe de Lydia.

— *Piratas do Caribe.* — Lydia estava com as mãos submersas até os cotovelos numa água gordurenta, cheia de sabão, e seu rosto começava a ficar vermelho e encoberto pelo vapor. O cabelo ficaria destruído. E ela, parecida com um personagem dos Simpsons.

— Já vi esse. Um musical.

Lydia parou, por um instante, de esfregar energicamente a panela.

— Acho que você está pensando em outro filme, mãe, esse não é musical. É com o Johnny Depp.

— Johnny Depp. Ah, é, adoro ele. Atormentado. Gosto de homem atormentado.

Lydia concordou, melancólica. Alguns homens lhe passaram pela cabeça e, no que lhe dizia respeito, quanto mais atormentado, melhor. De repente, deu-se conta de que nada mais podia ser feito pela panela; nenhum esforço desgrudaria a comida queimada no fundo. Já fora aquecida e reaquecida tantas vezes que o alimento velho, na verdade, estava amalgamado ao alumínio, tornara-se parte dele. Segurou o objeto pelo cabo, tirou o grosso da água e se dirigiu para a lixeira.

— Lydia, o que você vai fazer com a panela?

— Vou jogar fora, mãe. Já era.

— É uma boa panela.

— Está toda fodida.

— Você beija sua mãe com essa boca?

— Ahã. — Lydia se adiantou, língua de fora, e a mãe deu-lhe um tapinha nas costas.

— Afaste-se, sua criatura imunda.

Lydia pegou outra panela e jogou-a dentro da pia. Estava esfregando panelas havia vinte minutos, e a montanha de louça parecia não ter diminuído nem um pouquinho. Era como a festa do chapeleiro maluco — assim que uma panela, um prato ou copo era usado, sua mãe simplesmente partia para o próximo limpo, sem lavar nada. E, depois de usar tudo, começava a escolher os objetos a esmo.

— Como vou fazer o jantar, se você continua jogando minhas panelas fora? — Por um instante, Lydia considerou a possibilidade de jogar todas fora. Nenhuma panela significava ninguém cozinhando, o que significava nenhuma pilha fedorenta esperando por ela toda vez que vinha de Dublin. E também diminuía o risco de mais um incêndio nas cortinas.

... Mas a mãe ficaria muito desestruturada se todas as suas panelas sumissem de repente. E Lydia ainda estava determinada a forçar Murdy e Ronnie, aqueles preguiçosos, a fazerem sua parte.

— A gente vai pedir comida hoje à noite, mãe. Chinês, você gosta de chinês.

— Gosto? E depois a gente vai sair para dançar?

— A gente alugou um DVD. Lembra? Vamos ver um filme.

— Que filme?

— Você sabe que filme. — *Por favor, saiba.*

— Como é que vou saber?

— *Piratas do Caribe.*

— Ah, essa porcaria. — A mãe pareceu desapontada. — Eu não gosto de musical.

Lydia engoliu com dificuldade. — Não é um musical; você deve estar pensando em outro filme. Esse é bom, é com o Johnny Depp.

— Johnny Depp! Gosto dele. Cheio de alma. Tenho a impressão de que não seria feliz com uma arma na cabeça. Entende o que quero dizer?

— Entendo, mãe.

— Quando vai terminar de lavar essas panelas?

Lydia encarou o horror da cozinha, as pilhas de pratos e panelas encardidos, com alguma comida dentro. — Ainda vai demorar um pouquinho.

— Estou com fome — declarou Ellen.

— Tudo bem, já, já, peço a comida.

— A gente vai pedir comida? Que delícia!

— Deixa só eu colocar a roupa na máquina antes.

No banheiro, revirando o cesto, Lydia se surpreendeu ao encontrar algumas peças íntimas masculinas. Examinando mais propriamente, deduziu que deviam ser de Ronnie. Aquele tremendo... Aquele *inacreditável* cara de pau! Nenhuma garota deveria, jamais, ser obrigada a vislumbrar as cuecas do próprio irmão! Seria um erro fundamental. Jogou-as de volta no cesto, como se fossem radioativas (e, com o estilo de vida de Ronnie, nunca se sabe.)

Cuidadosamente, desceu as escadas estreitas com uma quantidade enorme de roupa suja nos braços, obstruindo sua visão. Abriu a porta da cozinha com o pé e encontrou Ellen sentada na mesma posição em que a deixara. Ela encarou Lydia.

— Isso não é vida para nós duas. Sentadas aqui, num sábado à noite.

— Hoje é terça.

A mãe se levantou, jovial. — Devíamos *fazer* alguma coisa. — Girou, com os braços estendidos. — Você não sente, Sally? Ah, Sally, a vida está logo ali, quente, faminta e vibrante. A gente vai acabar deixando escapar!

Lydia gastara um tempo grande na internet, descrevendo os sintomas da mãe — confusão, esquecimento, abandono repentino de todas as tarefas domésticas —, procurando por uma doença que se encaixasse. Mas esses sintomas, a mãe sintonizando em algum filme ruim em preto e branco, que diagnóstico podia se dar a isso?

— Sally, penteie meu cabelo.

Será que deveria? Impotente e frustrada, Lydia não sabia se era melhor acompanhá-la ou tentar trazê-la de volta à realidade. Ninguém lhe dissera. Ninguém admitiria que a mãe ficara doida de pedra.

— Quero que você faça um coque bem alto.

O cabelo de Ellen era curto e assim o fora desde sempre, e foi isso que ajudou Lydia a tomar a decisão.

— Mãe, você sabe que não sou a Sally, não sabe?

Ellen estudou seu rosto, cuidadosamente. — Você é... a Lydia?

— Mas você fica me chamando de Sally.

— Desculpa, meu amor, é porque você se parece muito com ela.

— Ah, mãe! — Não conseguiu esconder o desespero. — Isso não é desculpa. O Ronnie é a cara do Satã, mas você nunca chama ele de Lúcifer.

— Talvez não em voz alta — admitiu Ellen, piscando repentinamente o olho. — Mas, na minha cabeça, chamo. Belzebu.

— Mentira! — Isso fez com que Lydia risse. — Belzebu.

— Não estou dizendo que ele seja o Belzebu, só que...

— ... Ele se parece com o Belzebu, entendi, acredito em você.

Lydia deu um tapinha na mãe com o pano de prato.

— Ah, Lydia, seu próprio irmão! Ele adorava você, costumava dizer que era a bonequinha dele. Você era tão pequenininha, mas já tinha o seu irmão na palma da mão. Ele faria qualquer coisa por você.

É, certo, isso há muito, muito tempo. Não faria nada por ela agora.

— Come — ordenou a mãe.

— Ok, ok. — Com falta de entusiasmo evidente, Lydia enfiou outra garfada de arroz na boca.

— Está delicioso! — exclamou a mãe.

Não estava. Não estava horrível também, só um pouco sem graça. Mas, como as duas bolas de sorvete de chocolate também não tinham gosto de nada, Lydia confirmou o que já sabia: não era a comida, era ela. O sabor desaparecera de sua vida.

Sem Gilbert, não havia nada a esperar. Esse corte de papel estava demorando demais para melhorar. Sem perceber, pegou o telefone.

— Para quem você vai ligar? — perguntou a mãe, imediatamente.

— Ninguém.

— Assiste ao Johnny Depp.

Estava só conferindo se Gilbert deixara uma mensagem, apesar de saber que ele não o fizera. Assim como ela não o faria. Ainda faltavam dois dias para que a Semana do Sofrimento terminasse, segundo os cálculos de Poppy. Aí, sim: nada de pensar nele.

— Ai, mãe! — O queixo da mãe estava completamente coberto de sorvete de chocolate e pingava na saia. Lydia buscou um pano de prato. — Pronto, deixa eu limpar seu rosto.

A mãe se afastou, dando um tapinha em Lydia. — Pare de me tratar como uma criança. Para que você veio me visitar, se não vai assistir ao filme comigo?

— Eu vou!

— Não vai. Está pensando em outras coisas.

Veja só, em alguns momentos a mãe de Lydia fazia sentido, e era nesses momentos que a filha dizia a si mesma que, talvez, não houvesse nada de errado com ela.

Tirou Gilbert da cabeça, esticou as pernas, colocando-as no colo da mãe, e deu a Johnny Depp sua total atenção durante as duas horas seguintes. A mãe também ficara concentrada até os créditos começarem a subir.

— Você gostou, mãe?

Mas a expressão no rosto de Ellen era de desapontamento.

— O que foi, mãe?

Ellen nem mesmo olhava para Lydia.

— Mãe? O que foi?

— Você disse que a gente ia pedir comida. Que hora vai ser isso?

# *Dia 39...*

Casas de boneca, minicocheiras e pequeninas máquinas de costura — tanto *rosa*. Katie procurava um presente para a filha de MaryRose, Vivienne. MaryRose ajudara-a muito na última semana sem Conall, e ela queria demonstrar sua gratidão, mas MaryRose não gostava de ganhar algo para si mesma. Na verdade, parecia ficar confusa, como se tivesse se esquecido de que ainda era uma pessoa, não apenas uma extensão de Vivienne; portanto, todo presente deveria ser encaminhado à criança. Katie passava pelas prateleiras, pegava uma coisa e outra e colocava-as de volta.

Que ódio de Conall Hathaway!

Estava ótima na semana anterior. Bem, *ótima* não, obviamente. Bebera demais, fora incapaz de ficar sozinha e morrera de medo de suas futuras companheiras de viagem lésbicas. Mas fora protegida pela convicção inabalável de que, se continuasse a colocar um pé diante do outro e atravessasse o sofrimento, um dia não sentiria tanta dor.

Atravessaram uma semana inteira, incluindo dias úteis, fim de semana, aqueles pequenos espaços de tempo e a sensação de perda que brilham para você quando menos se espera, e sobrevivera. Na verdade, e enrubescia ao admitir isso, na semana anterior ficara ligeiramente *convencida*. Observara-se com aprovação enquanto vivia sua vida, depois de tomar uma decisão difícil, mas *correta*. Até mesmo — meu Deus, estava horrorizada — se *orgulhara* da pessoa centrada e adulta que se tornara. (Fechara os olhos para o cenário de uma garrafa de vinho por noite, porque isso tirava um pouco o brilho da situação.)

Mas agora estava tudo uma confusão danada. Quando Conall aparecera na sua casa, fora como se tivesse pego um pedaço de pau e remexido furiosamente uma piscina de água parada, trazendo à tona toda a lama acomodada no fundo.

Não havia sido capaz de voltar a dormir depois que ele fora embora, bêbado; e a certeza de aço da semana anterior ruíra com o passar do dia. *Talvez eu tenha sido dura demais, talvez não devesse ter insistido no anel...*

Seu telefone apitou e ela deu um pulo — a falta de sono estava acabando com seus nervos —, jogando o pequeno posto de gasolina, todo cor-de-rosa, no chão.

Era Naomi. — Katie, cadê você?

— Loja de brinquedo. Queria comprar alguma coisa para agradecer à MaryRose. — Lentamente, pegou o brinquedo no chão.

— Também vou ganhar presente?

— Ha-ha-ha. — Os Richmond não davam presentes espontaneamente. Era gentileza demais. — E aí, o que foi?

— Liguei para saber de você. Para ter certeza de que não está obsessiva com a história de só comer um chocolate por noite. Você pode levar seu próprio chocolate nas suas férias lésbicas. Ou então pode viajar comigo, o Ralph e as crianças.

— Prefiro ir com as sapatas.

— Então, vá se danar.

— Não é isso, Naomi. É essa história de ser solteira. Não quero ser mais uma nas férias de ninguém, com se tivessem pena de mim. Imagina só, você e o Ralph bronzeados, comendo peixe grelhado com sangria, e eu, sentada na mesa com vocês, segurando vela. Pelo menos, as sapatas vão me querer lá.

— Não é como se o Conall, alguma vez, tivesse levado você para viajar.

O que não era verdade, por incrível que pareça.

— E não me importaria se você fosse com a gente. O Ralph ia me importunar menos com sexo se você estivesse lá. Na verdade... — Naomi ficou, repentinamente, excitada — Eu e você podíamos dividir o quarto e colocar o Ralph na sua cama de solteira.

— Ótimo. Combinado. Então, vou cancelar minha viagem para ver a catedral de Chartres. Hortense vai ficar desapontada.

— Deixa ela para lá.

— Ela já comprou o guia e é, realmente, do tipo que se ofende.

— Ela pode ir sozinha. De qualquer maneira, não devia colocar as asinhas de fora com você, que é hétero.

— Escuta... — Katie estava doida para contar sobre a visita de Conall, apesar de saber que não devia. Mas como se impedir? — Tenho uma novidade.

— Jura?

— Conall apareceu no meio da noite.

— Para transar? Canalha. Mas isso não me surpreende. Ele só pensa nisso. Meu Deus, que pesadelo. Apesar de que eu não me importaria se fosse ele, em vez do Ralph, em cima de mim...

— Ele me pediu em casamento.

— *O quê?* Meu Deus! — Naomi pareceu absolutamente impressionada. — Você é do tipo come quieta, fez o jogo direitinho, terminou com ele, esse tempo todo esperando pelo prêmio.

— Não sou do tipo come quieta. — Fosse lá o que isso significasse. Hortense saberia dizer. — Não fiz nada disso de propósito.

— ... Você quer dizer...? — Depois de uma longa pausa, Naomi disse: — Jesus Cristo, Katie, não me diga que você disse não.

— Ele não estava falando sério, Naomi. Estava chateado, bêbado, não levou um anel e...

Naomi começou a gemer. — Não acredito, não acredito. O que você quer?

— Ele não estava falando *sério*. Ia ficar sóbrio e mudar de ideia.

— Por que teria pedido, se não fosse sério?

— Porque não gosta de perder. Mesmo quando não quer o prêmio.

— Ok, chega. Não dá pra conversar com você. Estou muito chateada. Pensa só no seguinte, Katie, como eu posso ajudar se você não quer se ajudar?

Desligou, com estardalhaço, e isso lhe pareceu uma afronta. De repente, Katie não conseguia mais pensar direito; tudo à sua volta parecia rosa demais.

Fechou os olhos por alguns segundos e, quando os reabriu, afastou-se dos brinquedos. MaryRose, sendo mãe solteira sem muita grana, precisava de coisas práticas. O setor seguinte exibia carrinhos de bebê, lençóis e utensílios. Katie pegou uma coisa branca de plástico, mas, como não conseguiu identificar o que era, devolveu o objeto à prateleira. Aquele monte de coisas para neném estava começando a sufocá-la. Simplesmente telefonaria para MaryRose e perguntaria do que ela estava precisando, mas instruções sobre equipamentos para bebês eram muito complicadas. MaryRose diria algo do tipo: não aquele que tem uma coisinha azul clara acoplada, mas, se for vermelha, tudo bem. E *tem que* ser MM. Entendeu? MM. Médio médio. Só médio não serve. Vão dizer que MG é a mesma coisa, mas não é...

Voltou à seção de brinquedos e pegou outro objeto qualquer. Que diabos era aquilo? Algum tipo de animal... Ah, certo, um porco-espinho, cheio de texturas, para começar a ensinar a diferença entre as superfícies para o bebê. E aquela flor de apertar emitia oito sons diferentes. E esse negocinho? De acordo com a embalagem, reproduzia as vibrações do útero. Katie adorou e apertou o objeto contra o peito. Compraria esse. Para si mesma.

Então, com relutância, recolocou o objeto na prateleira. Não a ajudaria. Mesmo quando estava no útero, a mãe devia dizer coisas do tipo: "Sente-se direito, pare de chutar, não se estique tanto, ninguém gosta de quem quer chamar a atenção".

# Dia 38

*A primeira coisa que faço pela manhã, é ver como Matt e Maeve vão indo e, sim, admito, a culpa foi minha. Maeve estava deitada na cama, esperando que Matt trouxesse seu café, e acho que me aproximei um pouco demais, na tentativa de entrar ali, entende? Talvez conseguisse arrancar alguma coisa dela, descobrir algum de seus segredos, porque, de todas as pessoas da Star Street, ela era a que mais resistia a mim, e isso estava me enlouquecendo. Tentei entrar na cabeça dela — e ela sentiu minha presença...*

Repentinamente, tudo em Maeve começou a trabalhar dez vezes acima da velocidade normal. Seu batimento cardíaco disparou e o sangue começou a percorrer suas artérias, ansioso para voltar ao coração e fazer o trajeto novamente. Seu corpo estava tomado de adrenalina, e sua pele formigava com a sensação de tudo ou nada. Sentou-se com as costas na parede, a cabeça virando de um lado a outro, os olhos esbugalhados, tentando ver tudo ao mesmo tempo, patrulhando algum possível perigo. Começou a soluçar de terror. Estava acontecendo de novo. Havia algo errado com seu peito, um peso terrível pressionava seus pulmões, e ela mal conseguia respirar. O ar entrava pela boca, fazendo um barulho horrível, e seus olhos esbugalhavam-se de pânico. Precisava chamar Matt, que não estava muito longe, só fora até a cozinha, mas estava paralisada, presa num espasmo sem fim, como num daqueles pesadelos em que você sabe que está dormindo, mas não consegue acordar.

* * *

— Acorda e sente o cheiro de... Meu Deus! — Matt colocou as duas xícaras prateleira e correu para Maeve. — Respira! — ordenou. — Respira, só isso. Está tudo bem, você não vai morrer. É só uma crise de pânico. Basta respirar.

Envolveu os ombros dela com seu braço, para que Maeve tivesse o conforto do contato físico, sem ter as vias respiratórias bloqueadas.

— Inspira pelo nariz, expira pela boca, só isso.

No passado, Maeve tentara descrever o terror que tomava conta dela durante o ataque. "Imagina ser trancado na mala de um carro com um cachorro, um desses de briga, e imagina que ele tomou anfetamina. Imagina o quanto isso ia deixar você assustado. É isso que sinto."

— Continua respirando — ordenou Matt. — Está tudo bem, você está em segurança, você não vai morrer. Inspira pelo nariz, expira pela boca.

Depois de dez ou quinze minutos de inalação e exalação, Maeve disse: — Acho que estou bem agora. — E, imediatamente, começou a chorar. — Ah, Matt, desculpa.

— Tudo bem, tudo bem, você não precisa se desculpar.

— A última crise já tem séculos, achei que já estava melhor.

— Deve ser um caso isolado — disse Matt.

— Você acha?

— Acho.

Não achava.

# Dia 37

Lydia conseguia ver que o deslize de Ellen começara bastante timidamente. Certa noite, mais ou menos um ano e meio atrás, a mãe lhe telefonara e relatara, muito detalhadamente, um enterro; descrevera os elegantes sapatos pretos da viúva, o caixão sofisticado e o padre, velho e confuso, que continuava se referindo ao morto pelo nome errado. Era isso que acontecia em termos de entretenimento em Boyne enquanto esperavam pela autorização da obra do cinema e, mal escutando, Lydia deixara a mãe falar. No dia seguinte, ela telefonara novamente — coisa, em si, pouco comum; normalmente, não se falavam mais do que uma vez por semana — e, enquanto Ellen falava, Lydia desviou a atenção e começou a pintar as unhas do pé. Prestava tão pouca atenção que precisou de algum tempo para se dar conta de que já ouvira a história.

— Antoinette O'Mara — dizia a mãe —, até nesse dia horrível — porque ela e Albert se amavam sem se importar com o que as pessoas diziam sobre ele e a tal mulher de Trim —, estava elegantérrima. Os sapatos, Lydia, que sapatos lindos...

— Espera aí, eu conheço...

— ... Pretos, é claro, tinham que ser, mas eram de um couro suave e tinham um saltinho bem elegante. O certo seria ela ter escolhido alguma coisa mais prática para o enterro, mas é uma dama da cabeça aos pés. E...

— Eu sei...

— ... Mesmo quando aquele maluco do padre Benedict chamava o pobre Albert pelo nome errado, ela não se abalava. "Nosso irmão, Horace, partiu desta para melhor." A igreja inteira se olhava e dizia:

"Está tudo muito bem com esse tal de Horace, seja lá quem for, mas e o nosso pobre Albert O'Mara? Nada a dizer sobre ele?"

— Eu sei, mãe, você contou essa história ontem à noite.

— Ontem à noite onde?

— Ontem à noite, ao telefone.

— Não falei ao telefone com você ontem à noite.

Foi esse o começo.

Mas é claro que não fora esse o começo. Já acontecia havia algum tempo — Lydia não sabia exatamente quanto, talvez dois anos, talvez até mais —, mas foi a primeira vez que ela reparou e, de repente, lembranças de outras passagens estranhas vieram à superfície: a vez em que encontrara o relógio da mãe enterrado no açucareiro; a maneira como a mãe falava sobre "a coisa que você usa para limpar o interior da boca", porque, inexplicavelmente, não conseguia se lembrar mais de como dizer pasta de dente; as vezes em que a mãe a chamava de Sally (Sally era a irmã mais jovem da mãe, morta aos vinte e três anos.)

Cada um desses episódios exasperara Lydia, especialmente a coisa de ser chamada de Sally — "Chega, mãe, você está me assustando. Ela está *morta*!" —, mas daquela vez era diferente. Ellen esquecera uma conversa inteira, e isso chamara a atenção de Lydia.

— Mãe, você não pode ter esquecido! A gente falou durante horas.

— Lydia, não sei o que dizer... Você deve estar falando de uma outra vez...

— Ah, você quer dizer da *outra* vez que o Albert O'Mara morreu e a mulher de Trim apareceu no cemitério usando um véu preto com bolinhas brancas?

— Como é que você sabe disso?

— Por que você me *contou*. Ontem *à noite*. Ao *telefone*.

— ... Eu... Ah...

Uma mútua incompreensão tomou conta da linha.

Sou a filha, pensou Lydia, estranhamente ferida. Você é a mãe. É meu papel ser negligente e esquecer de ligar para você por semanas a fio; é seu papel ficar emocionadíssima ao me ver, comprar chocolate especialmente para mim, fazer cócegas no meu pé e nunca, nunca me deixar preocupada.

Finalmente, Lydia deu uma chance à mãe. — Você bebeu no enterro, mãe? Talvez não se lembre de ter ligado porque estava doidona.

— Eu não estava doidona.

— O que você bebeu?

— Dois Bailey.

Lydia ficou inclinada a acreditar nela. Ellen era uma amadora no que se referia ao álcool, ficava rosada e animada depois de duas doses. Então, Lydia teve um pensamento terrível. Talvez Ellen estivesse tomando tranquilizantes.

— Meu Deus, mãe, você não começou a tomar bola, começou?

— Pelo amor de Deus, não tomo nem aspirina.

Verdade, e, mais especificamente ainda, Ellen era dura na queda, aguentara trinta anos de casamento com Auggie Duffy, seu rádio e sua ambição, seus esquemas desastrosos. O sistema nervoso da mãe era feito de aço. Um Valium não saberia o que fazer com ela; teria sentado no chão e chorado.

— Ok, chega disso — disse Lydia. — Da próxima vez que você me ligar, espero que tente não estar tão maluca.

Desligou e esqueceu imediatamente o assunto.

Mas lembrou-se do telefonema algumas vezes, quando ficava presa tempo demais num sinal vermelho ou muito entediada com alguma corrida especificamente maçante. *O relógio no açucareiro. O leite no micro-ondas. O buraco na memória onde deveria estar a conversa sobre os sapatos de Antoinette O'Mara no enterro.*

O que isso significava? Cuidadosamente, Lydia perguntou aos irmãos: — Vocês acham que a mamãe está ficando meio maluca?

— *Mamãe?* Você está falando de Ellen Duffy? Ellen Duffy, nossa mãe? Ela é mais afiada que uma faca de carne e vai sobreviver a todos nós!

Então, veio o primeiro telefonema de Flan Ramble.

— Quem? Ah, Sr. Ramble. Vizinho da mamãe? — O coração de Lydia parou. Flan Ramble a odiava, sempre a odiara. Desde que era pequena e rira dos pelos saindo de seus ouvidos; portanto, dificilmente telefonaria para colocar a conversa em dia.

— Não vou tapar o sol com a peneira, Lydia. Sua mãe teve um surto ontem à noite. Foi encontrada no meio da rua, de camisola. Foi levada para casa pela polícia.

— ... Ela estava sonâmbula?

— É uma maneira de encarar as coisas... Mas estava acordada.

— Perambulando acordada?

— Estava confusa.

— ... Eu... — Era muito estranho. Mesmo que estivesse esperando um telefonema como esse, Lydia ficou, bem, ficou *surpresa.* Sua mãe não era normalmente uma pessoa egoísta, causadora de problemas.

— Lydia, sua mãe está tomando alguma coisa?

— Não.

— Mas está ficando doida.

Ellen só tinha sessenta e cinco anos, era jovem demais para estar senil. E Lydia também era jovem demais para a situação de ter pais idosos. Em algum momento, bem lá na frente, no futuro, sabia que talvez a mãe ficasse mais desequilibrada e encolhida. Nas raras ocasiões em que chegara a pensar em tal possibilidade, a imagem de uma cadeira higiênica aparecia na sua mente. Mas isso ainda devia estar a *décadas* de distância.

— Se ela está ficando amalucada — avisou Flan Ramble —, não deveria continuar dirigindo o táxi.

* * *

— Nossa mãe é a mulher mais capaz que já vi.

— Era, Murdy, não é mais. É isso que estou tentando dizer para você. As coisas mudaram. Ela não está bem. Está ficando lelé.

— Ela está ótima — disse Murdy.

— Ela está ótima — Ronnie fez eco, quando Lydia finalmente conseguiu encontrá-lo.

Absolutamente frustrada, telefonou para Raymond, em Stuttgart, e ele disse: — Ela está ótima.

— Ela foi para o meio da rua, de noite, de camisola!

— Meia cidade faz isso. Era feriado; ela deve ter bebido.

Então, Raymond começou a falar naquele tom de quem vai contar alguma coisa engraçada. — Eu já lhe contei do dia em que fiquei trancado do lado de fora do quarto do hotel, nu em pelo, no meio da noite? Pensei que estava indo ao banheiro, fui parar no corredor e a porta do quarto bateu. Um casal de italianos saiu do elevador e me viu, meu pinto balançando livremente, para todo mundo ver, e a mulher, muito bonita, aliás, disse...

— Jesus Cristo, *cala a boca*!

— O que quero dizer — ele pareceu ferido —, é que foi o mesmo tipo de coisa que aconteceu com a mamãe.

— Não foi. Ela precisa ir ao médico.

— Vê isso.

Ellen implorou para que Lydia não a levasse ao doutor Buddy Scutt, clínico geral de Boyne.

— Você vai acabar ofendendo o homem, e eu é que tenho de viver na mesma cidade que ele.

— Não vou ofender o Dr. Buddy Scutt.

— Vai, sim. É o seu jeito. Você não consegue evitar.

— Entrem, entrem! — Dr. Buddy Scutt cumprimentou-as com afabilidade que Lydia julgou pouco profissional. (Ellen e Buddy jogavam na mesma equipe do quiz das noites de quinta-feira no Condemn'd Man.) Buddy puxou uma cadeira para o outro lado de sua mesa e o trio formou um semicírculo, joelhos quase encostados. Informalidade demais para o gosto de Lydia.

Ela pigarreou e tentou criar uma atmosfera mais sóbria.

— Tenho certeza de que o senhor ouviu falar, doutor Scutt, na história da mamãe ser levada em casa pela polícia, no meio da noite.

— Sonambulismo — disse Ellen. — Buddy, fiquei sonâmbula.

Buddy fez um gesto afirmativo para Ellen, como quem manda uma mensagem: vamos dar corda a essa mocinha, depois a enquadramos.

— Mas tem outras coisas. Ela guarda o leite no micro-ondas, esquece as conversas que teve...

— E você é perfeita, não é?

— Não, mas... olha só, mãe, desculpa — disse Lydia. — Realmente sinto muito. — Lydia não sabia se Ellen se importava de ser humilhada dessa maneira, mas ficou surpresa ao descobrir que sofria ao fazer isso. Emoções desconhecidas — compaixão, amor dolorosamente forte — estavam tomando conta dela. — Será que o senhor poderia prescrever uma tomografia? — A pesquisa de Lydia na internet recomendava o exame. — Uma ressonância magnética?

— Para quê? Ressonância Magnética custa uma fortuna, e não tem nada de errado com a sua mãe.

— Eu pago.

— Não é assim que funciona. Você não pode sair por aí fazendo tomografias, ressonâncias, sem uma indicação. A demanda é enorme. Só gente doente deve fazer esses exames.

— Mas ela *está* doente. Desculpa, mãe!

Buddy Scutt balançou a cabeça.

— Não tem nada de errado com ela. Conheço essa mulher a minha vida inteira.

E isso significava o quê?

— Então, se o senhor conhece um paciente a vida inteira, essa pessoa não pode ter câncer?

— Eu tenho câncer, Lydia?

— Não foi isso que quis dizer, mãe. Você só está um pouco... senil, ou alguma outra coisa.

— Senil o escambau! — interveio Buddy. — Quando preciso pegar um trem, para quem ligo? Ellen Duffy.

— Olha só, em relação ao táxi — disse Lydia, sem jeito —, nem sei se ela devia estar dirigindo.

Foi a coisa mais difícil que Lydia jamais dissera. Se Ellen parasse de dirigir, outra pessoa teria de assumir suas despesas. Era todo um novo mundo de preocupações.

— Vamos perguntar a ela. Ellen, você está preocupada?

— Na verdade, estou ficando velha — respondeu Ellen.

Mas Lydia percebeu uma ligeira dúvida. Ellen sabia que alguma coisa estava fora de lugar, mas, como todo mundo — Murdy, Ronnie, Raymond, o próprio Buddy —, não queria saber o que era.

— Você ouviu sua mãe. Minha sala de espera está cheia de gente doente; portanto, não vamos desperdiçar o meu tempo.

— Escuta, é só fazer o pedido do exame, depois a gente vê.

Buddy olhou para Ellen e revirou os olhos.

— Crianças! Enviadas para nos testar. Vejo você quinta à noite, Ellen.

— Por favor — pediu Lydia. — Por favor, será que o senhor poderia solicitar uma tomografia? Ela não pode fazer sem a sua prescrição.

— E não vou prescrever, porque não tem nada de errado com ela. Um bom dia para você.

Lydia saiu da sala. Um médico com décadas de experiência dissera que sua mãe estava bem. Mas ela sabia que ele estava errado. Não conseguira dizer a Ellen que estava enlouquecendo, porque não queria desestabilizar a jogatina das quintas-feiras. Desde que sua mulher morrera, era um solitário. As noites de quinta significavam muito para ele.

O que mais Lydia poderia fazer? Esperar a mãe piorar para tentar novamente?

* * *

E, tão certo quanto o dia que nasce depois da noite, a mãe piorou. Sempre fora orgulhosa de sua casa, sempre limpíssima, mas, da noite para o dia, abandonara todas as suas obrigações de limpeza. Lydia aparecera numa tarde gelada de domingo e encontrara todas as panelas, todos os pratos e todos os copos que a mãe possuía empilhados na pia da cozinha. O cheiro era estranho — *fedorento*. Carne estragada ou coisa do gênero. Jesus! E não adiantava discutir com ela. Era como aquele *Vampiro de Almas*. A mãe parecia ter sido trocada por um ser completamente diferente. Ronnie e Murdy não faziam nada — nada! — para ajudar. Achava incrível, absolutamente *incrível* que permitissem que a mãe vivesse naquele chiqueiro. Mas o pior era que a mãe não ligava. Nem tinha reparado.

Para impedir que a peste bubônica tomasse conta do lugar, Lydia vinha de Dublin a cada cinco ou seis dias e faxinava tudo, com fúria.

*Tudo certo com a fúria. Agora compreendo por que não fazia limpeza para si mesma. O que não parece justo com os pobres Andrei e Jan. Não que eu esteja aqui para julgar. Ou estou...?*

A próxima coisa a fazer era tomar conta das contas da mãe. Nem sempre; às vezes ela estava ótima, mas outras vezes não compreendia mais os decimais, e uma nota de cinco euros passava a ser o mesmo que uma de cinquenta. Coisa péssima quando se dirige um táxi e tem de lidar com dinheiro. Discussões acaloradas ocorriam quando Ellen cobrava demais por uma corrida. Pior ainda, para Lydia, era quando Ellen começava a dar trocos de cem para quem lhe dava notas de dez. (Flan Ramble se divertia bastante com a falta de sanidade de Ellen. "Eu poderia ter voltado para casa naquela noite com, pelo menos, noventa euros. Mas sou um homem honesto. No entanto, tem muita gente pela cidade pagando drinques para os outros".)

Ellen parou de pagar suas contas. Porque deixou de ser capaz de assinar o próprio nome. ("Esse é meu nome, Lydia? Parece tão estranho.")

Lydia levou cada novo problema aos irmãos, e eles responderam a cada questionamento com desculpas variadas: Lydia gostava de fazer drama; Ellen estava na menopausa; cuidar de doentes era coisa de mulher.

— Você devia voltar para casa e cuidar dela — disse Raymond. — É a única que não tem impedimentos.

— Ronnie não tem nenhum impedimento!

Mas Ronnie era homem.

Lydia passara grande parte da vida sendo corroída pela raiva. Tinha vinte e seis anos, não era para ter esse tipo de preocupação, isso estava errado. Ela era o bebê da família, a única menina; seus irmãos deviam ficar felizes, deviam ser cuidadosos com ela. Imprestáveis.

De vez em quando, só para variar, trocava seu sentimento de ressentimento assassino por pavor, e se perguntava que forma nova assumiria a loucura de Ellen, e quando atacaria. A única coisa que a impedia de enlouquecer de medo era a certeza de que, mais cedo ou mais tarde, algo assustador o bastante aconteceria, e os irmãos descarados acabariam tendo de aceitar a existência do problema.

Com certeza, o incêndio nas cortinas da cozinha algumas semanas antes era fato consumado: as persianas haviam queimado, a pintura do teto ficara terrivelmente danificada e tivera de ser refeita, e as paredes ficaram negras como piche. Não fosse o bisbilhoteiro do Flan Ramble, que percebera o incêndio rapidamente, a casa toda teria pegado fogo. Mas Murdy, Ronnie e Raymond (*inclusive* Ellen) insistiam em que não, a casa jamais ficara a perigo por causa do fogo, e Lydia dera-se conta de que era hora de um novo ataque ao porcaria do Scutt.

— Um pedido de tomografia — disse Lydia à recepcionista. (Peggy Routhy, diga-se de passagem). — Não saio daqui enquanto ele não prescrever. E sou boa de espera. Todo motorista de táxi é. Em Dublin, às vezes espero onze horas até conseguir um passageiro.

Peggy Routhy, com sua voz melódica, pediu a Buddy Scutt que atendesse Lydia. Peggy claramente ainda se ressentia da cobrança da corrida até a maternidade quando estava em trabalho de parto. Coisas de cidades pequenas, pensou Lydia, com desprezo. Não existe profissionalismo; relações pessoais colorem tudo.

Peggy voltou da sala do médico e sorriu com desdém para Lydia.

— Sem chance.

Ótimo. Podia esperar. — Oi, Sra. Tanner — disse bem alto. — Qual é o seu problema? Dor no peito? Não sei por que veio ver esse médico porcaria. Ele não sabe nada. Devia ter sua licença cassada. CASSADA, estou lhe falando. Se eu contar que ele deu um diagnóstico errado para a minha pobre mãezinha...

Peggy Routhy foi chamada ao consultório e, depois de uma ausência de vários minutos, reapareceu com um envelope, que entregou à Lydia.

— É para o exame da minha mãe?

— Não.

Lydia se levantou e adentrou o consultório de Scutt.

— Você não pode entrar aqui sem hora marcada!

Scutt estava atrás da sua mesa.

— O que é isso? — Lydia acenou com o envelope.

— Estou lhe indicando buscar uma segunda opinião — disse ele. — Se outro médico achar que sua mãe precisa de uma tomografia, e eu duvido muito, ele pode fazer a solicitação. Mas eu não vou fazer.

O exame se tornara uma questão de princípio, percebeu Lydia. Uma guerra pessoal entre ela e Scutt. Ele não cederia. Não podia. Significaria admitir que estivera errado.

— Para quem você está mandando a minha mãe? Espero que algum especialista. — Alguém que entendesse de perda de memória, confusão... Ok, isso mesmo, *Alzheimer*, melhor que admitisse, porque, mesmo que a palavra a aterrorizasse, suas pesquisas na internet sempre acabavam direcionando-a para isso. — Um médico que conheça mães que enlouquecem. Não alguém que conhece a minha mãe pessoalmente. Não um idiota feito você.

— O nome dele é William Copeland — disse Buddy, desconfortável. — Neurologista, entende alguma coisa de loucura.

# *Dia 37...*

Katie virou a página do livro e continuou lendo, e, na outra cama, Vivienne suspirou, com prazer sonolento.

"... e o rei das fadas disse a Killian, 'Você foi bem-sucedido em sua tarefa. Deve ter seu desejo realizado. Pode se transformar em alguém que sabe tudo.'

'Agora deixarei este lugar', disse Killian. 'E mostrarei a todos meu incrível conhecimento.'

O rei disse, 'Não tão rápido.'"

Katie parou de ler e olhou, desconfiada, para a capa do livro. *Mitos Celtas*, assim dizia. Algo chamado O *Homem Que Sabia Tudo*. Uma história que ela jamais teria conhecido antes desta noite.

Vivienne remexeu-se na cama — por que a história fora interrompida? —, pedindo que Katie continuasse lendo.

"Somente como espírito você pode saber tudo. É preciso renunciar à vida."

Killian sentiu raiva. "Você me enganou", disse ele. "Mas como, se sei tudo, não sabia disso?"

O rei das fadas teve compaixão. "Você não leu as letras miúdas. Jamais lhe foi dito que você saberia tudo. E sim que teria a *habilidade* de saber tudo. Mas isso requer trabalho.

* * *

Era a história mais esquisita do mundo, pensou Katie, olhando novamente para a capa. Inacreditável o tipo de porcaria que era publicada. Mas seria melhor terminar. Vivienne parecia estar gostando.

"Não quero renunciar à minha vida", disse Killian.

"É preciso. Seres humanos não podem saber tudo", disse o rei das fadas. "O fardo seria pesado demais."

"Deixe-me viver."

Com pena, o rei disse: "O tempo disso passou; sua vida está sendo clamada. Você pode escolher entre renascer numa nova vida, mas, quando se tornar mortal novamente, todo o seu conhecimento desaparecerá. O que você escolhe? Conhecimento ou Vida?"

Killian considerou as possibilidades, mas a escolha era fácil. "Vida."

"Você pode decidir de quem quer nascer. Use sua grande sabedoria. Escolha sabiamente."

Havia muitas pessoas, toda a extensão da Irlanda, entre as quais Killian podia escolher. Visitou o Norte, o Sul, o Leste, o Oeste, investigando os abençoados, os ricos, os inteligentes. Mas seu coração o levou a um casal, humilde, que se amava profundamente, tanto que suas almas haviam se mesclado, tornando-se uma só. "Esse homem e essa mulher têm os corações mais puros da Terra. Suportaram tanta dor, mas posso fazê-los feliz."

"Vá."

Quando o espírito de Killian foi acomodado em sua nova mãe, o rei das fadas tocou-lhe a cabeça. "Com este toque, retomo seu conhecimento e o presenteio com a inocência, para que você possa nascer novamente."

Killian começou a formigar e a soltar faíscas. Como uma onda que lambe a areia, desapareceu aos poucos, abrindo caminho para que sua alma fosse reescrita por uma nova pessoa.

E o casal, o homem e a mulher, duas pessoas boas, humildes, companheiras e amáveis que compartilhavam uma só alma, que haviam suportado tanta dor em suas vidas, que haviam passado por momentos de medo, solidão e desespero, tiveram seus corações tomados e reabilitados para a felicidade e o amor quando tomaram conhecimento de que um bebê, finalmente, fora enviado a eles.

FIM"

E assunto encerrado. Katie folheou mais algumas páginas, perguntando-se se perdera alguma coisa, mas parecia que não. Que... *estranho*. Apesar da estranheza da história, Vivienne pegara no sono, seu rosto doce e pacífico emoldurado pela luz cor-de-rosa do abajur. Katie saiu do quarto na ponta dos pés e foi até a cozinha, pronta para uma taça de vinho.

— *O Homem Que Sabia Tudo?* — disse para MaryRose. — Realmente estranho.

— Nunca ouvi falar. Ela tem tantos livros.

— Não tem nada a ver com o que nos contavam quando éramos criança.

— Porque a gente sempre ouvia as histórias da menina boazinha, de cabelo comprido, resgatada por um príncipe num Lexus, que trabalhava no mercado financeiro.

O rosto de Katie se contorceu e, lentamente, ela afundou no sofá.

— Toma um vinho, toma um vinho. — Ansiosamente, MaryRose estendeu uma taça para ela.

— Ando bebendo muito.

— Ótimo. Pelo menos, você está tomando conta de si mesma.

— Eu estava indo bem, sabe? — Katie olhou para ela, implorando compreensão. — Eu estava ótima. Nos primeiros dias chegava a estar blasé. Cansada de me decepcionar, tinha *certeza* de que fizera a coisa certa. Mas acho que não pensei direito. Todo dia, de manhã, não importava onde ele estivesse, eu costumava ler para ele o pensamento do dia do meu diário... E agora não posso mais fazer isso.

— Toma o meu telefone. Liga para ele. Diz sim.

Contara para MaryRose sobre a proposta de casamento. Contara para todo mundo, porque queria que todos a incentivassem

— Mas ele estava bêbado. Se eu dissesse sim, voltaria, imediatamente, a ser o item 5 ou 6 da lista de prioridades dele. Não voltaria?

— Talvez ele tenha aprendido a lição.

Mas e se não tivesse aprendido? — Eu teria que passar por tudo isso de novo em algum momento. Já passei por dez dias de agonia. Não posso desperdiçar isso.

MaryRose tentou encher a taça de Katie, apesar de já estar quase completa.

— Tenho que seguir em frente. — Katie conseguiu sorrir levemente. — Se eu pensar bem, minha vida é tão boa. Tenho meus amigos, minha irmã, meu trabalho...

— E sapatos! Você tem sapatos tão lindos.

— É...

— E bolo! Quase tudo na vida pode ser consertado com um bolo.

— Bolo, isso, bolo.

Mas, depois de uma pausa desconfortável, Katie dobrou o corpo até que sua testa estivesse quase encostada nos seus joelhos. — Vou ser sempre a mulher sem filhos que tem que contar historinha para o filho dos outros.

— Você pode ter um bebê! Se é isso que você quer.

— Mas agora não tenho a chance de... mais nada. — Katie falou com a próprio barriga. — Talvez fosse melhor estar morta.

— Mas você não precisa ser uma mulher sem filhos, nem morta, nem ir para Nantes com aquela tal de Hortense — Conall pediu você em casamento! Ele aprendeu a lição, ele te ama, está falando sério sobre um futuro com você.

— Mas e se não for nada disso, MaryRose? E se eu estiver simplesmente querendo me enganar? E acho que estou, sabe? Me enganando. Meu Deus, não sei o *que* fazer!

# *Dia 37...*

Jantar, televisão, biscoitos, mais biscoitos, cama — nunca se cansavam, Matt e Maeve? Não é de se estranhar que Maeve arriscasse a vida todos os dias na bicicleta; era a única maneira de garantir alguma excitação.

Estavam deitados no sofá, assistindo a um programa sobre casas de praia, mas a mente de Maeve estava longe, pensando, por alguma razão, sobre quando ela e Matt ficaram noivos.

Antes que contassem para qualquer pessoa, Natalie adivinhara.

— Vocês são rápidos! — disse ela.

— Cinco meses.

Indecentemente rápidos, talvez.

— Mas quando a gente sabe, sabe. Certo? — disse Maeve.

— Parabéns. — Nat sorriu. — Joga o buquê para mim.

— Você é uma estrela, Nat — disse Maeve.

— Quem não vai ficar feliz é o pobre David — lembrou Nat. — Ele ainda espera que vocês dois terminem.

— *Meu Deus.* — Maeve enfiou o rosto nas mãos. — Acho que vou sair da Goliath e tentar trabalhar em outro lugar. É difícil demais para o David encontrar comigo e com o Matt todos os dias.

— Ele realmente ainda não a perdoou — disse Natalie, em um tom quase engraçado.

— Eu sei. E a culpa está acabando comigo. — David ainda se recusava a falar com Maeve — e, é claro, com Matt —, além de não demonstrar nenhum interesse em namorar outras garotas.

— O problema dele é o ego — disse Natalie. — Ele simplesmente não consegue acreditar que alguém como você possa ter dado o fora nele.

— Não diz isso. Ele tem o direito de sentir o que quiser. Mas quero manter esse noivado o mais discreto possível. Não quero ficar esfregando na cara dele.

No entanto, tudo isso mudou quando Hillary Geary *insistiu* em que ela desse uma festa de noivado na sua casa graciosa, em Carrickmines.

— Seria um *pecado* não comemorar essa ocasião tão feliz! — disse Hillary. — A gente recebe os convidados com champanhe — disse, fazendo anotações no caderno — e monta um bar completo na sala de jantar. Você tem que convidar todo mundo do trabalho! Não é todo dia que a garota mais linda do mundo concorda em se casar com o meu filho!

Maeve tinha a impressão de que não era exatamente o tipo de moça que Hillary Geary teria escolhido para o filho (provavelmente teria preferido alguém mais ligada a roupas, esmaltes e arranjos de mesa), mas, se Hillary tinha reservas em relação a Maeve, ninguém jamais desconfiaria. Estava sempre comentando como Maeve era maravilhosa, como sua pele era linda, como era perfeita para Matt e como ficaria linda vestida de noiva.

Maeve gostava da ideia da festa. Não fosse a preocupação com David.

— A gente não pode fazer isso — disse Maeve para Matt. — David ficaria arrasado.

— A gente vai ter que fazer. Não existe a menor possibilidade de impedir a mamãe — disse Matt. — Qualquer coisa viraria desculpa para ela se aborrecer. É sério, conheço minha mãe. Essa festa vai acontecer, por bem ou por mal.

Deveriam convidar David ou não deveriam convidar David? Maeve *agonizava*.

— Seria um soco no estômago se a gente não convidasse, mas será que vai parecer uma provocação se a gente convidar?

— Basta a gente convidar o cara e deixar que ele decida o que quer fazer — disse Matt.

— Não, Matt, por favor... Não é tão simples. Ele está chateado.

— É simples, sim, Maeve: ele queria você, eu queria você, eu ganhei. Fim. Hora de a gente seguir em frente.

— Você é tão pragmático.

— É verdade. Sou brutal. — Matt cutucou Maeve, e ela sorriu em resposta, mas depois disse, com tristeza:

— Poxa, Matt, pensa nos sentimentos dele.

— Eu *penso* nos sentimentos dele. Faço isso há cinco meses. E, na verdade, nos três meses anteriores também. Chega.

— Ok, vou convidar o David.

Como ele não respondeu até o dia da festa, Matt disse: — Acho que a gente pode tomar isso como um não. — Maeve não tinha tanta certeza. Esperou que os convidados chegassem e se acomodassem na adorável casa de Hillary e Walter, escoltados por David e um grupo de simpatizantes, carregando cartazes, boicotando o evento ruidosamente.

Mas tudo correu bem. David não apareceu, e Maeve não sabia se ficava triste ou aliviada com isso.

## *Dia 37...*

O que Lydia achava mais confuso era que Ellen conseguia ficar bem por curtos períodos de tempo. Quando levou a mãe ao consultório de William Copeland, quase precisou impedir-se de dizer: essa é minha mãe, basta nos dar o pedido de exame e nós vamos embora. Mas o neurologista insistiu em consultar Ellen, que correspondeu, charmosamente, batendo papo. Diante das perguntas gentis do médico, respondeu corretamente o nome do presidente, depois — e isso derrubou Lydia — foi capaz de fazer *somas básicas*. A mulher que enchia os bolsos de meia população de Boyne, por ser incapaz de reconhecer uma nota de dez, conseguia multiplicar seis por doze. Então, caramba, ela fez ótima pontuação num pequeno — e bastante fácil, notou Lydia, ansiosamente — teste de QI.

— Parece que está tudo bem — disse o Dr. Copeland.

— O teste era muito simples.

— É padrão.

— Mas a mamãe, ela anda tão... diferente.

— Um exemplo, por favor.

— Ela não entende mais as notas de dinheiro.

— Ela acabou de demonstrar o contrário.

— Só está sendo educada. Porque o senhor é um médico.

— Consultor.

— Ok, consultor. Quando a gente sair daqui, ela vai voltar a ficar maluquinha.

— Maluquinha não é um termo confortável para mim.

— Ok, doida. — Como ele não demonstrou nenhum sinal mais caloroso, Lydia continuou: — Será que ela não deve fazer uma tomografia?

— Não vejo motivo.

— Ela acha que sou a irmã morta dela.

— Você acha isso? — perguntou ele para Ellen.

— Lydia é quase idêntica à Sally quando morreu — disse Ellen, baixinho. — Às vezes, me escapa o nome errado.

O Dr. Copeland aquiesceu. — Às vezes chamo meu filho de Sophie. O nome da cachorra.

— Ela parou de limpar a casa — disse Lydia. — E sempre foi limpa, organizada.

— Sua mãe tem o direito de descansar um pouco. Não acha que trabalhou tempo suficiente tomando conta de você e — consultou suas anotações — seus irmãos?

Exatamente o que Ronnie dissera.

— Mas o lugar fica podre. Desculpe, mãe, mas fica. Meio *anormal*. Fico preocupada com ratos e coisas do tipo.

Ellen riu baixinho. — Já fui ao seu apartamento. Você e Sissy vivem numa pocilga.

— Mas, mãe, tenho vinte e seis anos. Sou irresponsável. Não ligo se as coisas não estão limpas. Isso só acontece quando se fica mais velho. E — acrescentou, desconfortável — não moro mais com a Sissy. Me mudei há dois meses. Essa é mais uma coisa que você esqueceu.

O Dr. Copeland estava rabiscando no seu caderno. Parecia confrontar uma opção desconfortável. Finalmente, ergueu os olhos e falou: — Lydia, deixe-me lhe dizer uma coisa. Recebo jovens aqui, preocupados porque os pais, de repente, vão fazer uma viagem para a Austrália e, sendo literal, “gastar sua herança”. Dizem que os pais perderam a razão.

Lydia precisou de um momento. — Não estou tentando internar minha mãe em qualquer lugar para poder roubar o dinheiro dela! Não existe dinheiro *nenhum*. Minha mãe nem sequer é dona da casa onde mora.

Copeland encarou-a duramente, como se tentasse dobrá-la a confessar um crime de falsa acusação. E Lydia, de repente, lembrou-se do que todo mundo sabe: todo médico de cabeça é doido, muito mais doido do que seus pacientes.

Depois de uma longa pausa, o Dr. Copeland disse: — Lydia, o que você quer para sua mãe?

— Só quero um nome. Para saber o que tem de errado com ela, para ela poder tomar os remédios certos e voltar a ficar bem.

— E voltar a limpar a casa?

— Voltar a ser quem ela era.

# *Dia 37...*

Naomi estava errada ao dizer que Conall jamais viajara de férias com Katie. Um fim de semana em Budapeste, quatro dias num hotel fabuloso em Ibiza (que acabaram sendo só dois, por causa do atraso no voo), mas a memória mais querida de Katie era da primeira viagem dos dois. Estavam saindo havia menos de um mês, e Conall aparecera com passagens para Tallinn. Ainda tentava consertar o fiasco de Glyndebourne. — Escolhi Tallin, porque eles têm uma farmácia de seiscentos anos — explicou — e sei que você adora farmácias.

Chegaram numa sexta-feira tarde da noite, e a primeira coisa que fizeram na manhã seguinte foi visitar o boticário. Na verdade, foi, mais precisamente, a terceira ou quarta coisa que fizeram, ela lembrou. Haviam acordado na cama macia e transado longamente, depois tomaram café com champanhe e morangos, porque, pode-se dizer o que quiser de Conall, pode-se chamá-lo de besta e tudo, mas ele sabe como fazer as coisas com estilo. Finalmente, vestiram-se e conversaram com o *concierge* sobre mapas e lugares a visitar. Bem, Conall conversou. Katie não tinha o menor interesse nesse tipo de coisa. Achava que era tarefa de homens: eles adoravam essas distrações — canetas iluminadoras, marcar itens em formulários, tudo isso. Quando a conversa terminou, Katie encaminhou-se para o sol do lado de fora, mas foi guiada de volta até as escadas por Conall, que vinha logo atrás.

— Só quero uns minutinhos do seu tempo — sussurrou ele, com brilho nos olhos.

Voltaram à suíte que haviam acabado de deixar e caíram desajeitadamente na cama, onde fizeram um sexo inesperado, uma rapidinha muito, mas muito gostosa.

— Ok. — Conall ajudou Katie a se levantar e a colocar o sutiã. — Visita à farmácia, parte dois.

Era o Taj Mahal das boticas, uma drogaria linda, antiga. As paredes cobertas de gavetinhas de madeira e, lá no alto, em prateleiras, jarros de vidro marrom exibiam símbolos químicos. A luz refletida pelos espelhos era baixa e cálida. Mas era uma farmácia em atividade, para o prazer de Katie, também uma pletora de produtos modernos em exposição.

— Vem — incentivou Conall —, por favor, me ajuda a fazer esse tour. — Puxou-a para si. — Você... escuta, não é pra ficar constrangida.

— É claro que estou constrangida — disse ela. — Sou a única pessoa que conheço que gosta de fuxicar drogarias.

— Mas faço isso em lojas de computador. No próximo feriado, vou levar você no maior shopping de artigos eletrônicos. E nós dois vamos bisbilhotar as papelarias.

— Tem certeza de que está interessado?

— Juro por Deus. Quero que você me mostre as coisas de que gosta. — Pegou uma caixa. — O que tem aqui dentro?

— Um sabonete para prevenir acne. — Nada especial.

Não ficaram muito tempo entre os produtos para pele e cabelo — por mais que ele fizesse sinais de aprovação, Katie suspeitava de que estivesse fingindo. De qualquer maneira, seu setor preferido era o dos primeiros socorros. Eram tão incríveis todos aqueles produtos novos.

— O que é isso? — Conall pegou um cilindro de plástico.

— Ah, Conall. — Katie não conseguiu impedir que o entusiasmo brotasse em seu rosto. — É um remédio para machucado, é maravilhoso. Lembra quando você era pequeno, caía, ralava os joelhos, as pedrinhas e areia do chão arranhando, ardendo? Lembra como era horrível ter que passar mertiolate? Nada disso agora. Basta uma borrifada deste spray, acho que tem um pouquinho de anestésico, e, claro, é antibactericida.

Conall leu as instruções. — Entendi, ele desinfeta os "corpos estranhos". Ou seja...

— As pedrinhas e a areia. Exatamente!

— Quase quero me machucar só para experimentar isso.

Katie o encarou, os dois começaram a rir e Conall exclamou:

— Katie, é sério. Acho isso interessante. E esse aqui?

— É uma espécie de Band-Aid em spray. Para os lugares onde não dá para colocar um, porque não gruda direito. Basta dar uma borrifada.

Conall pressionou o topo do frasco, e uma gota do líquido pingou no seu dedo. — É seco! Já secou! Olha só. — Balançou a mão para ela. — E é igualzinho a um Band-Aid?

— Protege contra infecção.

— Entendi, isso *é* incrível.

— Esse deve ser novidade. — Pegou algo que traduziu como equinácea. — Às vezes, a gente não quer que certos vírus e bactérias se aproximem. Isso deve ser ótimo no inverno... tipo, se você acha que sua garganta está querendo inflamar.

Conall insistiu em comprar um para ela.

Katie sabia que ele não compreendia, na verdade, essa coisa toda com a farmácia. Mas a questão é que estava tentando entender.

# *Dia 37...*

Quatrocentos euros, fora o quanto lhe custara. Quatrocentos euros para ser praticamente acusada de querer internar a mãe para ficar com o dinheiro dela, como se estivessem num romance do século XIX, talvez num das irmãs Brontë. Lydia não era uma leitora assídua; portanto, não podia ter certeza, mas fora obrigada a ler alguma coisa na época do colégio, e esse tipo de literatura parecia ser o caso em questão.

William Copeland, que idiota.

Mas Lydia se dera conta de que a questão central era a seguinte: de alguma forma, toda essa Irkutsk de confusão *tinha* a ver com dinheiro. Assim que a mãe começara a ficar abilolada, Lydia fora tomada de medo — medo de a mãe mudar, medo de ela desaparecer, medo de a mãe morrer. E, convivendo com seus medos, em todos os seus níveis, descobriu que, por baixo de todos eles, como acontecera durante toda a sua vida, estava o medo de não ter dinheiro suficiente. E se a mãe tivesse de ter assistência médica em casa? Alguém teria de pagar por isso e, diferentemente do que acontecia em outras famílias, os Duffy não tinham nada.

A mãe não era proprietária da casa onde morava, Lydia não tinha dinheiro, Raymond não tinha dinheiro, Ronnie *se comportava* como se não tivesse nada, mas era o tipo de pessoa que, depois de morto, descobrir-se-ia ter milhões; mas, mesmo assim, não era do tipo que o compartilharia se alguém estivesse precisando.

Já que seus irmãos afirmavam sem parar que não havia nada de errado com a mãe, Lydia entrou em pânico e começou a se preparar para uma catástrofe. Passou a trabalhar excessivamente, parou de comprar tênis incríveis, mudou-se para um apartamento mais barato, começou a jogar na loteria.

Chegou a visitar alguns asilos e, pelo amor de Deus, que horror! Para onde quer que olhasse, tudo e todos eram *velhos*.

Nunca vira idosos antes, não na vida real, e essa turma era de mortos-vivos. Nunca sentira cheiro parecido! Era verdade o que diziam, que esses lugares cheiravam a xixi. *Meu Deus*. Quando chegasse a hora, não poderia mandar a mãe para um desses asilos. Até porque Lydia não tinha dinheiro para isso. Em qualquer um dos casos, o preço astronômico era a cereja podre do bolo velho.

— Entra no carro, mãe.

— Não.

— Anda, a gente tem que voltar para casa.

Ellen lutou para se livrar das mãos de Lydia. — Me solta, Sally!

— Ah, agora você resolveu ficar maluca de novo. Ei! — gritou Lydia para o segundo andar do prédio, do qual haviam acabado de sair. — Ei, Vossa Divindade Copeland, minha mãe pirou de novo. Vem aqui embaixo fazer seu teste de QI agora.

— Sally! Shh! Para de gritar!

— Meu nome não é Sally! Meu nome é Lydia e sou sua *filha*!

Os olhos de Ellen se arregalaram e seu lábio inferior começou a tremer. Parecia uma criança levando uma bronca, e a culpa quase deixou Lydia de joelhos. — Desculpa, mãe, desculpa, desculpa, desculpa. Você não consegue evitar, eu sei, você não consegue evitar.

— Também peço desculpas.

As duas se abraçaram, chorando.

— Não fica brava comigo — disse Ellen, a voz abafada pelo ombro de Lydia.

— Não estou brava. Desculpa, mãe, desculpa.

— Você é minha menina, minha bonequinha, eu faria qualquer coisa por você.

* * *

Lydia olhava para a frente, sem enxergar a estrada, perturbada demais para prestar atenção no que fazia.

Lutara tanto por aquela consulta, tivera tantas esperanças de que um médico de verdade veria o que ela via, que a mãe tinha de fazer uma tomografia, que, fosse o que fosse que estivesse acontecendo dentro do cérebro dela, se tornaria evidente e ela poderia se curar.

O que Lydia devia fazer agora? Voltar a Buddy Scutt e pedir que ele, de uma vez por todas, receitasse o exame? Aquele porcaria provavelmente não o faria, provavelmente mandaria que procurassem outro colega seu, que bateria na mesma tecla. O que fazer quando os médicos não podem — ou não *querem* — enxergar que alguém está doente, doido, perdendo a razão, ou o nome que seja? Talvez devesse tentar que a mãe se consultasse com outro clínico geral, alguém que não fosse da velha guarda, um médico que não tivesse medo de fazer um diagnóstico desagradável. Isso daria trabalho. A mãe estava com medo de ofender a cidade ao depositar sua confiança em alguém diferente; ainda ia ao mesmo açougueiro que lhe vendera presunto estragado para a primeira-comunhão do Murdy, vinte e cinco anos atrás.

Não pensaria nisso agora, decidiu. Pensaria em outra coisa, algo bom. Mas sua cabeça não parava. E se a mãe não pudesse mais ficar sozinha em casa? Exceto por Flan Ramble, a maioria dos vizinhos de antigamente se fora. Quase todas as casas do bairro haviam sido vendidas para jovens empresários que trabalhavam em Dublin e passavam o dia na rua, sem o menor interesse em tomar conta de uma senhora senil.

E por que a mãe deveria depender da boa vontade alheia se tinha quatro filhos? Mas os homens não concordavam em fazer uma escala de visitas, e Lydia não podia obrigá-los. Conseguia forçar a maioria das pessoas a fazer qualquer coisa, mas seus irmãos eram feitos da mesma fôrma que ela.

Diziam que a irmã deveria se mudar para Boyne, se estava tão preocupada. Mas Lydia era mais útil em Dublin; ganhava mais dinheiro lá... e, na verdade, não queria se mudar para Boyne. Para dizer o mínimo: *enlouqueceria*. Seria o mesmo que ser enterrada viva. Em um mês, ficaria tão doida quanto a mãe.

Meu Deus, pensou com pesar na pessoa que era antes — antes de ter de conviver com essa preocupação enorme. Era animada, durona, imune à dor, e tudo era possível, porque não tinha medo de nada. Agora era cheia de feridas e tão crua e vulnerável como carne.

Era jovem demais para passar por tudo aquilo. A mãe não melhoraria, ninguém dividiria o fardo com ela e uma pessoa não deveria ter de suportar aquele amor, aquela dor e aquela solidão aos vinte e seis anos, quando se é egoísta e irresponsável.

No seu colo, o celular apitou duas vezes, e ela levou um susto. *Gilbert*! Mas era somente uma mensagem de texto de Poppy. Tudo bem! Chega! Haviam se passado oito dias, e oito dias já era tempo suficiente. Gilbert não telefonaria para ela; ela não telefonaria para ele. Águas passadas, e coisa e tal. Nada de ficar nervosa e cheia de esperanças. E, mesmo que ele se prostrasse na sua frente, demonstrasse algum remorso, não o quereria de volta.

Parou no acostamento.

— Sally, o que foi? — Ellen estava confusa.

Rapidamente, Lydia apagou o telefone de Gilbert da agenda do celular. Pronto! Ponto final. Mesmo que tivesse uma recaída, não poderia ligar para ele. Houve um breve momento em que considerou a possibilidade de chorar novamente — a história da mãe era realmente avassaladora —, mas recostou a cabeça no banco e esperou que o desejo lacrimoso passasse.

Então, concentrou-se em Boyne e voltou à estrada.

# *Dia 37...*

Matt e Maeve se vestiram para dormir; então, era hora de escrever seu Trio de Bênçãos. Matt estava se divertindo com suas anotações. Esta noite, como vinha fazendo havia várias noites, simplesmente escreveu:

> ***Um bloco misterioso de gelo não caiu no meu carro.***
> ***Um bloco misterioso de gelo não caiu no meu apartamento.***
> ***Um bloco misterioso de gelo não caiu na minha mulher.***

Bastaram-lhe dez segundos e estava feito; sem angústia, sem inspeções na alma, somente o que devia ser feito, e pronto. Maeve nem mesmo tentava mais ler o que ele escrevia. Jogou o caderno do outro lado da cama e voltou para sua revista.

Bastante tempo depois de Matt terminar, Maeve continuava perdida em pensamentos profundos, desenhando picos montanhosos em seu caderno, com sua caneta dourada. Podia selecionar *coisas boas, bênçãos.*

Finalmente, escreveu: "Primeira bênção de hoje: Matt não me deixou."

Depois de longa pausa, escreveu: "Segunda bênção de hoje: eu não deixei Matt."

E a terceira bênção? Não conseguia pensar em nada. Fechou o caderno e olhou para a capa, uma pintura de Chagall. Tudo o que a mantinha conectada à Terra era aquele homem, mas isso lhe parecia tão tênue neste momento. Seria tão fácil deixar escapar e, se isso acontecesse, ela despencaria, perdida para sempre.

Abriu novamente o caderno. A terceira bênção do dia? Por favor, terceira bênção, pediu a si mesma. Finalmente, com ar de vencida, escreveu: "Não tive uma crise de pânico." Então, fechou o caderno e apagou a luz.

*Somente uma coisa sinto que merece ser mencionada, porque é peculiar demais — quando Maeve toma banho, de manhã, veste maiô, como se estivesse no Big Brother.*

# Dia 36

**A caminho, sustente a conversa.**

Atrasada para o trabalho, Katie desceu as escadas correndo, tentando digitar uma mensagem para Danno. Então, provavelmente porque estava com o telefone na mão, endereçou os pensamentos que a atormentavam e haviam-se tornado mais palpáveis nos últimos três dias. *Conall aprendeu a lição, ele te ama, é séria a intenção de construir um futuro para os dois*. Fora dura demais, insistindo em que ele deveria ter trazido um anel — fora um ato espontâneo dele, agira em nome de uma emoção irresistível. E ela sempre voltava a isto: ele a pedira em casamento. Dissera que a amava...

Estava à beira de um colapso. Para que sofrer por mais tempo?

Talvez devesse ligar para ele, para que conversassem e vissem aonde chegavam e — só um minuto! Conhecia aquela van! A que estava estacionada em frente ao prédio e que achava que não veria nunca mais. Era Cesar, o entregador de flores.

*Ah, Conall.*

Cesar saltou do carro. — Bom-dia, Katie. — Conall lhe mandara tantos buquês nos últimos dez meses, que conhecia Cesar muito bem.

Cesar deu a volta para abrir a porta da van e Katie o seguiu. Seu coração pulava, pulava, pulava. O sol explodira no céu, saindo de detrás de uma nuvem.

Cesar vasculhou o interior do carro e Katie se aproximou, tentando ver. Qual seria o tamanho, perguntou-se. Isso seria um indicativo da seriedade das intenções de Conall.

Com muito ruído por causa do papel celofane, Cesar retirou um buquê que era um monstro, do tamanho certo. Mas alguma coisa estava estranha; as flores eram espetadas, pontiagudas, quase agressivas. Era... *mato*... aquilo que via no meio? Conall normalmente lhe mandava lírios — dálias, flores do campo, elegantes e cheirosas. Por que mandava aquele chumaço horrível, cheio de espinhos? Mas Cesar consultou sua lista de entregas.

— Você mudou de apartamento?

— Não.

— Mas esse buquê é para o apartamento três.

— Deve ser um engano. O meu é o quatro.

— Apartamento três. Está escrito aqui. — Ele indicou a lista.

— Deve ser algum engano, Cesar. Desculpe, mas estou atrasada para o trabalho. — E se atrasaria ainda mais, porque teria de subir correndo com as flores; portanto, se Cesar pudesse entregá-las...

Um pensamento lhe passou pela cabeça.

— A menos que não sejam do Conall.

— São do senhor Hathaway, sim.

— Então, são para mim.

— Só um minuto. — Cesar pegou seu celular. — Vou dar uma ligada para a central.

Depois de rápida conversa, ele desligou o telefone. — São para a motorista de táxi que mora no apartamento debaixo de Katie Richmond.

— Ah — Katie não conseguiu pensar em nada para dizer; portanto, repetiu: — Ah.

Todo o ar desaparecera de seu corpo. O que Conall estaria aprontando? Como conhecia Lydia? Como sabia que ela dirigia um táxi?

— Eu vou, é... só... — Cesar indicou que precisava passar por ela para tocar o interfone e poder entregar as flores à pessoa certa. Parecia constrangido. O contato visual entre os dois não era o que se poderia chamar de *direto*. — Então, é... boa sorte, Katie. Um bom dia para você.

— Obrigada, Cesar. Para você também.

# *Dia 36...*

Lydia adentrou o apartamento, todos os sentidos em alerta máximo, em busca da presença de Andrei. Ou melhor, esperando não encontrá-lo. *Não esteja em casa, seu polaco maldito, esteja na faculdade, na casa da maluca da sua namorada, trabalhando, mas não aqui.*

Espiou a sala pela fresta da porta e lá estava ele. Merda. Era a primeira vez que o via desde... desde nada. Desde a coisa que não acontecera.

— Cadê o Jan?

— Trabalho.

— Quando ele volta?

— Depois das dez.

— Você vai ficar por aqui? — Talvez fosse sair com Rosie.

— Vou.

*Minsk.*

— Rosie vem para cá — acrescentou.

Ah, não! Pior ainda! Rosie era a pior pessoa do mundo. Sempre que Lydia a encontrava — quase nunca, e era assim que preferia que fosse —, sentia uma necessidade louca de gritar que a outra era uma falsa, que só fingia ser virtuosa e que, na verdade, era fria, calculista e, provavelmente, tinha um plano para dominar o mundo. Não que Lydia se importasse com o fato de alguém ser frio e calculista. Seja frio e calculista quanto quiser; basta ser honesto quanto a isso. E, se você tiver um plano para dominar o mundo, pelo menos tenha a decência de viver num subsolo qualquer, vestir um terno branco e acariciar um gato gordo; não fique andando por aí falando de flores e coelhinhos fofos, toda de rosa. A única coisa que impedia Lydia de enfiar um garfo no olho de Rosie era o fato de que Rosie a detestava igualmente e não fazia nenhuma tentativa de esconder esse sentimento. Lydia respeitava isso, porque, pelo menos uma vez na vida, Rosie não estava fingindo.

— Andrei, quanto tempo falta para você entrar de férias?

— Quatro semanas, seis dias e dezesseis horas.

Mais tempo do que ela imaginava. Bem mais. Droga. — Ah, peguei sua mochila emprestada — disse ela. — Aquela de viagem.

— Tudo bem — disse ele. — Foi para onde? Ver sua mãe?

Lydia fez um gesto afirmativo.

— Triste? — perguntou ele.

*Sai para lá com esse seu* triste, *seu destruidor de relacionamentos. Gilbert ainda seria meu namorado se não fosse você.*

Naturalmente, estava preparada para assumir a responsabilidade que lhe concernia no rompimento com Gilbert, mas, pensando bem, era tudo culpa de Andrei.

Lydia entrou na cozinha e parou com um susto. Instantaneamente, voltou à sala. — Que monte de flores é esse? A cozinha está entupida! Mal dá para entrar.

— São para você.

— Ha-ha.

— Sério. São para você.

— De verdade? — Imaginou que ele as tivesse comprado para dar à Rosie. — Quem mandou? — Então, teve um pensamento assustador. — Não foi você, foi?

— Ha-ha. Você é muito engraçada. — O sarcasmo dele era impressionante.

Lydia voltou até a cozinha e olhou confusa e irritada para as flores. Eram quatro buquês, todos enormes. Um na pia, um no escorredor e dois em cadeiras, como se esperassem o jantar ser posto na mesa. Sabia que não eram de Gilbert. Ele não era esse tipo de homem, dormira com outras garotas e esse tipo de gesto meloso e cafona faria com que Lydia saísse correndo dele.

O que devia fazer com elas? Qual a utilidade de flores? Chocolate ela compreendia, mas flor era uma coisa sem sentido. Poppy não ganhara um buquê quando saíra de seu último emprego? Lydia tinha uma vaga lembrança de uma madrugada na qual todas elas, bêbadas, tentaram cheirar o pólen das flores, mas não ficaram doidonas. Como dissera: coisa sem sentido.

Girou nos calcanhares e perguntou para Andrei:

— Quem mandou?

— Um homem numa van.

— Não estou perguntando quem trouxe, quero saber que *mandou*.

Ele encolheu os ombros.

— Abre o envelope. Tem um envelope com cada coleção.

— A palavra é *buquê*.

Cuidadosamente, aproximou-se das flores na pia. Como Andrei dissera, havia um envelope branco preso num pauzinho no meio da folhagem. Quando tentou pegá-lo, foi picada por algo. — Ai! Jesus! — O que estava acontecendo? Aqueles trocinhos verdes eram... *urtigas*? Eram! Na verdade, todas as plantas — não se podia chamá-las realmente de flores, eram cheias de espinhos — pontiagudas, agressivas e de aparência perigosa. Estavam amarradas por um laço lindo, mas feito de arame farpado. Abriu o envelope e, no pequeno cartão branco, estava escrito:

Vi esse buquê e pensei em você.

Era tão inesperado que Lydia riu. Mas o cartão não estava assinado; portanto, vasculhou outro ramalhete, o que estava no escorredor de pratos. Botões fechados, grandes e coloridos formavam um conjunto sinistro, como se fossem abrir as mandíbulas e ferir com seus dentes serrados. Horrível. Pegou rapidamente o cartão, antes que elas ganhassem vida e arrancassem sua mão.

... e esse...

Deus do céu!

Foi até um dos buquês das cadeiras. Um amontoado de coisas laranjas, pontiagudas, pareciam lâminas brilhando com uma energia maligna.

... e esse...

O último era diferente. Tinha flores de verdade: botões rechonchudos e sorridentes, coloridos — rosas, vermelhos e amarelos vibrantes —, como um desenho de criança.

... e esse. Conall Hathaway. Me liga.

*Quem?* Ah! Lembrou! Wellington Road. O cara rico, mais velho. Estava tão cansada quando fizera aquela corrida que mal tinha registro dela. Mas lembrou que ele a convidara para sair.

— *Sair*, sair? — perguntara.

— É, um encontro.

Depois, perguntara se ela gostava de papelarias. Ou de farmácias. Era realmente esquisito. Lydia achava que jamais pisara numa papelaria.

— Não, obrigada.

— Por que não?

*Por que não?* Encarara-o. — Você não é meu tipo. — Depois, acrescentara: — Para dizer o mínimo.

— Sou um desastre — dissera ele, de maneira cativante.

Perplexa, Lydia perguntara: — Desde quando isso é uma vantagem?

— Me disseram que as mulheres gostam. As jovens, pelo menos.

— Olha só, paga a corrida e sai do meu carro.

— Sou uma conquista difícil.

— Não é nada. Está se oferecendo numa bandeja! Não podia ser mais *fácil*.

— Isso é agora, para manter a bola em jogo. Mas, daqui a um mês, você vai estar de quatro por mim. Quanto lhe devo?

— Oito e quarenta. Deixo por oito, se você saltar agora.

Conall lhe entregou uma nota de dez. — Pode ficar com...

— O troco? Não, obrigada. Aqui estão seus dois euros. Por favor, salta. Tenho que ir ver minha mãe. — Olhou para o relógio. — Preciso dormir algumas horas, antes.

— Uma das minhas namoradas, antes da Katie, ficou estacionada na frente da minha casa por sessenta e sete horas quando terminei com ela.

— Nunca sairia com um cara como você. É velho demais. É muito... você me aborreceu até o limite... Olha, você está chateado por causa da governanta sexy, mas ela vai aceitar você de volta; esse tipo sempre aceita.

— Meu nome é Conall Hathaway. Gostei de você. Pode esperar notícias minhas em breve.

— Sai pra lá, diabo. Imagino que você vá querer um recibo da corrida. Gente do seu tipo sempre quer.

— Quem mandou as flores? — perguntou Andrei.

— Um maluco.

Andrei sorriu, desdenhoso.

— O que foi? — Lydia quis saber.

— Não disse nada.

— É, mas está pensando que um homem tem que ser doido para me mandar flores.

— Não falei nada — disse ele, excessivamente inocente.

Lydia o encarou, mas resolveu deixar para lá.

# *Dia 36...*

Fionn estava do lado de fora, na escada da frente, a porta azul sendo aberta atrás dele. Pretendia observar as estrelas enquanto tentava ver Maeve através das cortinas da janela da sala de estar do apartamento dela. Mas tudo que conseguiu enxergar foi Matt sentado no chão, comendo sem parar o conteúdo de uma caixa de — Fionn não tinha certeza, estava muito distante, mas parecia ser uma caixa de — biscoitos recheados de morango. Talvez não fosse morango o recheio, talvez fosse chocolate, ou amêndoa, mas, definitivamente, era alguma coisa retangular com creme dentro.

— O que você está fazendo? — Uma dupla de policiais passou por ele, interrompendo sua investigação.

— Estou do lado de fora da minha casa, olhando as estrelas.

— As estrelas estão lá em cima. — O maior apontou para o céu e somente quando Fionn ergueu o rosto eles foram embora.

Fionn observou a noite azul-real, esperando que os dois se afastassem, sofrendo cada minuto que perdia de inspeção à Maeve. E não era como se pudesse ver as estrelas de maneira apropriada, não na cidade, cheia de luz artificial, que ofuscava as maravilhas da natureza. *Luta corporal contra a natureza.* Gostava dessa frase. Perguntava-se se Grainne o deixaria usá-la. Talvez, nunca se sabe. Mas talvez não deixasse, Grainne era osso duro de roer... Algo impeliu-o a virar a cabeça e, sob a luz pálida, viu uma figura feminina descer a Star Street na sua direção. De uma só vez, sua visão encheu-se de cometas e estrelas, de cores e espirais — Fionn se apaixonara novamente.

Como alguém descobrindo uma nova habilidade, algo talvez como fazer panquecas em cima de um monociclo, Fionn estava ansioso por testá-la. Mesmo impressionado pelo amor por essa nova mulher, essa deliciosa novidade, foi gentil o suficiente para pensar em Maeve e descobrir que sempre pensaria nela com carinho, era seu primeiro amor. Mas, subitamente, Maeve lhe pareceu sem sal e descabelada — *E aquelas calças largas de algodão?* —, o tipo de mulher por quem um jovem, inexperiente nas artes do amor, se apaixonaria. Essa nova emoção era diferente, infinitamente mais sofisticada, porque Fionn estava mais maduro agora, mais homem.

Dirigiu seu olhar apaixonado para aquela saia que se requebrava, a cintura fina, o rabo de cavalo balançante. Uma expressão que Fionn nem sabia que sabia se manifestou na sua mente: *combinação perfeita*. Sapato, cinto, bolsa. Blusa bordada. Uma moça modesta, de antigamente, talvez do começo dos anos oitenta. Soube, com uma certeza profunda, que ela seria capaz de pregar um botão numa camisa. Imaginou-a segurando uma linha com os lábios carnudos e cortando-a com uma mordida dos seus dentes pequenos e brancos.

Fionn deu um passo à frente para impedir que ela avançasse na Star Street. Estava impotente para impedir os próprios movimentos.

— Oi — disse.

Ela parou. Ela parou!

— Oi.

— Estou aqui, apreciando as estrelas — disse Fionn.

— Todo mundo tem um hobby.

— Está vendo aquela lá? — Apontou para um pontinho de luz intenso. — É o planeta Vênus. Na verdade, Vênus não é uma estrela.

— Tem certeza? Parece uma estrela. Só que mais brilhante.

— A estrela mais brilhante do céu. Dizem que é o planeta do amor. — Estava indo longe demais? — Meu nome é Fionn Purdue.

— Muito prazer, Sr. Purdue.

Ah, a modéstia, a doçura!

— Fionn, Fionn, Fionn. E você? Qual o seu nome?

— Rosemary Draper.

— Rosemary — sussurrou Fionn. Deus, que lindo. Rose, Rose, Rose. Mary, Mary, Mary.

— Meus amigos me chamam de Rosie.

— Posso?

— Você é meu amigo? — Ah, o flerte! O flerte da jovem senhorita que parecia manteiga, mas não derretia.

— Gostaria de ser.

— Agora chega, seu galanteador! — Mas ela sorriu. Um sorriso perfeito, de alguma forma, não caloroso, mas, ainda assim, um sorriso.

Fionn já sabia muito sobre ela. A casa deles seria sempre limpa e arrumada, muito mais charmosa do que as outras da rua; ela seria maravilhosa com dinheiro, econômica e eficiente; uma cozinheira de mão cheia também, faria mágica com cortes baratos de carne; seriam o único casal da rua a viajar em datas pouco convencionais; ela manteria a silhueta, mesmo depois de incontáveis filhos, e sempre vestiria saias e blusas feitas com as próprias mãos na máquina de costura. Fionn não tinha certeza do motivo de sua vida juntos se passar nos anos cinquenta, mas era assim que acontecia.

— O que você faz, Rosemary? — Estava prestes a contar a ela que, em breve, seria um astro de televisão.

— Sou enfermeira.

Enfermeira! Mas Rosie era muito educada e *delicada* para ser enfermeira. As moças da mesma profissão, que Fionn conhecia, eram ruidosas criaturas que passavam os dias cuidando com compaixão de doentes e pessoas à beira da morte, e que, de noite, ingeriam grandes quantidades de álcool, dançavam em boates com guardas e bombeiros.

— Agora, se você me dá licença. — Rosemary — deveria atrever-se a chamá-la de Rosie? — contornou Fionn. Parecia ir em direção à porta aberta do prédio.

— Você vai entrar! Também mora aqui? Meu apartamento é no primeiro andar! — O que acontecia com aquele edifício que era tão cheio de mulheres bonitas? Sirenes! Tempestades! Então, ocorreu-lhe que talvez a única razão pela qual parara para conversar com ele era o fato de estar querendo entrar no prédio, e isso fez com que sua alegria diminuísse um pouco.

— Vim visitar meu namorado. Andrei Palweski.

— Você tem namorado? — Foi um choque.

— Tenho namorado.

Mas é claro que tinha. Não importa. Fionn daria um jeito.

— Em que hospital você trabalha? — perguntou enquanto ela subia as escadas e se afastava dele.

As panturrilhas dela — tudo que Fionn conseguia ver — hesitaram. Então, as palavras mágicas flutuaram até ele. — St. Vincent's. — E as pernas dela voltaram a subir os degraus.

# *Dia 36...*

— Não tenho comida e estou faminta — disse Lydia. — Você se incomoda se eu comer um pedaço do seu pão polonês?

— Não, mas está velho.

— Mofado. Posso comer um pouco do seu queijo polonês?

— Claro.

Lydia juntou uma fatia de queijo branco e duas de pão mofado e atirou-se no sofá. Incrível o que pode parecer gostoso quando se está morrendo de fome. Assistiam a um programa sobre uma casa sendo exorcizada. Deixou-se tomar por aquilo, cansada demais para pedir que mudassem de canal.

Deu uma olhada, de rabo de olho, só para ver se Andrei mostrava algum sinal de que iria para o quarto. Sentindo o olhar dela, Andrei virou-se para encará-la e trocaram um momento de desgosto mútuo e profundo. Antipatia flagrante. Então, um deles, provavelmente Andrei, concluiu Lydia posteriormente, fez um ligeiro movimento e tudo ficou embaçado. Os dois se moveram, bem pouquinho, e então, de alguma forma, jogaram-se nos braços um do outro beijando-se, arranhando-se, tomados por um desejo frenético.

Exatamente como da primeira vez, desta vez com a vantagem de que ela tinha o prazer da antecipação. Sabia que seria fabuloso. Sabia que sensações a pele dele — calor e frio, aspereza e suavidade — provocaria quando encontrasse a sua. Sabia como ele pressionaria o quadril dela contra a cama, o par de bíceps tenso e musculoso. Sabia que arquearia o corpo para que encontrasse o dele. Sabia como ele se moveria, duro, para frente e para trás dentro dela, suave e rápido como um pistão. Sabia que envolveria a cintura dele com as pernas e gozaria diversas vezes.

Era uma absoluta revelação descobrir tanto prazer disponível na sua própria casa. No próprio corpo. A pele das costas dele sob suas mãos, a resistência dos músculos quando pressionava aquele bumbum com seus calcanhares. Se pudesse passar o resto da vida fazendo isso, presa naquele momento, com a boca de Andrei sobre a sua o corpo dele entrando e saindo do seu, viveria feliz para sempre.

Era diferente com Gilbert; Gilbert era lento. Se a frase não a fizesse ter vontade de vomitar, diria que Gilbert fazia amor. Mas com Andrei não havia frescura; era selvagem e intenso, o volume de cada nervo multiplicado por dez; era como uma montanha-russa, explosões rápidas, excitantes, de sensações sem controle.

*Correntes harmoniosas do coração? É tanta fúria selvagem, os batimentos numa velocidade frenética, numa cacofonia ensurdecedora, que fica difícil dizer.*

*Em tese, Andrei e Lydia não parecem um par ideal, mas é preciso ter a mente aberta, não?*

# *Dia 36...*

Rosie bateu levemente na porta do apartamento três, depois deu um passo para trás e ajeitou a saia, plantando um sorriso no rosto.

Mas os minutos se passaram e a porta permaneceu fechada, para sua surpresa. Para sua irritação, na verdade. E foi obrigada a bater novamente, o que lhe parecia... bem, desrespeitoso. Quando bateu mais uma vez, já tinha se tornado uma persona gelada que Andrei teria trabalho para desmontar.

Ainda assim — incrivelmente —, ninguém apareceu. Que estranho. Andrei e ela haviam combinado que chegaria às oito e meia, e lá estava ela, às dez para as nove.

Esperava que ela batesse de novo? Uma terceira vez? Sério mesmo?

Considerou a possibilidade de ir embora, descendo apressadamente os degraus. Estava vestindo uma saia boa para isso. Mas uma fuga assim não teria valor, se não houvesse um homem sofrendo ao vê-la partir.

Bateu mais uma vez, agora bastante irritada, com força suficiente para ferir os nós dos dedos — mas os segundos voavam e a porta permanecia fechada. Isso era absolutamente inaceitável. Rosie Draper não era do tipo que se deixava plantada do lado de fora de uma porta.

Não devia ser uma ofensa; Andrei tinha paixão por ela. Algo devia ter acontecido no trabalho, na van, ou aquele cretino do Jan fizera algo que alterara seus planos. Mesmo assim, se Andrei era incapaz de organizar sua vida de maneira apropriada para que cumprisse suas obrigações para com ela, um preço deveria ser pago.

Já planejava uma maneira de puni-lo. Talvez chorasse; isso simplesmente o devastaria. Ou faria o gênero frio. Você poderia me explicar, lhe diria com indiferença assustadora, por que não houve uma mensagem de texto que me avisasse da sua mudança de planos?

Não importava a maneira que escolhesse para puni-lo, deixaria bastante claro que essa escorregadela acrescentaria muitas semanas ao período de abstinência, antes que — na verdade, *se* — fosse para cama com ele. O desejo de Andrei por ela já o deixava desesperado, dificultar ainda mais as coisas seria divertido...

Nossa, ainda estava do lado de fora. Talvez Andrei realmente não estivesse em casa. Poderia telefonar para ele. Mas não o faria. Ela, Rosemary Draper, fazendo ligações, tentando localizar um homem? Acho que não!

No andar de baixo, ouviu Fionn entrar no seu apartamento e avisar: — Voltei. — Então, ouviu latidos e gritos. — Sai fora, seu cachorro maluco!

Fionn deve ter cansado de olhar as estrelas.

Um sonho, ninguém poderia negar, um dos homens mais bonitos que já vira. Mas extremamente convencido.

No entanto, pedira o telefone dela. Andrei manchara seriamente sua reputação, e Rosie acreditava em redes de segurança, planos B e acomodações contingenciais.

Enfiou a mão na bolsa e pegou um pequeno caderno, as páginas de cor creme enfeitadas de copos de leite. Com caneta combinando, escreveu:

*Querido Andrei,*

*Cheguei na hora combinada, mas você não estava em casa. Não consigo entender o que aconteceu para ser humilhada dessa maneira.*

Pensou em acrescentar: "Tenho me esforçado para ser boa para você", mas achou que isso talvez levasse as coisas longe demais. Menos é mais. Às vezes.

Arrancou a página e enfiou o bilhete embaixo da porta, depois desceu um lance de escada e pegou mais uma vez o caderninho. Cuidadosamente, escreveu seu nome e o telefone do trabalho, arrancou a folha com carinho, dobrou-a e passou-a suavemente por baixo da porta de Fionn.

# *Dia 36...*

Nos braços um do outro, a cabeça de Lydia sobre o peito musculoso de Andrei, os dedos dele emaranhados nos cachos dela.

— Não entendo — disse Andrei, pensativo. — Detesto você.

— Humm, também detesto você.

— Você é mal-educada.

— E você não tem senso de humor.

— Então, como é que você explica isso?

— Não faço a mínima.

— O quê?

Ela suspirou.

— Provavelmente porque sua namorada é uma virgem profissional, e esse apartamento é pequeno demais.

O encantamento estava prestes a se partir.

Lydia saiu da cama e juntou suas roupas, espalhadas pelos quatro cantos do quarto. Parou à porta. Recusava-se a se vestir. Queria que ele a olhasse. Na verdade, ele também não se cobrira. Estava deitado na cama, o lençol jogado no chão, um braço atrás da cabeça, o corpo musculoso completamente à mostra.

— Nunca mais — disse ela. — Entendeu? Se isso acontecer de novo, eu me mudo. Me mudo! — enfatizou. — Você vai ter que arrumar outra pessoa para dividir o apartamento e vai pensar em como foi difícil da última vez. Vai ter que colocar anúncio no jornal dos anões.

Andrei encolheu os ombros.

— Nunca mais é ótimo para mim.

# Dia 34

Katie enfiou a cabeça pela fresta da porta da sala de estar. — Oi, pai.

Energizado ao ver a filha, Robert Richmond amassou o jornal no seu colo e jogou-o no tapete. — Como anda a senhorita Havisham?

— Está falando de mim?

— Ah, Katie, Katie, o que há com você? Ele aparece no meio da noite, caindo de bêbado, se ajoelha e você leva a sério?

Silenciosamente, Katie amaldiçoou a si mesma por ter contado para todo mundo a história da visita de Conall no meio da madrugada. Principalmente para Naomi! Naomi — apesar de afirmar odiar a mãe — contava tudo a ela. Na casa dos Richmond, nunca havia um espaço privado onde se pudesse lamber as próprias feridas.

— Não levei a sério. — Esforçou-se para manter a voz firme. — Não disse sim.

— Ouvi dizer que ele está de olho numa jovem, agora — disse Robert, quase feliz. — Naomi disse que ele mandou flores. E que você está chateada com isso.

De maneira doentia e estranha, a crueldade de seu pai era uma forma de preocupação. Robert e Penny Richmond haviam trabalhado arduamente para incutir nas filhas um poderoso sistema de valores: desejar algo acima de seu alcance é garantia de lágrimas; orgulho e arrogância serão sempre punidos. Expectativas baixas são a chave da felicidade.

Penny veio correndo da cozinha, a imagem da domesticidade num avental digno dos Simpsons. Obviamente, escutara a conversa entre pai e filha. — Você nunca deveria ter se aproximado dele.

— Por que não?

A mãe de Katie esticou o pescoço dez vezes o seu tamanho normal e deu um passo para trás, chocada. — Você está elevando a *voz* para mim?

Robert, que jamais perdia a oportunidade de sentir-se ofendido, ergueu-se da poltrona. — Você está elevando a voz para sua mãe? Na casa dela? Enquanto ela faz seu almoço de domingo?

Um momento tenso, longo, se seguiu. Katie ouviu Naomi perguntar, da cozinha: — O que está acontecendo aí?

Nita, de nove anos, respondeu: — Acho que a tia Katie elevou a voz para a vovó.

E Ralph disse: — Deus, Naomi, essa sua família. Cadê o vinho?

Penny encarou Katie, a boca tremendo em sofrimento. Seu pescoço ainda estava anormalmente esticado, e o queixo perdido dentro do peito parecia um ganso ofendido.

— Por que eu não deveria ter me aproximado dele? — Katie percebeu que sua voz tremia. E respondeu a própria pergunta. — Porque não sou boa o bastante.

— Não sei o que deu em você. — Penny encarou a filha.

— Deixa ela para lá, meu bem. — Robert dirigiu-se à esposa. — Vamos providenciar esse almoço.

A chuva batia nas janelas, e o único som produzido durante o almoço era o de talheres nos pratos. Penny Richmond manteve seu ar de mártir por mais de uma hora, e até mesmo os filhos de Naomi, Nita e Percy, foram silenciados pela atmosfera tóxica. A única garrafa de vinho desapareceu em instantes, e, quando Katie percebeu que estava vazia, lágrimas silenciosas rolaram-lhe pelo rosto e foram parar no prato.

— Por que você está chorando, tia Katie? — perguntou Nita.

— Porque o vinho acabou.

Nita deu um tapinha no joelho dela.

Assim que a refeição torturante terminou, Naomi arrastou-a para o jardim.

— Pedi para você não contar para ela — disse Katie.

Naomi esboçou uma expressão de desculpas; no entanto, as duas sabiam que, quando Penny Richmond sentia algo no ar, ninguém suportava seu interrogatório.

— Você pode encerrar essa história com a motorista de táxi com um telefonema — disse Naomi.

— E por que eu faria isso? — O que ganharia? No fundo do coração, Katie sabia que jamais deveria ter levado a sério a proposta de casamento de Conall às cinco da manhã. Tentara convencer a si mesma a acreditar nela. Manipulara as amigas para que a convencessem de que era real, mas sempre soubera. Mesmo assim...

— ... Por que ele tinha que escolher alguém que mora no *meu prédio*?

Naomi suspirou e estreitou os olhos. — Ele é um canalha. — Sacudiu um cigarro aceso na frente de Katie.

— Ele é um sem noção. Mas, de repente, ficou tudo tão confuso. No começo, era uma feridinha fácil de administrar, agora infeccionou.

— Você e suas analogias médicas. Então, o que precisa é de um analgésico. — Sacudiu novamente o cigarro na frente de Katie. — Pega isso, por favor. Vou acender para você.

— Para um homem inteligente, ele até que pode ser bem idiota... você pode parar com isso? Não fumo.

— Vai fumar hoje.

Katie aceitou o cigarro. Amor e carinho na casa dos Richmond? Era o melhor que poderia conseguir.

— Não quero que nos veja — disse Naomi.

— Você tem quarenta e dois anos — Katie tragou o cigarro. Péssima ideia. Já vinha se sentindo enjoada, agora tinha certeza de que vomitaria. — Que idade você acha que precisa ter para a mamãe deixar você fumar?

Em silêncio, ficaram sentadas nas cadeiras molhadas do jardim, escutando os pingos de chuva que caíam dos galhos de árvores.

— Morte no almoço de domingo — disse Naomi, fazendo graça.

— Tortura dos infernos.

— Como o Charlie consegue escapar dessas reuniões terríveis?

Katie fez uma pausa, com medo de que o segredo de Charlie escapasse de sua boca; depois, prosseguiu. — Ele tem um instinto de sobrevivência e autopreservação maior que o nosso. Sabe que a mamãe vai fazer com que se sinta um merda; então, não deixa que aconteça.

— É verdade.

— Odeio ela — disse Katie, de repente. — Odeio os dois. Por que a gente não teve pais que dissessem que a gente é legal?

— Bem, foi você quem escolheu isso.

— Oi?

— Esse livro que estou lendo. Na verdade, é um dos seus. Peguei na sua estante no dia do seu aniversário. Ele diz que a gente escolhe tudo o que tem na vida. Até nossos pais.

— A gente *escolhe os nossos pais*? Antes de nascer?

— Na verdade, antes mesmo da concepção.

— Mas como a gente faz isso? Quanta... *bobagem*.

— Eu sei. Esses livros são um monte de bobagem. Só repeti o que li.

# Dia 33

O telefone de Maeve tocou. — Reservas Emerald Hotel, Maeve Geary falando, em que posso ajudar? — Tinha de dizer a frase inteira sempre que atendia a uma chamada. Às vezes, monitoravam as ligações e desconfortos surgiam se fosse flagrada cortando a introdução.

— Maeve, é Jenna.

— Ah. Jenna. Oi. — Por que a noiva do irmão de Matt estava telefonando para ela? Gostava de Jenna, mas não eram o que se podia chamar de próximas. Isso devia ter relação com a despedida de solteira, pensou Maeve. Socorro!

— Desculpe telefonar para o seu trabalho.

— Tudo bem — disse Maeve, com cuidado.

— Queria falar com você sobre um assunto um pouco... delicado.

— Ok. — Não!

— Sua lua de mel...

— Minha lua de *mel*?

— A Hilary e o Walter pagaram, não foi?

— Foi. Foi nosso presente de casamento.

— A mesma coisa com a gente; eles vão pagar a nossa viagem.

— Pra onde vocês vão?

— Antigua.

— Ah, é, eu sabia.

— O que acontece, Maeve, é que eles estão insistindo em pagar passagens executivas, e eu e o Alex, bem, a gente não sabe se deve aceitar. Parece um pouco demais, entende? Mas se eles pagaram executiva pra vocês, então tudo bem a gente aceitar.

Maeve deu uma risadinha. — Desculpe, Jenna, mas foi na classe econômica para mim e para o Matt. Mas aceita, pelo amor de Deus. Por que não? Eles ofereceram.

— É, mas... — Jenna estava angustiada, desesperada para fazer a coisa certa.

— Eu e o Matt não ligamos, se é isso que a está preocupando.

— Entendi. Bem, vou falar com o Alex e a gente vai pensar. Obrigada.

— Não tem problema. A gente se vê já.

Maeve desligou e, por alguns instantes, sentiu uma onda de luz brilhante, cristalina. Já fazia um tempo que não pensava na sua lua de mel, as férias mais gloriosas de sua vida. Quinze dias de puro prazer num resort luxuoso na Malásia, com ar-condicionado e gelo de água Evian, funcionários atenciosos e acomodações privativas de madeira escura. Tão diferente das viagens que Maeve costumava fazer antes de Matt, quando se hospedava em espeluncas, pegava carona com locais, comia na rua e tinha diarreias homéricas, o distintivo do verdadeiro viajante.

Quando chegou ao resort da lua de mel (que parecia ter sido todo feito de madeira de lei), sentiu-se ligeiramente desconfortável — mas a culpa durou o tempo de limpar a testa cansada da viagem com um paninho gelado, cheirando a capim-limão, que lhe fora oferecido por um homem sorridente, vestido com um avental bordado: acostumara-se à vida de luxos com facilidade inesperada.

A beleza de tudo — a triunfal luz dourada da manhã, as cores vibrantes das flores exóticas, a água de um azul luminoso, com pequenos reflexos prateados do sol. Ela e Matt passavam os dias deitados em espreguiçadeiras indecentemente confortáveis, fazendo massagens, pedindo serviço de quarto, dormindo, nadando e, acima de tudo, transando. Todas as tardes, enquanto Maeve se balançava suavemente numa rede protegida pelas sombras de suas árvores particulares, comendo manga fatiada e cantarolando, feliz, para si mesma, Matt lia em voz alta para ela o novo livro de James Bond, o tipo de história que normalmente não interessaria à Maeve, mas, com Matt fazendo os sotaques, as vozes e as músicas, ficara encantada.

Todas as noites, depois do jantar, voltavam à sua adorável cabana, onde uma pessoa, invisível e adorável, acendera dúzias de velas e decorara a cama enorme com um coração de pétalas de rosa.

Maravilhoso.

# *Dia 33...*

— Quer dizer então que você estava lá o tempo todo? — perguntou Rosie. — No apartamento? Enquanto eu ficava plantada do lado de fora, batendo na porta durante horas?

— Mas você não tocou a campainha. A campainha é alta. Bater com essas suas mãozinhas não faz barulho. Eu não ouvi.

Andrei estava passado. Esquecera-se completamente de sua querida Rosie; todo e qualquer pensamento fora aniquilado pela força maior que era Lydia.

Quando encontrou o bilhete amarelo e perfumado debaixo da porta...! A vergonha o perfurou como se fossem facas, expondo-o, rasgando-o até o osso.

Passaram-se dias até que Rosie voltasse a falar com ele, e, mesmo assim, em sussurros humildes. — É óbvio que não significo nada para você, Andrei. Só esperava que você tivesse me contado. Mas quero que você seja feliz. Espero que encontre uma garota bacana, que goste de você tanto quanto eu gosto.

Andrei precisava lançar uma estratégia ofensiva de desculpas, envolvendo incontáveis telefonemas e mensagens de texto. Tivera duas ou três namoradas do estilo de Rosie na Polônia e sabia exatamente o preço a ser pago por esse tipo de tropeção. Flores, obviamente. Mas deviam ser somente rosas, e vermelhas, doze delas. Nem mais nem menos. Uma dúzia de rosas vermelhas — qualquer variação na fórmula poderia, na verdade, piorar a situação. E também uma joia. Mas não era o momento para um anel de noivado, porque a moça choraria e diria: — Toda vez que eu lembrar do nosso noivado, vou pensar na tristeza de ter ficado plantada na porta do seu apartamento feito uma.... — As palavras se tornariam incoerentes, depois desapareceriam diante de uma tormenta de lágrimas que a desabilitaria completamente.

Um pulseira charmosa para o charminho que ela estava fazendo, um pequeno coração de ouro e rubi seria a melhor opção. Finalmente, a promessa de um fim de semana fora, onde ninguém ficaria esperando atrás da porta.

Andrei sabia que Rosie estava aumentando um pouco as coisas, mas quis entrar no jogo dela. Regras eram regras, e a recuperação era necessária.

Mas, Jesus Cristo e todos os anjos no céu! Se Rosie soubesse o que ele estava fazendo enquanto ela esperava a poucos metros de distância. Continuava havendo momentos em que sua cabeça girava e a pele se arrepiava e suava só de se lembrar de seu ato — *seus atos* — de traição. Dirigindo a van ou abrindo um computador, em um segundo era tomado pelo horror que o fazia querer cair de joelhos e implorar perdão.

Gostava de Rosie. Pensava que, na verdade, talvez a amasse. Então, o que estava fazendo com Lydia?

# Dia 32 (de manhã, bem cedinho)

Todas pareciam iguais, aquelas casas altas, chiques, georgianas. Lydia estacionou em frente ao número onze e pegou seu celular. Recusou-se a saltar do carro e tocar a campainha, porque chuviscava, e ela precisava pensar no cabelo. — Táxi para Eilish Hessard. — Deixou uma mensagem no telefone de contato. — Estou esperando aqui fora.

Ao longo dos anos, descobrira que não havia padrão para lugares onde iria parar, sendo motorista de táxi. Talvez jamais tivesse passado por uma determinada estrada e então se encontrasse dirigindo por ela cinco vezes na mesma semana...

... portanto, flagrar-se buscando alguém na Wellington Road podia ser uma coincidência sem significado algum.

Mas ela não acreditava realmente nisso. Não depois daquelas porcarias de flores. E não foi uma surpresa total quando a porta do passageiro foi aberta e o cara rico e velho, fosse qual fosse o nome dele, entrou e sentou-se ao seu lado. — Bom-dia, Lydia!

— Fora — disse ela. — Estou esperando por Eilish Hessard.

— Ela é minha assistente. Um subterfúgio. Eu chamei você. Recebeu as flores?

— Como você conseguiu meu endereço?

— Achei que, pelo menos, merecia um obrigado pelas flores.

— Não pedi para você mandar. Devia existir uma lei que proibisse as pessoas de mandarem coisas que as outras não querem. Então, como você encontrou meu táxi?

— Muito fácil. Por sorte, não existem muitas moças dirigindo táxis. Eilish ligou para todas as companhias.

— Você mandou sua assistente telefonar?

— Porque ela é mulher. Achei que seus supervisores não iam gostar muito que um homem ficasse perguntando tanto por você.

Eles não são tão nobres assim, pensou Lydia.

— Eilish disse que já tinha feito uma corrida com você e que tinha gostado. O cara pareceu achar difícil de acreditar, mas... Brincadeira, Lydia.

— Nossa, estou morrendo de rir. Então, para onde?

— Lugar nenhum. Pensei que a gente podia ficar aqui e conversar. Por que você não entra para tomar um café da manhã?

— Que cara de pau! Trabalho para ganhar a vida. Não sou seu... brinquedinho.

— Eu pago.

— Não quero que você me pague nada — estremeceu. — Isso é realmente esquisito. Você está me deixando enjoada. Por favor, sai do meu carro.

Conall a encarou, passado. — Fiz tudo errado — murmurou ele. — Como posso consertar?

— Saltando do meu carro e nunca mais entrando em contato comigo. Se fizer isso, não dou queixa.

— Me dá uma chance.

— Por favor, sai do meu carro.

— Quando é seu próximo dia de folga? O que você gostaria de fazer? Diz, qualquer coisa. Qualquer coisa, e faço por você.

— Ah, que ótimo. Gostaria que você me levasse a Boyne, em County Meath, me ajudasse a limpar uma cozinha imunda, animasse minha mãe maluquinha, visitasse alguns asilos comigo e ameaçasse um dos meus irmãos. Qualquer um, não importa. São três; então, você pode ter o prazer de escolher.

— Não preferiria alguma coisa mais... Entende? A gente podia ir até Powers Court, almoçar no...

— Pode parar de negociar. É meu dia de folga; é isso que vou fazer.

— Quando?

— Amanhã.

— Amanhã? Tenho que trabalhar amanhã.

— Então, vai trabalhar. Não estou nem aí.

Desanimada, Lydia se arrastou escada acima até seu apartamento. Graças ao doido do Conall Hathaway, sua renda noturna caíra em pelo menos trinta euros. Não poderia aceitar o dinheiro dele, pareceria desonesto. Quando, finalmente, conseguiu que ele saísse do carro, não foi capaz de ir atrás de outra corrida. Eram sete e meia da manhã, e só pensava em voltar para casa. Tomaria um banho, decidiu, esqueceria a noite de trabalho e iria direto para cama. E, quando acordasse, iria ao supermercado para comprar comida de verdade, coisas frescas, com vitaminas e enzimas; chegava de viver de biscoito e chocolate. Talvez, então, não vivesse cansada o tempo todo...

Entrou no apartamento e, assim que bateu a porta, ouviu um ruído. Era a porta do quarto de Andrei e Jan se abrindo. Andrei apareceu, peito nu, calça de moletom, como se estivesse esperando por ela. Sem pensar, Lydia moveu-se em direção a ele, que a pegou nos braços e, sem uma palavra, abriu seu casaco, com sua permissão. Ela se entregou com alívio àquele corpo maciço, àquele cheiro, àquele toque seguro, confiante. Repentinamente, todo o seu cansaço desapareceu, arrancou as próprias roupas, empurrando-o até o quarto dele e, ao encontrar uma forte resistência, deu-se conta de que Andrei a levava para o quarto dela. Jan. Esquecera-se completamente dele.

— Jan? Ele está aí? — sussurrou Lydia.

— Dormindo. A gente precisa ficar em silêncio — murmurou Andrei, com urgência.

Mas era impossível. Enquanto Andrei a cobria de beijos, Lydia não conseguia impedir que algum gemido lhe escapasse. Quando a penetrou, Andrei gemeu e Lydia quando gozou; ele tapou sua boca, ela o encarou, com os olhos arregalados, sendo recebida por aquele olhar azul que fazia com que seu corpo explodisse em círculos cada vez maiores de prazer.

— E o Pobrezinho? — perguntou Andrei, envolvendo-a com os braços. — Vocês ainda...?

— Não. Acabou.

— Você contou para ele? Sobre isso?

— Contei. — Ela sentiu o corpo dele tensionar. — Você tem medo de que um bando de nigerianos venha dar porrada em você?

— Não.

— E a Rosie? — Seu instinto, como sempre, seria o de acrescentar alguma descrição pejorativa, tipo "Rosie, a última virgem da Irlanda", mas não lhe pareceu certo. *Ou melhor, estou transando com o namorado dela. Não posso ser mais perversa do que já estou sendo.*

— Não fala no nome dela.

Andrei se afastou, saiu da cama, deixou o quarto, e Lydia ficou satisfeita, porque agora poderia dormir.

# *Dia 32...*

Matt entrou no escritório e Salvatore disse: — Não sabia que você ia tirar a manhã de folga.

— Ha-ha.

É, eram 11h15. É, Matt estava atrasado. Mas Maeve tivera outra crise de pânico pela manhã, a segunda em menos de uma semana. E ele precisara de bastante tempo para acalmá-la e persuadi-la de que os dois poderiam ir para o trabalho. Era como uma volta aos dias ruins de antes, e tudo isso era culpa de Fionn Purdue.

— Então? O que houve? — perguntou Salvatore.

— Uma emergência.

— Quanto mistério! Que tipo de emergência?

Matt o encarou, cuidadosamente. Salvatore sempre fora engraçadinho, mas isso era um pouco demais.

— Uma emergência particular — disse Matt, lentamente. — E já estou aqui.

Também não era como se estivesse sobrecarregado de trabalho. Ele e sua equipe mantinham fluxo constante de caixa com o aprimoramento do programa das empresas que já usavam o Edios — nada mal para o atual clima econômico —, mas havia poucas perspectivas preciosas no horizonte. O que realmente precisavam era de um peixe grande, uma empresa, de preferência um grande conglomerado, que trocasse seu software pelo da Edios. Por incrível que parecesse, ainda não havia resposta por parte do Bank of British Columbia. Ainda não haviam concordado em comprar, mas também não haviam desistido das negociações, estando o processo estacionado, ou melhor, atolado na lama. Sinal dos tempos, Matt sabia — as pessoas estavam apavoradas de gastar dinheiro —, mas essa indefinição estava abatendo a todos.

Perguntou-se se sua equipe estaria perdendo a fé nele. O desrespeito de Salvatore não era bom sinal. Mas, visto de outra maneira, talvez tivesse sorte por ainda ter uma equipe.

*Visto de outra maneira*, disse uma voz sombria dentro de sua cabeça, *talvez tivesse sorte de ainda ter um emprego.*

Rapidamente, afastou esse pensamento terrível e abriu sua caixa de e-mail. Nada interessante, fora um de seu irmão, Alex, cujo assunto era: HOJE À NOITE!!!

Matt, Alex e o segundo padrinho, Russ, deviam encontrar-se depois do trabalho para finalizarem os detalhes da despedida de solteiro em Vegas.

18h30. The Duke. Não vale cancelar novamente! Alex

Matt respondeu, rapidamente:

Estarei lá. Pretendo chegar mais cedo. Espero vocês com os drinques.

Até parece. Não com Maeve naquele estado. De uma hora para outra, a vida pareceu ficar difícil à sua volta. Maeve, trabalho, tudo estagnado — devorando toda a luz e toda esperança... Então, teve uma ideia fantástica! Havia uma saída!

Cheio de energia e esperança, estava ansioso por começar imediatamente. Quando poderia dar uma escapada? Quando seria razoável dizer que era hora de almoço? Meio-dia. Faltavam menos de quarenta minutos.

— Obrigado por aparecer — disse Salvatore, mas nada seria capaz de estragar a esperança de Matt.

Uma casa nova, concluíra. Essa era a resposta! Um novo começo, num novo lugar, consertaria tudo. Passou alguns minutos no meio da rua, do lado de fora da corretora, olhando de uma foto a outra, perguntando-se que forma assumiria sua nova vida com Maeve, depois entrou, com confiança, pronto para transformar o sonho em realidade.

A recepcionista — Philippa — levantou o olhar, expectante, quando Matt entrou; depois, ele viu que o brilho em seus olhos diminuiu um pouco.

— Em que posso ajudá-lo? — disse ela, com sorriso profissional.

— Gostaria de me mudar.

— Sente-se. Já esteve aqui antes?

— ... É... estive.

— Matt, não é isso?

— Matt Geary.

— Isso mesmo, eu lembro. Temos suas informações arquivadas. Qual o seu endereço?

— Star Street, número 66, o apartamento...

— Térreo. Estou me lembrando de tudo. — Philippa começou a ligar as coisas. — Você esteve aqui em março.

Tão recentemente? Para Matt, parecia fazer muito mais tempo.

— Visitamos sua casa no ano passado — disse Philippa. — E fizemos uma avaliação. Mas, no mercado atual, esse valor caiu substancialmente.

Matt engoliu com dificuldade. — Quanto?

— Vendemos recentemente um apartamento muito parecido com o seu, andar térreo, jardim nos fundos, localização central, por... — Philippa fez umas contas na calculadora e chegou a um valor tão baixo que Matt ficou assustado. Ainda mais baixo do que da última vez que estivera ali e que, se Philippa estivesse certa, não passavam de três meses.

— Então, estaríamos procurando uma nova residência mais ou menos do mesmo valor? — perguntou Philippa. — Você não ganhou na loteria ou qualquer coisa do gênero, ganhou?

Matt balançou a cabeça.

— Em que está pensando? Um apartamento do mesmo gênero do seu? Em algum bairro novo? Existem algumas unidades de preço excelente em condomínios na City West. Alto nível. Os apartamentos são espetaculares, os condomínios têm academia de ginástica, sauna, jacuzzi, jardim...

— Em cada *apartamento*?

— Ah, não. Compartilhados, no condomínio.

— Certo. Bem, estava pensando numa casa. Um lugar privado. Onde eu não encontrasse pessoas no corredor.

— Certamente, você não vai encontrar uma casa tão perto do Centro. Não com o valor que você tem.

— Ok. Então, me mostra o que você tem.

— Só por curiosidade — perguntou Philippa —, o que aconteceu na última vez que você esteve aqui?

— Minha mulher não gostou das minhas escolhas.

— Certo. Bem, vamos ver se conseguimos encontrar algo de que ela goste.

## *Dia 32...*

Lydia não reconheceu o número no visor do celular, mas atendeu mesmo assim. Um pouco de risco não fazia mal a ninguém.

— É Conall Hathaway.

— Ah, pelo amor de... Como você conseguiu meu telefone?

— Você ligou de manhã, para dizer que estava esperando do lado de fora da minha casa.

O cabelo! A porcaria do cabelo — deveria, simplesmente, ter saltado do carro e tocado a campainha.

— Resolvi aceitar seu convite — disse Conall.

— Que convite?

— Amanhã. Vou tirar o dia de folga. Vamos passar o dia juntos. Vamos para algum lugar e... O que foi que você disse? Fazer uma faxina? Encontrar sua mãe?

— Só disse isso porque sabia que você não ia topar.

— Mas estou topando.

— Você não vai comigo.

— A que horas passo para pegar você?

— Hora nenhuma. Você não vai. Se acostuma. Vai trabalhar, vai fazer mais um milhão.

— Vou com você.

Conall pareceu firme e convincente, e Lydia se deu conta de que era bom que já tivesse conhecido gente do tipo dele antes. Já dirigira para alguns deles ao longo dos anos. Esses homens — e eram quase sempre homens — cheios de confiança, de visão, sem nenhum interesse no que o outro estava buscando. Queriam o quer que fosse e iam atrás para conseguir. E não se importavam com a confusão que causavam. Havia uma frase usada por homens do exército quando tentavam explicar a morte de civis. *Efeito colateral.* Era o que diziam. É, os Conall Hathaway do mundo não estavam nem aí para os efeitos colaterais.

— Imagino alguma coisa em torno das dez da manhã — disse. — Você não vai querer sair antes, por causa do trânsito. Mas, se for muito mais tarde, vai perder uma boa parte do dia.

Se ele estivesse fazendo isso com outra pessoa, talvez até funcionasse. Mas não funcionaria com ela.

— Então... Vejo você às dez?

— Vejo você às dez — repetiu Lydia, cheia de sarcasmo.

Sairia às nove.

# *Dia 32...*

Enquanto dirigia para casa, Matt passou pela mulher que o acusara de ser um serial killer, algumas semanas antes. A lembrança encheu-o de surpreendente amargura. Sentimento que foi intensificado quando se lembrou de não ter feito sua Boa Ação do Dia. Droga. Entre seu atraso de manhã e a distração que Philippa, a corretora, lhe oferecera, esquecera-se completamente. No entanto, o pensamento de ter de ser gentil a algum estranho encontrou-o com grande resistência. Não poderia fazê-lo. Sem chance. Simplesmente mentiria para Maeve, decidiu; e a ideia lhe pareceu tão confortável que, de repente, ficou assustado. Não, contaria a verdade e pediria a ela um dia de folga. Depois, teve uma ideia ainda melhor: não fora uma Boa Ação do Dia sua visita à Philippa? Encontrar para Maeve uma casa nova, essa fora sua Boa Ação do Dia para ela. Ou para ele mesmo. Mas esse era um conceito novo, e ele prosseguiu rapidamente. Sim, uma Boa Ação para Maeve. E, não saindo com Alex, de noite, estaria fazendo a Maeve *mais uma* Boa Ação do Dia. Falando nisso...

Assim que estacionou — com uma sorte enorme, em frente ao número 66 da Star Street —, Matt mandou uma mensagem de texto para Alex.

> Emergência no trabalho. N posso hj à noite.
> Vão sem mim!

Então, entrou no prédio correndo, como se pudesse fugir da culpa.

* * *

Maeve estava no sofá, assistindo a *South Park*.

— Dá uma olhada nisso. — Matt colocou uma pilha de brochuras no colo dela.

— De novo? — perguntou Maeve.

— Já faz séculos que a gente olhou, e achei... Não está bom aqui, Maeve. É muita gente entrando e saindo. A gente vai ficar melhor numa casa só nossa. Só estou pedindo para você dar uma olhada, manter a mente aberta.

Maeve concordou. — Ok. Mente aberta. Tudo bem. — Olhou a primeira brochura, viu o endereço e disse: — Não. Jesus, não, Matt.

— Por que não?

— Menos de cinco minutos da casa de Hillary e Walter. Eles iam viver lá. Bem, a Hillary ia. — Havia grandes chances de que Walter nunca os visitasse. — Sei que ela é sua mãe, Matt, e ela é um amor, mas a gente nunca se veria livre dela. A Hillary passaria os dias bebendo vinho na mesa da nossa cozinha.

— Basta a gente nunca oferecer vinho para ela.

— Ela traria sua própria garrafa.

— Ok. — Matt suspirou pesadamente. — Esquece essa. Próxima! — Uma casa de dois andares no subúrbio, em Shankill.

— Shankill? — Maeve olhou, desesperada, para Matt. — Desde quando a gente tem a ver com Shankill?

— Achei que podia ser legal, é uma comunidade...

— No subúrbio, onde ninguém escutaria se você gritasse.

— Tudo bem, esquece essa. — Era óbvio que Maeve já sabia o que queria. — Olha essa em Drumcondra. Nem um pouco perto dos meus pais, não é subúrbio, perfeita.

Maeve olhou para a foto da casa e Matt olhou para Maeve.

Finalmente, ela disse. — Doze.

— Doze o quê? — Mas Matt já imaginava.

— Cinco no térreo, seis no primeiro andar e uma claraboia no sótão. Janelas. Sem chance. Que mais você tem?

Maeve pegou a quarta e última brochura. — Jesus, Matt! Um condomínio fechado? — Leu o que estava escrito. — Portões com código, portas com código, uma *jacuzzi comunitária*?

— Sei que não tem nada a ver com a gente. Nem queria pegar o folheto, mas a menina me obrigou.

— E as pessoas, Matt? Já imaginou os tipos que querem viver num lugar desses? — Profissionais sem alma, loucos por comida tailandesa, agindo como se o molho de peixe tivesse acabado de ser inventado. — Devem passar o dia inteiro trabalhando.

O amontoado de torres de vidro seria como uma cidade fantasma.

— Eu sei que aqui é cheio de entra e sai... — disse Maeve, e Matt entendeu o que ela queria dizer. Inesperadamente, pareceu-lhe mais seguro morar num apartamento térreo da Star Street, mesmo com um Fionn esquisito rodeando, porque, pelo menos, sempre havia gente na vizinhança.

Maeve juntou os folhetos e entregou-os a Matt. — Lixo.

# Dia 31

Conall Hathaway teve que dar quatro voltas no quarteirão para encontrar uma vaga que oferecesse boa visão da entrada do prédio de número 66 da Star Street. Desligou o carro e procurou seu BlackBerry. A luz vermelha estava piscando. Que amor. E-mails.

Sete ao todo, e nada excitante em nenhum deles, mas, ainda assim, a comunicação era como oxigênio para Conall — telefonemas urgentes, textos criptografados, mensagens detalhadas. Não conseguia deixar passar muito tempo sem que checasse o que havia de novo; se não o fizesse, talvez morresse.

Tomou seu café e passou pelas estações de rádio enquanto observava a porta azul, remexendo-se no banco do carro, olhando para o BlackBerry e desejando que a luz vermelha piscasse de novo. Estava ansioso. Não se lembrava da última vez que telefonara para Eilish e dissera as palavras: *não vou trabalhar hoje*. Naturalmente, ausentara-se de sua mesa várias e várias vezes, mas apenas porque estava sentado em outra mesa em outra empresa, assumindo o comando. E fora a eventos corporativos, dias regados a champanhe em Mônaco ou em Ascot, mas isso servia para ficar próximo daquelas figuras sombrias do mercado financeiro que sabiam quando uma empresa estava à beira da falência muito tempo antes de que a própria instituição soubesse disso. Ainda assim era trabalho.

Jamais telefonara para Eilish e dissera que não trabalharia, porque... bem, simplesmente *não iria trabalhar*. Não se sentia bem, não parecia certo, mas era algo que precisava ser feito.

Gostara de Katie, gostara bastante, verdade seja dita, e não se preparara para o término do relacionamento. Uma mulher terminar com ele era uma mudança radical no padrão de seus romances. Não acontecia havia muito, muito tempo, talvez nunca tivesse acontecido, e isso mexera com ele. Não na sua essência, não; sua essência estava selada com titânio. Mas chegara bem *perto* da sua essência. O suficiente para fazer com que suas mesas de café interiores balançassem.

Pior do que o fato de Katie tê-lo deixado era sua recusa de ser reconquistada. Oferecera-lhe o prêmio máximo — casamento — e ela dissera não. Dissera não para *ele*. Mas, em vez de perder tempo se lamentando, pensou no que podia aprender com aquilo. Sempre dava um jeito quando as coisas saíam do rumo no trabalho. Criara uma fórmula própria: "Dois Ms e Dois As".

**Meça** a situação.

**Monitore** o ponto em que o controle foi comprometido.

**Adapte-se** a uma resposta nova e mais apropriada para dinâmicas futuras.

**Avance.**

Imaginou que esse seria um slogan de grande apelo. Três Ms ou três As seria o ideal. Os dois primeiros eram perfeitos, assim como os dois últimos, mas ele não conseguira equalizar os pontos da equação.

Com Katie, ele Medira a situação e não tivera medo de admitir que cometera um erro — era isso que fazia com que fosse bom no trabalho — e era homem o suficiente, na sua opinião, para Monitorar a perda de controle e saber que a culpa fora *sua*.

Esta era hora de se Adaptar: precisava ser mais flexível em relação à sua devoção ao trabalho. Moldar-se para sobreviver. Não acreditava em destino, mas sim em maximizar oportunidades; portanto, quando Lydia aparecera e o desafiara a tirar um dia de folga, avançara. Hora de dar uma chance, de ver se o mundo acabaria; e, se acabasse, bem, ele tinha seu BlackBerry para informá-lo.

Mesmo sua roupa naquela manhã havia sido escolhida em função da sobrevivência. Lydia o acusara de ser "velho demais"; então, vestira um jeans moderno da Brown Thomas e — depois de pensar bastante — escolhera uma camisa do Clash, porque camisas do Clash nunca saem de moda. Não é?

Falando em Clash, enfiou fones nos ouvidos para escutar um trecho de "Rock the Casbah" até se aborrecer e trocar para Johnny Cash. Cantou "Walk the Line", encarando com irritação a porta do número 66 e sua aldrava em forma de banana. Nunca gostara dela. Agora que ele e Katie tinham terminado, não precisava ver aquilo nunca mais. A menos, é claro, que as coisas dessem certo com Lydia...

Não conseguia explicar, mas estava totalmente tomado por ela. A beleza da moça não era a primeira coisa que se notava, porque ela era muito raivosa, mas, na verdade, era uma boneca. Gostava daquele rosto pequeno e anguloso, dos olhos cheios de sarcasmo. Gostava de observá-la, miúda e furiosa, atrás do volante do táxi. Gostava do "Gdansk!" e do "Fooora!", de todas aquelas maluquices. Ela era única.

E estava na idade certa. Katie fora direto ao ponto: uma moça na faixa dos vinte serviria para ele. As duas namoradas que tivera antes de Katie tinham trinta e poucos e eram... como poderia dizer? *Expectantes*. Isso, expectantes e atentas. Pensava nos dois relacionamentos como uma linha reta; encontrara um ponto de conforto, iria mantê-lo e continuaria assim, sem nenhuma mudança, para sempre. Bem, talvez não *para sempre*. Mas indefinidamente.

Ao mesmo tempo, beneficiando-se da experiência, viu que as duas, Saffron e Kym, enxergavam o relacionamento como algo uniforme, como um pedaço de queijo. Com um ponto de partida, esperavam que crescesse exponencialmente, expandindo-se para os lados e para cima, ganhasse tridimensionalidade e tivesse acréscimos a cada mês, mais ou menos. Acréscimos do tipo: ele conhecer os amigos dela; ela conhecer os amigos dele (os poucos que tinha); ela ir de acompanhante a bailes de caridade e dar lances audaciosos nos leilões; ele escutar suas sugestões para decorar a casa; ele abrir espaço para os produtos de beleza que apareciam da noite para o dia no seu banheiro; deixar-se persuadir para que acomodasse algumas camisas passadas no guarda-roupa dela; e, então, o queijo em si: a possibilidade de morarem juntos.

E Katie? Como ela visualizara o relacionamento deles? Não sentia a mesma pressão da parte dela. Alguma pressão, sim, mas talvez não tão aguda. Mais como uma fatia de brie do que um queijo inteiro.

E Lydia? Só Deus sabia. Provavelmente não tinha expectativa nenhuma. A pressão vinda dela seria um quase nada, uma fatia fina. Na verdade, Connal não tinha certeza de quanto ficava confortável diante de tal conclusão, talvez não fosse nem mesmo uma fatia de queijo.

Já eram quase oito e meia e, se Conall compreendera bem como Lydia funcionava, em breve ela sairia de casa, com a intenção de se adiantar na estrada antes que ele aparecesse, às dez. Mas ele já estava ali!

Abriu a tampa do seu café e, chocado, descobriu que já acabara. Talvez houvesse uma lata de Coca-cola em algum lugar. Uma busca frenética no compartimento lateral não rendeu nada mais excitante do que quatro quadradinhos de chocolate e sete balas de menta. Comeu tudo sem entusiasmo; menta era o sabor de que menos gostava e, obviamente, abandonara aqueles últimos depois de comer todas as balas coloridas. Adoraria ter um saquinho cheio agora. Estava entediado, e Johnny Cash não estava mais adiantando. Tirou os fones de ouvido e olhou para o visor do celular, conferindo boletins, sites, acessando mercados financeiros, procurando anomalias no preço das ações. Quem andava abaixo do esperado? Acima do esperado? O informativo anunciou rumores de que a H&E Enterprise, grande cadeia de lojas de roupa, estava prestes a anunciar uma perda enorme no último trimestre. Nada catastrófico: de fato, eles haviam faturado bastante nos últimos onze trimestres. Mas Conall vinha observando o aumento no preço de matéria-prima que vinha do Extremo Oriente e percebera, discretamente, que o quarto maior mercado consumidor estava abrindo as portas para outra empresa.

Ter um trimestre ruim não era motivo de pânico, mas Conall vinha sentindo aquele formigamento. Dois dos maiores competidores da H&E andavam rondando a distância havia um ano e, se fosse acontecer uma fusão ou uma compra, ele queria participar. Especialmente porque a H&E tinha a maior parte de suas operações no Sudeste da Ásia, sua especialidade. Conall iria para o Leste Europeu ou para a Escandinávia, se necessário, mas as Filipinas, o Camboja e o Vietnã eram os lugares onde fizera seu melhor trabalho.

Olhou para o telefone, depois olhou para a porta azul da frente do prédio. Deveria telefonar para alguém e se informar quanto às ações da H&E, correndo o risco de que Lydia saísse de casa ao mesmo tempo?

Fez a ligação. Não conseguia se impedir. O café acabara, as balas e chocolates haviam acabado, a música não estava funcionando; ele precisava de *alguma coisa*, uma ligeira injeção de adrenalina seria o bastante. Saffron costumava dizer que Conall devia fingir ser alérgico a marimbondo para conseguir injeções de adrenalina do médico, as quais ele administraria por conta própria sempre que se sentisse entediado. Não dissera isso no começo dos seus dois anos de relacionamento, era feliz naquela época; só começou a dizer essas coisas mais perto do fim, quando parecia consideravelmente desiludida com ele, com sua devoção ao trabalho.

Escutou os toques do outro lado da linha e, sem perceber, pisou no acelerador. Responda, pelo amor de Deus! Jesus, como ele estava entediado.

Alguém atendeu. — Alô?

— Figura obscura?

— Conall?

— Onde você está?

— Jogando golfe.

— Em que lugar? — Estava a fim de bater papo.

— Síria. O que você quer?

— Fatos. H&E? Falindo?

— Pode ser. Estou esperando ouvir as novidades. Aviso.

A voz sem corpo desligou, e o tédio de Conall diminuiu. Estava sempre caçando um novo projeto. Era imperativo ter um novo trabalho em vista antes de terminar o atual, porque os espaços entre esses projetos faziam com que ficasse muito infeliz. Precisava de novos desafios. No entanto, sempre que uma nova perspectiva se abria, seu medo era tão grande quanto sua excitação.

Toda ocupação era diferente. A experiência de trabalhos anteriores era útil, mas sempre havia um momento em que não fazia ideia de como proceder, quando precisava construir o caminho pelo qual conduziria a situação. As pessoas pensavam que era fácil fazer o que ele fazia. Achavam que ele simplesmente chegava, destruía tudo à sua volta, fazia com que os funcionários restantes mudassem para um prédio de aluguel muito mais barato. Imaginavam que ele ganhava fortunas para que pudesse lidar com a culpa de arruinar a vida de um monte de gente.

Numa festa, quando ainda namorava Saffron, um homem perguntou para Conall: — Esse trabalho que você faz, como é que você consegue dormir?

Antes que Conall pudesse defender-se, com sua — sincera — crença de que, se não demitisse parte da equipe, mais cedo ou mais tarde, todos ficariam sem emprego. Saffron se meteu na conversa. — Achamos que um milhão de euros por ano ajuda bastante — respondera. Obviamente, esses ainda eram dias em que ela celebrava a habilidade de Conall de tomar decisões livres de emoção.

No meio de um projeto, quando tentava visualizar uma empreitada complexa, de maneira tridimensional, para tomar as decisões certas, Conall às vezes desejava ser carteiro, como seu irmão. Todo julgamento que fazia tinha enormes implicações financeiras, mas nunca tinha tempo de seguir todas as possíveis variáveis até o esgotamento, porque, mais importante do que tudo, era que decisões precisavam ser rápidas.

A cada avaliação, sentia medo. Será que demitira as pessoas erradas? Fechara o escritório errado no país errado? Vendera os bens errados? E se fosse o caso de ter removido órgãos vitais, fazendo com que o todo morresse?

Até então isso não acontecera. Mas sempre tinha a sensação de estar brincando com um castelo de cartas. Toda vez que removia uma carta, prendia a respiração, esperando por uma avalanche maciça, sinalizando que tudo desmoronaria sobre ele.

E, quando o ciclo se encerrava, a satisfação de ter feito o melhor possível, de ter desmembrado uma empresa até o osso, reconfigurando-a como uma nova e bem-estruturada entidade, durava somente uma noite, até que a fome avassaladora tomasse conta dele novamente. Kim dissera que ele era como um tubarão, sempre em movimento, sempre caçando. (Também dissera que ele roubara os melhores anos de sua vida.)

Conall não sabia por que trabalhava do jeito que trabalhava. Não era pelo dinheiro. Provavelmente já tinha dinheiro o bastante, fosse lá o quanto isso fosse. Não trabalhava pelo respeito de seus colegas; porque isso ele já tinha. Trabalhava porque trabalhava.

Estava preparado para admitir que o equilíbrio entre seu trabalho e sua vida pessoal não era perfeito — tinha bem poucos amigos. Mas a maioria das pessoas tinha poucos amigos. Ele tinha Joe, seu irmão, é claro, mas suspeitava de que seu sucesso era uma espécie de barreira. Por isso, precisava de uma namorada.

# *Dia 31...*

*De pé,* pensou Katie. *De pé para encarar o mundo.*

Acabara de emergir de uma das piores noites de sua vida, cuja gênese podia ser rastreada até a hora do almoço do dia anterior, em que abandonara toda pretensão de profissionalismo e se jogara de cabeça na bebedeira. Entornara, aborrecida, cheia de propósito, até se livrar da sensação de dureza da vida.

Lembrava-se vagamente de se aproximar demais de Danno e dizer: — Juro, estou *completa*mente bêbada. Com certeza, vou dormir feito uma pedra.

Sabe-se lá como chegara em casa e caíra na cama quase em coma alcoólico, num sono sem sonhos.

Então, no meio da noite, acordara subitamente. Estava tento um pesadelo horrível, no qual aterrissara num planeta deserto, um lugar árido, pedregoso, tomado por um vento frio, uivante. Sozinha, completamente sozinha, para toda eternidade.

Esperou que o terror do pesadelo se dissipasse, mas isso não aconteceu — porque, ela se deu conta com absoluto pavor, era tudo verdade. *Estava* sozinha, completamente sozinha, para toda eternidade. Ninguém jamais a amaria outra vez.

Toda vez que um romance terminava, ela se convencia genuinamente de que nunca mais amaria. Mas, desta vez, era realmente o fim. Chega dessa história de que os quarenta são os novos dezoito, essa baboseira toda. Era possível colocar botox até na última raiz dos cabelos, era possível sair com gente de quinze anos, mas quarenta eram quarenta.

Justamente quando achava que não podia se sentir pior, lembrou-se de uma coisa chocante: pedira a uma das limusines dos artistas que a levasse para casa.

Saíra da boate, vira o carro estacionado na porta e o sequestrara. O motorista não queria levá-la, aguardava o Sr. Alpha, repetia sem parar, mas Katie insistira, jogara-se dentro do carro e ameaçara tirar-lhe o emprego.

Ah, não! A lembrança era tão vergonhosa que ela enterrou a cabeça no travesseiro e gemeu. Não somente estava exilada num lugar árido e pedregoso, por toda eternidade, como roubara o carro de uma estrela visitando Dublin, *alguém de fama internacional.*

Saiu da cama, vomitou e voltou para debaixo dos lençóis, desesperada para dormir e libertar-se dos pensamentos atormentadores, mas ainda estava acordada quando os pássaros começaram a cantar no alvorecer. Não sabia que horas eram, porque teve muito medo de olhar para o relógio, mas, obviamente, a situação não era nada boa. Em algum momento, cochilou levemente, e, quando o despertador tocou, às sete e trinta, teve vontade de rasgar a própria garganta.

A maquiagem não estava ajudando. Passou toneladas de corretivo nas olheiras, e ainda parecia o Sylvester Stallone. Finalmente, ligeiramente agitada, já antecipando sofrimento, estava pronta para sair de casa (tinha tanto medo de dar de cara com Conall e Lydia juntos, que, sempre que precisava sair, descia os três lances de escada até a rua de olhos fechados, sem respirar).

Mas já haviam se passado cinco dias desde que ele mandara aquelas flores horríveis — chegaram na sexta e agora era quarta-feira. Não vira sinal dele nas redondezas durante o fim de semana, e um pinguinho de esperança, como um floco de neve depois de um inverno rigoroso, abriu espaço: talvez tivesse sido coisa de uma noite só.

Chegou na porta da frente do prédio; o galope interrompido. Já podia abrir os olhos, já podia respirar. Então, lembrou-se de que não havia motivo de procurar as chaves do carro porque não havia carro. Depois do assalto à limusine do Sr. Alpha na noite anterior, sua carona ainda estava no estacionamento do trabalho. Mas, ei! Lá estava o carro de Conall. Logo ali! Estacionado, esperando! Sem pensar, caminhou em sua direção.

— Conall?

Ele tirou os olhos do BlackBerry. Jesus Cristo, era Katie! De pé, ali na rua! Saltou do carro e beijou-a educadamente no rosto.

— O que você está fazendo aqui? — perguntou ela.

— Ah... esperando uma pessoa. — Estava muito, muito constrangido. Devia saber que isso talvez acontecesse. *A menos, é claro,* disse uma voz dentro dele, *que ele soubesse.*

Com o rosto contraído e fechado, Katie se afastou. De repente, a porta do número 66 da Star Street se abriu. E um enorme cachorro com ares de burro saiu, seguido pela senhora que morava no primeiro andar, e depois apareceu aquele... *Homem*, e aquele homem chamou a atenção de Conall. Saffron costumava acusar Conall de ser um robô sem emoções, mas, na verdade, Conall orgulhava-se de sua intuição. Soubera, intuitivamente, o momento em que Arthur Andersons o abatera na disputa pela Jasmine Foods — encontrara-se, por acaso, com o gerente comercial da empresa numa tarde de sábado, na seção de alicates da loja de ferramentas, e, apesar de o homem ter sido bastante amigável, Conall *adivinhara*. Naquele momento, estava sendo alertado pela mesma espécie de ameaça. Aquela *porcaria* de cabelo louro, vestido de qualquer maneira, com cara de paisagem... Era o homem que ocupara o seu lugar no coração de Katie.

Katie se afastava de Conall quando colidiu com aquele homem. Rapidamente, virou-se, e Conall ouviu-a dizer: — Desculpe. — E o homem respondeu: — Não, *eu* é que peço desculpas. Depois vieram ruídos de risadas, mais conversa em tom baixo demais para que Conall pudesse ouvir propriamente, e mais risadas; então, Cachinhos de Ouro segurou a mão de Katie e beijou-a, cheio de ternura. *Canalha*. O cachorro, a senhora e o homem entraram numa Mercedes e foram embora. Katie foi se afastando e Conall ficou sozinho.

* * *

Com grande desprezo, Rancor observou Fionn olhar pelo vidro traseiro do carro enquanto se distanciavam de Katie. — Nossa. — Fionn perguntou: — Quem é ela?

Jemima recostou a cabeça e fechou os olhos. — Fionn, meu querido, estou ficando cansada de suas emoções destrambelhadas.

— Ah, Jemima!

Os olhos de Fionn brilhavam, e Rancor balançou a cabeça peluda, desgostoso. Jemima não era jovem como já fora um dia e não era apropriado — *apropriado* era a palavra preferida de Rancor; ouvira-a num programa de televisão —, não era *apropriado* que Fionn a envolvesse em tolices tão... adolescentes.

— Primeiro a pobre da Maeve, depois Rosie...

Rancor tentou fazer um ruído com a língua, mas ela estava grossa demais. Fora um episódio impressionante, a enfermeira passando seu telefone por baixo da porta do apartamento, pedindo que Fionn lhe telefonasse. Jemima ficara terrivelmente aborrecida, implorando a Fionn que se afastasse das moças comprometidas. — Ela e Andrei formam um belo casal. — Mas Fionn não se incomodara com o aborrecimento de Jemima e telefonara para Rosie mesmo assim. O encontro fora marcado para aquela mesma noite, mas será que Fionn daria seguimento a isso, agora que sua atenção fora capturada por Katie?

— Katie? Ela é casada? — Fionn fez pressão. — Ou não?

Jemima suspirou. — Não é casada. Aquela criatura no Lexus andou rodeando por muitos meses, mas tenho a sensação de que houve um rompimento recente.

— Então, ela é solteira! — Fionn esfregou as mãos, em êxtase.

— De onde você vem não tem mulher nenhuma? — Ogden olhou para Fionn pelo espelho retrovisor. — Nunca vi um atirador tão sem alvo.

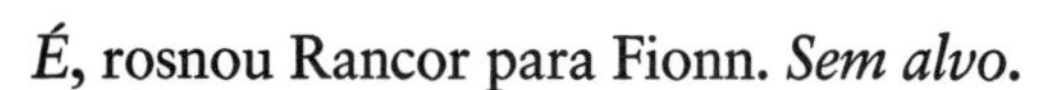

*É*, rosnou Rancor para Fionn. *Sem alvo.*

— Ogden fez uma boa colocação, Fionn. Talvez você devesse considerar a possibilidade de voltar para Pokey. Estou com medo de que você esteja achando a cidade estimulante demais.

## *Dia 31...*

Exatamente como Conall previra! Faltavam cinco minutos para as nove, e lá estava Lydia, saindo mais cedo do que dissera, somente para evitá-lo.

Conall saltou do carro, atravessando o seu caminho. — Indo a algum lugar?

Primeiro, Lydia pareceu incrédula, depois um ódio avassalador brotou em suas feições. — Ok, chega — disse ela. — Vou chamar a polícia.

Conall não conseguiu parar de rir. — Lydia, eu só quero sair com você.

— Você está me perseguindo!

— Estou paquerando você.

— Que palavra idiota é essa?

— Gosto de você, estou tentando fazê-la sair comigo. Desde quando isso é crime?

— Escuta uma coisa, se eu fosse do tipo assustada, você estaria me assustando.

— Minha namorada antes da Katie me dizia que essa era sua fantasia predileta, isso de eu aparecer inesperadamente.

— Meus pêsames para ela. — Lydia pressionou algumas teclas do celular, fez um sinal afirmativo, aparentemente satisfeita. — Está tocando.

— Emergência?

— Delegacia do bairro.

— Você tem o telefone da polícia na discagem automática?

— Sou taxista. Eu e a polícia estamos em contato constante.

Conall se alarmou. Lydia tinha o telefone pressionado contra a orelha e a cabeça estava inclinada para um lado. — Você está realmente ligando para a polícia? — perguntou Conall.

— Estou. Mas não precisa se preocupar, normalmente eles demoram alguns minutos para atender. São ocupados.

— Desliga, Lydia. — *Desliga, desliga, desliga.* — Desliga, Lydia. — Seus olhos se encontraram. Labaredas queimavam nos dela, mas a vontade dele prevaleceria...

*Desliga, desliga, desliga.*

... Prevaleceria. Apesar de estar levando mais tempo do que o normal para que prevalecesse.

*Desliga, desliga, desliga.*

... eeeeeeee... prevaleceu!

Está vendo.

— Pelo amor de Deus! — Lydia desligou o telefone. — O que você quer?

— Uma chance. O dia que você sugeriu. A gente vai para a tal cidade em Meath, eu limpo a tal cozinha imunda, converso com a sua mãe e dou um susto no seu irmão.

— Mas não quero que você vá.

— A gente vai no meu carro. Eu dirijo.

Lydia não ficou feliz, mas a oferta de ter alguém dirigindo contou um ponto em favor dele. A grande habilidade de Conall era encontrar pontos fracos, e ele apostara, corretamente, que ela estava exausta de viver atrás do volante.

*Sou Conall Hathaway e sempre consigo o que quero.*

# *Dia 31...*

Danno não deixava nada passar. Katie ainda não abrira a porta do escritório completamente, e os olhos dele já estavam grudados nela.
— O que foi? — perguntou Danno.

— Nada.

Danno se levantou da cadeira. Katie observou seu caminhar mais parecido ao rastejar de uma cobra, impotente para impedi-lo.

— Volta para sua mesa, Danno. Vai fazer o que lhe pagam para fazer.

— Tudo bem a história do carro do Sr. Alpha — disse ele, baixinho. — Arrumei outro.

Katie sentiu um nó na garganta. Tanta coisa já acontecera naquela manhã que quase esquecera o episódio terrível da noite anterior.

— O que foi que o Destruidor fez agora? Ele *machucou você*?

A preocupação de Danno desconcertou-a.

— Eu acho que... — Não deveria contar para Danno. Era sua chefe, e ele já fazia tudo que podia para ignorar a hierarquia. — Acho que Conall está saindo com uma garota que mora no apartamento embaixo do meu.

George ficou teatralmente sem ar e levou a mão ao peito. — Isso *sim* é perto de casa.

— Katie, por que você acha isso? — perguntou Danno.

Sem inflexão, Katie relatou a história das flores de sexta-feira e o encontro com Conall em frente ao seu prédio naquela manhã.

— Pode ser só coincidência. — Audrey se aproximou da mesa de Katie. Todos fizeram o mesmo, como criaturas da floresta saindo de suas tocas.

— Não existem coincidências na vida do Destruidor Hathaway — disse Danno. — Nada acontece por acaso. Você! — Apontou para George. — Ela está em choque, vai comprar bolo.

"— E você acha que ele está fazendo isso para machucar você?" — perguntou Danno.

— Acha?

— Acho — respondeu Tamsin.

— Não — disse Lila-May.

— Como ele poderia saber que Katie ia ver o carro dele em frente ao prédio hoje de manhã?

— Porque ela sai para trabalhar todo dia!

— Ok, como ele ia saber que ela encontraria o entregador de flores?

— Talvez ele tenha mandado o cara fazer a entrega na hora que ela sai para o trabalho.

Ficaram discutindo e levantando hipóteses durante algum tempo, mas ninguém chegou a uma conclusão.

— Aconteceu mais alguma coisa? — perguntou Danno.

Katie não estava esperando por isso. — Como é que você sabe?

— Porque você está com cara de... alguma coisa.

— Conheci um homem. — Até mesmo para seus próprios ouvidos a frase soou frágil e estranha.

— Ahhh. — Katie conquistou a atenção de todo mundo, coisa que não acontecia com frequência.

— Não, não é o que vocês estão pensando. Não foi tipo *eu conheci um homem*. — Todos ficaram chocados. Gentilmente chocados. — Não no sentido de um potencial namorado.

— Não, não, você está um pouco velha para isso. — Danno riu. Virou-se para George. — Você ainda está aí? Não mandei você sair para comprar bolo?

— Esbarrei com ele. Por acaso — prosseguiu Katie, incapaz de não falar sobre Fionn. — Na verdade, literalmente esbarrei. Estava me afastando do carro do Conall e dei um encontrão nele. Ele foi tão gentil... — Parou de falar. A expressão no rosto de Lila-May dizia *que patético*; portanto, Katie definitivamente não podia contar exatamente o que sentira: que Fionn curara sua dor. O choque de ver Conall esperando outra mulher, a agonia de seu ciúme, a mágoa, a horrível sensação de perda — era como se estivesse atormentada por uma dor de dente e, de repente, com Fionn sorrindo e falando, a dor tivesse sido varrida de dentro dela, sendo substituída por uma ausência, como se fosse uma força mágica.

— Ele deve morar perto de você, então — disse George. — Talvez na mesma rua.

— Mesma rua? Ele mora no meu prédio. Dois andares abaixo.

— O *quê*?

— O que acontece com esse prédio? — provocou Lila-May.

— Como assim?

— Alguma coisa acontece nesse lugar. Alguma coisa muito estranha. É muita coincidência. A garota nova do Destruidor, esse seu homem novo.

— Você lê muito Stephen King — disse Danno.

De repente, Katie lembrou-se do pavor que sentira recentemente, numa noite da semana anterior, a certeza absoluta de que alguém ou uma presença estava em casa com ela, flutuando como uma única nota sustentada por um violino. Fora quase capaz de sentir sua respiração e achava que nunca tivera tanto medo na vida. Mas o que isso tinha a ver com Conall ou com Fionn? Provavelmente, nada.

— Ele só vai ficar morando lá alguns meses. Disse que está fazendo um programa na TV sobre jardinagem.

— Não é aquele cara? — George arregalou os olhos. — Finn não sei de quê.

— Fionn Purdue.

— Isso! Dá um Google nele! — George se levantou. Na verdade, contorcia-se. — Dá um Google nele. Vi esse cara no jornal. Dá um Google nele!

Todos se amontoaram diante do computador de Katie e viram, chocados, a fotografia de Fionn aparecer na tela, pixel por pixel.

— Ele é lindo assim na vida real? — perguntou Tamsin. — Ou rolou um photoshop?

Katie sentiu um nó na garganta. — Você provavelmente não vai acreditar em mim, mas essa nem é uma foto boa dele.

— Jesus!

— Ele beijou minha mão.

— Mão sortuda!

Estudaram o maxilar anguloso de Fionn, sua beleza luminosa, tentando concluir que cor era o cabelo dele quando uma centelha de luz saiu da tela e os cinco se afastaram.

— Ele... piscou? — perguntou Danno, num fio de voz.

Ninguém respondeu.

— A luz deve ter caído.

— É. A luz deve ter caído. — De modo um pouco destrambelhado, teve início o êxodo em direção às mesas de trabalho. Precisavam de alguma distância daqueles estranhos acontecimentos na vida de Katie.

— Ele disse que vai aparecer para me ver hoje à noite.

— Como assim? — Lila-May franziu o cenho. — Por que logo você?

— Honestamente? Não faço a menor ideia.

# *Dia 31...*

Maeve estava sentada nos degraus do Banco Central, comendo seu sanduíche, atenta a oportunidades para sua BAD. Prestou atenção primeiro numa mochila, colorida, bordada e compacta. Estava nas costas de uma garota pequena, de cabelo preto curto, uma pessoa bastante comum, não fosse o ar de isolamento que a circundava. Estava só, muito só, emanando sombras em meio às pessoas iluminadas, e a expressão dura em seu rosto era uma que Maeve conhecia. Apesar de não estar perto o bastante para ver os olhos da moça, sabia o que encontraria neles. *Essa* era a Boa Ação do Dia, e Maeve não queria nem um pouco fazê-la. Preferiria arrastar vinte charretes vinte andares acima. Mas o que poderia fazer? Repentinamente consciente do olhar de Maeve, a menina virou o rosto, e, quando seus olhares se encontraram, Maeve forçou um sorriso. Um sorriso verdadeiro, vindo do coração. A moça pareceu intrigada — perguntava-se se conhecia Maeve, o motivo para uma total desconhecida sorrir para ela com tanto carinho? Maeve continuou sorrindo, enviando seu amor, mas a moça olhou para ela alarmada, quase com medo. *Continue sorrindo, continue sorrindo.* Então, a boca de Maeve começou a tremer, e ela precisou desviar o olhar. Quando girou o rosto novamente, a garota se fora, e Maeve sentiu-se pior do que jamais imaginara ser possível. Atos de Bondade deviam fazer com que se sentisse melhor, e não mergulhá-la no desespero. Qual o sentido daquilo tudo? As crises de pânico estavam de volta; tivera mais uma naquela manhã.

Precisava parar com os Atos de Bondade e com o Trio de Bênçãos, decidiu. Não estavam funcionando. Mas como diria isso a Matt?

# *Dia 31...*

Conall estacionou em frente ao número 74 da Star Street, numa vaga incrivelmente próxima ao 66. Como conseguia isso era a pergunta que Lydia se fazia. Como pessoas como ele conseguiam o que queriam?

— Hoje foi bem legal — disse Conall.

Lydia já tirara o cinto de segurança e estava abrindo a porta, mas parou. — Detesto esse seu jeito. Sempre descrevendo as coisas e dando valor a elas.

— E o que vamos fazer no nosso próximo encontro?

— Tchau.

— Descreve sua noite perfeita para mim.

— Você ficou surdo?

— Vai. Sua noite perfeita.

— Você é inacreditável. Só escuta o que quer.

— Vai, descreve. Tudo o que você sempre quis.

— Lá vai você...

Conall encolheu os ombros e esperou.

— Arrgh! — Lydia enfiou a cabeça entre as mãos. — Você é uma dessas pessoas que usam o silêncio como uma...

Continuou calado e Lydia, finalmente, disse: — Não sei como você faz isso. Descrevo se você jurar que não vai fazer nada.

— Sua noite perfeita e você não quer que aconteça?

— Não com você.

— Eu ouvi.

— Não ouviu, não. Ok, adoraria ir...

— Espera. Antes que você comece a falar, quero que descreva uma noite que um ser humano possa realizar. Não faz sentido se você disser que gostaria de ir à lua...

— Não vou fazer isso... — disse Lydia, interrompendo-o. Quem quereria ir à lua? — Gostaria de ir à Float. É uma boate que tem uma piscina no telhado...

— Eu conheço.

— Mas a pessoa tem que ser sócia...

— Eu sou sócio.

— Sr. Hathaway! Jura? Uau! — O rosto de Lydia se transformou num imenso sorriso.

— A gente pode ir lá, sem problemas. — Conall parecia feliz por tê-la agradado.

— Com Poppy, Shoane e Sissy.

— Quem são?

— Minhas amigas.

Conall endureceu o rosto. — E... eu também posso ir? E pagar tudo?

— Muito obrigada, Conall. A gente gosta de champanhe rosé.

Ele a observou, sem comentários.

— Ah. — Lydia franziu o cenho e balançou a cabeça, triste. — O Sr. Hathaway não ficou feliz?

Certamente não parecia feliz.

— Você perguntou o que era a noite perfeita para mim — disse ela. — Eu descrevi. Simples assim.

Conall encolheu os ombros e não olhou nos olhos dela.

— Você está *amuado*? Na sua idade? Queria que a minha noite perfeita fosse alguma coisa do seu gosto. Mas sou diferente, Hathaway. Você não pode *obrigar* as pessoas a querer a mesma coisa que você.

As palavras de Lydia... De repente, era como se ouvisse palavras do seu passado, do dia em que levara Katie a Glyndebourne. Do que ela lhe dissera. *Acho que você é ligeiramente doido*.

Adapte-se! Adapte-se para sobreviver! — Tudo bem. Você pode levar suas amigas. Quando você quer ir? Hoje?

— Pelo amor de Deus, não. A gente tem que fazer o cabelo. Precisa de tempo de expectativa e preparação. Para você é normal ir a lugares incríveis todas as noites, mas para a gente isso é coisa séria.

— Sábado, então?

— Sábado?! — Quanto escárnio. — Qualquer idiota sai no sábado. A gente vai na segunda, que é quando gente maneira sai.

Segunda não era o ideal. Ele iria para Milão na terça. Talvez pudesse mudar a viagem para quarta. — Ok, segunda.

— E... Conall? — disse Lydia, baixinho.

Ele a encarou, pronto para aceitar sua gratidão.

— Você vai ser o mais velho entre nós, uns sessenta anos. Tudo bem para você?

# Três anos antes

O casamento de Matt e Maeve fora bem tradicional — Rolls-Royce branca, jantar sentado para cento e cinquenta pessoas, as discussões habituais quanto aos primos a serem convidados. Eles mesmos não estavam preocupados que fosse um grande acontecimento, mas os pais jogaram pesado e eles aceitaram o jogo para manter o clima de paz.

— Não me importa como vai ser, desde que aconteça — disse Matt.

— Para ser honesta, eu poderia passar sem a parte da música e da dança — admitiu Maeve. — Toda essa coisa de fotógrafos e madrinhas de casamento. Mas a mamãe e o papai...

— É. — Matt estava totalmente de acordo. — Você deve fazer as pazes com isso. A filha única de Reenee e Stevie Deegan — você, diga-se de passagem — vai ter um casamento de arromba, queira ou não queira.

— *Não* gosto dessa ideia — disse Maeve, melancólica, depois, quase instantaneamente, animou-se. — Tudo bem, dane-se, vai ser uma festa incrível.

Naturalmente, organizar um grande casamento em seis meses não era algo que se fizesse sem desafios. Hilary e Walter Geary diziam que o sotaque dos pais de Maeve era impenetrável. Enquanto isso, Reenee e Stevie Deegan, pessoas do campo, que guardavam dinheiro para esse evento praticamente desde que Maeve nascera, não se impressionavam nem um pouco com a sofisticação de Hilary e Walter.

Por mais estranhas que fossem as coisas quando os pais não estavam na mesma sintonia, ficaram ainda mais estranhas quando, inesperadamente, Reenee e Hilary formaram uma aliança nada sagrada, Hilary sussurrando ideias no ouvido de Reenee, e Reenee, que estava cheia da grana, as aceitando com ansiedade.

De repente, lá estava Reenee, insistindo que Maeve tivesse um maquiador profissional, um cabeleireiro de casamento, unhas de porcelana e um vestido da Harrods.

— Harrods? — perguntou Maeve, impotente.

— Isso, Harrods — disse Stevie Deegan, os pés firmemente plantados no chão, na hora de entrar com sua fala. — Vamos todos para Londres. Nada é bom demais para nossa Maeve.

— Mas Harrods é uma... uma... *piada* — exclamou Maeve.

— É a loja mais exclusiva e sofisticada do mundo — disse Reenee.

— Não, *não é*.

— Segundo a Hilary, é.

— E segundo o Walter, também — complementou Stevie.

— E você precisa fazer bronzeamento artificial — disse Reenee. — Todos vamos fazer. Hilary conhece uma mulher que vai em casa e passa o spray na gente. Ela traz uma tenda de armar para não destruir o banheiro.

— Não — disse Maeve, com pânico crescente. — Nada de bronzeamento artificial. Não tem nada a ver comigo.

— Não nos envergonhe, Maeve — disse Stevie. — Hilary sabe o que faz. Disse que não existe uma noiva em Dublin que não faça bronzeamento artificial hoje em dia. Ela sabe das coisas e nós somos abençoados por ela estar do nosso lado.

Mas vestidos da Harrods e bronzeamento artificial não eram as únicas preocupações de Maeve. Havia David. Suas demonstrações de homem ferido não eram mais tão dramáticas quanto nos primeiros dias, mas ele ainda não falava com Matt nem com Maeve. Às vezes, no trabalho, Maeve, caneta e lista de possíveis convidados nas mãos, o flagrava encarando-a tristemente.

— A gente deve convidar o David? — perguntou Maeve a Matt, segurando a caneta e a lista de possíveis convidados.

— Ele que se dane — disse Matt, tentando animá-la.

— Ah, Matt.

— Ele não é meu amigo, não é seu amigo.

— Mas a gente é responsável por um sofrimento horrível na vida dele.

— Já faz quase um ano. Já era para ele ter superado isso.

— Que maldade — Maeve colocou uma etiqueta ao lado do nome de David. — Ele vai ser convidado.

— Ele não vai aparecer.

— Talvez apareça.

Maeve não tinha certeza do que seria pior — ele aparecer ou não, e não fazia ideia do que aconteceria, porque, assim como fizera com a festa de noivado, David ignorara o convite, sem se dar o trabalho de responder se ia ou não.

O casamento em si foi lindo, e Maeve flagrou-se aproveitando cada momento, mais do que esperava que acontecesse, principalmente porque tivera sua vontade respeitada em relação ao vestido da Harrods e ao bronzeamento artificial. Mas, sob sua alegria, corria um ligeiro chiado de ameaça, tão frágil que ela mal se dava conta dele. Durante todo o dia feliz — e realmente fora feliz — esperou que *algo* acontecesse.

Seu medo alcançou o pico durante a parte da cerimônia em que o padre perguntou se alguém teria algum motivo para impedir a união de Matt e Maeve. *David*, pensou ela, e teve uma visão repentina e horripilante do ex-namorado adentrando a igreja, derrubando enfeites e gritando que Matt colonizara Maeve. Talvez jogasse tinta ou chorasse ou... ou...

Mas o momento passara sem incidentes e Maeve voltara a respirar.

Então, estava encerrado. Os votos haviam sido ditos, as alianças trocadas, Maeve e Matt atravessaram juntos a nave da igreja, passando por um mar de rostos sorridentes, enquanto acordes triunfais ecoavam do órgão. Por um instante, um pensamento levou-a para bem longe do presente: quando voltasse da lua de mel, procuraria outro emprego. Não era justo com David esfregar a felicidade no seu nariz todos os dias.

A decisão estava tomada e, de repente, a felicidade de Maeve veio à tona com força total.

# *Dia 31...*

Katie sabia como funcionavam essas coisas. Televisão: trabalhavam até tarde. Fionn não dissera a que horas faria a visita, mas poderia ser tão tarde quanto nove da noite. Talvez ainda mais tarde, dependendo de onde estivesse filmando.

Vestiu-se de maneira casual, como quem não espera nada. Foram várias tentativas até conseguir a combinação certa e, então, preocupou-se com os pés. Não poderia usar sandálias douradas porque ninguém usa salto alto em casa. Mas, quando calçou os chinelos de dedo, sentiu urgência em tirá-los, impressionada com o tanto que faziam suas pernas parecerem curtas e grossas.

Os pés, lindamente feitos para o casamento de Jason, já estavam em frangalhos, e a pele voltara a engrossar nas solas, mas ela não fizera nada a respeito. Simplesmente, deixara rolar!

*Quando eu conseguir terminar de esfregar tudo com meu creme esfoliante, ele já vai ter chegado.*

Sabia que Fionn viria. Tinha certeza. Havia algo forte e concreto entre eles que ela não conseguia explicar.

— Você pode confiar em mim — dissera-lhe ele, quando conversaram pela primeira vez, naquela manhã. — Pode confiar sua vida em mim. — E, apesar de isso ser uma coisa absolutamente ridícula de um estranho dizer a outro, Katie sabia que era verdade.

Seus calcanhares já estavam bastante macios, mas ele ainda não chegara; portanto, esfregou um pouco mais, depois parou. Não seria capaz de andar no dia seguinte se continuasse cavucando as solas dos pés daquela maneira.

Estava agitada demais para comer. Andava da sala para o banheiro, conferindo a maquiagem, subindo na tampa do vaso sanitário com o espelho nas mãos, porque era ali a melhor luz do apartamento. Satisfeita, mas também aterrorizada, viu um volume de corretivo não apropriadamente espalhado na altura do maxilar direito. E se não tivesse percebido? E se tivesse confiado somente no espelho de corpo inteiro? Isso significava que, na maioria dos dias, ela andava por aí com uma maquiagem que fazia com que as pessoas torcessem o nariz ou rissem dela? Deveria perguntar para Danno? Talvez o melhor fosse perguntar à Lila-May: era terrivelmente honesta. Tomada de pânico, correu até o quarto e trocou a blusa. Estava tudo errado, absolutamente errado. *Onde estava com a cabeça?*

Uma olhada rápida para o relógio. De repente, eram quinze para as dez, e um ligeiro pânico começou a se instalar dentro dela.

Katie sabia como essas coisas funcionavam. Televisão: é, eles trabalhavam até tarde, mas os sindicatos faziam fiscalização. Assim que passassem de determinado horário, as horas extras dos técnicos começavam a ser computadas. Nenhum diretor brincava com isso. Fionn deveria ter terminado horas atrás.

De repente, sentiu fome, fome, um desejo de coisas gostosas em grandes quantidades, mas não havia nada nos armários. Não podia guardar guloseimas no apartamento, isso seria um tormento em sua vida, ela comeria tudo, somente para ter um pouco de paz. Comeu uma banana e, imediatamente, quis comer outras vinte. Era imperativo que saísse da cozinha *imediatamente*.

Assistiria a um DVD, alguma coisa curta, de meia hora e, quando terminasse, ele estaria lá.

Viu um episódio de *Star Stories*, sobre Simon Cowell, seu favorito, e, quando terminou, assistiu a um sobre Tom Cruise.

Talvez esperasse por ele até as onze.

* * *

Ele não viria.

Era uma boba por achar que viria. Então, chega! sabonete de rosto, tonificante, hidratante, e cama! Será que deveria deitar-se maquiada? Caso ele aparecesse nos próximos cinco minutos... Não! Sem piedade, esfregou o rosto até que seus olhos ficassem vermelhos, e a pele completamente limpa.

Canalha, pensou ela, com tanta amargura que ficou chocada. Melhor prestar mais atenção. Não podia enlouquecer da maneira que enlouquecera quando Jason conhecera Donanda. Não queria ter de fazer outro curso. Nem ser atormentada pela vovó Spade e sua vigília amarga.

Apagou a luz e, quase imediatamente, ouviu ruídos vindos do apartamento de baixo. Gemidos e madeira arranhando alguma coisa. Estavam mudando os móveis de lugar? Ah, não! Era gente fazendo sexo!

Um pensamento insuportável passou pela sua cabeça: não era Conall, era? Isso acabaria com ela. Sairia da cama, desceria de pijama, iria para o meio da rua e deitaria no asfalto, esperando que um ônibus a atropelasse. Não havia a possibilidade de escutar Conall transando com outra pessoa. Acendeu a luz, saiu da cama e encostou o ouvido no chão, prestando muita atenção. Não reconheceu os gemidos. Conall *era* do tipo que gemia, mas era diferente. Devia ser um dos polacos, imaginou. Qual era o nome dele? Não conseguia lembrar...

— Andrei! Ah, Andrei, Andrei!

— Obrigada — gritou Katie para o chão. — Não conseguiria dormir um segundo enquanto não lembrasse. Muito, muito, muitíssimo obrigada!

Irritada, enfiou tampões nos ouvidos com tanta força que eles quase penetraram seu cérebro e, finalmente, caiu num sono conturbado, porém profundo.

# *Dia 31...*

— Você está terminando comigo? No nosso primeiro encontro?

— O que acontece, Rosemary, é que conheci outra pessoa.

— Como? A gente se conheceu tem cinco dias.

Fionn encolheu os ombros, sem ter o que dizer. Como descrever o que sentira por Katie? Diferentemente da primeira vez que vira Rosie, com Katie não enxergara espirais coloridas. Em vez disso, tivera uma sensação acolhedora e irresistível de porto seguro. De assentamento. Como se tudo — *tudo* — entrasse no seu devido lugar. Estava impotente diante disso, e seu interesse ligeiro por Rosie pareceu-lhe, imediatamente, tolo e infrutífero.

— Desculpe — disse ele, com esperanças de poder ir embora logo. Levaria séculos para voltar para a Star Street e para Katie.

Rosie escolhera um lugar bem longe para o primeiro encontro. Um bar em Greystones, de frente para uma pequena marina. Bastante cênico. E, também — Fionn suspeitava —, escolhido a dedo para que não fosse provável encontrar ninguém que ela conhecia.

Fionn não queria ir. Agora que conhecera Katie, qual seria o sentido? Mas o único número que tinha de Rosie era o do hospital (criatura cautelosa ela era, não lhe dera seu celular), e não estava trabalhando naquele dia. Não havia como cancelar o encontro, e ele não podia simplesmente abandoná-la diante da marina, com seu lindo vestido verde, bebendo refrigerante sozinha, erguendo os olhos, esperançosa, toda vez que a porta do bar se abria. Ele a amara um dia.

Queria um encontro rápido — muito obrigado por vir, desculpa, vamos seguir em frente — mas perdera tempo considerável num trem na direção contrária. E chegou com vinte e cinco minutos de atraso.

— Isso é inaceitável. — Rosie tremia, indignada. — Não se deixa uma moça sentada sozinha num lugar público. O homem sempre deve chegar quinze minutos mais cedo.

— ... Desculpe. — Fionn teve um medo súbito de admitir seu engano com o trem. — Desculpe, fiquei preso no trabalho, essas coisas de televisão...

— Televisão? Com certeza, todo mundo se impressiona. Mas eu nunca me impressiono com falta de educação.

Fionn teve de sofrer uma pequena aula de etiqueta, depois se flagrou tentando melhorar o humor de Rosie. O problema era que não sabia exatamente como terminar com ela, porque nunca tivera de fazer isso antes. Sempre haviam terminado com ele. Quando se recusava a aceitar os planos de suas namoradas para a van de trabalho com o telefone impresso na lateral, lágrimas, gritos, talvez objetos voando se seguissem. Finalmente, a moça iria embora e ele ficaria só durante um tempo, com suas batatas e cenouras, até que uma próxima surgisse.

— Rosie, você é uma moça adorável — disse ele, tentando finalizar a questão.

Ela concordou. Sabia disso.

— Com certeza é uma ótima namorada.

— Sou um prêmio, Fionn.

— E peço desculpas se fiz com que me entendesse errado...

— Como assim?

— ... Mas não sei se isso vai dar certo.

Foi então que ela se deu conta do que estava acontecendo.

— Você está terminando comigo? No nosso primeiro encontro?

Mas não derramou lágrimas de humilhação. Empertigou-se ainda mais, tomada de indignação.

— Você não pode fazer isso comigo. Não sou o tipo de garota com quem se brinca.

Fionn foi tomado de grande alarme. Será que insistiria num relacionamento? Será que iria *forçá-lo*?

— Você acha que costumo sair dando meu telefone para homens? E marcando encontro com eles? Arrisquei várias coisas para estar aqui, hoje. Tenho namorado!

— Ainda está namorando?

Relutantemente, ela fez que sim. Era muito arriscado desprezar uma perspectiva antes que a outra estivesse definitivamente enterrada. Graças a Deus.

— Você deve voltar para o seu namorado, Rosie. Me esquece. — Fionn lembrou-se de uma fala que uma vez lhe fora dita aos gritos durante um rompimento. — Sou um caso perdido. Não valho a pena.

Tiveram de pegar o mesmo trem de Greystones de volta à cidade — esses trens eram raros e, se perdesse um, estaria a perigo. Naturalmente, Fionn e Rosie foram em vagões diferentes. Quando ele saltou na Piers Street, ela permaneceu no trem e, enquanto a locomotiva se afastava da estação com seus ruídos de costume, o vagão iluminado onde ela estava passou por ele. Rosie ergueu o queixo e virou o rosto numa demonstração extravagante de desprezo. Tudo muito desagradável.

Fionn subiu as escadas até o último andar do número 66 da Star Street, mas ninguém respondeu às suas batidas urgentes na porta. Será que Katie estava dormindo? Ou ignorava-o?

Precisava vê-la. Katie precisava saber que ele não era uma fraude. Lembrou-se de mais insultos de rompimentos anteriores. O que mais lhe fora gritado antes que as moças fossem embora pela última vez? Que ele era um fraco. Um oportunista. Um confuso. Um idiota imaturo. E, o mais popular de todos, um canalha.

Mas não era mais nenhuma dessas coisas; agora, era um homem, um homem cujas intenções eram sérias, e era muito importante que Katie soubesse disso. Mas ela não estava atendendo a porta.

Um bilhete. Escreveria um bilhete explicando tudo. Pegou nos bolsos uma caneta e algumas páginas do roteiro de gravação do dia.

*Querida Katie,*
*Desculpe não ter conseguido chegar antes.*

Mas não tinha relógio; portanto, não sabia que horas eram.

*Queria ver você. Vou ligar novamente. Pode confiar.*
*Do seu,*
*Fionn*

No entanto, que frustração, as palavras eram inadequadas. Tinha de *provar* o seu arrependimento. Procurou alguma coisa nos bolsos e achou um galho de artemísia. Não. Que bem fazia a sabedoria? Ou pedrinhas cinzentas? Ou um papel de chocolate amassado? Uma inspeção mais profunda fez com que encontrasse um galho verde-escuro. O que era aquilo? Então, identificou-a. *Perfeito!* Era uma arruda. A arruda era quase uma afirmação — Deus do céu, ele estava começando a pensar como nos roteiros de Grainne Butcher —, uma erva amarga e venenosa. No passado, as pessoas jogavam arrudas nos casamentos, quando aqueles que amavam se casavam com outra pessoa.

*Por favor, aceite esse presente como um sinal do meu remorso.*

Não tinha certeza se o bilhete estava bem-escrito, mas as palavras vinham do coração, e Grainne sempre dizia que, quando vinha do coração, a coisa sempre funcionava. Então, dobrou o bilhete com a erva dentro e tentou passar por debaixo da porta — mas não passava. A porta de Katie tinha uma espécie de vassourinha de rodapé. (Uma medida de proteção contra a poeira, mas como ele saberia disso, sendo o animal não domesticado que era?) Relutante, deixou o bilhete do lado de fora e desceu ansiosamente as escadas até o apartamento de Jemima, onde Rancor passara horas esperando para mordê-lo, mas, agora, fingiria ser um acidente.

Fionn estava ligeiramente assustado. Esta noite, aprendera que nem todas as mulheres eram iguais às de Pokey, que, pensando bem, eram criaturas doces, maleáveis, sempre lhe dando espaço, apesar do festival de insultos que normalmente assinalava o fim de seus relacionamentos. Katie devia ser tão dura e impiedosa quanto Rosie.

Katie talvez nunca mais falasse com ele.

*Você está certo, Fionn, talvez não.*

# Dia 30

O telefone de Lydia tocou. Ela o atendeu: — Oi, Poppy.

— Recebi seu recado — disse Poppy. — Mas quem é cara?

— Ninguém. Só um ricaço que anda me atormentando.

— E ele vai pagar por tudo? Todas as champanhes rosé que a gente quiser tomar?

— Tudo o que a gente quiser.

— Lydia, isso não está certo.

— Ele já sabe o resultado, mas não quer me deixar em paz.

— Mas é como se ele... estivesse comprando você.

— Não está me comprando porcaria nenhuma! Não estou à venda.

— Você não tem medo? Dele?

— Ele não é desse tipo. Tenho pena dele. Ele é muito sem noção.

— Mas as flores foram um acerto. Foi engraçado.

— É, as flores foram um acerto.

— Não sei, Lydia. Isso tudo é meio estranho.

— Você quer ou não quer ir na Float?

Como Lydia já esperava, Conall não tinha a menor ideia de como se fazia uma faxina. Despejara quase um frasco inteiro de detergente na pia, e Ellen, Lydia e ele quase foram engolfados por uma onda de espuma. A cozinha parecia uma festa adolescente.

Mas, fora isso, Lydia tinha de admitir que ele fora muito bem. Ellen gostara dele.

— Você é namorado da Lydia? — A mãe perguntara, enquanto ele enfiava as mãos dentro da espuma, tentando localizar a pia.

— Ah, ainda não, talvez um dia. Estou me esforçando.

— Um homem mais velho?

— Acho que sou.

— Os rapazes sempre gostaram da Lydia.

— Tenho certeza disso, Ellen.

Um ruído na porta fez com que os três se virassem. Era Ronnie, com os lábios muito vermelhos e a barba negra e satânica. Lydia não se lembrava da última vez que o vira.

— O que está acontecendo aqui? — perguntou Ronnie num tom baixo, de terrível ameaça.

— Ah, nada de mais — disse Lydia. — Só limpando a casa, cuidando da nossa mãe, por quê?...

Ronnie ignorou a irmã, concentrando-se em Conall.

— E você, quem é?

— Conall Hathaway. — Conall secou a mão molhada nos jeans, empertigou-se e apertou a mão de Ronnie com força suficiente para machucar. Nenhum dos homens disse uma palavra, mas tanta hostilidade pairava entre eles, que Ellen olhou com ansiedade para Lydia.

O silêncio foi interrompido quando um barulho fora da casa fez com que Ellen olhasse pela janela. — Murdy está aqui.

— Isso parece um seriado de TV — disse Conall.

Ellen riu, com prazer.

— Você devia me visitar com mais frequência. Normalmente, os irmãos fogem da Lydia como o diabo foge da cruz.

Houve um silêncio de surpresa, diante da observação astuta de Ellen. Até Ronnie parecia surpreendido.

— Se você ficar tempo suficiente — Ellen piscou para Conall —, Raymond pega um voo de Stuttgart para cá.

Murdy entrou em casa e olhou para Lydia. — Flan Ramble está doido para saber mais sobre o carro chique, com placa de Dublin. — Franziu o cenho e quase gritou: — *Você está comprando um Lexus?*

— Não, o carro é do meu amigo.

Murdy deu um passo atrás diante da aproximação de Conall.

— Conall Hathaway. — Conall encarou Murdy com um ligeiro sorriso.

— Prazer, muito prazer. — Murdy estava sorridente e muito solícito. Sempre ficava um pouco tonto quando sentia o cheiro de dinheiro. — Amigo da minha irmã é meu amigo. Vocês trabalham juntos ou é uma relação mais pessoal?

Bombardeou Conall com perguntas e elogios exagerados. ("Qual é a sua altura, um e oitenta? Um e noventa? Um e setenta? Você parece mais alto. Tem outros carros ou só esse Lexus? Qual o carro da sua mulher? Não tem mulher? Não acredito! Está pensando em fazer da minha irmãzinha uma mulher honesta? Que carro compraria para ela, se vocês se amarrassem? Investimento em negócios pequenos é o melhor caminho hoje em dia.") Murdy estava desesperado para juntar as coisas: quanto valia Conall, quanto poder Lydia teria sobre ele? O que ele, Murdy Duffy, podia ganhar com isso?

— Como é o irmão número 3? — perguntou Conall para Lydia, de maneira que Ronnie e Murdy ouvissem.

— Raymond? Engraçadíssimo. Cheio de histórias hilárias.

— Já detesto esse irmão — resmungou Conall.

# *Dia 30...*

Katie não queria acordar. Não queria ter de ir trabalhar. Estava tudo péssimo.

Não fosse a carreira do pobre Wayne Diffney, que precisava de uma retomada, não se importaria com nada.

Quando viu o bilhete do lado de fora da sua porta, deduziu que era de Fionn, mas seu coração não se deu o trabalho de acelerar. Seu coração nunca mais aceleraria. Desdobrou o pedaço de papel e ignorou o raminho verde-escuro dentro dele.

**Desculpe**

Ah, sei.

**Vou ligar novamente. Pode confiar nisso.**

Acho que não.

**Por favor, aceite esse presente.**

Outro Conall, achando que podia se safar das coisas. De qualquer maneira, que presente? Olhou o chão em volta e não viu flores nem chocolates, nenhum embrulho de roupa íntima ridiculamente sensual. Talvez o presente tivesse sido roubado, claro, por alguém do prédio, mas isso era pouco provável. O que era muito mais provável, não, certo, era que esse Fionn fosse outra fraude. Conall cuspido e escarrado.

Katie amassou o bilhete e jogou-o por cima do ombro, para dentro do apartamento, depois trancou a porta. Havia uma erva no chão perto das escadas. Devia pegá-la e jogar fora, mas, em vez disso, amassou-a com a sola vermelha de seu Louboutin.

Por que falara para todo mundo no trabalho sobre Fionn? Estariam todos loucos para ouvir como as coisas estavam indo com ele. E ela não suportava a ideia da pena que sentiriam. Portanto, decidiu mentir. Mentiria, seria vaga e pouco descritiva. Sim, ele aparecera, diria. Sim, ele era lindo de morrer. Não, era um pouco bobo. Não, ela não transara com ele. Não, não o veria novamente.

# *Dia 30...*

Nada de maquiagem especial esta noite. Tudo o que Katie tinha no rosto era a expressão de total desapontamento.

Logo depois das nove, batidas frenéticas foram ouvidas à porta. Podia ser um homem armado, carregando o mal no coração; no entanto, Katie abriu a porta mesmo assim. O que importava? Que invadissem sua casa, a violassem... Não dava a mínima. De qualquer maneira, não ficou exatamente surpresa ao ver Fionn, dourado e radiante, sorriso amoroso de orelha a orelha, do outro lado da porta.

— Eu me atrasei — disse. Vinte e quatro horas e vinte anos, pensou ela.

— Posso entrar?

— Não. Você poderia ter entrado ontem à noite, mas, infelizmente, não aproveitou a oportunidade.

— Ontem à noite — disse ele —, tive que fazer uma coisa que levou mais tempo do que imaginei que levaria. Você viu a arruda?

— A o quê?

— A arruda.

Sim, foi isso que ela pensou que ele tinha dito.

— É uma erva. Deixei um galho para você ontem à noite.

Katie se lembrou da erva que amassara com o sapato naquela manhã.

— Não sei de onde veio — disse ele, com urgência. — Não cultivo esse tipo de erva, é venenosa. Mas, ontem, no desespero de tentar escrever o quanto sentia pelo meu atraso, apareceu no meu bolso. Você precisa me perdoar. Isso é destino.

Bobagem. — Você é um imbecil.

— Isso! E um oportunista, um confuso, um idiota imaturo e, acima de tudo, um canalha. Mas estou pronto para mudar, por sua causa.

Katie silenciou. Esse era um pedido de desculpas realmente impressionante. Muito mais angustiado e convincente do que qualquer coisa que Conall jamais inventara.

— Estou realmente apavorado com a possibilidade de você não me perdoar — disse Fionn. — Posso lhe contar tudo que aconteceu ontem à noite. Precisei ir a Greystones e peguei o trem errado, parcialmente porque, como você disse, sou um imbecil, e parcialmente porque sempre tentei fingir que Dublin não existia, apesar de ter morado aqui até os doze anos.

Ele se ajoelhou.

— Levanta — disse Katie. — Você estava indo bem, mas agora está ficando um pouco teatral demais.

— Eu transformaria um quarto inteiro em sapateiro... Lembra daquele que o Big mandou fazer para a Carrie? Não? Vou descrever...

— ... Jemima comprou um casaco pra mim — lembra dos casacos da Harrington? Um simples casaco, mas tentei convencer a mim mesmo de que, quando o vestia, tinha poderes mágicos. Que podia fazer meu pai voltar para casa...

De alguma maneira tinham ido parar na cama de Katie, completamente vestidos, e sussurravam um de frente para o outro, revelando seus segredos.

— ... Ia ter minha própria van, iria a festivais, e pessoas machucadas me procurariam, e eu as ajudaria a curar suas feridas, teria vários tamanhos de curativo, pois basta um pequeno para um machucado no dedo, mas, se você corta o joelho, precisa de um maior...

* * *

Fionn segurou o rosto de Katie e beijou-a novamente. Que bom que estava deitada, pensou ela, de outra maneira talvez tivesse desmaiado. Jamais fora beijada daquela maneira, tão lentamente, tão infinitamente, como se o beijo fosse a razão de sua existência.

— O que aconteceu com a sua mão? — perguntou Katie. — Você se cortou?

— O cachorro da Jemima me mordeu, ontem à noite. Ele fingiu que foi um acidente. É meio maluco.

Beijaram-se novamente e, algum tempo depois, Fionn disse:

— Você também sente? — murmurou. — Eu soube, assim que vi você. Que era a pessoa mais importante que eu ia conhecer na minha vida.

— Por que eu?

— Porque você nunca vai morrer.

— Como assim?

— Não sei exatamente.

— Mas vou morrer. Todo mundo morre.

— Mas vai demorar muito. Você passou pela parte mais complicada. Seus trinta anos. É aí que as mulheres morrem.

— Sua mulher?

— Não.

— Sua mãe?

Fionn fez que sim. — Era isso que eu mais tentava quando usava meu Casaco do Poder. Trazer minha mãe de volta.

Katie deixou que se passassem alguns minutos, de outra forma pareceria pouco envolvida. Então, perguntou: — Eu pareço ter quarenta anos? — Na verdade, achava que estava indo muito bem. Sempre usava protetor solar, bebia bastante água, o de sempre.

— Não estava falando disso. Nunca tive a menor ideia da idade das pessoas. Mas você me deu a sensação de segurança.

— Como assim, segurança?

— Segurança para mim. Segurança contra o sofrimento. Segurança em todos os sentidos.

# Dia 29

Quando Katie acordou, seu quarto estava tomado pela luz do amanhecer. Ainda estava vestida, mas seus sapatos haviam sido removidos. Sentia-se como se tivesse sido enrolada em gaze tecida por fadas. Quem diria que seu bom e velho edredom pudesse ser tão delicioso?

— Tenho que ir agora — disse Fionn. — Trabalho.

— Ok.

— Hoje à noite?

Katie fez sinal positivo.

— Tenho um presente para você. — Pegou um galho de ervas.

— Mais arruda? — perguntou ela, bocejando. — Já não disse que perdoo você?

— Isso é artemísia. Plantei meses atrás e, sei lá como, agora entendo que a estava cultivando para você. Artemísia é para a sabedoria.

— Obrigada. — Ela deixou que ele colocasse a erva em sua mão, mas não queria sabedoria. Fionn era uma aventura, seu presente para si mesma; estava pronta para abraçar com vontade essa tolice.

— Ih, parece que alguém se deu bem! — exclamou Danno quando Katie caminhou para sua mesa no escritório.

— Está com um brilho diferente, moça — disse George.

— Você... emagreceu? — Lila-May estreitou os olhos, conferindo Katie. — Tipo, de ontem para hoje?

— O Destruidor reapareceu? — perguntou Danno

Katie quase tropeçou.

— Não.

— Então, quem é? O jardineiro famoso?

Katie fez que sim.

— Achei que você tinha dito que ele era bobo.

— É, mas...

# *Dia 29...*

Matt e Maeve estavam deitados no sofá, assistindo, com desconforto, a estranhos que reformavam seu banheiro. Nenhum deles abria a boca havia vinte minutos, até que Matt falou, finalmente.

— Você acha que suspeitariam se um homem comprasse um machado?

— Um o quê?

— Um machado. Isso não enviaria sinais de que a pessoa estaria planejando matar, se chegasse em casa com um machado novinho? Para que mais se usa isso?

— Cortar madeira?

— Quem corta madeira hoje em dia? Não é como se estivéssemos vivendo na história da chapeuzinho vermelho.

— De que você está falando?

— Teve essa mulher no ponto de ônibus...

— Você está pensando em me matar?

— Maeve!

— Seu inconsciente deve estar tentando lhe dizer alguma coisa.

— Não tenho inconsciente! Essa Dra. Shrigley é que anda colocando essas minhocas na sua cabeça. Só estou dizendo que essa mulher no ponto de ônibus, já faz algumas semanas...

— O que você faria, se eu morresse?

Com visível esforço, ele se acalmou.

— Minha vida seria insuportável, seria melhor que acabasse de uma vez.

— Você encontraria uma outra eu.

— Não. Como poderia? Nunca vai existir outra você.

— Existem milhões de garotas como eu, muito melhores do que eu. Você seria mais feliz com uma delas.

— Não seria.

Maeve riu baixinho, quase com desdém.

— Antigamente, você dizia que se mataria, se eu morresse.

— E é verdade. Eu me *mataria*. Foi isso que quis dizer.

— Não foi isso que você disse.

— Foi o que quis dizer.

Seguiu-se um ligeiro silêncio.

— De qualquer forma — disse Matt, rapidamente —, você não vai morrer.

*Eu não teria tanta certeza disso, meu querido amigo...*

*Finalmente compreendi que Maeve não se arrisca no trânsito só para contrabalançar o tédio da vida doméstica. Ando observando-a mais de perto, nos últimos dias. Apesar do muro que nos separa, um e outro pensamentos dela são tão intensos e chocantes que me alcançam.*

*Se aquele caminhão derrapasse e me atingisse, eu não me importaria, não me importaria nem um pouco.*

*Se eu avançar esse sinal vermelho e for atropelada, tudo que peço é uma morte instantânea.*

*Ela não pensa em comprimidos ou em cortar os pulsos — ainda. Mas, se continuar pedalando dessa maneira descuidada, alguma coisa vai acontecer.*

# Dia 27

Dois dias e meio de preliminares. O fim de semana inteiro. *Dias* para se despirem. Até que, bem tarde, bem tarde na noite de domingo, Fionn finalmente desembrulhou Katie, como se estivesse fazendo algo sagrado.

Esguio, ele ficou nu primeiro. Beijou-a por todo o corpo, os dedos do pé, atrás dos joelhos, a base da espinha, partes do corpo que ela jamais percebera. Quando chegou ao ponto de combustão, Katie rolou para ficar em cima dele, mas Fionn a interrompeu:

— Por favor — disse ele. — É nossa primeira vez e não quero que acabe.

Katie gemeu.

— Não, precisa ser agora.

Ela deslizou sobre ele e estava tão drogada de prazer que parecia que o corpo de Fionn se misturara ao dela. Jamais experimentara um sexo como aquele; quase místico.

Quando terminou, começou imediatamente outra vez, um ato fluido e contínuo, e ela estava tão extasiada, tão livre e abandonada às sensações que pegou no sono com ele ainda dentro de seu corpo. O sol já estava alto no céu.

*Agora, os corações... o de Fionn eu nem sinto. É como se ele estivesse completamente entregue à Katie. Eles se tornaram um.*

# Dia 26

Um bom dia para você. Estou passando por um momento difícil e lhe pedindo ajuda, irmão irlandês.

Spam de algum malandro. Conall leu a mensagem em seu BlackBerry e foi obrigado a admirar a maneira como haviam tocado na sua ferida. Lia sem compromisso a história triste de vantagens associadas a bancos estrangeiros... então, algo fez com que erguesse os olhos. Uma jovem estava sendo encaminhada à sua mesa. Precisou de um minuto para reconhecer Lydia. De saia curta, salto alto e maquiagem pesada nos olhos, era uma pessoa completamente diferente. Mais sexy do que jamais imaginara.

Abandonou o telefone e endireitou o corpo.

Lydia vinha com três outras moças, todas animadas e risonhas, mas nenhuma tão sensual. Atrás delas, dois homens sem graça que não fediam nem cheiravam.

— Sr. Hathaway, suas convidadas. — A recepcionista sorriu e se afastou.

Conall inclinou o tronco para beijar Lydia no rosto, mas ela já se virara, comparando a mesa deles às outras. Conall a observou enquanto perscrutava o ambiente e percebia sua vantajosa localização em relação à pista de dança e à proximidade da escada que levava à piscina.

— Boa mesa — concluiu.

— A melhor da casa — disse Conall. Solicitara o melhor lugar. E pagara por ele. Não fazia sentido deixar esse tipo de coisa a cargo do acaso.

Então, Lydia pareceu lembrar que estava acompanhada de outras pessoas. — Ah, Poppy, Shoane, Sissy, Conall.

Foram delicadas, mas demonstraram pouco interesse por ele — muito diferente das outras ocasiões em que conhecera as amigas de uma garota pela primeira vez. Tais situações eram sempre caracterizadas por sensações tensas e ameaçadoras. Era apresentado e exibido como um troféu, a namorada orgulhosa e desesperada para que ele gostasse de suas amigas. Invariavelmente, a conversa era rápida e em tom agudo; explosões de risadas quase histéricas sem razão alguma; comentários engraçados sendo mal-interpretados, e qualquer tentativa de elucidação só piorava as coisas.

O caso agora não podia ser mais diferente. Conhecer as amigas de Lydia não tinha nenhuma relação com fatias de queijo e vantagens adquiridas. Ele era simplesmente um tolo qualquer que, por acaso, era sócio da Float.

Lydia chamou os dois homens que se escondiam atrás das meninas.

Estavam cautelosos, até mesmo nervosos.

— Esse é o Bryan Certinho.

— Prazer, Bryan Certinho.

Bryan Certinho parecia sofrer ao ser chamado dessa maneira.

— E esse é Ônibus Jesse.

— Prazer, cara. — Jesse tinha um olhar vivo e ansioso. Parecia ser sul-africano. Não, o sotaque era um pouco diferente. Talvez do Zimbábue.

— Venham — disse Lydia, e houve uma ligeira correria em direção à mesa. Graças a um pequeno esforço de Conall, ele conseguiu se colocar de frente para Shoane e ao lado de Lydia.

Uma garçonete, alta, loura, com parte das pernas bronzeadas de fora, murmurou:

— Abro a champanhe agora, Sr. Hathaway?

Ele sorriu, consentindo.

Em silêncio, assistiram ao ritual de abertura da garrafa. As taças foram servidas.

— Rosé — comentou Poppy.

— Eu lhe disse — respondeu Lydia.

Quando todas as sete taças estavam cheias, a garrafa ficou quase vazia. A garçonete lançou um olhar interrogativo para Conall: *Trago...?* Queria que trouxesse outra?

Conall fez um discreto gesto afirmativo, mas não discreto o bastante porque viu Poppy agarrar o braço de Sissy e Sissy agarrar o braço de Poppy, além do olhar mútuo de "você acredita nisso?"

Taças foram erguidas e brindes se seguiram.

— Brindemos — disse alguém.

— A Lydia, por trazer a gente aqui!

— Não, como é o nome do cara? — Conall ouviu Bryan Certinho perguntar.

— Conall Hathaway — respondeu Lydia, como se não estivesse sentada ao lado dele.

— A Conall Hathaway!

— Ok! A Conall Hathaway.

Conall permitiu-se um ligeiro sorriso. Sabia quando estavam gozando dele.

— Quando a gente vai nadar? — perguntou Sissy, algumas garrafas mais tarde.

— Ainda não estou bêbada o suficiente — respondeu Shoane.

— Engraçado — Sissy retrucou. — Acho que já estou bêbada *demais*. Posso me afogar. Meu Deus, não acredito que estou aqui.

— Eu não vou nadar. — Lydia detestava nadar. Detestava se molhar. Seu cabelo ficava espigado e o pó bronzeador saía do corpo. Era legal estar num lugar que tinha uma piscina, mas não era necessário *usá-la* de verdade.

— O seu cara, o Conall, não é tão ruim quanto você diz — falou Shoane baixinho. — Ele ainda não despencou completamente.

— Para.

— Ele só tem quarenta e dois — disse Poppy. — Você vai transar com ele?

— Nããããão! — Lydia riu. — ... Ah, claro. Provavelmente vou.

— Nada mais justo.

— Nada mais decente.

— Depois de toda champanhe que ele pagou pra gente.

— Você deve ser gentil com ele.

— Faça um idoso feliz.

— Por que não? Mas, pelo amor de Deus... — Lydia juntou sua cabeça às das quatro amigas —, não deixem ele dançar.

— Não, não. Isso seria terrível. Uma de nós vai manter o cara falando. E o Bryan?

— É, também não quero o Bryan dançando — disse Poppy. — Se vir meu noivo dançando, corro o risco de cancelar o casamento.

Conall passou os dedos pelo BlackBerry no bolso. Deveria...? Só uma olhadinha rápida? Seria tão ruim assim? Afinal de contas, não tinha ninguém ali; todos haviam se jogado na pista de dança. Em segundos, estava respondendo e-mails sem pudor.

Não via Lydia havia mais ou menos uma hora. Ela e as outras três jovens haviam desaparecido para dançar e, apesar de ele não ter planos de encarar a pista — ainda lhe restava alguma dignidade —, Lydia pressionara-lhe o peito e dissera: — Você fica aqui e conversa com o Bryan Certinho.

Mas Bryan Certinho não era o mais brilhante dos conversadores. Parecia tão assustado com o casamento iminente que mal falava. Murmurou alguma coisa relativa a fumar um cigarro e foi a última vez que Conall o viu.

Inicialmente, Ônibus Jesse lhe parecera oferecer melhores perspectivas. Contara a Conall como conhecera Sissy na fila do ônibus. Tinha alguma coisa a ver com uma conversa sobre a palavra *melancolia* que envolvera várias pessoas na fila. Depois, escutara histórias sobre os vários países onde Jesse já fizera bungee-jump. E sobre seus planos de fazer snowboard em algum lugar perigoso onde, normalmente, pessoas morriam. — É ilegal, mas conheço um cara. Um guarda pretoriano do Gaddafi treina, lá. — Qual era o caso das pessoas do hemisfério Sul e o apego aos esportes radicais? E Gaddafi *tinha* guarda pretoriana?

Então, Jesse desafiou-o a uma competição de fôlego na piscina do andar de cima, e, quando Conall declinou, Jesse pareceu surpreso e ofendido. — Você devia se dar algum prazer, cara — disse e se afastou, irritado, deixando Conall sozinho com seu BlackBerry.

— Como é que vocês estão de bebida por aqui? — A garçonete estava de volta.

— ... Ah, mais uma garrafa, eu acho — respondeu Conall.

— Com certeza. Mais alguma coisa?

Conall ficou bastante tentado. Serviam comida ali. Mas não conseguiu ir adiante — um homem adulto tomando uma bola de sorvete de chocolate numa boate faria dele uma figura absolutamente risível. *Cocaína*, era isso que se consumia em boates, não sorvete.

— Não, obrigado. Só mais uma garrafa dessas.

Assim que ela desapareceu, Conall começou a ter sérias dúvidas. Fazia tanto tempo que não via Lydia, que ela e as amigas poderiam muito bem já ter ido embora. Levantou-se, tentando avistá-la na pista de dança e, de repente, Lydia apareceu diante da mesa.

— A gente foi lá na piscina — disse. — É muito pequena. — Então, borrifou-o com a mão molhada, riu e correu.

Lentamente, Conall secou a testa com a manga da camisa. Estava de bom tamanho. Não gostava daquele lugar. Era sócio de todas as boates de Dublin para o caso de algum poderoso visitante querer ir, mas ele normalmente não frequentava esse tipo de lugar, e aquele, em especial, lhe parecia o pior de todos. Percebeu que não era o único homem na Float acompanhado de mulheres mais novas; a única diferença era que suas meninas não eram russas. Subitamente, Conall sentiu-se um idiota, explorado e explorador; na verdade, um zero à esquerda. Era quase incapaz de considerar isso tudo como um fracasso, mas seu coração não estava ali. A pessoa escolhe suas batalhas, e ele não queria mais ganhar aquela.

Do nada, pensou em Katie.

## *Dia 26...*

Katie sentou na beirinha da cadeira quando a sequência de abertura do *Seu Jardim do Éden Particular* apareceu na tela da TV. Várias pessoas apertavam-se na pequena sala de edição: Jemima, Rancor, Grainne Butcher, Mervyn Fossil, Alina e alguns técnicos e assistentes. Todos se espremiam no sofá, quase uns no colo dos outros. Era só um primeiro corte — a trilha sonora ainda seria adicionada —, mas era um grande momento, porque, até então, ninguém, fora Grainne, vira um episódio inteiro.

E lá estava a primeira imagem de Fionn! De pé numa colina, olhando melancolicamente para o horizonte. Katie apertou a mão dele, que suava de nervoso.

Fionn telefonara mais cedo para o escritório dela.

— Grainne disse que o primeiro episódio ficou pronto. A gente vai ver hoje à noite. Vai ser uma espécie de reunião. Você vem?

Katie ficou tocada e surpresa, principalmente porque não lhe dera o telefone do trabalho.

— Alina conseguiu para mim — admitiu Fionn.

Absolutamente concentrada, Katie olhava para o monitor, rezando para que o programa não fosse uma porcaria total. E se fosse? O que diria? *Parabéns* era uma boa palavra. *Incrível* era outra.

Com alguma angústia, foi obrigada a admitir que a câmera não fazia justiça a Fionn; ele era mil vezes mais bonito na vida real. E a parte que dizia que você mesma podia começar seu próprio canteiro não tinha a ver com ela. Mas, quando passaram para o segmento seguinte, Fionn andando por uma feira, falando sobre produtos orgânicos, a tela se enchendo de closes das mãos grandes de Fionn manuseando e esfregando lentamente vegetais fálicos, Katie teve sensações interessantes.

— Uau — murmurou, e Fionn olhou para ela, grato.

De vez em quando, a câmera pegava momentos espontâneos de Fionn tirando pedras, cristais ou ervas dos bolsos e dando-os de presente a algum transeunte. A reação variava entre surpresa, receptividade e interesse e, frequentemente, o presente repentino se mostrava curiosamente apropriado a suas vidas. Essas pequenas vinhetas se tornaram algo recorrente no programa e, quando Fionn remexeu mais uma vez o bolso, na televisão, Katie descobriu-se excitada. O que apareceria? Teria algum significado para a pessoa?

— Esse paletó devia ter um programa só para ele — disse Katie, e a sala explodiu em gargalhadas.

Não se pode fingir certas coisas. Por conta de seu próprio trabalho, Katie sabia a diferença entre crença genuína e crença falsa num produto. Para ela, *Seu Jardim do Éden Particular* parecia certo. Obviamente, seu sucesso dependeria da audiência, que dependia de espaço na programação, que dependia de anunciantes, que dependia de audiência. Uma espécie de "quem nasceu primeiro, o ovo ou a galinha?". Era um mistério o sucesso na televisão. Tantas as variáveis e tão grande a parcela de sorte.

À porta, Mervyn segurava três garrafas de espumante. Se não imaginasse que o programa daria certo, simplesmente guardaria as bebidas no carro para que fossem para a adega de sua casa.

— Abre as garrafas — gritou Grainne para Mervyn. — As três.

Uma rolha pulou do gargalo, a bebida foi servida e saudações de boa sorte foram proferidas aos montes. — Parabéns! — Katie espichou o braço e brindou com Fionn, Jemima, Grainne e, novamente, com Fionn. Olhando-o nos olhos, tomou um gole do espumante. Não era champanhe. Não era nem mesmo prosecco. Era uma bebida barata e borbulhante, mas tinha sabor de felicidade.

# *Dia 26...*

Um programa de reforma de casas. Matt pensou depois, com certo pesar; se isso não é seguro, o que mais é? Nem mesmo a apresentadora, Rhoda Stern, era atraente. Bem obviamente, ela também não tinha duas cabeças, caso contrário não poderia apresentar um programa, mas seu grande truque era dar conselhos diretos, nos quais listava — com excessivo entusiasmo, na opinião de Matt — todos os erros cometidos pelas pessoas ao decorarem suas casas.

Matt e Maeve estavam deitados no sofá, assistindo, com algum interesse, a um jovem casal — não muito diferente deles mesmos — tendo seu quarto espinafrado por Rhoda.

— Não achei tão ruim assim — disse Maeve. — As cortinas são bonitas.

— Mas! — gritou Rhoda. (Porque apresentadores sempre gritam nesse tipo de programa.) — Tem *uma* coisa que salva este quarto de um desastre completo. — A câmera mostrou uma cama superking-size. — Humm — Rhoda lambeu os lábios. — Sei o que gostaria de fazer nessa cama. — Lançou um olhar sugestivo para a câmera. — Gostaria de dormir doze horas nela.

Mas era tarde demais. Algo naquele olhar sugestivo acordara a fera. De repente, Matt percebeu movimentos. *Lá embaixo*. Na virilha. Inchando e desinchando, parecia que litros de sangue jorravam na região. *Pare*, deu a ordem a si mesmo. *Ordeno que pare*. No entanto, a sensação continuou, como se tivesse vontade própria e se desdobrasse, endurecendo. Moveu ligeiramente o corpo para que Maeve não percebesse, mas isso abriu mais espaço para expansão e ele começou a sentir uma pressão na cueca, um pedido de liberdade.

*Impostos*, pensou Matt com desespero. *Tratamento de canal.* Qualquer coisa que impedisse seu corpo de traí-lo daquela maneira. *Cocô de rato. Gangrena...*

Sentiu Maeve se tensionar ao seu lado. Ela percebera. Então, Maeve se virou e deu de cara com o rosto vermelho de Matt.

— Matt...? — Parecia quase confusa.

Sem mais uma palavra, saiu do sofá, tomando cuidado para que nenhuma parte de seu corpo entrasse em contato com a região afetada e, momentos depois, ele ouviu o barulho de torneiras sendo abertas no banheiro.

— Vou tomar um banho — anunciou Maeve, com voz falsamente animada.

— Aproveite — respondeu Matt, forçando animação similar.

Ouviu a porta do banheiro se fechar com firmeza e enroscou-se novamente no sofá, sentindo-se absolutamente impotente e vencido. Não sou um homem, pensou. Sou um animal. Sou programado para dar respostas específicas a certos estímulos. Não consigo evitar. Não tenho controle sobre isso.

Não tenho controle sobre nada.

*Acabei de me dar conta de algo chocante: os corações de Matt e Maeve estão em perfeita harmonia, mas nada de cunho sexual acontecia entre eles havia muito, muito tempo.*

# *Dia 26...*

Sentada no vaso sanitário, Lydia olhava para o telefone. Oito chamadas perdidas. Quatro recados. Todos de Flan Ramble.

Droga. Logo agora que estava se divertindo.

Mas não iria, não desta vez. Murdy que resolvesse. Ronnie que resolvesse. A mãe que resolvesse. Afinal de contas, se não havia nada de errado com ela, não era necessário que Lydia saísse da Float e corresse para Boyne no meio da noite. E, de qualquer maneira, estava bêbada demais para dirigir.

É claro que esperavam que saísse correndo, que se jogasse atrás do volante, mas que se danassem. Fizera isso muitas vezes e, apesar de toda a sua dedicação, fora acusada de tentar roubar o dinheiro da mãe. Eles que se virassem sem ela, uma vez que fosse. Que descobrissem que ela, Lydia, estava certa. E eles, errados... Vagando agradavelmente com seu pequeno devaneio de autopiedade, assustou-se quando o telefone tocou.

Flan Ramble de novo. Mas não, não era ele. Era...

— Mãe?

— Lydia?

— Tudo bem com você?

—... Ahn... não. — A voz era baixa e temerosa. — Fiz uma coisa, mas não me lembro, e a polícia está aqui. Estou apavorada.

— Ai, meu Deus, mãe. Você não matou alguém, matou?

— Não. Não. — Não parecia muito certa disso. — Flan está aqui. Ele vai falar com você.

— Está uma loucura aqui — disse Flan, bem alto. — Ela estava voltando da cidade, depois de depositar a féria, e deve ter calculado mal uma curva, porque saiu completamente da pista e foi parar na represa. E, em vez de saltar do carro para sobreviver, como uma pessoa normal, ficou lá dentro, *rindo*, até afundar no pântano. Quando a polícia apareceu, não conseguiam acreditar que estivesse sóbria, e não completamente bêbada. Eu lhe falei, Lydia — disse ele, cheio de piedade. — Ela não devia mais estar dirigindo. E não vai, depois disso. E só não vai passar a noite na cadeia porque é uma figura adorada pela cidade.

— Ok. Estou a caminho.

Conall ainda estava na mesa. Mandando e-mails, era o que parecia. Que figura.

— Tenho que ir — disse Lydia. — Aconteceu uma coisa. Obrigada pela noite.

— Espera, espera, o que foi?

— Minha mãe. Ela caiu com o carro dentro da represa.

— Está tudo bem com ela?

— Está. Mas ela... está chateada.

— Você não precisa ir. Dois dos seus irmãos estão lá.

— Você viu como eles são.

— Você não está planejando dirigir, está?

— Vou pegar um táxi. Um dos caras vai me fazer esse favor.

Conall se levantou.

— Eu levo você.

— Você? Também já não bebeu além da conta?

— Champanhe rosé não é comigo. Você quer se despedir dos seus amigos?

Lydia pensou por um instante. Mas eles estavam bêbados; e essa história toda da sua mãe... não sabiam muito bem qual era a situação.

— Não. Vamos nessa.

# Dia 25

Fionn acordou Katie cedo. — Toma um banho comigo — sussurrou, ajudando-a a sair da cama. Acendera velas perfumadas, enchera a banheira de espuma, e pétalas de rosa haviam aparecido, vindas de algum lugar. Katie ficou tão desconcertada e animada que mal conseguiu ficar de pé. Ele a colocou dentro da banheira com água quente. E lavou-a, esfregando-a com sabão até que ficasse vermelha e louca de desejo.

— Tenho que ir agora — disse Fionn.

— Tudo bem. Pode me deixar aqui para sempre. — Mal podia falar. Era como se estivesse doidona.

— Hoje à noite?

— Tenho um compromisso de trabalho. Uma festa de lançamento. Wayne Diffney. Pobre Wayne. — Katie riu baixinho, para si mesma.

— Por que pobre Wayne?

— Ah... — Estava quase tropeçando nas palavras. — Quando ele era do Laddz, era o que tinha o penteado estranho.

— Aquele que parecia a Opera House de Sydney?

— Isso.

— Eu sabia que eu sabia quem ele era.

— Depois que ele começou a carreira solo, a mulher foi embora para ficar com Shocko O'Shaughnessy e a gravadora deu um pé nele. Depois, fez um disco falando disso tudo, e, sabe de uma coisa, Fionn? *Não é ruim, não.* Já ouvi coisa pior, muito pior. Hoje é o lançamento. Muita coisa depende disso.

— Eu posso vir depois disso.

— Vou chegar tarde. Não começa antes das dez.

— Então, posso ir?

— O quê?

— Disse alguma coisa errada? Passei tempo demais enterrado no fim do mundo e não sei como as coisas funcionam na cidade grande.

— Não é isso, é que... — ... Conall jamais fora a nenhum de seus lançamentos. Usava-os como desculpa para trabalhar também.

# *Dia 25...*

Matt não reconheceu o número no visor, mas atendeu mesmo assim. No departamento comercial *sempre* tinha de se atender, talvez fosse alguém decidido a comprar um software de um milhão de euros e talvez fosse a única ligação. — Matt Geary falando.

— É o Russ.

Jesus! O amigo do Alex, o outro padrinho! — Russ! — Automaticamente, Matt forçou um tom exuberante. Não tivera notícias de Alex desde que faltara ao encontro da semana anterior e, de certa forma, o silêncio do irmão o deixava mais envergonhado do que se ele tivesse telefonado furioso. — E aí, Russ, como vão as coisas com você?

— Não muito bem. Qual é o problema, Matt? Seu irmão vai se casar...

— Trabalho — interrompeu-o Matt. — Você sabe como é. Tempos difíceis! — Forçou uma risada. — Estou atolado até o último fio de cabelo!

— Marquei as passagens para Vegas.

— Marcou? — Merda! — Valeu. Mil vezes obrigado...

— Somos doze. O voo será no dia 23 de agosto, e a volta, dia 30. Preciso de um cheque seu. Vou mandar os detalhes por e-mail.

— Obrigado, Russ.

— Você já esquematizou sua folga, certo?

— Claro! Fiz isso há séculos! — Ainda nem mencionara na empresa.

— Ótimo. A gente estava meio preocupado... Tudo bem. Também reservei o hotel.

— Reservou? Você é eficiente!

— O Metro MGM. Você e o Walter vão dividir um quarto.

— O papai? Ah...

— Problema seu, se não gostou. Você devia ter ido à reunião da semana passada para escolher. Agora, Matt, escuta o que vou dizer. O Alex já fez a parte dele, mas tem algumas coisas que eu e você precisamos organizar.

— Tipo quais?

— Surpresas — disse Russ, irritado. — Quadriciclos, esse tipo de coisa. Não dá para fazer o pobre coitado organizar a própria diversão. Eu e você precisamos nos encontrar.

— Perfeito! Olha só, ligo para você para falar disso daqui a um ou dois dias.

— Não. A gente vai marcar alguma coisa agora...

— Ótimo! Eu ligo para você. — Rapidamente, Matt desligou. O telefone escorregou de sua mão, ele suava.

— Então! Jovem Sr. Geary! O que falta para a gente finalizar o acordo com o Bank of British Columbia?

O suor por causa do telefonema de Russ mal secara das mãos de Matt e já recebia cobranças do Escritório do Terror via Kevin Day, o chefão, em nome de todo dinheiro gasto para tentar vender um sistema para o Bank of British Columbia.

Os três chefões da Edios — Kevin Day, o diretor financeiro e o presidente — estavam reunidos na sala de Kevin para falar com Matt. Nenhum aviso lhe fora dado.

— Você gastou um bocado — disse o diretor financeiro, mostrando o papel à sua frente e encarando Matt com olhar inquiridor.

— A gente precisa gastar para conseguir um bom negócio. — Será que podiam ver o suor no seu rosto, brilhando nas suas têmporas?

— Quanto falta pra fechar o negócio? — perguntou Kevin Day.

*Quanto tempo*? Já fazia dez dias que ninguém do banco retornava seus telefonemas. — Eu imagino — disse Matt, olhando para o teto. — Eu diria que o negócio deve estar fechado na próxima semana.

— Tem certeza? — Mais olhares perscrutadores do diretor financeiro. Matt sentiu um espasmo na barriga. Deus, ele estava com medo. Devia ter esperado por isso; não sabia por que não se preparara.

— Está bem, então em uma semana. Excelente — disse o presidente. — Me diga uma coisa, Matt, como anda o moral da equipe?

No fundo do poço. Matt e seu time haviam gasto energia demais nesse negócio sem nenhum sinal de retorno, e ainda não haviam sido liberados para lamber as feridas e seguir em frente.

— O moral? — Matt sorriu amarelo e sentiu uma gota de suor percorrer suas costas. — O moral da equipe está ótimo!

A perspectiva perfeita estava logo ali, em frente a Matt. Um senhor todo atrapalhado com o caixa automático do mercado. Não conseguia fazer com que a máquina lesse os códigos de barra e não sabia que tinha de pesar as maçãs. Parecia confuso e bastante assustado diante das vibrações hostis vindas da fila que se formara atrás dele. Um enviado de Deus. Matt poderia se aproximar e, gentilmente, apontar as maçãs na tela e mostrar-lhe onde estavam os códigos de barra dos biscoitos.

Mas permaneceu exatamente onde estava e esperou vaga em outro caixa.

Nenhuma Boa Ação hoje. Nem nunca mais. Não fazia sentido. As coisas não estavam funcionando. E ele contaria para Maeve. Quando chegasse em casa e ela perguntasse, como sempre fazia, quais haviam sido suas Boas Ações, ele lhe diria que não fizera nenhuma, simples assim. Sem explicações, sem desculpas angustiadas. Deixaria claro que tivera uma oportunidade de ouro e que a deixara passar. Recusara-se. Queria ver o que ela lhe diria.

— Como foi seu dia? — perguntou Matt a Maeve.

— Ah, nada de mais.

*Anda, pergunta, pergunta.*

Estava preparado, estava pronto.

*Anda, pergunta, pergunta.*

Mas ela não perguntou. Nem lhe deu detalhes das próprias Boas Ações, e isso também era estranho. As coisas ficaram ainda mais esquisitas quando foram para cama, vestidos para dormir, e ela não pegou os cadernos do Trio de Bênçãos.

Nenhuma explicação foi dada e, no final, Matt não aguentou. Precisava saber o que estava acontecendo.

— Ahn... Maeve, nada de Trio de Bênçãos hoje à noite?

— Não.

— A gente vai desistir?

— Vai.

— Por quê?

— Não está funcionando.

Então, Matt ficou realmente assustado.

# *Dia 25...*

Conall parou num posto de gasolina nas imediações de Boyne.

— Vou comprar algumas coisas para a nossa viagem de volta a Dublin.

Não haviam comido direito o dia todo, só tomado incontáveis xícaras de chá na cozinha de Ellen. Alguém, provavelmente a esposa de Murdy, Sabrina, fizera uma visita ao mercado, mas não calculara bem a quantidade necessária de comida. O lugar se transformara num QG de crise e fora tomado de gente — Buddy Scutt, Flan Ramble, vários policiais, Murdy e Ronnie. Tudo certo, pensou Lydia. Mas eles haviam comido o jantar dela e de Conall. A cara de pau de Buddy Scutt, ali sentado, comendo a galinha da crise dela, depois de ter tido a coragem de lhe dizer, nove meses antes, que não havia nada de errado com sua mãe.

Lydia implorara a Conall para que fosse embora. Dissera que voltaria sozinha para Dublin, mas ele respondera que o sinal do BlackBerry estava tão bom que ficaria. Ela deixou que ficasse. Não pôde evitar perceber — e isso era absolutamente irritante — que todos a levavam mais a sério com a presença de Conall.

Ele fuxicava seu BlackBerry o tempo todo e ninguém dizia que era sem educação. Então, quando Ellen foi ao banheiro, ele fez um pronunciamento para todos os presentes:

— Escutem. Uma ressonância. É disso que Ellen precisa. Vai nos dar uma ideia melhor de como as coisas estão.

— O que foi que você disse? Ressonância magnética?

— O que é que isso faz?

— Tira uma foto do cérebro — disse Lydia, tensa. Ninguém a escutara quando fizera essa solicitação, mas como desta vez era um homem rico, que dirigia um Lexus, quem sugeria, repentinamente, todos resolveram escutar. — Mostra as partes danificadas do cérebro, e aí ela pode começar a se tratar.

— Como a gente consegue um exame desses?

— O clínico geral faz o pedido.

— Só que ele não quis fazer — disse Lydia.

— Você consegue descobrir o que ela tem com uma ressonância? — Ronnie estreitou os olhos em direção a Buddy Scutt.

— Ah. — Buddy mudou de posição na cadeira. — Acho que sim.

— E por que não fez isso antes? — perguntou Ronnie, irritado.

— É — acompanhou Murdy. — Por que não?

— Achei que não havia nada de errado com ela. Assim como vocês dois.

— Não sou médico.

— Não sou filho dela.

— A gente pode processar você por isso — disse Murdy.

— Rapazes, rapazes, chega de ofensas. — Conall balançou a cabeça. — Vocês todos têm culpa. Lydia foi a única que tentou ajudar.

— Pode deixar que sei me defender sozinha — disse Lydia, brava.

Mas, obviamente, não sabia.

Conall adormecera na poltrona durante a tarde e, somente quando as sombras da noite caíram, Lydia o acordou.

— Vamos para casa — disse ela.

— Ok. — Ligeiramente zonzo, ele se levantou.

Haviam percorrido menos de um quilômetro quando ele parou no posto de gasolina. Lydia, ainda com o vestido justo e curto da noite anterior, atraiu um bocado de atenção enquanto circulava pela loja de conveniência, bebendo refrigerante e comendo pipoca.

Encontrou Conall no caixa, e ele tentava segurar um punhado de sorvetes e guloseimas.

— Me dá isso — disse ela. — Eu pago. É o mínimo que posso fazer.

Do lado de fora, sentaram-se e comeram seus sorvetes Magnum. Conall mordia avidamente o seu, quebrando a crosta de chocolate sem pensar duas vezes.

— Gosto de comer devagar. — Lydia olhou para ele de esguelha, mas depois parou. Não era certo atormentá-lo. — Obrigada, você sabe, por isso. Por me trazer aqui e ficar o dia todo. Como você soube que ela precisava de uma ressonância?

— Mandei a Eilish descobrir. Ela não precisou de muito tempo. Sua mãe já devia ter feito esse exame meses atrás. Não sei por que não fez.

— Porque o médico dela é um imbecil, e meus irmãos não deram a mínima.

— Agora vão ter que dar.

— É, obrigada por dizer isso. E obrigada pela noite de ontem.

— Você gostou da Float? — Conall abriu seu segundo sorvete.

Lydia pensou no assunto. — Na verdade, não. É meio cafona. Eu só queria ir porque não podia.

— A gente sempre quer o que não pode ter.

— Feito você comigo.

Conall riu, mas não respondeu.

— Você tem dinheiro, tem uma casa na Wellington Road, você é... — Lydia balançou a mão para cima e para baixo, ao longo do corpo dele.

— O quê?

— Para um coroa, até que você não é feio. Podia conseguir um monte de garotas. Por que fica atrás de mim?

— Você é bonita. — Conall fez uma pausa. — *Muito* bonita. E, apesar de não ser agradável, é interessante. Como um filme do David Cronenberg. *Crash: Estranhos Prazeres.* — Conall ergueu uma sobrancelha, mas Lydia não entendeu a referência.

— E, de repente, tudo vai ficar esquisito e vou ficar louca por você?

— Na verdade, eu achava que isso já estaria acontecendo. Com a maioria das garotas... Eu indo visitar a mãe doente... dirigindo no meio da noite... Essas coisas normalmente são bastante eficientes.

— Então, quando você vai me deixar em paz?

Já estava começando a acontecer. A noite anterior, na Float — fora mesmo a noite anterior? — lhe mostrara o quão incompatíveis eles eram. — Depois que eu transar com você.

Ela riu. Pelo menos, ele era honesto.

Finalmente, Lydia falou: — Ok.

— Ok o quê?

— O sexo. Vamos transar.

— Você ficou a fim de mim?

Lydia hesitou. — Acho que talvez. Um pouquinho. — Fez outra pausa. — Acho que estou curiosa. — Repentinamente ansiosa, perguntou: — Mas você não é todo mole, com pinta de velho? Estou acostumada a caras jovens, sarados.

— Tenho quarenta e dois, não oitenta e dois. Bons genes. E um personal trainer.

— Mas olha a quantidade de porcaria que você come.

— Meu metabolismo é rápido.

— Ok. Desde que não seja *A Noite dos Mortos-Vivos*.

— Vamos deixar isso para lá. Você não está a fim...

— Não, eu quero. — Depois, acrescentou: — Acho que quero.

De repente, foi puxada para perto dele e suas bocas se encontraram. Conall tinha um cheiro diferente. Mais adulto. Gilbert era ótimo com loções pós-barba, vivia rodeado delas, como se fossem uma nuvem, fragrância disso, fragrância daquilo, e sabe Deus mais o quê em toda parte. Andrei tinha cheiro de homem, de suor e de desejo. Mas Conall tinha cheiro de... vidas sofisticadas. Uma mistura de couro antigo, madeira e piso de tábuas corridas. Tinha cheiro de dinheiro. E de sorvete, mas só vagamente.

Lydia esperou. Prestou atenção na própria resposta. É, estava funcionando. O cheiro da pele e o calor das mãos dele na sua cintura.

— Você já fez isso antes — disse ela, quando se afastaram um pouco.

— Você... — disse ele lentamente — também.

Ok, *definitivamente*, ela gostava dele.

*Aqueles dois corações não estavam em harmonia. Os batimentos de Lydia estavam uma fração de segundo atrás dos de Conall; portanto, os dela começavam logo depois que os dele terminavam. Mas era uma coisa interessante, nervosa, essa sintonia — dois ritmos de certa maneira mais sedutores do que a harmonia. Fascinante.*

# *Dia 25...*

— Boa-noite — disse Jemima. — Disque-Vidência.

— É a mística Maureen?

— Ela mesma, meu anjo.

— Ahá! É você, finalmente! Reconheci sua voz. Já falei com doze, *doze*, caramba, falsas Maureens, tentando encontrar você.

Sim, Jemima era obrigada a admitir que a empresa gostava da ficção de só existir uma sábia senhora atendendo, em vez de várias mulheres incrivelmente malpagas, trabalhando em casa, de seus próprios telefones.

— Liguei várias vezes, tentando falar com você e só consegui me comunicar com um monte de *mentirosas* que não sabem nada de nada. Fiquei com medo de nunca mais encontrar você. Achei que tivesse morrido ou qualquer coisa assim.

Jemima reduzira dramaticamente a quantidade de turnos. A causa disso era Fionn. Entre acompanhá-lo no set de filmagem e tentar controlar sua libido desordenada, além de manter a paz entre ele e Rancor, bem, ficara bastante cansada.

— Falei com você há mais ou menos um mês, e todas as suas previsões se realizaram.

— Imaginando ter visto coisas boas, fico muito feliz. Mas, como expliquei da última vez, não tenho habilidades místicas. Não existe esse tipo de coisa.

— Meu nome é Sissy. Lembra de mim? Você disse que eu ia conhecer um homem na fila do ônibus.

— Garanto que não disse isso. Jamais diria algo tão específico. Pelo que me lembro, fizemos uma leitura rápida da sua vida e disse que você devia pentear o cabelo e sorrir para as pessoas, tentando enxergar além da superfície. Que, à primeira vista, um homem podia lhe parecer... Você usou a palavra *ferramenta* e que o cabelo dele talvez fosse, para usar a sua descrição, "cafona"...

— Você disse que um coração decente bateria de baixo do capuz laranja horrível dele.

— Eu disse que *talvez* um coração batesse debaixo do capuz laranja horrível dele. Não garanti nada. Simplesmente sugeri que você tivesse uma atitude mais aberta.

— Como você sabia que ele estaria usando um casaco laranja de capuz horrível?

— Eu não sabia. A descrição foi sua. Tenho oitenta e oito anos. Como poderia saber de casacos de capuz?

— Você falou em ponto de ônibus. Que eu conheceria esse cara lá.

— Reconheço que conversamos sobre o fato de você pegar um ônibus para passar os fins de semana com a sua família. Eu disse, e acredito que seja verdade, que rodoviárias são lugares onde o romance tende a florescer, que os viajantes têm menos tendência a se prender à sua identidade cotidiana. Mas isso é puro senso comum.

— Penteei o cabelo, sorri, olhei além da superfície. Conheci um homem! Tudo aconteceu exatamente como você disse.

— Fico muito feliz, meu coração. — Gostaria de desligar agora; estava cansada de tanta bobagem. Só aceitara o trabalho para impedir que jovens moças gastassem seu dinheiro suado. A última coisa que desejara fora convencê-las de que aquilo funcionava.

— Tira uma carta para mim — pediu Sissy. — O Jesse é o homem dos meus sonhos?

Jemima tirou uma carta. Fidelidade. — É.

— A gente vai ter filhos?

Jemima pegou mais uma carta. — Sim.

— Quantos?

— Dois. Um menino, depois uma menina.

— E os nomes deles? Só de brincadeira!

— Finian e Anastasia.

Sissy ficou sem ar. Num sussurro urgente, disse: — Meu. Deus. Do. Céu. Como você sabia disso? Ninguém sabia disso! Você é incrível.

— Não sei de nada. Simplesmente, peguei dois nomes no ar.

— Mas são os nomes dos meus avós. Os pais do meu pai. Eram meus favoritos! Eu costumava ir para a casa deles quando era pequena e nunca me obrigavam a comer comida de verdade. Eles me davam biscoitos cheios de manteiga no café da manhã, e eu costumava espremer dois juntos, a manteiga saindo pelos lados e pelos furinhos e — meu Deus, estou toda arrepiada. Não é como se tivessem nomes comuns, tipo Patty e Mary. Não é como se você tivesse arriscado.

— Foi um palpite de sorte. — Jemima estava muito cansada.

— *Não* foi um palpite de sorte. Você é um gênio. Devia ter um programa na televisão.

— Minha querida, você deve desligar agora. Já gastou dinheiro demais. Desejo-lhe uma boa noite.

# *Dia 25...*

A viagem durou mais ou menos uma hora, eram dez da noite e o tráfego estava leve — mas fora longa o bastante para que Lydia pudesse pensar no que estava prestes a fazer. Seria bom, concluiu. Gostava de Conall, estava quase certa disso. E ele seria a cura de Andrei. Se ia transar com Conall, pararia de transar com Andrei; era assim que as coisas funcionavam. Não gostava de tarefas múltiplas no que dizia respeito aos homens. Algumas pessoas, especificamente Shoane, adoravam a confusão de ter dois ou três caras ao mesmo tempo. Tinham grande prazer em sair de uma cama para outra. E impunham-se desafios secretos como transar com os três num período de vinte e quatro horas. Mas, por alguma razão, Lydia não gostava desse tipo de complicação. Perguntava-se se não seria necessário odiar, de fato, os homens para comportar-se desse jeito.

Mas como seria com Conall? Como provavelmente já tivera muitas experiências sexuais caretinhas ao longo dos últimos séculos, será que passara a gostar de coisas estranhas? Talvez não conseguisse gozar se não apanhasse. Ou se não fosse asfixiado. Seria divertido, imaginou. De certa forma. Bem, de qualquer maneira, seria interessante. O único problema era que não tinha certeza de como proceder para asfixiar alguém, mas imaginou que ele lhe mostraria.

Sem consultá-la, Conall foi direto para a Wellington Road e, apesar de não existir a menor possibilidade de Lydia levá-lo ao seu cubículo na Star Street número 66, ficou ligeiramente aborrecida. Ele podia ter *perguntado*.

* * *

— Jesus! O estado dessa casa. — Lydia passou os olhos pelo hall de Conall, as paredes descascadas, como se feridas.

— É... está um pouco... — Conall parecia reparar pela primeira vez. — Ando muito ocupado.

— Inacreditável. — Lydia se virou e seu vestido ficou preso num prego. — Socorro! E não é uma questão de grana, é? Porque você tem, tipo, o suficiente para fazer uma reforma, não é?

— Nem uma policial me faria essa pergunta, não dessa maneira. — Conall a guiou escada acima até seu quarto. Bateu palmas duas vezes e, de repente, um paraíso foi iluminado.

Impressionada, Lydia ficou parada à porta. Não sabia para onde olhar primeiro. O carpete fofo, fofo, diante dela, de uma cor que jamais conseguiria nomear — nem cinza, nem gelo, nem azul-claro, mas outra cor, muito mais bonita e especial. Talvez tivesse inventado aquela cor nova só para o tapete do quarto do Conall. E as cortinas, como as dos hotéis caros, feitas de um tecido de seda pesado, cascateando desde o teto e juntando-se numa piscina brilhante no chão.

— O que aconteceu aqui? — perguntou Lydia. — A gente atravessou para uma outra dimensão?

Ah, a cama! Enorme. Tão larga. Tão *compriiiiida.* E aquele edredom. Até a distância ela podia sentir como devia ser delicioso, suave, gentil e fresquinho.

— Que cama — disse ela, assombrada. — Vou dormir bem esta noite.

— Não, se depender de mim — disse Conall, baixinho. Lydia se virou. Ah, sim, ele. Por um instante, esquecera-se do motivo que a levara ali. — Então, como você quer fazer isso?

— Isso o quê?

— Isso. — Ela apontou para a cama.

— Não pensei a respeito... Acho que a gente pode simplesmente ver o que acontece. Que tal?

Conall a beijou, e o corpo de Lydia começou a responder.

— Que tal se eu abrir isso... — Conall brincou com os botões do vestido dela e, quando sua mão alcançou-lhe o seio, sem sutiã, ela estremeceu.

Seus olhos se encontraram e Lydia estremeceu novamente.

— Bom ou ruim?

Ela não tinha certeza.

Conall moveu os dedos em movimentos circulares em volta dos botões, até que Lydia pensasse que jamais seriam abertos, que ela e seu desejo ficariam trancados para sempre. Depois, com um puxão repentino, quase violento, os quatro botões foram abertos, e Conall deslizou o vestido por cima da cabeça dela. Deitou-a na cama e tirou lentamente sua calcinha. Ela estava arfando.

— Quer que eu bata em você? — perguntou Lydia, sem ar.

Ele se afastou e olhou para ela.

— Ou asfixie?

— Não. — Pareceu horrorizado. — É isso que você quer?

— Não. Fiquei achando que isso podia excitar você.

— Você me excita.

Conall pegou a mão dela e colocou-a sobre sua virilha.

— Entendi.

# *Dia 25...*

— Tudo bem, chefe? — perguntou Danno para Katie.

Katie virou-se para ele, o rosto iluminado de beleza.

— Tudo bem? — perguntou.

— É, tipo... — apontou para a boate, para as pessoas, para os jornalistas, as modelos e celebridades presentes no lançamento de *Seven Vintage Cars, One Dart Ticket*, do Wayne Diffney. — Quer que eu faça alguma coisa?

— Danno, posso dizer honestamente que é o momento mais feliz da minha vida.

Danno ficou repentinamente desiludido. — Achei que você era do tipo que não se drogava.

— Não tomei nada. Só estou feliz. — Sorriu, luminosa, mais uma vez.

— Drogada de vida? — Danno não podia acreditar menos em gente naturalmente alto-astral.

— Eu devia estar exausta — confidenciou ela. — Quase não dormi ontem à noite. Mas sinto como se não precisasse dormir nunca mais. Me sinto invencível.

— Para mim, isso é efeito da droga — disse ele, suspeitoso. — Se cuida, Katie. Não deixa esse cara fazer você de idiota.

— Ah, Danno, estou ótima. É como um romance de férias. Ou o programa do Fionn vai ser um fracasso e ele vai voltar para Pokey ou, se acontecer o contrário, o sucesso vai acabar subindo à cabeça dele. Não existe o menor futuro para essa história, mas, por enquanto, está tudo perfeito.

* * *

A festa de lançamento de Wayne foi um sonho. Os convidados começaram a chegar antes das dez; portanto, Katie não precisou ficar muito tempo de pé numa boate vazia, Wayne encarando-a com olhar ferido, apavorado com a possibilidade de não aparecer ninguém. E as pessoas que compareceram eram convidados de verdade. Tias e primos de Wayne eram ótimos, mas Katie precisava da presença da mídia e, para sua satisfação, os representantes dessa categoria apareceram aos montes. Conversando com eles, descobriu que existia bastante boa vontade em relação a Wayne Diffney. "O que a mulher dele fez com ele..." "Dane-se a mulher, o que o prejudicou foi aquele penteado que colocaram nele na época do Laddz. Quase morri de pena do cara." "Entendi bem? O título do disco tem a ver com o fato de que Shocko tinha sete carros de colecionador, e Wayne só tinha uma passagem de trem no dia em que foi deixado pela Hailey?"

Katie acompanhava Wayne, garantindo que conversasse agradavelmente com jornalistas, mesmo os que o haviam detonado no passado — e eram tantos —, e, de repente, lá estava Fionn com suas botas sujas, sua jaqueta cheia de bolsos, de pé, sorrindo de maneira estranha, sendo ignorado por todos os presentes.

— Só queria que você soubesse que estou aqui — disse ele. — Pode ir fazer as suas coisas. Estou aqui para quando você me quiser.

Katie chamou George, que passava por eles. — George, esse é o Fionn. Toma conta dele. Apresenta para algumas pessoas.

George arrastou Fionn pelo salão, e, enquanto perambulava com Wayne, Katie, de vez em quando, dava uma olhada nele. Parecia estar entretido, o que era um alívio.

— Wayne, essa é Catherine Daly, do *Times*...

— Wayne, Casey Kaplan, do *Spokesman*. Sei que vocês dois se conhecem de longa data...

Keith, do *Tribune*, apareceu na sua frente. — Katie, você empresta o Wayne para a gente, um pouquinho? Só para tirar umas fotos com uma pessoa. — Ele parecia bastante agitado.

— Quem?

— Logo ali. — Keith guiou-os através da boate. — Wayne, Katie, esse é Fionn Purdue. Guardem esse nome; vocês ainda vão ouvir falar muito dele. Fionn vai apresentar um programa de jardinagem novo. Está se falando muito nisso.

Katie riu, deliciada. — Prazer, Fionn Purdue.

— O prazer é *meu*, Katie Richmond.

Nem Wayne nem Keith conseguiram entender o que aquilo tinha de tão engraçado.

— Katie — Danno apareceu por ali. — Já está tudo pronto para começarem os discursos.

Em homenagem à ocasião — e era uma homenagem —, James "Lobo" Lobato, diretor da Apex Europe, viera de Londres com sua esposa linda de morrer, Karolina, e as filhas igualmente bonitas: Siena e Maya. Em circunstâncias normais, lançamentos irlandeses não contavam com a presença de gente do escritório londrino.

Lobato, homem abençoado com carisma e beleza extraordinária, conversou com humildade impressionante sobre as vezes em que conhecera ícones como Nelson Mandela, Robert Plant — e, é claro, o Dalai-Lama. Mas quem *não* conhecera o Dalai-Lama, pensou Katie, ausente. A marca corria o risco de excesso de exposição. Um pouco como a Louis Vuitton. Lojas em toda parte, vendas até em duty-frees. Deu uma rápida olhada nos rostos à sua volta: todos encaravam o Lobo devotadamente, e ela foi tocada por sinais de alarme. Estavam tão absolutamente apaixonados pelo Lobato que pareciam esquecidos da verdadeira razão de estarem ali, para celebrar Wayne Diffney. Mas... finalmente!... o homem disse: — Agora posso acrescentar Wayne Diffney à lista de pessoas famosas que me gabo de conhecer.

E o dia estava salvo! O alívio tomou conta de Katie, e ela se perguntou por que duvidara do Lobo. Era um monstro sedutor, uma estrela das relações públicas, um herói.

Muitas palmas e assovios acompanharam a presença de Wayne no palco. Seu discurso foi breve e grato. Então, com espontaneidade calculada, alguém (Danno) lhe entregou uma guitarra e pediu que cantasse algumas canções, o que ele fez imediatamente. "The Day She Left". Depois, "She's Having His Baby". E, é claro, a primeira música do áblum: "They Killed My Hair".

Um pouco sentimentaloide demais, mas ninguém podia negar que ele tinha motivo.

O trabalho estava praticamente encerrado para Katie, e, durante o restante da noite, Fionn ficou ao seu lado. Gerou bastante interesse. Volta e meia, Katie ouvia alguém perguntar para ele:

— De onde você conhece o Wayne?

— Para ser honesto, não conheço — ele sempre respondia. — Nunca tinha visto Wayne até hoje à noite. Estou aqui com Katie Richmond.

— *Com* Katie Richmond?

— *Com* Katie Richmond?

— Nossa amiga está caminhando para o abismo. — George, observando-os discretamente, balançou melancolicamente a cabeça.

— Não vai durar — concordou Lila-May.

— Qual é o problema de vocês? — Danno pronunciou-se, exasperado. — Não podem deixar que ela seja feliz, simplesmente?

— Mas o que ele vê nela?

— O quê? Você acha que deveria ser você? Por causa do seu cabelo comprido, desses peitos durinhos e...

Tomado de uma raiva súbita, Danno riu de Lila-May e beijou-a calorosamente, o que foi uma surpresa para ela, mas foi surpresa maior ainda para ele próprio, que tinha quase certeza de ser gay.

# *Dia 25...*

— Por que você não tem namorado? — perguntou Conall, quebrando o silêncio.

Estavam deitados sem dizer nada, a perna dele sobre as de Lydia, seu peso grudando-a à cama. Lydia estava muda e feliz, tanto com o tamanho da cama quanto com o sexo.

— Por que você acha que eu não tenho?

— A gente não estaria aqui se você tivesse, certo?

— É assim que funciona para você? — Até para si mesma, a frase soara forçada. Apesar de não ligar mais para Gilbert — e realmente descobrira que não ligava —, seu orgulho ainda estava um pouco ferido: quem imaginaria que ele saía com outras mulheres?

— Como assim? — Conall estava repentinamente interessado.

— Eu tinha um namorado até um mês atrás.

— Mas...

— Mas transei com o cara que divide o apartamento comigo por acidente.

— O quê? — Conall sentou-se, estava tão surpreso.

— É, transei com o cara que divide o apartamento comigo por acidente.

— Quantas vezes? Uma só?

— Só uma. Fora as outras duas vezes. Se o estrago já estava feito... tudo bem. Entendeu?

Conall não parecia nem um pouco feliz.

— Então, você ainda está transando com ele?

— Não agora, obviamente.

Como Conall nem sequer se esforçou para fingir um sorriso, Lydia disse: — Não estou transando mais com ele.

Conall concordou. Pareceu satisfeito.

— Fora quando acontece. — Lydia achou melhor acrescentar isso.

— Do que você está falando?

— Às vezes, simplesmente acontece. Se eu esbarro com ele na cozinha... — Lydia encolheu os ombros. — Ou na sala. Esse tipo de coisa.

— Quantas vezes isso aconteceu por acidente?

— Quatro.

— Quatro?

— Acho que quatro. Pode ter sido um pouco mais.

Lydia perdera a conta depois da nona vez.

— Ele é seu namorado.

Lydia riu. — Ouve só o que você está dizendo, seu possessivo... — Procurou uma palavra que contivesse a dose certa de sarcasmo. — Sua menininha. Ele não é meu namorado. A gente não conversa. A gente nem gosta um do outro. É mais ou menos como eu e você.

— Mas eu gosto de você.

— Bem, eu não gosto de você. — Apesar de isso não ser mais totalmente verdadeiro.

— Então, quando a gente transou foi tipo você e... qual é o nome do cara?

— Andrei. — Não. Nada se comparava ao sexo com Andrei. — Escuta uma coisa, Conall. O Andrei e eu, isso não é vida real.

— Mas é incrível, não é? — perguntou Conall.

Lydia esperou antes de responder, não muito certa do que dizer. No entanto, por que mentiria? — Bem, *é*. Mas nem gosto dele. Não é nada. Nada — repetiu. — Agora, vamos dormir. Tenho que acordar supercedo.

— Eu também.

— A que horas você vai acordar?

Conall a encarou. — Cinco e meia. Vou para Milão.

— Tarde assim? Meu Deus, já vou estar na metade do meu dia de trabalho a essa hora. O que você vai fazer em Milão?

— Assumir uma empresa.

— Vida fácil.

— Milão é só a primeira parada. Depois, vou para a Malásia.

— Assumir outra empresa lá?

— A mesma. O escritório central é em Milão, mas a maior parte do sistema operacional fica na Ásia. — Conall se preparou para uma enxurrada de perguntas ansiosas: quanto tempo ficaria fora? Que dia voltava? Como ela seria capaz de suportar sua ausência?

— Conall?

— Hummm. — Pronto, lá vamos nós.

— Como apago essa porcaria de luz?

— ... Ah... basta bater duas palmas.

— Não. Eu ia me sentir uma idiota. Faz isso você.

Conall bateu palmas e a escuridão tomou conta do quarto.

— Posso dizer uma coisa? — perguntou Lydia, quebrando o silêncio.

— O quê?

— Ah, nada de mais. Só que você pareceu meio bobo. Deitado, nu, batendo palma feito um maluco.

— Boa-noite.

Ah, que delícia de lençol, pensou Lydia, afagando-o de novo e de novo. Tão fresquinho e macio, tão lindo sob a palma da mão. Espaço de sobra para esticar os braços e as pernas, travesseiros de marshmallow, tantos deles...

— Quantos anos ele tem? — A voz de Conall interrompeu seu devaneio.

— Quem? Ah, o Andrei. Sei lá.

— Vinte e poucos, trinta e poucos?

— Vinte e poucos. Talvez uns vinte e sete. Vai dormir.

— O que ele faz?

— Trabalha com computador. Conserta computador, acho. Na verdade, não sei direito. Eu disse, a gente não conversa. Vai dormir.

— Então, ele não é dono da própria empresa nem nada do gênero?

— Não.

— Qual é o carro dele?

— Ele dirige uma van. Mas nem é dele.

— Uma van? — Conall pareceu debochado e agradecido.

— Mas ele tem o pinto grande.

Do lado dela, Conall ficou tenso feito um pedaço de pau.

— Uma piada. — Mas Andrei *tinha* o pinto grande. — Dorme.

Era o melhor sonho possível. Ela subia e descia num mar de penas, as plumas mais suaves... então, uma coisa começou a acontecer, alguém a sacudia. E não estava mais naquele sonho delicioso. Estava bem acordada, na cama magnífica de Conall.

— Como ele é? — perguntou uma voz. Conall Hathaway.

— Quem? Ah, pelo amor de Deus, um pouco de orgulho, vai!

— Só quero saber como ele é.

— Olho azul. Cabelo bem curtinho, alourado.

— Alto?

— Alto.

— Musculoso?

— Bastante. Dorme bem.

# Dia 24

— Foi boa a noite ontem, Matt?

— Oi? — Matt se deu conta de que Salvatore estava falando com ele.

— Cadê meu sorriso?

— O quê?

— Por que a cara feia? Muitos amarettos ontem à noite?

— Não, nada de mais.

Matt esperou Salvatore voltar para a mesa e deixou seu rosto se fechar novamente, até ficar tão melancólico quanto seus sentimentos.

Fazer as Boas Ações do Dia era um grande pé no saco, mas Maeve abandoná-las era ainda mais perturbador. Tudo estava indo na direção errada. As coisas deveriam estar melhorando, mas pareciam ter piorado de maneira considerável. Não tinha certeza de poder passar por tudo aquilo novamente; não tinha mais o que era necessário dentro dele, fosse o que fosse.

Pegou um jornal que alguém deixara por ali, e seu coração se alegrou um pouco quando leu que outro bloco de gelo caíra sobre a Terra, dessa vez em Lisboa. Viu? Outra capital. Será que era o único que percebera? O mais estranho era que — pelo menos até o momento — ninguém se ferira com esses rochedos gelados gigantes. Caíam dos céus e destruíam carros, telhados e monumentos, mas nenhum ser humano cruzara seu caminho. Se — ou melhor, *quando* — disse Matt para si mesmo, cheio de esperança, *quando* um deles caísse em Dublin, seria, definitivamente, em cima de uma pessoa, uma pessoa em particular, e isso deixaria todo mundo apavorado. Isso se existisse alguma justiça no mundo. O que, é claro, não existia. A descida de volta ao desespero começou novamente e se intensificou quando ele leu que cientistas estavam investigando o fenômeno (Matt se ateve um pouco à palavra *fenômeno*, que cheirava a ficção científica, tipo de coisa de que gostava; poderia ter um pouco mais disso na vida), e haviam concluído que as pedras geladas não faziam parte de uma corrida alienígena. A teoria de que os pesquisadores científicos mais gostavam era a de que os blocos de gelo vinham de aviões.

O telefone de Matt tocou, e ele levou um susto. Com o coração na garganta, atendeu: — Edios. Matt Geary.

— Matt? — Era Natalie. — Você vai sair da Edios?

— Não. Por quê?

— Fui sondada.

A parte do seu cérebro responsável pelo instinto que alertava sobre ameaças perigosas de repente entrou em ação.

— Pela Edios — disse ela. — Para chefiar uma equipe de vendas, ir atrás de novos negócios, conduzir as negociações até assinarem o contrato.

— Esse é o meu trabalho.

— Foi exatamente o que pensei. Desculpa, Matt.

Iam demiti-lo; não havia outra explicação. Não colocariam Nat para chefiar uma segunda equipe de vendas, não no momento atual, em que mal havia trabalho para um. Subitamente, Matt compreendeu que a reunião no Escritório do Terror no dia anterior fora uma maneira de assentar a decisão entre os chefes.

Tudo isso tinha a ver com o Bank of British Columbia, concluiu Matt. Tudo que estava estranho e errado era culpa disso. A culpa era sua, na verdade. Fora afetado por uma paralisia assustadora, e não tinha sido capaz de convencer o banco a comprar o software, além de não ter tido coragem de denunciar o blefe deles e, por causa disso, todos haviam ficado estagnados.

Mas, caramba. Ser demitido. Uma onda de pânico tomou conta dele. Nunca fora demitido antes. Era sempre o contrário; empregadores o adoravam e, todas as vezes que pedira demissão, imploraram para que mudasse de ideia. Matt, demitido? Ele não conhecia essa pessoa.

Dinheiro. Sem renda, o que ele e Maeve fariam? O salário de Maeve era uma piada. Ele teria de arrumar outro emprego, mas, pela primeira vez na vida, achava que não seria capaz. Não era mais a pessoa que costumava ser. Não conseguiria entrar numa sala, da maneira que já o fizera em algum lugar do passado, e encarar uma série de entrevistas, tendo de convencer de que ele era o que a empresa precisava.

A preocupação não era apenas o dinheiro. Era Maeve. Isso a deixaria desolada. Ela via desastre em tudo; um indício de má sorte era sinal de que a vida dos dois estava amaldiçoada.

Teve a terrível sensação de que todo o controle desaparecera, de que ele e Maeve se encaminhavam para um horripilante e sombrio fim. A felicidade e o bem-estar haviam desaparecido e não era possível trazê-los de volta. Tudo entre eles ia terminar; e terminar de maneira horrível. Os últimos três anos haviam sido gastos na tentativa de driblar seu destino, mas ele vinha como um meteoro na sua direção.

O telefone tocou. Sentindo-se como se no meio de um pesadelo, Matt atendeu e... ah, a ironia insuportável... era o diretor do Bank of British Columbia. Comprariam o sistema.

Era tarde demais. Demorara muito. Ele gastara muito dinheiro nessa empreitada. Mas, pelo bem da equipe, Matt tinha de seguir o roteiro. Gritar. Socar o ar. Exclamar: — AUAUAU! — Muitas vezes. — Cheguei a pensar que os canalhas iam dar para trás! Só por um minuto, mas pensei! — Tinha de pegar Salvatore e rodopiar com ele pela sala. Mandar Cleo comprar champanhe. E, quando começasse a chorar, expulsando alguns sentimentos horríveis de seu plexo solar —, durante alguns momentos petrificantes, absolutamente incapaz de parar —, as lágrimas seriam de alívio.

Eram quase cinco e meia quando o outro telefonema veio: devia apresentar-se à sala dos diretores imediatamente. O velho Matt faria alguma piada com sua equipe: "Talvez eu vá, em algum momento." Mas o velho Matt não existia mais. Não disse nada a ninguém.

Nunca mais os veria; não teria permissão para voltar ao escritório e se despedir; seria escoltado para fora do prédio sem sua caneca especial e sem sua fotografia de Maeve. Mas isso não importava. Eram apenas coisas; eles eram somente pessoas.

Pelo menos, graças a Natalie, sabia o que o esperava. Sem seu telefonema, talvez fosse para o Escritório do Terror pensando que seria cumprimentado pela grande venda. E, mesmo assim, enquanto suas pernas se adiantavam sem que ele fizesse esforço, era impossível acreditar que as coisas estivessem tão mal. Sentia-se como se caminhando no meio de uma névoa, sem sentir a conexão de seus pés com o chão.

Chegou. Bateu, mas a porta estava aberta e ele entrou. Rostos sérios dentro da sala. Matt baixou a cabeça e esperou pelo golpe de execução.

Mas era pior do que ele imaginara. Ah, muito, muito pior.

Matt não estava sendo demitido. Ah, não. Matt estava sendo promovido.

# Duas semanas depois

# Dia 10

O telefone de Lydia tocou. Era Conall.

— Onde você está agora? — perguntou ela.

— Vietnã.

Ela riu alto. — Não? Jura? — Nas duas últimas semanas ele fora de Milão para Kuala Lumpur, depois para Manila. — Qual é a próxima parada?

— Phnom Penh. Camboja.

— Sortudo.

— Não é tão legal quanto parece.

— Ah, sei. Viajar de primeira classe, ficar em hotel com serviço de quarto. Eu *amo* serviço de quarto.

— Quando eu voltar, a gente pode ir para algum lugar. Que tenha serviço de quarto.

— Pode ser.

— E por aí, como vão as coisas?

— O resultado do exame da mamãe sai amanhã. O Dr. Buddy Scutt vai explicar tudo.

— Boa sorte. Me dê notícia.

— Pode deixar. Não tem muito mais para contar. O casamento da Poppy é na próxima quarta. Ela está em pânico.

— Eu queria entender como você não é uma das madrinhas dela.

— A mãe dela me odeia. E tem a Cecily, a prima perfeita. Desde que elas têm uns dez anos juram que vão ser a madrinha uma da outra.

— E quem vai ser o seu acompanhante?

Num passado remoto, seria Gilbert.

— Ninguém, eu acho. Você não está se candidatando, está?

— Talvez.

— Você pode ir, desde que eu não tenha que me preocupar com você. Isso significa que você é meu namorado?

— Não sei. Significa?

Então ele sumiu. Desligou na cara dela! Sempre fazia isso; sempre queria ficar com a última palavra.

Depois de encarar o telefone por alguns segundos, ligou para Poppy.

— Conall Hathaway quer ir no seu casamento.

— Isso significa que ele é seu namorado?

— Foi o que eu perguntei.

— Talvez ele seja — disse Poppy.

— Como vão as coisas com o gostoso do Andrei?

— Estou curada. — Não transara mais com ele desde a noite que passara na cama gigantesca de Conall. Na verdade, entre levar a mãe para fazer a ressonância e as consultas em Boyne, não tinha certeza de ter visto Andrei na última semana. Até mais que isso, na verdade. — E para de chamar ele de gostoso.

# *Dia 10...*

Jemima se revirava na cama, tentando encontrar uma posição que não lhe causasse dor. Rancor subira na cama ao seu lado e deitara a cabeça em sua barriga. O calor que ele emitia era um ótimo analgésico, Jemima sempre dizia. Mas ela se contorcia sem achar posição, e ele não se surpreendeu quando ela disse: — Desculpa, meu querido Rancor, mas o peso da sua cabeça está um bocado desconfortável.

Surpreso, não. Mas ferido, ah, sim, muito ferido. Desceu da cama e saiu do quarto, de pescoço rígido, para cuidar de seu sofrimento no próprio cesto. Então, ficou tenso. Fionn! Tão afinado era seu ódio por ele, que podia sentir sua presença a distância.

Fionn estava na rua com Katie. Estavam saindo — não, *tropeçando* para fora — de um táxi e tentando enfiar a chave na porta do prédio; e lá vinham eles, subindo as escadas, murmurando e rindo. Chegando em casa com o leite, para usar uma frase de Jemima que Rancor não compreendia. Fionn e Katie não traziam leite. Não traziam nada, só tristeza para sua pobre dona. Rancor balançou a cabeça peluda, desgostoso.

Até então, simpatizava com Katie — bem, o tanto que era capaz de simpatizar com alguém —, mas seu envolvimento com Fionn mostrava imperdoável lapso de gosto e razão.

Curvando o lábio na tentativa de se conter, Rancor ouviu os sussurros do casal apaixonado que subia as escadas na ponta dos pés. Vários "sh" e risos abafados. Inacreditável. "Para, seu safado!" ordenou Katie num sussurro, e Rancor se perguntou o que Fionn teria feito. Enfiado a mão por baixo da saia dela? Enfiado a mão dela dentro da sua calça? Um barulho abafado se seguiu. Fionn deve tê-la encostado contra a parede para um amasso. Meu Deus!

Passaram por Rancor na ponta dos pés, do lado de fora da porta de Jemima, gemendo baixinho. Iriam para o apartamento de Katie, no último andar do prédio, e teriam relações barulhentas.

Fionn não dormia uma noite inteira no apartamento de Jemima havia quase três semanas. Estava praticamente vivendo com Katie. Esse desenrolar deixara Rancor absolutamente animado — não somente tinha Jemima apenas para si novamente, mas podia se deleitar com longos períodos de desdém. Que criaturazinha era Fionn. Que ingrato desleal. Jemima cuidara dele durante os anos de vulnerabilidade, e ele a deixara como se fosse uma batata quente quando se associara a essa Katie, peituda e perfumada.

A pobre Jemima tentara fingir não estar triste.

— Katie é uma moça tão adorável. Tão sensível. Quanto tempo será que vai aguentar Fionn? Essa é a questão.

Atualmente, só viam Fionn quando ele aparecia para buscar os convites que chegavam para eventos glamorosos. Nas primeiras vezes, Fionn fingira ser uma visita de verdade, depois Jemima ficou esperta. Agora, juntava grandes e coloridos envelopes numa pilha no escritório, e, quando Fionn entrava, ia direto atrás do que queria, abrindo as correspondências.

Isso deixara Rancor enojado, Fionn e seus convites. *Enojado*. Chegavam três ou quatro todo dia, às vezes nem mesmo pelo correio normal, mas por um motoboy, e Fionn se achava fantástico. Quanto mais convites chegavam mais insensível ele ficava, e Rancor daria tudo o que tinha para ser capaz de lembrá-lo de que os convites só chegavam porque ele estava no *mailing list* de alguma empresa de relações públicas. Ninguém estava, de fato, interessado na sua presença. Nem em escutar o que tinha a dizer! Ah, não, o lançamento do disco é na mesma noite do aniversário de uma celebridade! Ou: se formos nessa estreia, mas não assistirmos ao filme, podemos chegar no final da inauguração daquela galeria.

Como se alguém desse a *mínima*.

Era preciso admitir que Fionn tentara convencer Jemima a ir a alguns desses eventos — apesar de Rancor suspeitar que Katie sempre estava por trás de tais gentilezas. Mas, para que Jemima iria a essas festas? Tinha oitenta e oito anos, era bastante inteira, é claro, mas que interesse Fionn esperava que ela tivesse em fazer um *test drive* no último modelo da Ferrari? *Hein?*

Rancor colocava a culpa dessa nova e glamorosa vida de Fionn em Grainne Butcher. Ela dera os contatos sobre Fionn para todas as agências de RP do país e dissera a ele que mostrasse a cara, porque já começara a contagem regressiva para o primeiro episódio de *Seu Jardim do Éden Particular*. Só faltavam doze dias para entrar no ar, e ela queria criar um buchicho.

Rancor não suportava a espera. Queria que o programa entrasse logo no ar para ser desbancado como merecia. Vira o primeiro corte do primeiro episódio e todos — idiotas! — pareceram achar que era bom. Inacreditável! Era para ser um programa de jardinagem e, em vez disso, lá estava um imbecil para cima e para baixo com um casaco sujo, tirando pedras e sementes dos bolsos.

*Seu Jardim do Éden Particular* seria um fracasso. Tinha de ser.

# Dia 9

— Maeve?

— Oi?

*Conte a ela, conte a ela, conte a ela.* — É... — *Conte a ela, idiota.*

— ... nada.

Gerente do Departamento Internacional de Vendas. Era isso que Matt era agora. Pelo menos, era o que estava escrito nos novos cartões de visita que recebera naquela tarde no Escritório do Terror, dia em que o Bank of British Columbia dissera que compraria o sistema da Edios. Uma chuva de cumprimentos pela promoção fora despejada sobre Matt, por parte dos chefões da Edios. Sua mão havia sido apertada pelo diretor financeiro, recebera tapinhas nas costas do presidente e tentara manter o desespero fora do rosto quando informações entusiásticas saíram da boca de Kevin Day.

— Combatendo fogo com fogo, é assim que se lida com essa recessão. Você sabe o que "internacional" significa, não sabe, meu filho? Isso mesmo — muitas viagens! Todos aqueles novos mercados no Extremo Oriente esperando para ser conquistados, e quem melhor para liderar essas expedições do que Matt Geary?

Nenhum aumento no salário, naturalmente.

— Estamos em recessão, mas nada bate o prestígio e, é claro, uma porção de viagens.

Maeve surtaria. Quando lhe contasse.

Mas duas semanas já haviam se passado e ele ainda não dissera nada. O tempo estava se esgotando, cada vinte e quatro horas passando mais rapidamente do que as anteriores. Nat estava de aviso prévio na Goliath; faltavam somente dez dias para que aparecesse para assumir o cargo de Matt. Todas as noites, ele ia para a cama sob o peso de mais um dia ter se passado sem que tivesse contado nada a Maeve, e todas as manhãs tinha medo de ter de fazê-lo imediatamente. Então, um minuto se passaria, depois outro e outro e, de alguma maneira, todos os minutos se acumulariam até que, por incrível que parecesse, fosse novamente hora de dormir e as palavras ainda estariam trancadas dentro dele.

Recusar a promoção nunca fora uma alternativa — era um assunto encerrado, seu trabalho antigo estava no passado, fora tirado dele e entregue a outra pessoa —, mas também não podia aceitá-lo, e não havia meios de sair daquela situação.

O dia se apresentava à sua frente e ele sabia que não diria nada, iria para a cama de noite, acordaria no dia seguinte, sem contar a Maeve, até que o dia acabasse e outro começasse, novos dias sempre começando e terminando até que Nat aparecesse na Edios e um avião esperasse no aeroporto de Dublin para levar Matt à China. Então, o que aconteceria?

# *Dia 9...*

— Vai sair com o Andrei hoje à noite?

Rosie esboçou um sorriso enigmático e ocupou-se do armário de seringas porque, não, não sairia com o Andrei à noite, mas dificilmente admitiria isso para sua colega Evgenia. Nunca demonstre fraqueza. Este era o oitavo dia desde a última vez em que Andrei estivera disponível para ela, e Evgenia era do tipo que tomava nota.

Rosie não entendia. Logo depois do episódio em que ficara plantada na porta, colocara Andrei exatamente no lugar que queria: de joelhos. Ele mandara rosas vermelhas. Mandara um pingente em formato de coração, que ela levara para o joalheiro dar uma olhada; ele avaliara a peça em duzentos euros, não tanto quanto ela gostaria, mas uma quantia bastante respeitável. Houvera promessas de que Andrei perguntaria no trabalho se podia usar a van para um romântico fim de semana em Kerry.

Depois, um corte inexplicável no ardor do namorado. Nas duas últimas vezes em que haviam saído, a expressão no rosto dele, ao olhar para ela, perdera o derretimento costumeiro, as mensagens de texto vinham simples, e ele nunca mais mencionara Kerry.

— Fecha a mão, Sr. Dewey — disse Rosie ao senhor na maca. — Para eu conseguir encontrar a veia.

— Meu nome é Screed — disse ele, olhando nervosamente para a seringa nas mãos de Rosie.

Era? Então, quem era o Sr. Dewey? Ah, sim, o homem que morrera na cama ao lado, naquela manhã, lembrou-se. Todos tinham a mesma cara.

— Sr. Screed. — Ela tentou sorrir. — Desculpe, querido. Semana longa. — Tocou na pontinha do cotovelo do senhor. — Será que ainda existe alguma veia?

O rompimento inesperado com o bonitão do Fionn abalara sua confiança, fazendo com que fosse ainda mais grata a Andrei: *ele* jamais a deixaria sozinha num bar, era um *cavalheiro*. Tinha de admitir que ele a deixara do lado de fora do apartamento, mas realmente não a escutara bater na porta com suas mãozinhas de fada. Tratara o incidente como grande traição, porque era isso que se devia fazer, mas ela só estava fazendo joguinho. Era o que homens como Andrei esperavam de moças como Rosie: que fossem sensíveis, que se sentissem feridas, que exigissem explicações etc.

Talvez — era a coisa óbvia a se esperar — a atenção de Andrei tivesse diminuído porque conhecera outra pessoa. Mas ela não achava provável. Andrei não era como Fionn; era confiável e firme.

Mas, por incrível que parecesse tivera um momento de estranha hesitação diante de Lydia — apesar de a moça ser tão ríspida e bélica que Rosie não conseguia imaginar nenhum homem desejando-a. Mas o apartamento era muito pequeno e homens, mesmo os decentes, eram, essencialmente, animais...

## *Dia 9...*

Restos do rímel da noite anterior manchavam o rosto de Katie, como se fosse fuligem. Olhou sua imagem no espelho do banheiro, inspecionando o estrago. Na verdade, era incrível, pensou, que sua aparência não estivesse pior. Vinha dormindo não mais que quatro horas por noite. Sua rotina de cuidados com a pele fora para o espaço. Comia porcaria o tempo todo: biscoitos de chocolate no café da manhã, torrada com queijo às quatro da madrugada. E não estava levantando um dedo como exercício. Fora o sexo. E, para ser honesta, vinha praticando um bocado dessa modalidade.

— Não tem leite? — gritou Fionn da cozinha.

— De onde ele viria? — Apoiou-se na maçaneta da porta e observou-o andando com um saquinho de chá. — Você está comigo desde que saí do trabalho ontem. A menos que eu tivesse saído no meio da noite para comprar...

— Vou dar um pulo lá embaixo, no apartamento da Jemima, e pego.

— Não. Não está certo tratar Jemima como um mercado.

— Por que não? Ela não liga.

Mas talvez ligasse. Só não deixaria Fionn saber.

— Toma chá puro; não vai matar.

— A gente tem que fazer compras. — Ele acenou em direção ao cesto vazio de pão. — Comida e tudo o mais.

— E hoje à noite? A gente vai ficar quietinho em casa?

Fionn franziu o cenho. Katie estava falando sério? Então, caíram na gargalhada. Toda noite havia alguma coisa. Não havia nada —

*nada* — em Dublin para que Fionn não fosse convidado: estreias de filmes, aniversários, lançamentos de carros, inaugurações de hotéis. Prendia todos os convites na moldura do espelho de Katie e, frequentemente, ficava de pé, admirando-os.

— Passei tantos anos no fim do mundo — dizia. — Olha só quanta coisa perdi.

— Para falar a verdade, talvez a gente devesse descansar uma noite — disse Katie. Até Fionn parecia um pouco pálido naquela manhã e haviam aparecido linhas em volta de seus olhos que ela não vira antes.

— Amanhã à noite a gente fica quieto — disse Fionn. — Qual é o plano?

— Aniversário do meu pai. Lembra?

— Eu sei. A que horas?

— Ah! Você vai?

Depois de uma pausa, ele disse: — ... Não vou?

Katie foi tomada de angústia. Os dois estavam se divertindo tanto, dias e noites de pura adrenalina, pura excitação. Era como se estivessem embriagados permanentemente de alguma droga da felicidade que não tinha efeitos colaterais. Nada a traria de volta à vida real mais rapidamente do que apresentar sua família a Fionn.

— Ah, Fionn, talvez seja um pouco cedo. — Seria como lançá-lo aos lobos. — Minha família, eles são um pouco difíceis.

O rosto de Fionn foi tomado de um vermelho escuro. — Um pouco cedo? Estamos juntos há séculos.

Três semanas — mas, é verdade, parecia muito mais. — Minha família — disse ela, sem jeito — foi horrível com o Conall.

— Não sou o Conall.

Ela teve de rir. — E eu não sei? — Para afastar a rejeição do rosto dele, ela disse: — E se eu marcasse alguma coisa com eles para um outro dia? Talvez na semana seguinte?

— Ok.

— Desculpe por amanhã à noite.

— Não tem problema — disse ele, mas ainda soava um pouco chateado. — De qualquer jeito, vai ser meio chato.

Concordando, ela disse: — Se fosse só isso.

— Você vai sair depois?

— Talvez eu chegue um pouco tarde.

— Ah, Katie. — Melancólico, ele chutou a porta da geladeira. — Detesto não ficar com você.

# *Dia 9...*

Demência. Lá estava em preto, branco e sombras cinzentas, uma fotografia digital do cérebro de Ellen Duffy, mostrando claramente que ela estava doente.

— Então, não é Alzheimer? — perguntou Murdy.

— Não. — Buddy Scutt apegou-se à única boa notícia.

— Na verdade, talvez seja. — Lydia sabia tudo sobre o assunto, porque passara horas e horas pesquisando na internet. — Às vezes, a arteriosclerose cerebral pode coexistir com o Alzheimer. Talvez possa ser um sintoma.

— Se ela não tem Alzheimer, a gente está salvo — disse Murdy, emocionado.

— Não está, não! Ela tem outro tipo de demência, tão ruim quanto. E *talvez* tenha Alzheimer.

— Então, o que é esse troço de arteriosclerose cerebral? — perguntou Ronnie a Buddy Scutt.

— Ela teve uma tonelada de miniderrames — respondeu Lydia.

— Ela não teve um derrame — disse Murdy. — A gente saberia.

— Miniderrames, miniderrames! Eles são pequenos — o nome já diz —, mas prejudicam a passagem do sangue em algumas partes do cérebro.

— É isso mesmo? — Ronnie se dirigiu a Buddy Scutt, sentado do outro lado da mesa, parecendo acovardado e constrangido. Exatamente como deveria estar, pensou Lydia com amargura.

Buddy pigarreou. — A arteriosclerose resulta de uma série de pequenos derrames que prejudicam o fluxo sanguíneo em algumas partes do cérebro.

— Minha irmã acabou de dizer isso.

— É melhor você consertar isso também. — Esse era Ronnie. Só porque falara baixinho, não queria dizer que era menos ameaçador.

— Com certeza, podemos garantir que isso não volte a acontecer. Vamos dar início imediato à medicação para afinar o sangue e encerrar a fase de derrames.

— E você vai consertar o estrago, doutor? — Ronnie era bastante insistente.

— Ah, veja bem — Buddy Scutt se revirava miseravelmente na cadeira —, o problema causado é irreversível.

— Irreversível? — falou Ronnie ainda mais baixo. — Meu Deus, não, isso não é nada bom.

— Pode acreditar em mim, Ronald, se eu pudesse consertar os danos, consertaria.

— Minha irmã veio aqui já faz quase um ano, pedindo para fazer uma ressonância, e o senhor mandou as duas para casa. Um ano inteiro e minha mãe tendo essas coisas múltiplas, a cabeça ficando cada vez mais danificada.

— A gente vai processar você! — declarou Murdy. — A gente vai arrancar todo o dinheiro que você tem.

— Aquele BMW, para começar. — No estacionamento, Murdy já começava a computar os bens de Buddy. — E ele não tem mulher, então não vai poder passar tudo para o nome dela. Isso é muito comum, passar os bens para o nome de familiares, porque aí, quando gente de bem como a gente ganha uma causa, acaba não recebendo nada.

— Cala a boca, seu idiota — disse Lydia, baixinho. — A gente não vai processar ninguém.

— Ele devia perder a licença.

— Mas não vai. Eles sempre andam juntos, os médicos e quem quer que tenha o poder de tirar a licença deles. Gente como a gente não tem a menor chance.

— Talvez devêssemos pensar em alguma punição extrajudicial — disse Ronnie, quase como se falasse sozinho.

— Você, também, cala a boca. Esquece esse negócio de vingança.

Os dois irmãos estavam tão de acordo que era quase enervante. Eram uma gangue: Operação Mãe Louca. Só Raymond, atolado em Stuttgart, não estava presente.

— O que a gente vai fazer para tomar conta da mamãe?

— Aaahhh...

— O que o Hathaway tem a dizer sobre isso? — perguntou Ronnie.

— Ele realmente devia dar um pulo aqui para participar — disse Murdy. — Para a gente elaborar um plano. Quando ele volta do Vietnã?

— Ele ainda está no Camboja — disse Lydia, rapidamente. Pelo amor de Deus! *Hathaway?* Ele não tinha nenhuma relação com a mãe, com nenhum deles, e, mesmo assim, aquela dupla se comportava como se fosse um salvador.

— Camboja? — Murdy sorriu, gostando da informação. — Ele é foda.

— Por que a gente não tenta bolar um plano entre nós mesmos? — sugeriu Lydia, com doçura. — Podemos ouvir a opinião do Hathaway quando ele voltar.

— Tudo bem.

A situação estava configurada, pensou Lydia, enquanto voltava dirigindo para Dublin, finalmente sozinha, absorvendo a notícia. Sabia que a mãe sofria de algo terrível. Já passara do ponto de ter esperanças de estar imaginando coisas, mas oficializar a suspeita...

Estava certa. E todo mundo estivera errado e, apesar de isso não fazer com que a mãe melhorasse, era bom ter razão.

Mas o desperdício, o terrível e vergonhoso desperdício. Um ano inteiro que a mãe passara sendo corroída por dentro. Pobre mãe.

E, pobre Lydia, pensou de repente. Boquiaberta, flagrou-se gemendo, chorando como uma criança, como se seu coração estivesse em pedaços. Tirou uma das mãos do volante e cobriu a boca, tentando abafar o chocante ruído do próprio sofrimento. Lágrimas rolavam pelo seu rosto, nublando sua visão, mas ela continuou dirigindo, o que mais poderia fazer?

# *Dia 9...*

O táxi cruzou a pista agressivamente, trafegando entre vans, carros, bicicletas, motos, até parar em frente às portas de vidro do hotel. Um motorista uniformizado saltou e abriu a porta, permitindo que Conall saltasse e entrasse em contato com o ar úmido da noite. Entregou ao motorista um bolo de notas amassadas e começou a caminhar em direção à entrada quando um xingamento em voz alta fez como que se virasse novamente. Era o motorista, um homem pequeno e magro, suando dentro de uma camisa de náilon. Sua expressão era maldosa e ele saltou — saltou! — do carro, coisa que motoristas de táxi nunca fazem, principalmente se uma mala pesada precisa ser colocada dentro do porta-malas. Acenava com aquele bolo de notas, dirigindo-se a Conall em idioma estrangeiro com tons de fúria. As únicas palavras que Conall compreendeu foram *Vietnã, Vietnã.*

Seus pensamentos fluíam muito lentamente naquele ar pesado. Será que pagara menos do que deveria? Mas tinha certeza de ter acrescentado uma gorjeta boa ao valor do taxímetro.

O funcionário do hotel se adiantou e explicou: — Ele disse que você pagou com dinheiro vietnamita.

— E qual é o problema?

— Aqui não é o Vietnã.

Não era? Então, onde estava?

A mente de Conall deu um branco total. Buscando pistas, olhou em volta. Atrás dele, viu a torre envidraçada e brilhante de um hotel; do outro lado de um bosque, uma feira noturna conduzida por homens baixinhos e morenos; além da feira, quase fora do alcance da vista, o início de algumas favelas.

Meu Deus, o homem estava certo, não era o Vietnã. O Vietnã tinha sido o dia anterior. Este era outro lugar. Outro lugar quente. Conall pensou por alguns segundos. Indonésia!

— Camboja, senhor.

— É isso, Camboja! — Pegou a carteira. Devia ter algum dinheiro do Camboja. Tinha notas de vários lugares, mas... — Como é o dinheiro daqui?

— O senhor me permite? — Educadamente, o homem pegou a carteira de Conall, que percebeu a troca de olhares de desdém entre ele e o motorista de táxi: esse branco ricaço, cheio do dinheiro.

— Foi um dia longo — disse Conall. E fora mesmo. Começara em outro país, em outro fuso horário.

A negociação foi feita com o motorista de táxi, e a carteira de Conall foi devolvida. — Desculpe.

— Dei uma gorjeta para ele — disse o recepcionista.

— Muito obrigado. Deixa eu dar uma gratificação para você também.

— Obrigado, senhor. Vai fazer o check-in?

Conall foi colocado numa suíte, um cômodo enorme com uma sala enorme, um quarto de vestir e dois banheiros. Ficaria ali durante cinco horas. Pegaria o voo para Manila às seis da manhã. A decoração era um genérico de hotéis de luxo — papel de parede aveludado, mobiliário pesado e carpetes sufocantemente felpudos. Do outro lado das janelas sofisticadas, fazia trinta e dois graus.

Tentou tirar a gravata, mas ela já tinha sumido. Devia ter se livrado dela em algum momento daquele dia desafiador.

O trabalho costumava começar no carro, ainda no aeroporto, mas agora alguém da equipe o encontrava já no desembarque, assim que saía do avião, e ele recebia as informações enquanto se dirigiam e esperavam na fila de imigração. Antes mesmo de deixar o aeroporto de Phnom Penh aquela manhã, já absorvera quantidades enormes de informação sobre a infraestrutura local, a legislação corporativa nacional, os prós e os contras da mão de obra.

Como sempre, uma equipe grande de advogados locais, contadores, tradutores, transcritores e assistentes haviam sido colocados à sua disposição. O time de Phnom Penh estava bastante bem-informado e parecia que seria um acordo fácil de se fechar — até Pheakdei Thong entregar-lhe uma parte da legislação local: generosos descontos haviam sido oferecidos nos impostos para que a operação no Camboja permanecesse em funcionamento por dez anos. E isso não fazia nem quatro. Se Conall fechasse a empresa, os diretores estariam sujeitos a processos criminais.

Lidar com questões ambíguas e ameaçadoras era exatamente o que Conall era pago para fazer.

Colocar a cabeça dos diretores a prêmio — era a atitude mais eficiente, do ponto de vista do custo-benefício. Mas...

Pheakdei Thong esperara educadamente enquanto Conall desaparecia dentro da própria cabeça, fazendo configurações infindáveis, seguindo o rastro de todas as possibilidades, dividindo-as até chegar a indivíduos em volta do mundo que perderiam ou manteriam seus empregos.

*Se eu mantiver os armazéns em Hanói, mas fechar as fábricas, fizer um acordo com os fornecedores em Laos, mudar a transportadora da Indonésia para... Onde? Possivelmente as Filipinas. Ok, as Filipinas. Mas, nesse caso, preciso de um porto mais ao Norte. Ho Chi Minh é um porto. Mas as sanções dos Estados Unidos às transações com o Vietnã...*

Certo, vamos tentar de outra maneira.

*Manter os fornecedores em Laos e — como ninguém pensou nisso? —* as manufaturas *em Laos sendo transportadas até a Tailândia, fazer armazéns lá, aumentando os custos, porque a mão de obra mais barata está em Laos. Mas não existe um teto nas negociações entre Tailândia e Laos?*

Tentara várias outras versões, desejando dividir-se em dois, em três, em seis, voltando às Filipinas, ao Vietnã ou ao Laos, para esclarecer a situação local. Finalmente ficara claro que a solução para o impasse estava nas Filipinas. Teria de voltar para Manila. Droga.

Levantou-se. — Estamos encerrados aqui.

Pheakdei Thong parecera surpreso. — O que está acontecendo?

— Nada. Você fica onde está. — Era terrível: todo aquele trabalho perdido. — Alguém poderia reservar um voo para mim para as Filipinas?

Estavam abertamente satisfeitos em se ver livres dele. Às vezes, pensou, vulnerável, pode ser um pouco deprimente ser odiado e temido como ele era. Deixara-os celebrando sua partida e pegara um táxi para o hotel — onde, em virtude da exaustão, esquecera em que país estava.

Precisava comer alguma coisa; não lembrava quando havia feito a última refeição. Não precisou olhar para o cardápio do restaurante do hotel para saber o que queria: Ceasar Salad, Club Sandwich, pizza de champignon.

Mas estava muito cansado para encarar um papo quando a comida chegasse. Como foi seu dia, Sr. Hathaway? O senhor quer que eu sirva o café agora, Sr. Hathaway? Deixo as coisas aqui, Sr. Hathaway?

Esses lugares sempre tinham M&Ms no frigobar, uma certeza num mundo de incertezas. E, de fato, lá estavam eles, seus pequenos amigos. Com cuidado, como se seu corpo estivesse ferido, Conall abaixou-se, até deitar-se no chão, depois enfiou o saco inteiro de pérolas confeitadas dentro da boca.

Quando o telefone tocou, às seis da manhã, ainda estava estirado no chão, ao lado do frigobar, uma parte dos M&Ms semimastigados na boca.

# Três anos antes

Dois dias depois de voltar da lua de mel, Maeve encontrou David no corredor do trabalho. Culpada, preparou-se para um gesto ofensivo da parte dele, esperou que passasse por ela com sua tristeza dramática, como fizera todas as vezes em que seus caminhos se cruzaram nos meses anteriores, mas, daquela vez, para sua grande surpresa, ele se dirigiu a ela com um sorriso no rosto.

— Bem-vinda de volta, Maeve. Ou será que devo dizer Sra. Geary — disse, cordialmente. — Foi boa a lua de mel?

— É... Foi...

— Desculpe não ter ido ao casamento...

— Não! Imagina! Não tem problema, eu entendo. Você achou chato ter sido convidado? Era uma coisa meio "se eu convidasse você ia ficar chateado, se não convidasse você ia ficar chateado."

— É, eu sei, eu sei.

— David, sinto muito. De verdade — disse ela, baixinho.

— Tudo bem.

— Obrigada.

— Pelo quê?

— Por me perdoar.

— Ei, nunca disse isso. — Mas David sorriu e as ondas de culpa sumiram de dentro dela. Maeve sentiu-se livre e leve. Um novo dia amanhecera na relação Maeve-David.

— Nunca tive a intenção de ferir você, David. — Com firmeza, ela disse: — Você significou muito para mim. É um homem decente. Era a última coisa que eu queria fazer.

— Eu sei disso. — Quase envergonhado, ele disse: — Comprei um presente de casamento para vocês.

— Ah, David...

— Mas não quis aparecer com ele aqui. Ia ser um pouco...

— Eu sei! Claro.

— Você pode ir buscar na minha casa.

— Claro. Quando for melhor para você.

— Hoje à noite?

— Com certeza, por que não?

Na verdade, aquela noite era perfeito para ela. Matt jantaria fora com um cliente; mal haviam chegado da lua de mel, e ele já voltara para o que fazia tão bem. Vinda de lugar nenhum, uma voz em sua mente a aconselhava a não contar nada para Matt. Obviamente, ele ficaria sabendo depois que acontecesse, já que um presente de casamento tinindo apareceria no apartamento, mas seria necessário contar antes? Talvez Matt dissesse que ela não precisava se preocupar com os sentimentos de David, que era coisa do passado. Mas essa era sua oportunidade de fazer as pazes com David, de diminuir a sua carga de culpa. Para Matt, estava tudo bem, Natalie era tão arrogante que nada podia abalar sua confiança por muito tempo, mas Maeve causara danos duradouros a David e sofria com isso.

# Dia 8

Primeiro, Lydia pensou que o apartamento estivesse vazio. Mas Andrei estava bem quietinho na sala.

— Oi — disse ele, o rosto uma máscara de polidez. — Você foi a Boyne?

— Fui. Peguei sua mochila emprestada.

— Percebi.

Lydia espremeu os olhos. Aquilo era um comentário maldoso ou simplesmente uma afirmação?

Andrei a encarou — e foi como se os dois tivessem sido lançados de uma catapulta. De repente, estavam atracados, agarrando roupas, cabelo, pele. Movendo-se como um só, atravessaram a sala, entraram no quarto dele e caíram na cama. Andrei a conduzia e, em alguns instantes, estava dentro dela. Nada de preliminares ou agrados, era algo rápido e furioso, e Lydia queria que fosse rápido e furioso. Fosse qual fosse a força que tomava conta deles, só acontecia em estado de frenesi. Sem conversa, sem técnica, direto ao ponto.

Ele parecia um animal. Ela também, quando estava com ele. Era uma coisa de instinto e sensações.

Mas, assim que acabou, a sanidade retornou. Ela estava... bem, estava *surpresa*.

Achava que Conall Hathaway a curara de Andrei. Mas, agora que analisava os fatos, dava-se conta de que mal vira Andrei nas duas últimas semanas, e, nas poucas vezes em que o vira, Jan estava junto. Era fácil estar curada de sexo acidental com alguém quando não se via este alguém em questão.

— Foi a última vez — disse Lydia. — Última, última vez. Eu tenho namorado.

— Você quer um troféu? Eu tenho namora... — Andrei congelou. Ruídos vinham do lado de fora do quarto. — Jan. Ele chegou.

Andrei deu um pulo da cama e começou a vestir o corpo suado. — Se veste!

— Se veste *você*! — Era um ligeiro insulto o fato de Andrei querer escondê-la de Jan, mas Lydia também não queria que Jan descobrisse. Não que o que estavam fazendo fosse ilegal ou qualquer coisa assim, mas, quanto menos gente soubesse, mais fácil seria acreditar que não acontecera. Diga-se de passagem, era um milagre que Jan ainda não tivesse adivinhado, mesmo levando em conta sua estupidez monumental.

Jan cantava para si mesmo do lado de fora do quarto. Deixou coisas em cima da mesa da cozinha, fazendo barulho, depois se encaminhou para o banheiro. Assim que ouviram o barulho da porta sendo trancada, Andrei disse, com urgência: — Vai.

Lydia ligou para Poppy, mas a amiga não atendeu.

— Pops, liga para mim. Não estou curada.

Depois, telefonou para Sissy, mas ela também não atendeu. Não tinha outra opção a não ser ligar para Shoane, apesar de, como juiz da moral, Shoane não ser sua primeira alternativa. — Transei de novo com o Andrei.

— Ok. — Ouviu Shoane acender um cigarro, ajeitando-se para bater papo.

— Ele vai para a Polônia nas férias, no fim da semana que vem, mas, até lá, tenho que morar com ele. E se acontecer de novo? Hathaway é meio meu namorado agora. Não gosto de sair com dois ao mesmo tempo. — Ter um namorado após o outro, tudo bem. Ter um namorado novo, três dias depois de dar o fora no anterior, tudo bem. Mas dois ao mesmo tempo, não. Não achava certo.

— Ah, não me preocuparia com isso — disse Shoane. — Com certeza, Hathaway contrata prostitutas quando está nesses hotéis.

— Você acha?

— Bem, talvez. Quero dizer, por que não? Tem grana suficiente, vive viajando. Mas, olha, só estou supondo, não é para você se preocupar com isso.

— Ok. Valeu pelas palavras de conforto. Eu acho.

# *Dia 8...*

Maeve e a Dra. Shrigley estavam em silêncio. Nenhuma das duas abria a boca havia sete minutos.

— ... Não sei. — Entediante, Maeve esfregou o rosto.

— Você continua sendo perturbada pelo Fionn?

— Ah... não... Ele agora tem uma namorada. Katie. Ela mora no meu prédio.

Mas não fazia diferença. O estrago fora feito. As cartas e o interesse flagrantes de Fionn haviam despertado algo nela e, mesmo que ele tivesse perdido o interesse, isso não era o bastante para reverter a sensação causada.

— Que bom — disse a Dra. Shrigley. — Não é? Maeve? Você está me acompanhando?

— Desculpe. Estou.

— Você ainda faz seus atos de bondade diários?

— Faço. — Não fazia nenhum havia muito tempo.

Mais uma vez, ficaram em silêncio.

— Você chegou atrasada hoje — disse a Dra. Shrigley, subitamente. Isso surpreendeu Maeve. A Dra. Shrigley raramente começava um assunto. — Você chegou atrasada nas últimas três sessões.

Maeve encolheu os ombros.

— O comportamento também comunica — disse a Dra. Shrigley. — Seus atrasos comunicam que talvez você não esteja mais comprometida com o nosso processo.

Alívio começou a tomar conta de Maeve. Parecia que a Dra. Shrigley estava dando um jeito de se livrar dela. Não teria mais de ir naquela sala e fingir. Seria o último ato de sua encenação.

# *Dia 8...*

Alguma coisa acontecera. Antes de Katie tirar a chave da bolsa, a mãe já abrira a porta da frente. Penny tremia de raiva. — Sua fotografia está no *Herald* — sussurrou. — Com seu novo namorado. Que coisa feia, fazer isso no dia do aniversário do seu pai.

— Jura? — Katie ficou bastante animada. Durante sua carreira, aparecera no jornal poucas vezes, o que era decepcionante. Considerando o número de eventos que frequentava e a importância das pessoas com quem trabalhava, seria de imaginar que acontecesse mais vezes. — Eu saí bem?

— Não, não saiu bem. Você estava com cara de mandona. E está atrasada. A gente já sentou à mesa.

Katie entrou na sala de jantar. Estavam todos lá: Naomi, Ralph e as crianças, o pai na cabeceira da mesa. Até Charlie aparecera.

— Meu Deus! — Katie recuou, dramática. — Não vejo você desde...? — Desde seu aniversário. Séculos atrás.

— Parabéns, papai. — Entregou a ele um presente. — Ok! Agora me mostra a foto!

— Uma mulher deve aparecer apenas duas vezes na imprensa — disse Penny. — No dia do casamento e no dia da morte.

— Isso é uma regra de fato? — perguntou Katie. — Ou você acabou de inventar? — Mais uma maneira de fazer com que todos se sentissem uma porcaria? — Anda, cadê?

— A gente jogou fora — disse Penny.

— Vocês não fizeram isso? — De repente, Katie ficou irritada. Poderia pegar um exemplar no trabalho, mas queria ver logo. — Por que vocês jogaram fora? — Seus perversos.

Penny olhou, especulativa, para Katie. — Está tudo bem com você?

— Nunca estive melhor — disse Katie, leve. Era Fionn, ele era seu analgésico. Estava deslizando pela vida. Rápido demais para encostar nas bordas. E nada destruiria sua bolha, nem trabalho, nem a mãe amarga, nada.

— E como é que a gente, já que o país inteiro sabe desse romance, não foi apresentado a esse homem?

— É só diversão, uma coisa temporária.

— Diversão? — Penny franziu o cenho, alarmada. — Temporária? — Não sabia o que era pior. — Por favor, Katie, não se esqueça de que boa reputação é tudo o que uma mulher tem.

— Não quero ser detalhista, mas também tenho carro, um apartamento, uma televisão...

— Isso não quer dizer nada — interrompeu-a Charlie.

— ... Trinta e oito pares de sapato, um quadro da Lucy Doyle e duzentos euros no banco. — E faturas de cartão de crédito na casa dos mil, mas não era preciso, muito menos necessito, entrar nesse mérito.

— Nada disso conta se você não tem um nome a zelar. E ele é jardineiro? Um trabalhador braçal? Muito mais novo do que você?

Devia constar a idade de Fionn no jornal — alguma idade, podia ser qualquer coisa.

— Katie, você é uma profissional! Quanto ele ganha?

— Caramba — disse Robert, pensando no quanto ele e Penny pagavam ao próprio jardineiro. — Pelo menos, Conall Hathaway tem um emprego decente. Em vez de ser um vagabundo atrás de você por dinheiro.

— Fionn está fazendo um programa de TV. — Apesar de ganhar uma miséria (Grainne Butcher não tinha vergonha na cara).

— Um gigolô da mídia. — Penny, obviamente, ouvira a frase recentemente. — E a Naomi disse que ele mora com aquela velha no seu prédio? Mas ele não é filho dela, é? Neto?

— Não. Ele é adotado...

— É isso, então — declarou Robert. Com certeza, Fionn se habituara a se encostar em mulheres ricas e mais velhas.

— Ele mora lá sem pagar aluguel? — perguntou Charlie.

— Não sei disso, na verdade...

— É só dar umazinha de vez em quando, para amaciar a coroa. — disse Charlie.

— Cuidado para ele não fazer você mudar o testamento — disse Ralph, sua primeira contribuição à conversa. — E presta atenção se o chá não está com gosto de amêndoa amarga — Ele piscou. — Envenenamento por arsênico.

— Isso não é engraçado — disse Penny. — Ele pode estar se aproveitando da Katie.

— Basicamente, vocês todos acham que o Fionn me seduziu porque quer meu dinheiro, que sou tão velha e incapaz de ser amada e tão vulnerável que acho que ele me ama de verdade?

— Seduzida? — perguntou Penny, angustiada.

— Seduzida — respondeu Katie.

A palavra pairou no ar, e Ralph murmurou: — Jesus, agora já era.

— Mãe — Katie sorriu. — Eu faço sexo. Faço isso há muitos e muitos anos. E Naomi fuma vinte cigarros por dia. E... — Finalmente, o momento que esperara para revelar o segredo com que fora agraciada meses antes por Conall e detonar a bomba que deixaria a família inteira, a respeitável e rancorosa família, exposta. Será que podia fazê-lo? —... E o Charlie tem um filho pequeno, sobre o qual nada deveríamos saber.

# Dia 7

Lydia correu até o quarto e parou abruptamente. Estava tudo diferente. A cama pequena estava coberta por uma bandeira da Polônia e, na parede, constava o pôster daquele papa polonês, que normalmente habitava o outro quarto, na parede ao lado da cama de Jan. Roupas estranhas — jeans e camisetas masculinas — haviam sido penduradas no armário.

— Cadê minhas coisas? — gritou.

Correu até o outro quarto. As duas camas de solteiro haviam sido colocadas lado a lado, formando uma cama dupla de colchas descasadas. Uma flor velha, em decomposição, de um dos buquês enviados por Conall, fora colocada sobre a cama. Parecia uma acusação. *Um lugar imundo.*

— O que está acontecendo? — perguntou, em voz alta.

Jan apareceu.

— Então você já viu as minhas mudanças? — Ele parecia amargo, diferente do que sempre fora.

— Você fez isso?

— Não sou idiota. Você está transando com Andrei.

— *Não* estou transando com Andrei.

— Sei que está. Não mente.

Pensando rápido, rápido, Lydia começou a falar: — Olha, Jan, você está chateado. — Porque tinha adoração por Andrei e achava que Lydia não era merecedora. Ela sabia que não havia meio de Jan desejar os dois juntos no mesmo quarto; ele estava, apenas, buscando uma maneira de expressar seus sentimentos — talvez se sentisse humilhado por não ter sido informado —, mas que se danassem as emoções de Jan, ela não tinha tempo para isso agora.

— Jan, você quer me escutar? É importante. Admito que aconteceu algumas vezes, mas foi por acidente.

Não podia dividir um quarto com Andrei. A ideia deixou-a apavorada. Encurralada. Encurralada. Encurralada. Não, não, não.

— Rosie é uma garota legal. Boa garota.

— Jan, me ajuda a colocar as coisas de volta. — *Rápido, antes que o Andrei chegue em casa e pense que isso talvez seja uma boa ideia.*

— Não. Vou deixar os dois barquinhos apaixonados juntos.

— Não vai, não. E o certo é *pombinhos* apaixonados.

— Ah, é? — Ele encolheu os ombros em desafio. — Vocês são dois pombinhos apaixonados?

— Cala a boca! Rápido! Rápido, rápido, rápido! Tira minhas coisas daqui!

Conseguiu convencer Jan a obedecê-la e, em quinze minutos, estava de volta ao seu quarto, com suas coisas, mas não se sentia muito bem. Essa história toda estava muito confusa. Precisava mudar de casa.

*Mas, não, tenho planos para ela. Ela não pode se mudar.*

# Três anos antes

— Cadê todo mundo? — perguntou Maeve, entrando no apartamento de David e notando o silêncio.

— Ninguém em casa ainda, suponho. Entra. — Ele apontou para a sala. — Você sabe onde está.

Nada mudara — o pano rústico em cima do sofá, a tapeçaria tibetana na parede, o tapete marroquino cobrindo o velho chão de madeira, os sacos de grãos, as cerâmicas artesanais, o abajur de lava, o violão no canto. Tralhas, poeira e tabaco espalhados por toda parte.

— Você ainda tem os mesmos...

— ... roommates? Não. Marta voltou para o Chile e Holly foi viajar. Agora são dois caras da Turquia. Devem chegar aí mais tarde.

Maeve não planejava ficar mais do que uma hora; mas por que falar em ir embora, se acabara de chegar? David estava tão feliz em vê-la.

— Quer beber alguma coisa? — perguntou ele.

— Ok. Chá, obrigada.

— Não, não. Não. Bebida de verdade. Não é todo dia que minha ex-namorada se casa. Cerveja.

David pegou duas cervejas e sentou-se ao lado dela no sofá. — Aos velhos amigos. — Brindaram.

— Aos velhos amigos — repetiu Maeve.

Beberam em silêncio. — A lua de mel foi boa? — perguntou David.

— Incrível! — Imediatamente, desejou não ter falado com tanto entusiasmo.

— Malásia, ouvi dizer. Me conta.

— Bem...

— Presença ostensiva da polícia? — perguntou David.

— Nem vi sinal — disse Maeve, sendo verdadeira.

— Não? — David pareceu surpreso. Na verdade, desapontado. Ela se deu conta de que ele teria adorado uma história sobre tropas fascistas agredindo hindus porque haviam feito uma ligeira demonstração de fé, como, por exemplo, ter permitido que uma vaca atravessasse a rua. Maeve teve pena de não poder corresponder.

David mudou de assunto. — Mas o islamismo domina lá, não?

— Nossa, não sei, David. Não tenho certeza. Algumas mulheres usavam véu, outras não.

— Interessante. — Pensativo, ele tamborilou com os dedos no queixo. — Isso vai ter volta, mas, por enquanto, a Malásia está andando na linha.

Maeve sabia o que ele queria dizer com "andando na linha", era a linha entre o imperialismo cultural americano e o fundamentalismo islâmico. Maeve também se preocupava com política internacional, mas, de repente, compreendeu que David não tinha interesse em interpretações positivas; era como se desejasse que tudo fosse o pior possível.

— Senti sua falta, Maeve. — Ele estendeu a mão e começou a enrolar os dedos nos cachos dela. Maeve ficou paralisada. Aquilo não parecia certo, mas já fora tão cruel com ele que não poderia aumentar seu sofrimento, pedindo que parasse.

— Espero que possamos ser amigos, David.

— Como antigamente?

— Exatamente, como antigamente! E quando você conhecer melhor o Matt, vai adorar...

Com um movimento inesperado, David se colocou bem de frente para ela e, surpresa, Maeve percebeu que ele estava prestes a beijá-la. Rapidamente, virou o rosto, e a boca de David encontrou sua orelha. — David, desculpe, você sabe que a gente não pode fazer isso.

Ele cheirou seu pescoço e ela disse: — Desculpe, David. Acho que é melhor eu ir embora.

— Mas você nem viu seu presente de casamento.

Maeve se levantou. — Não precisa se preocupar com isso. Você me dá outro dia. Desculpe, mas vou embora.

— Você não precisa ficar com medo. — Ele parecia surpreso e ferido. — Depois de tudo que você fez, só queria lhe dar um presente de casamento.

— Eu sei, é que...

— Vem, vem ver.

— Por quê? Onde está o presente?

— Lá. — David apontou em direção ao quarto.

— Ah... não, David — disse Maeve, parando no meio do caminho. — Melhor você trazer para cá.

— Não dá, é muito grande, vem aqui.

— Desculpe, David, acho que não está certo...

Ele suspirou pesadamente. — Você faz ideia de como me sinto, você falando assim? — David olhou para ela com olhos magoados. — Não vou machucar você. Vem, é legal, você vai adorar.

— Ok. — Esse era o David.

Quando ele abriu a porta do quarto, disse: — Fecha os olhos.

Maeve sentiu o peso e o calor das mãos dele nos seus ombros, guiando-a.

— Quanto segredo. — Ela riu. — Melhor que valha a pena.

# Dia 6

Rosie estava de olhos fechados. Escutava o barulho da calça jeans sendo retirada; depois de algodão (devia ser a camisa dele). Estava deitada, nua e rígida, perguntando-se o que aconteceria em seguida, e, quando a mão gelada de Andrei encostou na sua barriga, deu um pulo.

— Está tudo bem — disse ele, melodicamente. — Tudo bem, minha linda.

Ele a beijava, seu rosto, sua boca, seu pescoço. Em algum lugar, estava seu... *membro*. Duro e inchado. Rosie sabia como era uma ereção; trabalhara durante seis meses na ala geriátrica do hospital, homens com demência brincando com o próprio corpo era a coisa mais comum do mundo.

Andrei colocaria o membro dele dentro dela e doeria, ele gemeria, gritaria, suaria, e, então, estaria tudo acabado e ela continuaria tendo um namorado.

Sempre temera que sua vida chegasse a esse ponto, desde que tinha seis anos, quando assistira à *Grease* e entendera que Olivia Newton-John precisara se tornar uma menina malvada para manter seu homem.

*E melhor de boca fechada...*

Ser virtuosa e donzela não estava sendo o suficiente para segurar Andrei; portanto, estava colocando a prêmio sua virgindade. De olhos ainda fechados, sentiu Andrei tocando em si mesmo. Provavelmente, colocando a camisinha.

*Está seis dias adiantado, mas será que posso tentar a sorte? É a melhor oportunidade que tive até agora. Dane-se a camisinha, isso tem jeito, não é problema. Eu poderia rasgá-la, arrebentá-la ou, antes mesmo de estar propriamente ajustada, alguns pequenos espermas corajosos poderiam vazar; afinal, basta um deles, mas, cá entre nós, desculpe se estou sendo implicante, não gosto realmente de Rosie. O Andrei é incrível, um pouco intenso, mas, no fundo do coração, é um homem decente. Eu não me importaria. Mas ela, não.*

Rosie apertou ainda mais os olhos fechados. Em um instante, Andrei estaria em cima dela e mergulharia lá dentro. Seu corpo inteiro ficou tenso diante desse pensamento. Seria horrível, mas valeria a pena... Por que estava demorando tanto? Estava começando a sentir frio. — O que está acontecendo?

— Não sei — disse Andrei. Algo estava errado. Ele parecia envergonhado.

Rosie abriu os olhos. — O que foi?

— Eu não sei...

Rosie sentou-se, apoiando-se nos cotovelos, e olhou para baixo. Onde estava aquela coisa grande e roxa? O que era aquela coisinha rosa, mole, aquele marshmallow?

Andrei deu as costas e enterrou o rosto no travesseiro. — Desculpe, minha Rosie. — A voz dele estava abafada, mas não havia como não perceber sua angústia.

Rosie ficou paralisada de horror. Entendera tudo errado. Fizera a pior coisa, aparecendo no apartamento de Andrei, tirando a roupa, deitando na cama dele como uma qualquer. Ele não era esse tipo de homem.

— Eu entendo — disse ela, tentando irradiar calma. Com os homens, nunca se deve mostrar medo. Não medo verdadeiro. Medo *falso*, obviamente, quando é hora para isso, para que eles se sintam grandes homens. Mas, numa hora dessas, é preciso controle. — Você tem muito respeito por mim.

Esperta, ela saiu da cama e começou a se vestir. O rosto de Andrei ainda estava enfiado no travesseiro.

— Vou esquentar água — disse ela, em um tom de tranquilidade. — A gente se vê na sala.

# *Dia 6...*

Conall cambaleou até a espaçosa cama do hotel e tirou os sapatos. Melhor agendar com o recepcionista para o acordarem antes de pegar no sono. Podia usar o despertador do próprio celular, mas não sabia que horas eram em Manila. Pelo menos, sabia onde estava. Depois, um pensamento terrível passou por sua cabeça, e ele gemeu em voz alta: esquecera-se de comprar camisa e roupa de baixo novas. Fazia duas semanas que viajava de um lugar para o outro do Sudeste asiático e sua mala de mão mal continha o básico. Ficara sem roupas limpas havia milênios, mas não parava em nenhum lugar tempo suficiente para mandar as roupas para a lavanderia; portanto, desde Jacarta, comprava e descartava peças de roupa.

Tinha de ligar para a recepção. Teria de ser simpático. Meu Deus!

— Recepção. Em que posso ajudá-lo, Sr. Hathaway?

— Tenho um pedido especial.

— Certamente, senhor!

O homem devia estar pensando: *mulheres!* Conall se deu conta. Não queria uma mulher. Tinha uma namorada adorável em casa. Uma vaga sensação de seios e perfume feminino o confortou. Katie. Não, Katie, não. Uma nova. Lydia, sim, seu pequeno diamante.

— Preciso de umas duas camisas e de algumas cuecas.

— Certo, senhor. Mais alguma coisa, senhor?

— Bem, na verdade... — Bronagh lhe mandara um e-mail para lembrá-lo de seu aniversário.

Como você é meu tio, meu padrinho e o único milionário da família, gostaria de ganhar um bom presente.

— Você me conseguiria um presente para uma menina?
— Que idade?
— Sete. — Ou seriam oito? Ou um ou outro.

Acordou com uma sensação terrível. Onde estava? Num quarto de hotel... Podia ser um entre milhões. Alguém batia na porta, por isso acordara. Levou a língua ao céu da boca, tentando afastar a secura, e abriu a porta. Era um jovem com as novas camisas, cuecas e um par de brincos de safira para Bronagh. Conall enfiou a mão no bolso e encontrou dinheiro de algum lugar, com o qual despachou o jovem.

Olhou para o relógio. Quase cinco da manhã. Melhor dar seus telefonemas agora que estava acordado e devia ser um horário razoável na Irlanda.

— Feliz aniversário, Bronagh!

Bronagh suspirou, dramaticamente. — Conall. Um dia atrasado. Como sempre. Meu aniversário foi ontem.

— Estou na Ásia, hoje é amanhã.

— Então, você está dois dias atrasado.

Deus, ela estava certa.

— Fiz oito anos. Você é meu tio e meu padrinho. Mandei um lembrete, facilitei para você. E, mesmo assim, você me desapontou.

Jesus Cristo. Este telefonema se parecia demais com outros anteriores.

— Preciso desligar, agora, meu amor. Vejo você quando voltar.

Rapidamente, ligou para Lydia.

— Hathaway? — disse ela. — Você está em casa?

— Em Manila.

— De novo?

— É, tive que voltar. Aconteceu um problema com o pessoal do Camboja.

— Lalalalala. Não estou escutando nada. Oiiiiiii! — Ela parou de gritar e perguntou, cuidadosa: — É seguro? Você parou?

— Parei. — Lydia lhe pedira que não falasse sobre trabalho, era muito chato. Ele podia descrever o hotel, sempre que quisesse. Ou o café da manhã, principalmente as panelas onde faziam panquecas.

— Quando você volta?

— Em algum momento da semana que vem.

— Você disse que seria nesse fim de semana.

— Como eu disse, as coisas mudaram. A situa...

— Tudo bem.

# *Dia 6...*

Andrei adentrara o lado escuro da alma. Sua masculinidade o deixara na mão. Pela primeira vez, era vítima de tal humilhação. Normalmente, era sexualmente confiante.

E havia outras más notícias aguardando por ele.

Quando Jan voltou do trabalho, anunciou que fora demitido e que voltaria para a Polônia. Para sempre.

— Não tem mais trabalho aqui. E quero voltar para casa. Magdalena também.

Andrei ficou profundamente chocado. Jan era seu companheiro, praticamente seu irmão. Haviam chegado à Irlanda no mesmo avião e dividiam tudo — quartos, confidências e cervejas — havia dois anos.

E, se Jan fosse embora, ficaria sozinho com a diaba, só os dois.

— Espera para decidir depois da nossa viagem — disse Andrei, ligeiramente desesperado. Em menos de uma semana os dois iriam para Gdansk para passar o verão. — Você está com saudades... Eu também! Mas um tempo com a família e com os amigos vai lhe dar forças para voltar e conseguir outro emprego para ficar mais um ano na Irlanda.

Jan balançou a cabeça. — Não tem emprego novo. Quando eu for na sexta, não volto mais.

Jan não era o mais inteligente, mas, uma vez que sua cabeça estivesse feita, feita estava. Nada fazia com que voltasse atrás numa decisão. Desconfortável, Andrei questionou se Jan teria descoberto o que vinha acontecendo entre ele e a fada do mal. Jan tinha um senso de certo e errado muito apurado, mais ainda do que Andrei, e esse tipo de coisa maluca o deixaria muito estressado.

A ideia de morar na Irlanda sem Jan deixava-o muito triste, quase com medo. E a maneira com que se desgraçara diante de Rosie... com certeza, ela não ligaria mais para ele, não?

Talvez ficasse na Polônia, com Jan.

*Não, Andrei, não!*

# Dia 5 (primeiras horas)

Andrei virou o travesseiro novamente. Durante alguns segundos abençoados, o algodão gelado aliviava o calor de seu rosto em febre, depois passava. Nunca atravessara uma noite tão longa. Alguma coisa devia estar errada com o tempo; parecia ser domingo à noite havia uma semana. Nunca mais amanheceria? Virava e revirava na cama, incapaz de escapar dos pensamentos que o atormentavam. A questão era a seguinte: ele não fazia ideia se sua falha com Rosie era coisa de uma só ocorrência ou se estava condenado para sempre. Estava com tanto medo de descobrir que a situação poderia se repetir que não tinha certeza se seria capaz de correr o risco de fazer sexo novamente.

Não que Rosie fosse insistir — mesmo se pudesse conquistá-la de volta, ela ganhara repulsa evidente ao ato sexual... Que flor virtuosa ela era. Modéstia como aquela era coisa rara, mesmo assim se oferecera para ele como um sacrifício num altar. De repente, ficou tão tocado pelo fato de uma mulher honesta fazer algo errado em nome do amor que chorou com a cabeça enfiada no travesseiro.

Ah! Se, pelo menos, o dia raiasse.

No entanto, quando o sol começou a despontar, a vergonha de Andrei diante de sua falha ao tentar consumar o fato com Rosie começou a ceder e se tornou uma nova e inesperada emoção: gratidão. Mas é claro que não poderia ter cometido tal aberração com sua pequena flor! Não até que estivessem casados.

Ou noivos, pelo menos.

Quando a manhã perolada começou a adentrar as cortinas de seu quarto, a esperança, este belo sentimento, preencheu-o, e uma linha de ação se revelou, algo claro, mas desafiador. Não podia mais haver Lydia. Precisava ficar fora de alcance para sempre. Enquanto sua visão se tornava uma possibilidade convincente, o peso dos sentimentos anteriores desaparecia. Silenciosamente, para não acordar Jan, pegou algum dinheiro, guardado numa meia, no chão do guarda-roupa. Tomou banho, vestiu-se e bebeu duas xícaras de café. Já no hall, quase fora de casa, quase em segurança, ouviu um ruído de chave na fechadura que fez com que seu coração quase parasse de bater. A porta foi aberta e ela entrou. Olhou para ele, ele olhou para ela, e uma onda sensual tomou conta deles.

— Não — gritou Andrei, terrivelmente angustiado. Jogou-se porta afora. Precisava escapar, antes que Lydia o seduzisse e arruinasse seus planos. Desceu rapidamente as escadas, para baixo, para baixo; então, chegou à rua e andou apressado, até estar bem longe dela.

Andava com determinação. Sabia exatamente para onde estava indo: uma pequena joalheria na South Anne Street. Ele e Rosie haviam olhado a vitrine, apontando para anéis de que gostavam, como personagens de uma novela passada nos anos 1960.

Tinha algum tempo de espera — a loja só abriria às nove e ainda eram 6h35 —, mas manteve-se focado, de cabeça limpa, e, quando o joalheiro abriu a porta de metal, permitindo sua entrada, ele tinha mais do que certeza do caminho escolhido.

Andrei sabia exatamente que anel Rosie queria. Mas aquele era muito caro. Então, comprou outro, o segundo mais barato da loja, era uma aliança simples com um diamante só: doce e humilde, como a própria Rosie. Em seguida, encaminhou-se para a casa dela, tocou a campainha e ficou de joelhos.

Como uma resposta às suas preces, foi Rosie, não uma de suas colegas de apartamento, quem atendeu a porta.

— Rosie — disse ele, cego diante do alívio no olhar dela quando exibiu a pequena caixa de veludo. — Você quer se casar comigo?

# *Dia 5...*

— Você não vai acreditar — disse Fionn, jogando um fax na mesa da cozinha de Katie. — Olha isso.

Katie esticou o papel amassado e olhou para os fatos salientes. Maldição! O canal 8 adiara em quatro semanas a estreia do programa de Fionn. Haviam comprado um seriado criminal que estava na moda nos Estados Unidos e decidiram encaixá-lo no horário reservado para *Seu Jardim do Éden Particular*.

— Ofereceram o horário de segunda-feira à noite, mas Grainne disse que as segundas são os dias de pior ibope da semana. Então, propuseram domingo às nove da noite, mas a gente teria que esperar acabar *Um Giro pela Irlanda numa Panela de Barro* para poder entrar no ar.

— Ah, pobre Fionn.

— Estão falando de mim — disse Fionn, obviamente repetindo as palavras de Grainne. — Estou no auge, agora. Mas se a gente tiver que esperar mais quatro semanas, talvez seja tarde demais.

Katie não conseguia pensar em nada para dizer. A mídia fazia essas coisas inexplicáveis *o tempo todo*. Já sofrera incontáveis débacles, para saber disso. Quantas vezes já enviara uma entrevista exclusiva para um jornal, para divulgar um show na Irlanda, e o artigo desaparecera, ressurgindo tempos depois de o artista já ter até ido embora? Estava acostumada, mas Fionn era novato. A desilusão seria dolorosa.

Quando uma emissora começava a trocar as datas de estreia de um programa, isso normalmente indicava falta de confiança e reformulação de prioridades. Mesmo se ainda tivessem interesse, algo se perdera e, talvez, jamais fosse reencontrado.

— Coloca um sorriso nesse rosto — coagiu-o Katie. — Temos que estar no Merrion em quarenta e cinco minutos, para a homenagem ao Bob Geldof.

— Não quero ir.

— Ah, Fionn...

— Tenho a sensação de que todo mundo vai rir de mim. Sou o jardineiro da televisão sem um programa.

— Você tem um programa.

No entanto, até que entrasse no ar, ele, na verdade, não tinha.

— E o que devo fazer? A gente termina as gravações na sexta-feira.

Katie sabia exatamente o que ele queria dizer: até que o programa fosse exibido, a Excellent Little Productions não fazia ideia se entraria ou não na grade. Será que Fionn deveria esperar para ver o que aconteceria? Ou deveria voltar, mesmo que temporariamente, para Pokey, para seus clientes? Katie sentiu um embrulho no estômago e percebeu que tempos de incerteza se aproximavam. Para a conta bancária de Fionn. Para o ego de Fionn. Talvez para o romance de Fionn?

## *Dia 5...*

O telefone de Matt fez um ruído. Mensagem de texto.

Vc é o fim.

Era de Russ. Matt ainda não mandara o cheque de reembolso pela passagem para Vegas que Russ havia comprado para ele. Jurara pagar, mas não pudera fazê-lo. Maeve perceberia a falta do dinheiro na conta conjunta e isso detonaria tudo, porque a verdade é que Matt não poderia ir à despedida de solteiro do irmão em Vegas. Estava fora de cogitação. Maeve não podia ficar sozinha e não havia um plano B. Não tinham mais amigos. As únicas pessoas disponíveis eram a mãe e o pai dela, e eles estavam em Galway, muito longe.

Matt sentiu-se mal em relação a Russ, mal por causar-lhe uma perda financeira, mal por todas as vezes em que o decepcionara, mal pela única vez em que se encontraram para discutir o que preparar para Alex em Vegas, e não sugerira nada.

Dali a um mês chegaria o dia em que supostamente entrariam num avião, e Matt não tinha a menor ideia do que faria.

Mas, antes que tivesse de encarar os fatos, havia uma coisa ainda pior: trabalho. O dia de sua primeira reunião com o banco em Xangai estava se aproximando como um meteoro vindo do espaço que ele não conseguiria desviar.

Estava encurralado na pior das posições, sem espaço para manobras. Isso fez com que pensasse num prisioneiro de guerra de uma coleção de livros que costumava ler antigamente: as pernas do homem estavam quebradas e ele fora encarcerado, sem poder ficar de pé nem sentar. Não importava o que fizesse, Matt sentia que estava ferrado.

A vida começava a ficar sombria e limitada. Era como se estivesse andando dentro de um túnel que se estreitava e escurecia, ficando cada vez mais abafado e sem ar. Em breve não haveria o que respirar nem espaço para se mover.

# *Dia 5...*

O telefone de Lydia tocou. Era Conall.

— Hathaway? Onde, agora?

— Jacarta.

— Refresca minha memória.

— Capital da Indonésia. Escuta, não sei como lhe dizer isso, Lids, desculpa, mil vezes desculpa...

— Você transou com uma prostituta?

— Não.

— Me passou algum fungo?

— Não vou chegar a tempo para o casamento da Poppy, na quarta. Juro que vou compensar você por isso.

— Se acalma, Hathaway, era você quem queria ir.

# Dia 4

— *Dzien dobry*, Andrei. — Jemima gostava de cumprimentar aqueles rapazes poloneses na língua deles. Um agrado que não lhe custava nada e talvez animasse o dia dos dois.

— *Dzien dobry*, Jemima. *Dzien dobry*, cachorro. — Andrei se abaixou e começou a brincar com Rancor.

— Meu querido, você parece tão animado. — *Pela primeira vez*.

— Eu vou me casar.

— Parabéns! Com a adorável Rosemary?

Andrei fez que sim e ruborizou de orgulho.

— Estamos procurando apartamento.

*Verdade?*

Jemima disse, interessada: — Talvez eu possa ajudar vocês nessa questão. Em breve, meu apartamento vai ficar vazio.

— Você vai se mudar? Quando?

— Em uma semana. mais ou menos, eu acho.

— Bem na hora. A gente vai para Gdansk na sexta-feira, Jan, Rosie e eu. Na volta, eu e Rosie podíamos nos mudar.

— Você vai levar a Rosie para conhecer sua família? Que amor. Você vai gostar do apartamento, mas tem uma condição para ficar aqui.

Bem, Andrei pensou, melancólico: não era sempre assim?

— Você precisa tomar conta do meu cachorro.

— É essa a condição? Só isso? Você não vai levar o cachorro para a casa nova?

— Infelizmente, não.

— E o Fionn? Ele também vai se mudar?

*Sim, ele só não se deu conta disso ainda.*

— Fionn e Rancor não se dão bem, infelizmente. Fionn é um adulto. É claro que Fionn também vai se mudar.

— Gosto desse cachorro. — Andrei sorriu. — Rosie vai gostar também. Ela gosta de todo mundo.

— Só uma coisa. Você tem certeza de que você e Rosie não prefeririam um novo começo, num lugar completamente diferente? Longe da Star Street?

Jemima ergueu o queixo e manteve os olhos fixados em Andrei. Ah, sim, escutara ele e Lydia. Muitas vezes. Jemima devia ter problemas de audição, mas nem um surdo total teria perdido os gritos e os gemidos daquele casal animado.

Não que estivesse fazendo algum julgamento. Não era assim que agia uma pessoa bacana. Mas ela queria ter certeza de que Andrei sabia o que estava fazendo. Viu incontáveis emoções passarem pelos olhos dele, um coquetel de vergonha, autoexame, força e, finalmente, algo próximo da felicidade.

— Obrigado por se preocupar — disse Andrei, erguendo também o queixo e encontrando o olhar firme de Jemima. — Mas a Star Street é ótima. Perto de tudo. Quando a gente tiver filhos, vai precisar de um apartamento maior, mas, por enquanto, está bom. Quanto tempo de aluguel? Seis meses? Um ano?

— O tempo que você quiser, meu querido.

# *Dia 4...*

Os polacos estavam indo embora! Estavam indo — e *não voltariam*!

Estavam saindo de férias na sexta-feira, o que já era excelente. Mas eram grandes as novidades. Jan voltaria a viver na Polônia e — coisa chocante — Andrei estava noivo de Rosie, a última virgem da Irlanda, e os dois iam morar juntos.

Jan contou tudo isso à Lydia com ar de triunfo.

— As garotas decentes ganham — disse.

— Se o prêmio é o Andrei, pode ficar.

— A gente vai pagar dois meses de aluguel — disse Jan, e nem Lydia conseguiu achar defeito nessa atitude. — Pode manter o aluguel no seu nome, se quiser.

Talvez mantivesse o aluguel, pensou; a localização não era ruim. Mas talvez se mudasse. Não tinha mais que morar naquele cubículo, porque tudo mudara. A catástrofe com a mãe era real, mas, tendo Murdy e Ronnie ao seu lado, não estava sozinha para carregar o fardo. E, como já não sentia mais tanto medo, podia ver como tinha sido difícil seu esforço em economizar. Jamais poderia pagar um asilo para a mãe, mesmo se vivesse debaixo da ponte.

E lá vinha Andrei.

— O noivo — disse Lydia. — Ouvi dizer que é hora de dar os parabéns.

Andrei pareceu um pouco tímido, envergonhado, mas, sem dúvida, orgulhoso.

— Você fez o pedido de joelhos, não fez? — perguntou Lydia. — O último romântico.

Olharam-se com desgosto mútuo e houve um ligeiro momento em que um mergulho teria sido possível. Tudo ficou congelado, o universo suspenso, ninguém respirava... então, os dois viraram de costas e se afastaram.

*Agora que tudo estava mais calmo, o batimento daqueles dois corações se haviam separado e, mãe de Deus, que desastre. Eram tão desencontrados, como se falassem línguas diferentes.*

# Dia 3

— Katie? Katie! — Ela mal reconheceu a voz de Fionn, ele parecia tão arrasado. — Roubaram minha identidade.

— Fionn, onde você está? — Isso devia ter a ver com o fato de o cartão de crédito dele ter sido recusado, concluíra. Ele provavelmente se esquecera de pagar a fatura.

— Estou no trabalho. Tem outra pessoa se passando por mim.

— Gastando seu dinheiro?

— Não! Você leu o *Irish Times* hoje?

Katie olhou em volta. Tinham todos os jornais no escritório. — Danno, me dá o *Times*.

— Página dezesseis — disse Fionn.

Katie folheou o jornal e... *Maldição.*

A manchete gritava:

JARDINAGEM? O NOVO ROCK'N'ROLL?

A seguir vinha uma foto de um quarto de página de um deus do sexo descabelado, barba por fazer, sorriso meio sacana, esfregando uma abobrinha com as mãos sujas. *Mas aquele não era Fionn.*

Era um tal de Barry Ragdale, estrela de *Escavando*, novo programa de jardinagem da RTE, que entraria no ar em duas semanas. O charme era o fato de Bryan já ter sido baixista de uma banda e tocar no final do programa.

De uma só vez, Katie compreendeu as piores implicações da novidade. Para Fionn. E para ela.

— Foi por isso que o Canal 8 me deixou em banho-maria?

Podia ser. Provavelmente ficaram sabendo do programa da RTE e não tiveram coragem de bater de frente com a TV estatal ou quiseram esperar para ver como o programa se saía. Se fosse um desastre, não se dariam o trabalho de colocar sua versão no ar; se fosse um sucesso, podiam pegar carona com Barry Ragdale.

— Vou lhe falar uma coisa, Katie — a voz de Fionn tremia. — Eu me arrependo de ter me envolvido em toda essa baboseira. Eu era feliz em Pokey. Agora, estou inseguro, com inveja e raiva de todo mundo.

Katie forçou firmeza na voz.

— Fionn, escuta o que vou dizer. Sempre vão existir outros artistas, outras pessoas competindo com você. A vida é assim mesmo, principalmente num meio como a televisão. Você tem que pensar a longo prazo. Tem que esperar para ver. Esse Barry Ragdale pode cair e se esborrachar espetacularmente, e aí você vai estar pronto para assumir o lugar dele.

— Jura?

— Juro. — Era boa nisso. Afinal, era seu trabalho acalmar artistas. Não era tão eficiente na hora de acalmar a si mesma, infelizmente. — E o canal 8 não desistiu de *Seu Jardim do Éden Particular*. Ainda está programado para domingo, daqui a três semanas, não é? — *O que não significa que não desistirão; no entanto, por que se apegar ao aspecto negativo das coisas?*

— Mas, e se desistirem? Acaba tudo para mim aqui, e vou ter que voltar para Pokey.

— Fionn, você está abrindo várias portas. Pensa comigo: é um elogio, na verdade, outro programa com um jardineiro bonitão. Isso mostra que você está na moda.

— É verdade, não tinha pensado nisso.

— Está tudo certo. — *Bem, quem sabia se estava ou não estava?*

— Você está certa, Katie, está tudo certo. Principalmente porque, se eu não tivesse vindo para Dublin, não teria conhecido você.

# Dia 2

A princípio, parecia que Matt estava procurando uma rota alternativa para casa. Depois de vinte e três frustrantes minutos num tráfego quase parado, fez um retorno abrupto e seguiu na direção contrária. A qualquer momento, viraria à direita, à direita de novo e estaria finalmente dirigindo-se para casa. Mas não fez isso. Afastou-se mais e mais da Star Street e, não muito depois, estava margeando o rio, a caminho da zona portuária. Ziguezagueou por ruas cada vez mais estreitas e logo estava numa rua de paralelepípedos.

Estacionou o carro na primeira vaga que viu, sem se preocupar de estar em local proibido — rebocassem o carro, fizessem o que quisessem, não estava nem aí — e assumiu sua posição de vigília. Sem grandes preparos.

Trinta e sete minutos se passaram antes que o cara desleixado, magrelo, com pinta de poeta aparecesse, o jeans quase caindo, o cabelo nos olhos, o paletó de tweed marrom parecendo ter sido resgatado de um pântano onde permanecera, intocado, durante 123 anos. Corria atrás de uma moça alta, esguia, que tinha um espaço atraente entre os dois dentes da frente — Espera! — gritou ele, colocando a mão no ombro dela, impedindo que continuasse andando. — Espera, Steffi!

Como uma represa aberta, a raiva tomou conta de Matt.

*Mas, espera. Reconheço o cara com pinta de poeta das lembranças de Maeve! Ele é...*

— David!

*Isso, David. Ex-namorado de Maeve, anterior a Matt. Só agora Maeve está me deixando entrar totalmente na sua cabeça, e estou começando a entender os detalhes do passado.*

— David! — A voz da jovem de dentes afastados voou até Matt. — Você me assustou!

David disse algo que Matt não conseguiu escutar, depois passou os braços em volta da cintura da moça, puxou-a para mais perto e acariciou-a energicamente.

Então, ele tinha uma namorada, pensou Matt. Ela parecia uma moça adorável, e os dois pareciam felizes. Matt podia ir até lá imediatamente — sete ou oito passos seriam o suficiente — e, com poucas frases, estragar tudo. Podia contar à garota adorável uma ou duas coisas sobre David que fariam com que saísse correndo na direção contrária.

Preparou-se para o movimento, cerrou os punhos para se mover como uma granada na vida deles — *agora, agora* — e, em seguida, estava acontecendo. Andava com determinação, e David, com o instinto de um animal em perigo, o avistou. Estremeceu ligeiramente — medo, Matt esperava —, mas Matt ignorou-o e concentrou sua atenção na jovem. — Preciso falar com você.

Ela se encolheu, e Matt percebeu que sua intensidade a assustara. — Escuta, desculpe. Steffi, é esse o seu nome? — Ela fez um gesto afirmativo e assustado, e ele respirou fundo, como se isso pudesse conter o desespero. — Meu nome é Matt Geary.

— O marido da Maeve? — perguntou Steffi.

Era a última coisa por que Matt estava esperando. Incrédulo, perguntou: — Você sabe de mim?

— David me contou.

Matt virou-se para David, e este sorria desdenhosamente, depois voltou a olhar para Steffi. — Mas ele não lhe contou a verdade.

— Contei a verdade.

Matt ignorou-o. — Por favor, me escute, Steffi...

— Ei — disse David. — Você não pode simplesmente aparecer e... Existem leis contra esse tipo de coisa.

Leis. *Leis*. Foi o suficiente para Matt. De repente, ficou sem nada, sem uma gota de ímpeto, ficou vazio, mais vazio do que imaginava que um ser humano poderia ficar.

Afastou-se, cambaleando, como se estivesse fisicamente ferido. Enquanto andava, David gritou: — Se orienta, cara! Você precisa ter um pouco de respeito por si mesmo. Já é hora de *superar* isso.

# *Dia 2...*

Conall olhou pela janela do avião, sem pensar na topografia de Dublin logo abaixo dele. Finalmente, identificara a sensação desconfortável que o perturbava havia dez dias.

Devia ter limado a filial do Camboja. Era absolutamente ineficiente, tomada de corrupção e amaldiçoada pela terrível infraestrutura local.

Esse único engano desencadeara milhares de situações desagradáveis, cada uma delas incitando uma cadeia de eventos, desabando como dominós. E, no final, o que Conall conquistara fora uma confusão incalculável.

Era famoso pela habilidade cirúrgica de seu trabalho. Quando dilacerava uma empresa e depois a colocava novamente de pé, as cicatrizes desapareciam rapidamente e, logo, a configuração adquirida parecia a única possível. Ninguém acreditaria que a anterior jamais existira, quiçá funcionara.

Mas desta vez era diferente. O que continuava vindo à sua mente era o fato de que a nova configuração daquela empresa jamais seria convincente. Sentia-se como um cirurgião plástico que fizera uma redução de seios e se esquecera de costurar os mamilos de volta.

Deixara o pessoal interferir no profissional. Não quisera que os diretores cambojanos fossem jogados na sarjeta, e fora isso que abalara seu sangue frio, que era conhecido como seu talento. Em algum momento, chegaria a uma solução, mas, uma vez que o serviço fora feito, e que estava de volta em casa, era tomado por uma onda de dolorosa perspectiva.

Experimentara... experimentara a palavra; era uma coisa nova para ele... bem, *falhara*.

Falhara. Ninguém mais imaginava isso, seus chefes em Milão pareciam bastante satisfeitos, mas Conall sabia. E a palavra o alcançaria eventualmente. Perdera o dom. Estava velho. Cansado. Não era mais confiável.

Sentiu um embrulho no estômago. Falhar era tão ruim quanto sempre imaginara que seria, mas vivera sua vida com a certeza de que, cedo ou tarde, seu discernimento o decepcionaria. Fugira disso durante toda a carreira. Aceitara trabalho atrás de trabalho na necessidade de acumular triunfos, para que, quando a sorte finalmente lhe faltasse, sua média de sucessos ainda fosse estratosférica. Agora que acontecera uma vez, sabia que aconteceria novamente. Como quando um avião começa a descida e sabe-se que a pressão dentro da aeronave mudou antes de o piloto informar os passageiros. Sua cadeia inquebrantável de sucessos sofrera uma interferência, e Conall tinha uma convicção irracional, supersticiosa, de que a direção de sua vida fora alterada, de que teria de seguir um novo caminho.

Adapte-se! Adapte-se, molde-se! Era isso que precisava fazer: adapte-se para sobreviver. E outro aviso chegou à superfície de seus pensamentos. Precisava — queria — alguém que o ajudasse no trabalho. Só reestruturações, depois de este último trabalho ter terminado, já quase em casa, sentia-se seguro para admitir como fora difícil. Todos aqueles voos, as mudanças de fuso horário, a falta de sono, a sobrecarga de informações... Muitas vezes, durante as três últimas semanas, fora tomado pela contundente convicção de que simplesmente não seria capaz de chegar ao fim. Com certeza, achava todas as reestruturações de empresa assustadoras, era isso que fazia com que fosse bom — aquele nível de medo produzia muita adrenalina —, mas dessa vez fora diferente. Fora loucura tentar fazer tudo sozinho. Uma operação grande como aquela carecia de vários Conall.

Um representante. Pronto, dissera o indizível: precisava de um representante. Alguém com quem dividir o trabalho, que desse algumas ideias, que assumisse algumas responsabilidades. Deu-se conta de que já tinha até alguns candidatos em mente, gente mais jovem que ele, talvez ainda mais determinadas do que ele fora no ápice de seus dias, e já se perguntava qual deles escolheria. Mas quem disse que deveria ter somente um representante? Podia ter dois, até mesmo uma equipe, um grupo inteiro de pessoas inteligentes e espertas. Juntos, seriam terríveis.

Mas, quanto mais eficientes fossem, mais isso significaria que Conall Hathaway — o homem que resolve tudo sozinho — estava acabado. Aquela pessoa não existia mais. Fosse o que fosse que o futuro lhe reservasse, e podiam ser coisas boas ou ruins, ele ainda seria um fracasso, ele falhara.

Como seria?, perguntou-se. Ser um fracasso? Para conseguir suas doses de adrenalina, teria de começar a escalar montanhas, praticar esportes radicais, como alguém do hemisfério Sul? Deus, não. Teve uma visão de si mesmo competindo com Jesse para ver quem ficava mais tempo sem respirar na piscina da Float — depois, pensou em Lydia. Graças a Deus. Ela era radical o bastante.

Finalmente, o avião pousou. Conall tirou o cinto de segurança e ligou o telefone antes de ser informado de que podia fazer isso — talvez tivesse esquecido de costurar os mamilos de volta, mas jamais obedeceria ordens imbecis.

Levantou-se e esticou cuidadosamente o corpo, quase desejando levar bronca da comissária de bordo. Telefonou para Lydia.

— Hathaway?

— Cheguei. Minha cama, em quarenta e cinco minutos.

— Se você me quiser, vai ter que vir me buscar. Dirigi o dia inteiro.

*Aqui entre nós, estou feliz que ele tenha voltado ao país, já que, como parece ser o caso, Andrei viajou. Tenho planos para Hathaway. Ah, sim, grandes planos.*

# *Dia 2...*

Era verdade, podia correr com eles com um salto de onze centímetros — apesar da plataforma de meio centímetro, que fazia com que a inclinação fosse mais suave, onze centímetros ainda era bastante coisa — e ela não estava andando rápido, corria mesmo. Não era qualquer mulher que conseguia fazer isso, menos ainda uma mulher acima dos quarenta, e essa era uma habilidade útil, porque, no momento, por exemplo, estava bastante atrasada. Conseguira dissipar a melancolia de Fionn; portanto, estava a caminho de casa para trocar a roupa de trabalho por um vestido apropriado, para depois cruzar a cidade e encontrá-lo na embaixada americana. Ainda iam a todas as festas para as quais eram convidados, porque ela se recusava a pensar no futuro, e estava determinada a se divertir na vida, até o último instante, fosse lá quando fosse isso. Mas toda essa socialização ocupava muito tempo, e ela já estava atrasada ao sair do trabalho e ainda parara para comprar leite e outras coisas básicas, além de ser seduzida por uma farmácia. Na verdade, precisava de suplementos vitamínicos (não conseguiria sustentar esse ritmo por muito mais tempo *sem alguma coisa* que a ajudasse), mas acabou desviada pelo setor de cuidados com as unhas e entrou num transe. Deus, tinha coisas boas ali, coisas *excelentes*: uma nova marca de esmaltes e lixas decoradas... perdera muito tempo, mas finalmente estava em casa e...

— Conall. — Meu Deus, era Conall. Hathaway. Na porta do número 66 da Star Street. Parecia enorme. Não o via fazia séculos.

Ele também pareceu surpreso ao vê-la. — Katie?

— Conall.

— Você está linda.

— Você está... um caco. — O terno estava amassado e o cabelo, completamente despenteado.

— Acabei de sair do avião, vindo das Filipinas.

— Nada muda. — Apontou para a chave que colocava na fechadura. — Posso... Quer que eu abra para você?

— Estou esperando a...

— Lydia.

— É, ela já está descendo.

— Ela é sua... — Katie procedeu com cautela, como se estivesse atravessando uma ponte velha, cheia de partes podres que poderiam se partir sem aviso. — Ela é sua namorada?

— Humm, é.

Pronto, pensou Katie. A palavra fora dita, e tudo bem. Não mergulhara num abismo terrível; na verdade, não sentira nada. Fionn, que analgésico incrível ele era. Melhor do que qualquer coisa à venda no mercado. Devia patentear a si mesmo; faria fortuna.

— E — disse Conall — ouvi dizer que você e... Fionn, é isso? Vocês estão juntos?

— É. Estamos. Eu tenho que ir. Estou atrasada.

— Tudo bem entre vocês dois?

Deus, Conall — sempre tão competitivo. O que esperava que ela dissesse? Ninguém jamais será tão bom quanto você, Conall? Porque não era verdade. Fionn era. Contentou-se com uma encolhida enigmática de ombros e seguiu seu caminho.

# *Dia 2...*

Chinelos, toucas de banho, sabonetes, chocolatinhos, canetas — um sem-fim de coisas bonitas roubadas dos quartos de hotel de Conall.

— Hathaway, isso é coisa fina.

— Para você. — Ágil, ele desabotoou o sutiã de Lydia. Fizera um excelente trabalho, despindo-a quase totalmente enquanto sua atenção estava voltada aos presentinhos.

— Ah! — Lydia gemeu de prazer: sais de banho Molton Brown. Muito melhores do que os de hotel que ele incluíra.

Conall riu e, gentilmente, mordiscou primeiro o mamilo direito, depois o esquerdo de Lydia.

— Você adora isso, fala a verdade? Carícias?

— Humm. — Conall pensou que o gemido tinha cunho sexual, Lydia percebeu. Melhor concentrar-se. Tinha um Conall Hathaway nu diante de si, uma ligeira ereção pedindo atenção. Os sais de banho podiam esperar.

— Era assim que Katie dizia — falou, deitando-a na cama.

Lydia congelou. — Katie dizia que o que era o quê?

— Carícias. Era essa a palavra que ela usava.

Lydia se afastou e sentou-se. — Nunca mais me fale dessa Katie. Seu idiota.

— ... Ah...

— Não estou *nem* aí. Mas, quando eu começar minha magia, você nunca mais vai pensar em outra mulher. Diga-se de passagem, essas biscates com quem você se relacionou no passado podiam muito bem estar com você por causa da sua casa na Wellington Road. Mas, se quiser que eu continue por aqui...

— Ok... desculpa.

— Já esqueceu que lhe contei que Katie e Cachinhos de Ouro estão juntos?

— Não esqueci.

— Estão loucamente apaixonados. Transam toda hora. Tomam banho no meio da noite, correm um atrás do outro pela casa, gritando, acordando gente trabalhadora feito eu.

# Dia 1

— A que horas você volta para casa? — perguntou Maeve.

— Devo voltar tarde — respondeu Matt.

— Ah, Matt.

— Você sabe como são essas coisas. — Ele sorriu, desculpando-se. — Possíveis clientes, menu especial, vinhos caros. Tudo isso demora.

— Sexta-feira à noite é um dia estranho para esse tipo de coisa.

— Foi a única noite que consegui. Mas vai ficar tudo bem com você. Você tem Shrigley hoje, não tem?

— Tenho. E tem uma despedida no escritório. — Não sabia por que dissera isso. Provavelmente não iria.

— Você podia ir depois da Shrigley. Para não ficar sozinha muito tempo.

Maeve fez uma pausa, uma colher de mingau a caminho da boca. Matt não costumava tentar persuadi-la a sair com os colegas do trabalho.

— Por que não? Tenta ir e ficar uma horinha — disse Matt. — Talvez seja bom para você. Se for demais, você vai embora.

Maeve olhou para ele, em dúvida.

— Meia hora? — disse Matt. — Nunca se sabe, talvez você até se divirta.

— Mas, Matt... nem gente normal gosta de festas de despedida.

— Maeve, escuta. — Ela viu desespero na expressão do marido. — A gente tem que continuar tentando.

Maeve baixou os olhos. Não, nada de continuar tentando. Ele estava sozinho nessa missão.

— Maeve?

Ela precisava dizer algo. — Para que restaurante você vai?

— ... Ah... Magnolia.

— Achei que tinha fechado.

— ... Ah... não, não fechou.

Matt tirou dois antidepressivos de dentro do frasco e deu um para Maeve.

— Vou chegar tarde; então, não se preocupa, sai, se diverte.

Maeve jogou o comprimido na boca e engoliu-o com um gole de água. Passou o copo para Matt.

— Vou escovar os dentes e a gente sai.

Maeve saiu da cozinha. Matt ficou tenso e prestou atenção aos ruídos de água saindo da torneira do banheiro. Quando ouviu o zumbido da escova elétrica, abriu a bolsa dela, revirou o interior, pegou um molho de chaves, escondeu-o no armário debaixo da pia, jogou a bolsa no chão e posicionou-se de volta, de frente para seu café da manhã.

*Acabei de perceber que algo está errado, algo está terrivelmente errado. Matt e Maeve, bem, seus batimentos cardíacos compartilhados... não consigo mais sentir. Parou de acontecer e, na verdade, me dou conta de que isso já faz algum tempo, bastante tempo. O que senti antes não era real, mas algo como uma mensagem gravada, um eco do passado. Como a luz de uma estrela morta há muito tempo que nos alcança.*

# *Dia 1...*

Lydia se jogou no chão, de bruços, conferindo se não havia ficado nada debaixo da cama deles. Queria todo e qualquer vestígio dos polacos fora dali. Umas bolinhas de poeira rolavam pelo chão, mas, fora isso, não havia nada. A mudança fora completa; os últimos dias haviam sido de atividade intensa.

— Jan, não se esquece de levar seu pôster do papa. — Lydia desgrudara o pôster em questão da parede.

— Pode ficar com ele — disse Jan. — Pode lhe ajudar.

— Me ajudar? — Não conseguira não rir. — Estou além de qualquer possibilidade de redenção.

— Parece que sim. — Andrei dera a última varrida no quarto.

— Se esquecer alguma coisa, pode vir buscar quando voltar.

Lydia não se importara nem quando descobrira que a nova residência de Andrei só teria um andar de distância. Era um homem noivo agora, e isso funcionava como um repelente. Aquela história confusa entre eles ficara no passado, fora um delírio para sempre enterrado.

Estava tão animada por se livrar deles que ajudou a carregar a van com as caixas da mudança.

— Tchau. Tchau. — Agora que iam embora, estava quase sentimental. — Boa viagem para vocês etc.

Enquanto observava a van se distanciando, seu telefone tocou.

— Hathaway?

— Hoje à noite?

— Faxina. Vou levar minhas coisas para o meu novo quarto. Sissy vem me ajudar depois do trabalho. Você pode vir também, já que foi tão gentil na faxina da casa da mamãe.

— Eu vou. Posso ajudar, sim. — Soou um pouco mal-humorado.
— Depois, você quer ir comigo na casa do meu irmão, Joe? Para entregar o presente para Bronagh?

— Quem é Bronagh?

— Minha sobrinha. Já lhe falei dela.

— Ah, é. — Não, nenhuma lembrança. — A resposta é não.

— Não?

— Detesto crianças e crianças me detestam.

— Mas ela é divertida!

— Pode acreditar no que estou dizendo, Hathaway, não vou achar sua sobrinha nem um pouco divertida.

— Ah... tudo bem. Vou lá sozinho, passo aí depois.

## *Dia 1...*

— ... então, quando voltei para Manila e...

— Sei... — disse Joe, tomando chá e olhando em volta da cozinha.

Repentinamente, Conall percebeu que parecia estar se gabando. O irmão nunca fora para a Ásia, jamais *iria* para a Ásia; era um lugar estranho, um lugar distante, às vezes mencionado no noticiário. Conall calou-se, subitamente.

Sem dizer nada, tomaram o chá, Conall dando goles enérgicos para demonstrar que não perdera contato com suas raízes. Considerou a possibilidade de estalar os dedos, mas temeu que o gesto fosse encarado como hostil.

— Cadê meu presente? — A aparição de Bronagh quebrou a tensão.

Conall enfiou a mão no bolso e pegou uma caixinha.

— Maneiro — sussurrou Bronagh, abrindo o laço e rasgando o papel prateado. — Um presente *de verdade*. — Com ar de reverência, abriu a tampa e olhou a joia brilhando lá dentro.

— Caramba — disse Joe.

— São... o que é isso? — perguntou Bronagh.

— Safiras.

— Jesus Cristo...

Bronagh arregalou os olhos. — São de verdade?

Conall fez que sim.

— Ela tem oito anos. — Joe parecia irritado. — Nem furou as orelhas ainda.

— Me adota, Conall. — Bronagh começou a andar teatralmente pela cozinha, segurando as safiras na altura das orelhas. — Me leva para sua casa. Me salva desses camponeses.

— Ah, ha-ha-ha. — Conall ficou vermelho de vergonha. Deus, que confusão. Suando, precisando consertar as coisas, segurou Bronagh e disse, olhando-a nos olhos: — Meu irmão é o melhor pai que você poderia ter.

— Você também poderia ser um bom pai, se não trabalhasse tanto — respondeu Bronagh. — Mas aí não teria dinheiro para comprar brincos de safira. Humm. Escolha difícil.

— Vou dizer uma coisa para você, Conall — falou Joe, veemente. — Você pode ir para as Filipinas, pode rodar o mundo inteiro, mas eu nunca preciso sair de casa. Ter filhos é a maior aventura de todas.

— Você está certo, cara. Certíssimo. Estou começando a pensar assim também.

A expressão de Joe suavizou. Depois, ficou tensa novamente.

— Ah, não, Conall. Ter filhos não é como ter uma motocicleta. Não dá para devolver quando enche o saco.

*Todas as minhas fichas estão no dia de amanhã; acho que vou de Hathaway e Lydia. Sei que ela diz não gostar de crianças, mas, quando for o bebê dela, vai ser diferente. E Hathaway está pronto. Bem, ele está bem perto de gostar da ideia. Quando eu chegar, vou ser desejável. Caso as coisas fiquem inesperadamente esquisitas, tenho Katie e Fionn como plano B. Já no que diz respeito a Matt e Maeve, acho que seria preciso um milagre.*

# *Dia 1...*

— Alguém se importa se eu sair mais cedo hoje? — perguntou Matt. — Tenho que fazer as malas.

Piadas surgiram de todos os lados. — Dez para as cinco da tarde e o cara já vai embora! Isso é que é trabalhar no setor internacional de vendas.

— Não tem mais nada para eu fazer em Vendas Domésticas. — Esse era o novo nome do departamento de vendas de sistemas dentro da Irlanda. — Não faz sentido eu ficar aqui chupando o dedo. — Matt riu, pálido e suado. — Então, até já.

— A que horas? — perguntou Salvatore.

— Sete? No check-in do aeroporto?

Salvatore e Matt viajariam para Xangai na segunda-feira de manhã.

— Muito bem. Vejo você no aeroporto! — disse Salvatore, animado. O começo de uma nova aventura, um negócio excitante.

— Isso — respondeu Matt. — Vejo você no aeroporto, segunda de manhã.

*Será que Maeve está sabendo disso?*

# *Dia 1...*

— Como vão as coisas, Maeve? — perguntou a Dr. Shrigley.

— Tudo bem.

Mas Maeve estava distante, dentro da própria cabeça. Não conseguia afastar a imagem de si mesma sendo lançada no ar, leve e sem movimentos, como uma boneca de pano.

O filme ficava cada vez mais elaborado. Maeve seguia repassando o momento do impacto, quando um carro se chocaria contra sua bicicleta e ela seria jogada para o alto, sangue escorreria de sua boca, o crânio se partindo como uma casca de ovo ao atingir o asfalto, e a luz desaparecendo, repentinamente, de seus olhos. A ideia da dor não a preocupava, estava tão dormente que nem imaginava sentir nada.

Tivera quatro crises de pânico nas últimas semanas e, em cada uma, sentira a presença da morte. Na hora, tivera medo, mas agora não mais.

Esperava que tudo terminasse logo.

Era sua última visita à Dra. Shrigley. Não sabia como dizê-lo; portanto, não disse. A Dra. Shrigley descobriria quando Maeve deixasse de comparecer às sessões. Não importava. Nada importava.

Pedalava para casa rápida e imprudentemente. Quando chegou à Star Street, saltou da bicicleta, empurrando-a mais alguns metros até a porta da frente. Achava incrível ainda estar viva. O que era preciso fazer para se morrer por aqui?

Pela primeira vez, estava feliz porque Matt não estaria em casa tão cedo. Assim, não saberia que ela não saíra com os colegas de trabalho. Apesar de que ele não deveria imaginar que haveria chance verdadeira de que fosse. Pobre Matt. Queria evidências de que ela estava melhor, quando tudo indicava que piorara.

Olhou rapidamente para trás para ter certeza de que ninguém a espiava, prestes a atacá-la e empurrá-la para dentro do apartamento vazio, depois enfiou a mão na bolsa, procurando as chaves de casa. Mas não as encontrou. A mão abria e fechava, abria e fechava, como um brinquedo, mas não pegava nada. Encostou-se na porta da frente, de maneira que pudesse observar os transeuntes, e esvaziou a bolsa num degrau da escada. Nada de chaves. Definitivamente nada de chaves. Sua carteira estava lá. Por que alguém roubaria suas chaves e não sua carteira? Estranho. A menos que ninguém tenha tentado pegar nada, e as chaves tivessem simplesmente caído no chão. Mas não teria ouvido o barulho?

De todas as coisas, perdera logo a chave. Mandou uma mensagem de texto para Matt. Ele teria de mandar as chaves dele num táxi. Mas a ideia de um motorista de táxi grandalhão, tendo acesso ao seu apartamento... Rapidamente, mudou o texto da mensagem.

Vem pra casa.

Não havia sentido em chamar algum dos vizinhos. Nenhum deles tinha uma chave reserva do seu apartamento. Maeve não confiava suas chaves a ninguém.

Quatro homens passaram e olharam para ela, sentada na escada, joelhos no peito. Não podia ficar ali, exibindo sua vulnerabilidade para todos. Devia, pelo menos, esperar dentro do prédio.

Hesitou ao pensar em interfonar para a senhora do prédio, porque o Faminto Fionn morava com ela. E se ele atendesse? Não podia tentar Katie, no último andar, porque ela e Fionn estavam juntos. Ficou nervosa ao pensar nos rapazes poloneses que moravam lá, mas depois lembrou que estavam de mudança quando saíra de manhã para trabalhar.

Apertou o interfone, e alguém, provavelmente a motorista de táxi impaciente, disse: — Hathaway?

— É a Maeve, do...

A porta foi aberta.

— Obrigada — disse Maeve para ninguém, puxando a bicicleta e encostando-a na porta.

Sentou-se no primeiro degrau da escada, olhando para o celular. Por que Matt não respondia? O que o impedia? Depois de algum tempo, telefonou para ele, e a ligação foi direcionada para a caixa de mensagens. Ele nunca desligava o telefone. Por que isso, logo hoje? Lei de Murphy.

Um barulho de chaves na porta da frente fez com que levantasse, esperançosa, mas era Katie. Adentrou o edifício, seguida pelo Faminto Fionn. Os dois estavam às gargalhadas.

— Ah, desculpa! — Katie riu. — Não era minha intenção esbarrar em você. Maeve, não é? Tudo bem?

Maeve não queria dizer nada, não na presença de Fionn.

— Você ficou trancada do lado de fora? — perguntou Katie.

Por que mais ela estaria sentada na porcaria da escada?

— Sobe com a gente — convidou Fionn.

Maeve conteve um estremecimento.

— Vem — disse Katie. — A gente vai sair daqui a mais ou menos uma hora, mas você pode ficar o tempo que quiser.

— Está tudo bem. Meu marido vai chegar daqui a pouco.

— Você quer ligar para ele? — E Katie já enfiava a mão na bolsa.

— Ele já está vindo. — Maeve mostrou o celular na sua mão. — Obrigada. Está tudo bem.

Matt ainda não respondera sua mensagem. O que era estranho. Já fazia bastante tempo. Conferiu a hora no telefone — quase quinze minutos...

Uma voz se pronunciou atrás dela: — O que houve? — Era Fionn. — Ainda sentada aqui?

Maeve ficou de pé. O coração subitamente acelerado, o instinto lhe avisando que estava em perigo mortal. Fionn desceu os últimos degraus. Parecia quase entretido. Maeve lembrou-se do jeito com que ele costumava encará-la, como se quisesse comê-la. Devorá-la. Matá-la.

— Melhor subir e esperar na casa da Katie — disse ele. Maeve balançou a cabeça, incapaz de falar. Um zumbido perturbava seus ouvidos, e o medo crescia, crescia dentro do seu peito, enchendo cada cavidade, impedindo-a de respirar.

— Não precisa ter medo.

*Não precisa ter medo.*

Fionn se aproximou e estendeu a mão.

— Não vou machucar você.

*Não vou machucar você.*

— Vem. — Ele segurou o braço dela.

Maeve não gritara da última vez — esse fora seu maior erro e não o repetiria.

— Para! Por favor!

Algo acontecia na porta da frente. Alguém estava do lado de fora. O interfone tocou.

— Matt! — gritou. — Matt!

Mas não era Matt, era aquele cara grandão, moreno. Conall, achava que esse era o nome dele. Namorado de Katie. Era, pelo menos.

— Que é isso? — perguntou Conall, olhando de Maeve para Fionn, Fionn segurando o braço de Maeve, Maeve tentando se afastar.

Conall se adiantou, e o pavor de Maeve se intensificou.

— Não! Por favor! Estou implorando.

Imediatamente, Conall deu um passo atrás.

Maeve estava vagamente consciente de que outros rostos apareciam na escada, olhando por cima do corrimão — Katie, a rabugenta Lydia, uma outra moça e a senhora.

— Deixa a moça em paz — disse Conall para Fionn. — Você está assustando a moça.

— Eu? Só estou tentando ajudar.

— Ela está com medo de você. E de mim. Certo? — perguntou Conall para Maeve.

Maeve e Conall se olharam nos olhos. Ela fez sinal afirmativo.

— Ela não está conseguindo respirar — disse Conall. — Maeve... é Maeve? Você deixaria uma das garotas lhe ajudar?

Não. Elas também devem estar envolvidas no esquema. Maeve começou a arfar de pavor. Elas devem estar envolvidas no esquema.

— Alguém, por favor, arruma um saco de papel. — Ninguém se moveu. Todos estavam paralisados, como se a tecla *pause* houvesse sido pressionada durante uma cena de ação. Sem tirar os olhos dela, Conall enfiou a mão no bolso e pegou um saco de balas. Despejou o conteúdo e entregou o saco vazio a Maeve. — Respira aí dentro. — Olhou para Katie, lá em cima na escada. — Será que tem problema ser de plástico?

— Não sei. Acho que não.

— Será que alguém consegue me dizer o que está acontecendo? — perguntou Conall.

— Ela está trancada do lado de fora — disse Katie. — O marido não está em casa e ninguém tem a chave reserva.

— Você sabe onde ele está? — perguntou Conall para Maeve. — Matt? É esse o nome dele?

— Ele está vindo para casa.

— De onde?

— Do Magnolia.

— *Magnolia?* — disseram Conall e Katie ao mesmo tempo.

— Achei que tinha fechado — disse Conall, buscando confirmação em Katie.

— Fechou. Há mais ou menos um mês.

— Foi o que pensei — sussurrou Maeve.

Um silêncio desconfortável se instalou.

— A gente pode tentar forçar a fechadura para você — ofereceu Conall.

— Como? — Maeve olhou para ele.

Como se movidos por uma força poderosa, o olhar de todos se dirigiu a um ponto: Lydia.

— Por que todo mundo está olhando para mim? — perguntou. — Ah, *certo*.

Lydia subiu correndo e voltou com um cabide de alumínio, esticou-o e o enfiou dentro da fechadura, fazendo manobras cuidadosas. De repente, parou. Tirou o arame. Estava pálida.

— Está trancada por dentro. A chave ainda está na fechadura.

— Ele está lá dentro? — murmurou Sissy.

— O Matt está lá dentro? — perguntou Conall para Lydia.

— Como assim, ele está lá dentro? — Maeve se esforçava para respirar.

Conall bateu com força na porta. — Matt? Matt? — Virou-se para Maeve. — Você tentou tocar o interfone? — Muda, ela balançou a cabeça. Conall abriu a porta da frente e saiu para tocar o interfone do apartamento 1. Ninguém atendeu, e Matt também não apareceu para abrir a porta; então, Conall disse para Maeve: — Liga para ele. Para o fixo.

Maeve entregou-lhe seu celular. — Está no número de "casa".

Conall pressionou alguns botões e, através da porta, escutaram um telefone tocando. Todos em suspense e, quando ouviram a secretária eletrônica atender, houve uma compreensão muda de que estavam, de alguma maneira, envolvidos em alguma espécie de tragédia.

— Só porque a chave está na fechadura, isso não significa que ele esteja em casa — disse Fionn.

— Como não? — perguntou Conall.

— Ele pode ter trancado a porta e saído pela janela.

— Qual a chance disso? — Conall removeu a bicicleta de Maeve, que estava encostada contra a porta. — Para trás. — Para choque geral — como as coisas podiam ter ficado tão sérias tão rápido? —, Conall se jogou contra a porta, primeiro o ombro, e foi detido violentamente. (Jemima viu Fionn ser incapaz de suprimir um sorriso de escárnio.) Conall tentou novamente, o golpe menos intenso da segunda vez.

— O que está acontecendo? — sussurrou Maeve. — Não estou entendendo.

A terceira tentativa foi acompanhada pelo som de madeira rachando. Mais duas pancadas do ombro de Conall, e a porta estava aberta.

— Ok — gemeu Conall. Olhou para os rostos em volta. Ninguém queria entrar. Teria de ser ele mesmo. Esgueirou-se para dentro, como um homem prestes a mergulhar num rio infestado de crocodilos. Por alguns momentos, prevaleceu um silêncio terrível, depois ouviram sua voz. — Katie! Katie!

Pálida, Katie seguiu a sua voz e, quase imediatamente, voltou dando ordens. — Lydia, liga para uma ambulância. Fionn, entra, ele precisa que você o ajude a levantar Matt. Jemima, fica com Maeve. — Enquanto falava, Katie suspendia a saia e tirava a meia-calça. Tirou-a e rasgou-a em dois. — Torniquetes — disse.

Jemima levou as mãos aos ombros de Maeve. — Esse não é o momento para conselhos, mas talvez não tenhamos outra chance. Ouça o que vou lhe dizer, é muito, muito importante. Seu corpo pertence a você. Não àquele homem, seja ele quem for. Tire-o dele.

Os olhos de Maeve estavam sombrios e assustados. Estava chocada, quase como se drogada. — Como você sabe?

— Sou muito velha. Já vi muita coisa. Seu medo dos homens, sua maneira de vestir, escondendo tudo, é tão claro para mim...

— Meu Deus...! — Era Sissy falando. Segurou o braço de Jemima. — É você?... A mística Maureen?

*Agora não, minha querida. Agora realmente não é a hora.* Relutante, Jemima se virou. — Sissy, meu amor?

— Não acredito que seja você! — Sissy enfiou o rosto no campo de visão de Maeve. — Escuta. Você tem que escutar. Quero dizer... essa mulher! — Sissy sacudiu as mãos, desesperada para ser enfática. — Você tem que acreditar em *qualquer coisa que ela lhe disser.* Ela é super, supervisionária.

— Não exatamente. Não sou visionária. Sou velha. Mas eu...

— A ambulância chegou!

— Até que foi rápido — alguém disse.

* * *

Lydia observou o corpo sem vida de Matt, os dois punhos amarrados por pedaços pretos de náilon, pingando água vermelha, sendo retirado do apartamento e levado para a ambulância.Aproximou-se de Conall. O terno escuro dele estava molhado e a camisa branca, manchada do que parecia ser sangue. Falava ao telefone com Eilish Hessard, providenciando uma nova porta para o apartamento de Maeve. Assim que desligou, Lydia perguntou baixinho:

— O que aconteceu?

Conall olhou rapidamente para Maeve, para ter certeza de que ela não estava ouvindo.

— Na banheira. Ele cortou os pulsos.

Meu Deus! Matt cortara os pulsos! Muito chocante, triste e tudo o mais, mas Lydia não conseguia deixar de pensar que era uma maneira muito *feminina* de tentativa de suicídio.

Um dos rapazes da ambulância, baixinho e gorducho, estava de volta ao corredor.

— Quem de vocês vai acompanhar? Rápido.

— Essa é a mulher do Matt — disse Conall.

— Ela pode vir na ambulância, mas não tem espaço para mais ninguém.

Maeve encolheu-se.

— Não posso — disse. — Eles são homens.

— Você precisa ir, minha querida — disse Jemima. — Você precisa estar do lado do Matt. Nós vamos seguir a ambulância.

Katie passou o braço em volta do ombro de Maeve, e a moça deixou-se guiar até o veículo.

— Eu sabia que a morte rondava o prédio. — Jemima olhou para as portas da ambulância enquanto eram fechadas. — Vinha sentindo há semanas. Tinha tanta certeza de que ela estava atrás de mim. Seria melhor eu do que esse moço tão jovem.

*Pelo amor de Deus! Não sou a morte. Sou exatamente o contrário.*

— O cara, Matt, ele... Morreu de verdade? — Sissy engoliu com dificuldade.

Conall parecia sofrer. — ... Não sei. Ele não parecia muito vivo.

O som da sirene fez com que todos se assustassem, e a ambulância foi embora.

— Alguém precisa ir ao hospital para ficar com Maeve — disse Jemima.

Lydia olhou para baixo. Esse tipo de coisa não era para ela. Cada um usa as forças que tem, e ela não era do tipo confortadora.

— Eu vou — disse Katie.

— Eu vou também, se você achar que vai ajudar — disse Conall.

— Eu vou — disse Sissy. — Apesar de ela não me conhecer.

— Ela não conhece nenhum de nós — disse Fionn.

— Eu gostaria de ir — disse Jemima. — Se nenhum de vocês for contra.

Nenhuma objeção, pensou Lydia. Ela podia sentir o alívio de todos ali.

— Talvez você pudesse me acompanhar, Fionn — disse Jemima.

— Ela tem medo de mim — disse Fionn.

Lydia ficou indignada. Ok, nenhum deles queria ir, a situação era horrível e, é verdade, Maeve estava morrendo de medo de Fionn e de Conall, mas não podiam deixar que aquela mulher de idade fosse sozinha. Ela era *idosa*. — Eu levo você.

— Tudo bem. Pode deixar — disse Katie. — Eu levo você. Meu carro está logo ali.

— Eu vou e o Fionn me acompanha — declarou Jemima. Fionn abriu a boca e depois pareceu aceitar o inevitável. Jemima podia ser idosa, pensou Lydia, mas tinha uma força de aço. — A gente pode pegar um táxi na rua.

Uma nova confusão se seguiu quando Lydia, novamente, ofereceu-se como motorista e Jemima recusou.

— Tudo bem. — Lydia não ficou chateada nem um pouco. Era um alívio não ter de dirigir. Fionn subiu para trocar as roupas molhadas, sujas de sangue, depois ele e Jemima partiram, deixando Lydia com Conall, Sissy e Katie.

— A gente podia beber alguma coisa — disse Sissy.

— Ok — respondeu Conall, erguendo as sobrancelhas para Katie. — Alguma sugestão?

— No Garrafas Voadoras? — sugeriu. — É prático. E não vão proibir a entrada de um homem com a camisa suja de sangue.

— É traje praticamente obrigatório — sorriu Conall, frágil.

— No Garrafas Voadoras? — perguntou Lydia, sentindo um gosto amargo na boca.

— O bar logo ali no fim da rua, não sei se é exatamente esse o nome — disse Conall.

— Teve uma briga numa noite em que a gente estava lá — contou Katie para Lydia. — Daí o apelido. Mas ainda está cedo, deve estar tranquilo.

— Ótimo — disse Lydia. *Ótimo.*

Se fosse em outro lugar que não o Garrafas Voadoras, a aparência deles talvez causasse comentários. Lydia e Sissy, de moletom e suéter, Katie, de tubinho preto e salto alto, e Conall, de terno elegante, enfeitado com manchinhas de sangue que já escureciam.

— Eu vou até o bar — disse Conall enquanto Sissy tentava encontrar quatro banquinhos que não estivessem rasgados, com a espuma aparente. — O que vocês querem?

— Vodca e Red Bull — disse Lydia.

— Eu também — concordou Sissy.

— Katie?

— Ah, desculpa! — Katie parecia perplexa e confusa. — Conhaque, eu acho. Dizem que é bom pra quando a gente está em choque.

— Ok. Lydia? Sissy? Certeza de que não vão querer mudar o pedido? Para conhaque?

— Certeza absoluta — respondeu Lydia, imediatamente.

Esperou até que Conall estivesse no bar, de costas para elas. — Então — dirigiu-se a Katie — quer dizer que você sabe tudo de primeiros socorros? — Algo lhe dizia que a resposta era importante.

Humilde, Katie balançou a cabeça. — Sou apenas uma curiosa. Gosto de comprar sprays e óleos na farmácia, adoro novidades, toda vez que aparece uma pomadinha nova eu compro, mas, quando acontece uma coisa assim, tipo o que aconteceu com o Matt, não sei nada. — Suas mãos tremiam, e ela parecia prestes a chorar.

— Mas você sabia fazer torniquetes.

— Isso é por causa dos filmes de caubói. E se tiver sido tarde demais? E se ele já estivesse...?

O telefone de Katie fez um ruído, e ela olhou para a tela.

— É o Fionn. Matt está vivo. Está recebendo uma transfusão.

— Isso significa que ele está bem? — perguntou Sissy.

— Não sei. Isso ele não diz. Talvez ninguém saiba ainda — disse Katie.

Conall tomou o que restava do seu conhaque, ficou de pé e olhou para Lydia. — Vamos? — Precisava de sexo frenético para afastar a presença da morte.

# Três anos antes

Quando abriu a porta do quarto, disse:

— Fecha os olhos.

Ela sentiu o peso e o calor das mãos dele em seus ombros, guiando-a.

— Quanto mistério. — Ela riu. — Melhor valer a pena.

— Vai valer.

Havia se curvado e caído no chão antes de entender o que estava acontecendo. Sua compreensão estava dois ou três segundos atrás dos acontecimentos. Sentiu uma dor aguda no quadril e ouviu um zumbido antes de se dar conta de que ele a empurrara para baixo, com toda força. Que seus joelhos haviam cedido, e ela caíra sobre o chão de madeira. Enquanto ainda tentava entender a situação, David se colocara em cima dela, os joelhos pressionando seus ombros, o peso do corpo sobre seu tronco.

O ar não entrava nem saía de dentro dela; estivera tão ocupada caindo e chocando-se contra o chão que se esquecera de inspirar e, assim que tentou fazer isso, seu peito foi impedido de expandir porque o peso de David a esmagava.

Confusa, achou que fora um acidente. Mas David estava em cima dela, o rosto vermelho e sorridente. Obviamente, quisera fazer isso. Era uma piada sem graça, do tipo que machuca as pessoas. Com a respiração curta, ela disse: — David, levanta, sai de cima de mim. — Estava exasperada, quase com raiva. Não com medo. Ainda não.

Com uma agilidade que Maeve não sabia que ele possuía, David mudou de posição, de modo a prender com os joelhos as laterais do corpo dela, o direito segurando seu tronco no chão, o esquerdo paralisando seu quadril.

Maeve jamais sentira a força de outro ser humano ser usada contra si. David era mais alto, mais pesado e muito, muito mais forte. Era uma experiência completamente nova e nada a preparara para aquilo. Fora as brincadeiras inofensivas do tempo de colégio, não sabia nada sobre força.

— David, me solta. Sai de cima de mim. Não estou conseguindo respirar.

Desesperadamente, pressionou o chão com as palmas das mãos, revirando-se e debatendo-se, na esperança de derrubá-lo, mas ele a prendia tão perfeitamente ao chão que seus movimentos eram mínimos.

David parecia um estranho, não conseguia ler a expressão em seu rosto, não sabia o que ele queria, mas ouvia sinais de alarme. Estava sozinha com ele. Ninguém sabia que estava ali. David mostrava-se irado e amargo — agora Maeve sabia que estivera absolutamente errada ao pensar que a perdoara.

— Me solta, a gente volta para a sala e conversa. Anda, David, você é um cara decente. — Ainda achava que sairia daquela situação.

Não conseguia nem mesmo erguer a cabeça; então, quando sentiu — sem ver — os dedos dele buscando o fecho do seu jeans, foi tomada de pânico genuíno.

— David, o que você está fazendo? — Ele estava tentando assustá-la. E estava dando certo.

— David, não! Isso é loucura. Você está ferido, está chateado, mas isso já foi longe demais. Para, agora!

Mas ele conseguira, o botão estava aberto. Ela sempre imaginara ser possível fazer algo para se proteger. Podia arranhar, chutar, morder. Mas o peso sobre seus ombros era tão grande que os nervos em suas mãos não funcionavam, haviam se tornado areia, seus pés estavam muito distantes dele para que pudessem feri-lo, e sua cabeça, presa ao chão.

Agora, David tirava o jeans dela.

*O plano dele era... estuprá-la? Parecia que sim, mas não podia ser verdade, porque... Por que não? Porque coisas desse tipo não aconteciam com pessoas como ela.*

— Ok — Maeve conseguiu dizer. — Estou assustada, está funcionando, funcionou. Hora de me soltar.

David se movia em cima dela, redistribuindo seu peso enquanto tirava a calça jeans dela. — Por favor, David, não faz isso, David.

*Eu devia gritar.* Devia haver gente nos outros apartamentos; talvez a escutassem. O bizarro era que ela estava quase constrangida com o melodrama de gritar "socorro"; afinal, era o *David*. No entanto, quando abriu a boca, ficou chocada ao descobrir como seu grito saíra fraco — estava no chão, vulnerável.

De maneira estranha, mas metódica, ele conseguiu tirar sua calcinha, primeiro um lado, depois o outro, pouquinho por pouquinho.

— Para, David, por favor. — Lágrimas silenciosas escapavam de seus olhos. Maeve não percebera o momento em que começara a chorar.

E lá estava a ereção dele, roxa e raivosa.

*Meu Deus, ele realmente vai me estuprar.*

Maeve pressionou uma coxa contra a outra, com toda força. Pense, implorou a si mesma, *pense*. Lera em algum lugar que a pessoa podia falar de si mesma para o estuprador, apelar pela sua compaixão, fazer com que soubesse que era um ser humano. Mas David já sabia disso.

— Desculpa se magoei você, David. Realmente sinto muito. Mas não faz isso comigo, por favor. — Lágrimas escorriam pelo seu rosto.

Ele se moveu, posicionando-se para penetrá-la e, por um instante, afrouxou o peso nos ombros dela. Era sua chance. Maeve lutou para se levantar e deixou escapar um grito de verdade, um grito agudo.

David a empurrou de volta no chão, batendo a sua cabeça contra a madeira, depois atravessou sua garganta com o braço e a apertou. Não com muita força. Imediatamente, Maeve começou a sufocar. David pressionou um pouco mais. Aterrorizada, lutando desesperadamente para respirar, viu como seria fácil para ele matá-la.

Acontecia toda hora. Mulheres eram estupradas e mortas, e estava acontecendo com ela. Sua visão escurecia e, instantaneamente, ela ficou em silêncio e relaxou ligeiramente o corpo. Precisava sobreviver àquilo. Era a única coisa que realmente importava. Todo o resto... Bem, lidaria com aquilo depois. Mas não podia morrer.

David começou a movimentar-se, tentando penetrá-la, e, inesperadamente, Maeve teve uma pequena esperança: talvez não acontecesse, talvez estivesse tensa demais para que ele conseguisse entrar. Mas David continuou forçando até encontrar uma maneira, até estar dentro dela. Começou a mover-se para frente e para trás, e aquilo tudo parecia rude e terrivelmente errado.

*Estou sendo estuprada. É essa a sensação.*

Pela primeira vez, desde que a levara para o quarto, ele falou.

— Está bom para você?

Muda, Maeve o encarou, depois teve uma sensação muito estranha de sair do próprio corpo, espiralando através do topo da cabeça. Havia ido embora; esperaria, fora de si mesma, até que acabasse. Podia ver-se, rígida no chão, os olhos fechados, lágrimas escorrendo por baixo das pálpebras. Podia vê-lo sobre ela, movimentando-se e, o mais estranho de tudo, sussurrando palavras de amor.

— Você é linda. Eu te amo. Você me machucou de verdade.

Parecia durar para sempre. Ele perdeu a ereção duas vezes e tiveram de esperar até que estivesse pronto para recomeçar. Algumas vezes, ela voltava para o seu corpo, percebia que ainda estava acontecendo e saía novamente.

Depois de muito tempo, ele gozou, dentro dela. Gravidez, Maeve pensou. Clamídia, pensou. Evidência.

Metal gelado. Exame de corpo de delito. Cotonetes e fotos. Exames de DSTs. Exame de HIV. Cedo demais, é claro, para fazer um teste de gravidez. Pés para cima, para mais uma inspeção interna. Matt segurando sua mão. Conferência de feridas, sangramentos internos. Um mundo inteiro que ela desconhecia.

Depois que David terminara com ela, rolara no chão do quarto, olhando para o teto. Maeve permanecera deitada, rígida, perguntando-se o que faria em seguida. Mas, como os segundos passavam e nada acontecia, afastara-se dele e, num súbito frenesi de atividade, vestira sua roupa, ainda temendo que ele a interrompesse, que a jogasse novamente no chão e começasse tudo outra vez.

Uma outra mulher talvez tivesse dito: você me estuprou e vou contar para todo mundo. Mas Maeve não tinha pensamentos de vingança. Tudo o que importava era sair dali enquanto estava viva.

Uma vez lá embaixo, tirara a corrente da bicicleta. Não seria capaz de pedalar, não poderia sentar no selim, mas tampouco poderia deixá-la ali. Tinha de levar consigo tudo que lhe pertencia; não podia deixar nada com ele. Partiu andando rápido, quase correndo, arrastando sua bicicleta durante quase dois quilômetros e, em um instante — assim lhe pareceu —, estava na porta do seu prédio.

Não telefonou para Matt; não quis perturbar sua noite. Em vez disso, sentou-se, pequenina e gelada, no sofá, esperando que ele voltasse paia casa. E, quando ele chegou, ficou confuso, pelo menos no início, mas acreditou nela.

Dois policiais — um homem e uma mulher — tomaram seu depoimento.

— Vocês conseguiram... as provas? — perguntou Maeve, tentando não gaguejar. — Vai dar para fazer o teste de DNA, provar que foi ele? — Não tomara banho, não se desfizera de nenhuma evidência; estava orgulhosa disso. Chegara em casa e esperara por Matt, e, apesar de pensar que aquilo pudesse ser um pesadelo, soubera, intuitivamente, que não deveria nem mesmo mudar de roupa.

— Estamos nos adiantando um pouco aqui — disse o policial. Vincent, era o nome dele. — Ainda não sabemos se foi ou não consensual.

Maeve olhou para ele, pálida. — Não foi. — Olhou para Sandra, a outra policial. — Não foi — repetiu. Olhou para Matt. — Não foi.

— Eu sei — disse Matt.

Calmamente, Sandra olhou para eles.

— Vamos começar do começo. Que roupa você estava vestindo?

— Essa. — Maeve indicou a sacola contendo seu jeans e sua calcinha. Mais uma vez, fizera a coisa certa: sabia que sua roupa seria apreendida; por isso, levara uma reserva.

— Nada provocante, não é? — disse Matt, um ligeiro desafio na voz.

— Seria melhor se apenas a senhora Geary respondesse às perguntas — disse Sandra. — Maeve, você não estava usando um vestido?

— O que isso quer dizer?

— Não é nada fácil tirar a calça jeans de alguém enquanto tenta prender a pessoa ao chão.

— É, mas... ele fez isso. — Como poderia explicar o peso de David, sua força?

— Toma. — Vincent entregou a ela um pacotinho de lenços. Maeve deu-se conta de que lágrimas silenciosas rolavam pelo seu rosto.

— Como você descreveria sua relação com o Sr. Price? — perguntou Sandra.

— Quem? Ah, David. Ele foi meu namorado. Antes de eu conhecer Matt.

— Você foi ao apartamento dele um pouco mais cedo esta noite. — Sandra olhou para o relógio. — Agora há pouco. Foi sozinha, só vocês dois? Por que seu marido não foi?

— Ele tinha um compromisso de trabalho — disse Maeve, e Matt falou ao mesmo tempo:

— Ela tem direito de ter a própria vida.

— Mas seu marido aprovou essa visita?

— Ele não sabia. — Maeve teve de admitir.

— Mas eu não teria me importado — disse Matt.

— Você não contou a ele que estava indo visitar o Sr. Price? Por que fez segredo?

— Não era segredo. Eu simplesmente não disse que ia.

— Você e o Sr. Price tomaram um drinque juntos? Seria justo dizer que suas inibições diminuíram, por causa da interferência do álcool?

— Tomei uma cerveja. Nem terminei. Olha só, nem queria ir, mas ele disse que queria me dar um presente de casamento.

— Um presente de casamento? — Sandra ergueu a sobrancelha e Maeve percebeu que a frase soara mal.

— Preciso perguntar, Sra. Geary, porque, se esse caso chegar ao tribunal, vão fazer novamente a pergunta: quando namorava o Sr. Price, vocês tiveram relações sexuais?

Maeve engoliu em seco — Sim, mas desta vez foi diferente.

— Você foi amplamente examinada. Não apresenta hematomas nem ferimentos internos.

— Deve haver algum hematoma. Bati com a cabeça no chão, e ele apertou o meu pescoço com o braço, tentou me asfixiar.

— Sua roupa não está rasgada, não existem ferimentos aparentes, nenhuma evidência de luta corporal.

— Mas eu lutei.

— Qualquer ferimento significativo teria sido visto rapidamente. Não se passaram mais do que quatro horas desde o suposto incidente.

— Eu lutei, mas ele é muito mais forte do que eu.

— Se eu estivesse sendo estuprada, lutaria com mais fervor.

— Fiquei com medo de que ele me matasse.

Mais uma vez, aquela sobrancelha levantada. — Matar você? — perguntou Sandra, anotando alguma coisa. — Uau.

— Bem — disse Matt, condoído, quando os dois policiais saíram da sala de interrogatório. — Essa mulher é uma piranha.

Uma risada inesperada veio de Maeve. — Você não pode usar essa palavra.

— Normalmente, eu não usaria, mas estou preparado para abrir uma exceção no caso dela.

— O que você acha que está acontecendo?

— Eles devem estar falando com... *ele*.

— E aí? Ele vai ser preso? Vai para a prisão... tipo, hoje à noite? É assim que funciona?

— Não sei. Talvez possa pagar fiança. Até o julgamento.

*Julgamento. Tribunal.*

— Matt? Parece que estou sonhando.

— Eu também.

— A essa hora, três dias atrás, a gente estava na lua de mel.

— A gente vai superar isso.

Com repentina urgência, ela disse: — Matt, não conta para a minha mãe nem para o meu pai. Eles não iam suportar. São tão... inocentes.

— Tudo bem. Fica só entre a gente. — Guardariam esse acontecimento terrível numa caixa e a enterrariam; ficaria escondida para sempre.

— Matt, você consegue ver algum hematoma no meu pescoço?

— Fica mais perto da luz, para eu olhar direito.

— Bem na frente — disse ela. — Bem na minha garganta.

— Acho que estou vendo alguma coisa — disse, incerto.

— Talvez não tenha nada aí — admitiu, arrasada. — Ele não precisou fazer muita força. — A menor das pressões fora o bastante para que ela começasse a sufocar e ter medo de morrer. — E a minha cabeça? Tem algum machucado na parte de trás da minha cabeça? Um calombo?

Com dedos delicados, Matt explorou a cabeça dela.

— Não dá para sentir nada direito, por causa do seu cabelo. Dói?

Maeve queria que doesse. — Não dói mais, mas doeu à beça na hora. — O impensável lhe passou pela cabeça. — Meu Deus, Matt. E se não houver nenhuma evidência? E se eles pensarem que estou inventando tudo?

— Ninguém pensaria uma coisa dessas.

Horas se passaram. Apoiados um no ombro do outro, os dois esperaram até que houvessem passado por todos os procedimentos e pudessem voltar para casa, para a normalidade. — Queria que alguém dissesse para gente o que está acontecendo — disse Maeve, tentando manter a voz firme.

— Já, já vão dizer. Vai ficar tudo bem.

Em algum momento, cochilaram, e, às quatro da manhã, um barulho da porta fez com que acordassem sobressaltados, com a boca seca. Vincent estava de volta. Puxou uma cadeira e disse:

— Interrogamos o Sr. Price. Ele admitiu que vocês tiveram relações sexuais. Disse que foi consensual.

Maeve sentiu o gosto do medo na boca.

— Mas não foi.

— É a sua palavra contra a dele. Escuta — Vincent se aproximou dela. — Tem certeza de que não quis se livrar da culpa? Uma última vez, pelos velhos tempos, e depois teve medo de que seu marido ficasse sabendo?

— Tenho certeza.

— Certeza de que quer ir adiante com isso?

— Tenho.

— Porque vai destruir a vida dele, você sabe. Só para você saber.

Oito dias depois, o policial Vincent apareceu no apartamento deles.

— O caso não vai adiante.

— Como assim?

— O promotor acha que não existem evidências suficientes para uma condenação.

— Mas eu sei que existem. — Maeve não sentia os lábios ao falar.

— Mas quem decide é o promotor.

— Então... isso quer dizer que o caso não vai a tribunal?

— Exatamente. Nada de tribunal.

Maeve temera isso, sabia que sua vida sexual seria posta à prova e que tentariam fazer com que parecesse promíscua; mas, agora que não ia mais acontecer, sentiu-se em queda livre. Tinham de ir ao tribunal. De que outra maneira se faria justiça?

— Por que não? — O maxilar de Matt estava travado.

— O promotor não tem obrigação de esclarecer seus motivos.

— Ou seja, vocês acham que David é inocente? — Maeve sentiu-se tão tonta que pensou que desmaiaria. — Vocês acham que inventei essa história?

— Eu só disse que o promotor acha que não existem evidências suficientes para conseguir uma condenação.

— Então, é... então, não vai acontecer nada com ele? — O rosto de Matt estava pálido e contorcido.

— Inocente até que se prove o contrário.

— Mas como se pode provar o contrário sem um julgamento? Maeve e eu, nós trabalhamos no mesmo lugar que ele. Você está dizendo que David vai manter o emprego e tudo vai ser como se nunca tivesse acontecido?

— Diante da lei, ele não fez nada errado. — O policial se levantou para ir embora. — Por que o homem perderia o emprego?

— Espera. Não, espera. — Maeve não podia deixar que fosse embora, não até que mudasse de ideia. Porque, se saísse naquele momento, as coisas no pé em que estavam, carregariam aquilo para sempre. — A gente pode apelar?

Ele achou engraçado. — Não, vocês não podem apelar. A decisão do promotor é final e irrevogável. — Depois, pareceu suavizar um pouco o discurso. — Desculpe me intrometer, mas vai ser melhor para vocês deixar as coisas como estão. Muita roupa suja precisa ser lavada em casos como esse.

Ninguém acreditava nela.

Contara para Yvonne, amiga de infância. — David me estuprou.

— Como ele poderia estuprar você? Era seu namorado. Você já tinha transado com ele.

Contara para Natalie. — David me estuprou.

— O David não precisa estuprar ninguém. É um cara legal.

Contara para Jasmine, com quem dividira apartamento. — David me estuprou.

— Que coisa horrível de se dizer. Ele podia processar você por isso.

Parou de contar para as pessoas.

Mas voltaria ao trabalho, dali a duas semanas. Três semanas. No início do mês seguinte. Quando suas férias vencessem. Depois do verão.

As crises de pânico começaram. Na primeira vez, Maeve nem sabia o que eram de verdade. O coração apertou dentro do peito, ela não conseguia respirar e pensou que não sobreviveria à intensidade daquele medo. O mesmo medo que sentira no chão do quarto de David, o braço esquerdo dele atravessando sua garganta. A expectativa da morte iminente.

Passou a ter pavor dos homens, de seu peso, sua força, até mesmo de um olhar casual em sua direção.

Passou a comer demais, Matt também, afogando os sentimentos em manteiga e açúcar. Engordou, mas não tanto quanto gostaria. Queria desaparecer num corpo roliço, tornar-se invisível dentro dele, para que ninguém jamais a desejasse.

Não conseguia ficar nua, nem mesmo sozinha. O toque de outro ser humano, mesmo Matt, fazia com que ficasse sem ar. A última vez que ela e Matt fizeram sexo fora na lua de mel.

Parou de menstruar. Seu cabelo caiu. As mãos descascaram, a pele ficou cheia de eczemas. Não conseguia dormir no escuro. Quando terminava de ler uma frase, esquecia como começara. Mal falava.

Medo era a única coisa que sentia. Fora isso, nada. Era como se, desde que saíra para fora do corpo naquela noite, no chão do quarto de David, nunca mais tivesse retornado. Tudo que lhe acontecera... parecia enxergar os eventos como um filme. Como se fosse outra pessoa, não Maeve, não a Maeve real.

Subitamente, mais ou menos quatro meses depois, as coisas melhoraram um pouco, e Maeve voltou a ter confiança suficiente para voltar a trabalhar. Mas, na manhã em que Matt a levou até o estacionamento e ela viu a entrada do prédio, foi tomada de tamanho pavor que suas pernas não suportaram seu peso. Não conseguiu saltar do carro, e Matt teve de levá-la de volta para casa. Era cedo demais e seria melhor empurrar para a segunda-feira seguinte. Talvez a seguinte depois da seguinte.

Uma casa nova, concluiu Matt: essa era a reposta! Um novo começo num lugar sem associações horríveis. Positivo e energizado, procurou uma corretora, mas Maeve encontrou defeito em todas as suas sugestões, e o entusiasmo de Matt se esvaiu, deixando-o mais uma vez ameaçado e sem esperanças. Maeve estava certa. Melhor o demônio conhecido que o desconhecido, melhor manter o barco navegando, essas coisas. E ele precisava admitir que seria uma dor tremenda abandonar o apartamento que haviam comprado com tantos planos em mente, onde haviam pretendido dar início à vida de casados.

Havia outro motivo para permanecer. Dinheiro se tornara uma questão. Depois de seis meses de ausência, o salário de Maeve fora cortado pela metade; um ano depois, completamente interrompido.

E havia o jardim — o jardim de trás vinha junto com o apartamento na Star Street. Fora um fator importante na decisão de compra, porque Maeve tinha grandes planos de plantar cenouras, tomates e flores em canteiros. — É tão fácil! Você vai ver, Matt. A gente vai ser autossuficiente antes de se dar conta!

Haviam se tornado autossuficientes, tudo bem, mas da maneira errada. Não tinham mais ninguém, a não ser um ao outro. Todos os amigos — *todos* — haviam se afastado, porque achavam que Maeve andava estranha com aquelas acusações de estupro, a insistência de que tal homem estava olhando demais para ela, sua manias dramáticas, o jeito de balançar o tronco para frente e para trás, sempre levando as mãos ao peito arfante. Em *público*.

A vida social que Matt compartilhava com seus amigos do sexo masculino fora interrompida, porque Maeve não podia ficar em casa à noite sozinha. Só suportava quando eram compromissos de trabalho, porque sabia que não tinham muita escolha: o emprego de Matt era tudo que os separava da penúria absoluta.

A única pessoa que não se afastara fora Alex, irmão de Matt, mas, no final, até ele se cansara da indisponibilidade crônica de Matt. — Você vai piorar as coisas se continuar cedendo sempre.

Por mais doloroso que fosse ser rejeitado por gente com quem antes sempre haviam contado, sentiam certo alívio. Não tinham mais nada em comum com essas pessoas; suas preocupações pareciam tão triviais. Para o alívio de Maeve, seus pais não souberam o que acontecera. Os pais de Matt também não sabiam de nada. Mas encenar normalidade diante deles era tão exaustivo, que o esforço só podia ser feito de vez em quando. Suas visitas à casa dos pais diminuíram, e duas em três vezes ela fingia estar se sentindo mal para não ter de ir a um evento da família Geary.

O que os destruía era o fato de David estar em liberdade, enquanto viviam numa prisão.

Matt quis matá-lo. De verdade. Via-o no trabalho e imaginava-se seguindo-o até sua casa, enfiando-o na mala de uma van, levando-o ao seu apartamento, amordaçando-o, amarrando-o, fazendo com que sofresse, com que fosse uma morte lenta.

— Também penso nisso — disse Maeve. — Você sabia que um matador de aluguel custa só dois mil? Pesquisei no Google.

— Eu também.

Mas concordaram em não contratar ninguém para matar David.

— Isso só nos colocaria no mesmo nível dele — disse Maeve.

— Isso não me importa nem um pouco.

Nem importava a Maeve. Estava destruída, de qualquer maneira.

— Mas seríamos pegos. Obviamente, os principais suspeitos. E acabaríamos na cadeia. Não podemos deixar que ele arruíne nossa vida mais do que já arruinou.

— Não sei como não tem mais gente surtando e fazendo justiça com as próprias mãos.

Matt descobrira coisas nas quais jamais pensara antes: que somente um em cada dez casos de estupro chegam aos tribunais; apenas seis em cem resultam em condenação. Fora os que nunca aparecem, porque a mulher tem medo de dar queixa. Medo do estuprador? Da polícia? Todos esses atos criminosos desconhecidos, sem vingança. Isso já era o suficiente para levá-lo à loucura. Como o mundo podia continuar normal? Como se continha aquela quantidade de ódio, injustiça, dor e medo?

* * *

Quando Matt se deu conta de que Maeve jamais voltaria para a Goliath, que não precisava continuar trabalhando lá para protegê-la, pediu demissão.

Estava determinado a não ir embora, aquele *canalha* não o faria sair, como acontecera com Maeve; no entanto, estava cansado de tremer de raiva durante os encontros, de tremer tanto que seus dedos não eram capazes de digitar, se David estivesse por perto. Era uma questão de honra para Matt não deixar que David percebesse nenhum sinal de fraqueza, nenhuma reação. Na sua cabeça, torturava-o longa e terrivelmente, mas, na vida real, apresentava uma expressão nula. Demonstrar-se imperturbável era tudo que lhe restara, um conforto pequeno, mas ainda assim era algo.

Já David, não havia nele nenhuma indicação de remorso ou de culpa. Jamais se dirigia a Matt, mas o desdém em seus olhos dizia tudo. *Você tirou a mulher de mim e eu estraguei a vida de vocês.*

Matt saiu da Goliath e conseguiu um emprego muito melhor na Edios. Evidentemente, ainda era capaz de fazer seu trabalho.

Matt e Maeve começaram a tomar antidepressivos e passaram a frequentar semanalmente a Dra. Shrigley, até que a terapeuta tentou fazer com que Matt admitisse que, às vezes, duvidava da história de Maeve; então, ele parou de ir às sessões.

Mas Matt duvidava de Maeve. Às vezes. Como não duvidar? Todo mundo duvidava, e ele era apenas um ser humano. Às vezes a odiava. Sentia uma raiva irracional pelo fato de ter sido estuprada, por ter arruinado tudo.

Foram quase dois anos para que Maeve conseguisse um emprego, uma coisinha de nada, que conseguira por ter sido a única a aceitar o salário baixíssimo. Rotina, era disso que precisava. Isso a manteria segura. Fazia tudo de maneira muito previsível e simples, e, às vezes, pensava em tudo que perdera. Será que já fora mesmo aquela pessoa inocente e de bom coração que amava todo mundo? Que encarava o mundo de coração aberto, como se a vida fosse uma maçã doce e suculenta esperando para ser mordida?

Tivera tudo. Experimentara o nirvana em sua vida comum. Fora amada e tivera amigos, trabalho, felicidade simples e decente. E perdera tudo.

Acompanhavam os movimentos de David. Mas Matt não sabia que Maeve fazia isso, e Maeve não sabia que Matt fazia isso. De vez em quando, de maneira independente, paravam do lado de fora da No Brainer, na esperança de David mostrar sinais de remorso, mas sempre iam embora sentindo-se pior.

Mesmo nos momentos mais sem esperança, Matt enxergou surtos ocasionais de seu antigo otimismo e teve algumas ideias brilhantes para curá-los: começariam a cavalgar, a escalar montanhas ou a jogar golfe ou — a ideia mais comum — se mudariam.

Nada durava e nada funcionava.

— O tempo cura tudo — dizia Matt para Maeve.

Mas três anos haviam se passado e eles ainda estavam feridos, esperando.

# *Dia 1...*

Conall subiu as escadas apressando Lydia, até chegarem ao quarto. Estava desesperado por ela.

— O que você pensou? — Lydia se desvencilhou dele um instante. — Quando viu o Matt na banheira?

Conall pressionou os lábios. Não queria falar sobre isso. Quando abrira a porta do banheiro, ficara paralisado de terror. Todos os seus músculos tensionaram, e ele sentiu câimbra na batata das pernas.

Esperava estar imune à visão de sangue, depois de tantos seriados violentos da televisão, mas *CSI: Miami* jamais teria o impacto de uma pessoa morta de verdade.

Repassava a cena a todo instante: a banheira tomada pelo sangue de Matt; a água com borbulhas vermelhas; o rosto branco e sem vida.

— Pensei que ele estivesse morto — respondeu.

Enquanto permanecia à porta do banheiro, a sensação era de que o mundo parara, e ele lutava contra o sentimento de perda e desperdício de uma vida tão jovem.

Na idade de Matt, Conall vivera intensamente: dirigira carros caros em velocidade vergonhosamente alta; assumira riscos na carreira que lhe poderiam ter custado milhões; experimentara muitas belezas — namoradas modelos, arte de preços incalculáveis, os lugares mais lindos do planeta. Mas, naquele momento sem-fim, compreendera que só se reconhece o valor da vida quando se está cara a cara com a morte. A vida lhe parecera tão incrivelmente valiosa que sentira vontade de gemer.

— Achou que estava morto? — perguntou Lydia. — Que horror.

— Agora já passou. — Pelo menos, esperava que sim, mas sentiu de novo a câimbra na batata das pernas. Tentou abraçar Lydia, mas ela desviou deitando na cama enorme. Ele fez o mesmo.

— Por que você chamou a Katie? — quis saber Lydia. — Para ajudar?

— Porque... ela era a escolha mais óbvia.

— Por quê?

— Porque ela sabe tudo de primeiros socorros.

— Ter sete tipos diferentes de Band-Aid não transforma a pessoa em paramédica. Perguntei para ela no bar que vocês chamam de Garrafas Voadoras. Aliás, obrigada por compartilhar a piada particular de vocês. De qualquer maneira, ela não sabe nada de primeiros socorros.

Conall pareceu confuso.

— O que você quer dizer com isso?

— Você estava assustado, assustado de verdade. E você quis a Katie.

Conall revirou os olhos, cuidadosamente.

— Ah, não — disse ela. — Não faz isso comigo, não sou uma das suas namoradinhas imbecis.

— Eu sei que você não é uma das minhas "namoradinhas imbecis".

— Não. *Eu* sei que não sou uma das suas "namoradinhas imbecis".

— Ok — respondeu Conall, com elaborada paciência. — *Você* sabe que não é uma das minhas "namoradinhas imbecis".

— Você não está entendendo, não é?

Conall a encarou, e algo mudou em seu olhar.

— Você está... terminando comigo?

— Pelo amor de Deus, como você demora para entender as coisas. Você é inacreditável. Me trazer aqui para transar, quando, na verdade, você quer a Katie.

— Não quero a Katie. Quero você.

— Fala sério. — Lydia balançou a cabeça. — Você é muito sem noção. Melhor aprender a lidar consigo mesmo; do contrário, nunca vai ser feliz.

Lydia se enfiou no banheiro e voltou com um punhado de frascos — xampus e outras coisas — e jogou-os dentro da bolsa.

— O que você está fazendo?

— Pegando minhas coisas.

— Por quê?

— Porque estou vazando, idiota. Caso você precise explicar para as pessoas o que aconteceu, é o seguinte: eu terminei com você. E, não, não dá para manter a amizade. Você não tem amigos, fala a verdade. Mais uma coisa para se pensar. Vou falar mal de você sempre que tiver uma oportunidade. Se surgir um boato de que você é um ejaculador precoce, pode saber que é coisa minha.

Abriu a gaveta da mesinha de cabeceira, pegou um pacote de camisinhas e colocou-o no bolso do jeans. — Meu — disse. Depois, olhou em volta com ar de desdém, conferindo se pegara tudo, e saiu do quarto, pisando firme.

A casa estremeceu quando ela bateu a porta da frente. Automaticamente, Conall pegou seu BlackBerry. Qual era o problema de Lydia? Era um cão raivoso, era isso. Como conversar com uma pessoa assim? Katie era a pessoa certa para chamar naquele momento. Era preparada, era adulta, entendia as coisas, era... bem, era simplesmente óbvio.

Quatro novos e-mails haviam chegado, e ele os leu com voracidade, mas nenhum conseguiu prender sua atenção. Não se sentia bem, tudo lhe parecia ligeiramente surreal. Colocou "Nebraska", de Bruce Springsteen, mas era tanta perda que mudou para Sex Pistols. Aquela guitarra frenética também não lhe fez muito bem. Talvez Madame Butterfly, mas, dois minutos ouvindo aquela dor de abandono e, de repente, seus olhos já lacrimejavam. Não suportaria! Alarmado, desligou a música. O silêncio era mais seguro.

Ficou deitado na cama gigante, olhando para a parede do outro lado do quarto. O tempo passou e, depois de um período de vazio, perguntou-se se deveria ligar para Katie. Só para saber o que acontecera com Matt.

Depois, deu-se conta de que era para Lydia que deveria telefonar — pedindo desculpas, se explicando, essas coisas. Existiam regras, Conall sabia. Não se devia preferir a namorada antiga à atual. Mas ele *não* preferia Katie. Fora uma emergência, pelo amor de Deus: alguém estava morrendo, coisas precisavam ser feitas, e rapidamente. Katie era a pessoa certa.

Ou talvez Lydia estivesse certa, admitiu, relutante. Talvez devesse tê-la chamado. Mas ela era tão dura, e ele precisara, naqueles momentos em que pensara que o horror o esmagaria..., de algo que fosse suave.

# *Dia 1...*

— No travesseiro — disse a enfermeira. — Faça isso no travesseiro, ou terá que sair.

Maeve olhou para ela. Seu rosto estava quente e marcado pelo sal das lágrimas, os olhos tão inchados que mal enxergava. Mais um surto de sensações incontroláveis tomava conta dela.

— Travesseiro! — repetiu a enfermeira. — Tem outras pessoas aqui. Elas também estão tristes.

Maeve se curvou e enfiou o rosto no travesseiro, que aparecera de repente, e gritou: — Como você pôde fazer isso comigo? Como você pôde me deixar aqui sozinha? *Nunca* vou perdoar você.

Quando finalmente compreendeu o que Matt fizera, retornara com força total ao próprio corpo, de volta a Maeve. Era como aquela sensação repentina, absolutamente presente, quando os ouvidos estalam dentro do avião. Ela estava viva, angustiada e cega de ódio.

Um isolamento de cortinas vermelhas de rodinhas fora colocada em volta da maca de Matt, para que tivessem alguma privacidade durante o atendimento de emergência. Maeve sentou-se ao lado dele, numa cadeira dura de hospital. Os pulsos do marido haviam sido costurados e enfaixados com bandagens brancas; ele recebera quatro litros de sangue e dois de eletrólitos. Fios o conectavam à medicação venosa e a monitores que apitavam. Quase morrera, mas sobreviveria.

— Você realmente deve me odiar, para ter feito isso comigo!

Os olhos dele estavam fechados, parecia inconsciente, mas ela achava que ele fingia.

— Assim que você sair daqui, passa no apartamento e pega suas coisas. — Maeve tirou o rosto do travesseiro; não conseguia impedir. — Você vai para um hotel, vai para a casa dos seus pais. — Sentiu gosto de sangue. — Não quero saber para *onde* você vai.

— Travesseiro!

Fionn andava de um lado ao outro no estacionamento do hospital. A emergência parecia uma sala de espera do inferno, cheia de gente chorando, gemendo, uma procissão de moribundos. Alguém oferecera uma cadeira a Jemima, mas não havia lugar para ele. Não que fosse capaz de ficar sentado; estava agitado demais. Sentia-se mal. Sentia raiva, na verdade. Primeiro, de Jemima, por insistir que a acompanhasse ao hospital, fazendo com que deixasse Katie com o expansivo Conall. E, segundo, de Maeve, por tratá-lo como se fosse o Anticristo. Em algum ponto daquela noite de eventos dramáticos, percebera que a emoção que iluminava o rosto de Maeve ao vê-lo não era positiva. Era medo. Medo paralisante. Sentiu-se tolo, na verdade, bastante *ferido*, por ter pensado que ela era louca por ele. E por que não era? Todo mundo o amava.

Estavam ali havia horas. Não tinha certeza de quanto tempo, mas, sem dúvida, já era noite.

Estava ficando cansado.

Voltou para o interior do hospital. Alguém gritava como uma bruxa. Era Maeve, ainda. Acabaria internada, se não prestasse atenção.

— O que eu perdi? — perguntou para Jemima. — Ele morreu ou algo do gênero?

— Não, você vai adorar saber que ele vai sobreviver.

— Então, por que ela ainda está gritando desse jeito?

— Está chateada.

— E não podem dar alguma coisa para ela?

— Por que você pergunta para mim? Não tenho treinamento médico.

Chega! — Jemima, vamos embora.

— Maeve precisa de alguém que fique com ela.

— Ela nem quer você aqui. — Mais cedo, Maeve enxotara Jemima quando ela tentara confortá-la.

— O que Maeve quer e o que Maeve precisa são duas coisas diferentes.

— Ela sabe, pelo menos, que você ainda está aqui?

— *Eu* sei que estou aqui.

Deus, Jemima podia ser irritante.

— Quando a tempestade passar, e isso vai acontecer, ela talvez fique feliz por ter a minha companhia. Mas você pode ir, Fionn. Fico muito bem aqui. Obrigada por me acompanhar.

— E aí? Você vai ficar esperando até ela parar de gritar? Não parece que isso vai acontecer tão cedo. Será que não dá para você deixar para lá essa mania de fazer o bem, Jemima? A essa altura da vida?

Jemima sorriu, levemente.

— Talvez eu não tenha mais muitas oportunidades.

— Você? — Ele riu. — Você vai viver mais do que todos nós.

— Talvez não, meu querido. — Ela fez uma pausa. — Fionn, lembra quando tive aquele probleminha com o câncer?

— Isso foi anos atrás.

— Quatro...

— Mas agora você está bem.

— Bem, a verdade é...

— Olha, se você tem certeza de que não quer ir embora, eu vou.

Subindo as escadas de três em três degraus, Fionn dirigia-se ao apartamento de Katie. Homens já estavam instalando a porta nova na casa de Matt e Maeve. Aquele Conall, aquele homem que faz as coisas acontecerem, dava ânsias de vômito.

Katie esperava por ele à porta. — E aí? — Ela estivera chorando.

— Ele vai sobreviver.

— Graças a Deus, graças a Deus. E como está a Maeve?

— Me diz uma coisa. — Suas emoções feridas vieram à tona. — O que foi que eu fiz para ela? Qual é o problema dessa mulher?

Katie encarou-o. — Alguma coisa aconteceu com ela. É óbvio. Alguma coisa relacionada a homens. A gente acha que talvez ela tenha sido... estuprada. Você não pode achar que é pessoal.

— É, sendo assim, acho que não.

— Ela também ficou com medo do Conall.

Fionn precisou fechar os olhos.

— Você está me comparando a ele?

Segundos silenciosos se passaram; depois, Katie pegou-o pela mão e puxou-o para a sala.

— Para, Fionn, foram momentos difíceis. Está todo mundo abalado.

— Ok — murmurou ele. — E o que foi que eu perdi?

— Quase nada. Tomei um drinque rápido no Garrafas Voadoras com os outros.

— Que outros?

— Conall, Lydia e Sissy.

— Espere um minuto. Você foi com o Conall?

— E a Lydia e a Sissy.

— Por quê?

— Porque todo mundo estava triste. Porque a gente queria um drinque.

— E você achou que era tranquilo sair com ele, apesar de ser seu ex-namorado? E apesar de ele ter feito de tudo para que eu parecesse uma *peste na vida das mulheres*, na frente de todo mundo?

— Fionn... — Katie o abraçou. — Foi uma noite horrível. Todo mundo surtou. Vem sentar um pouco. Vem. E a Jemima? Ela está bem?

— Jemima? Nunca esteve melhor.

Fionn se deixou guiar até o sofá, mas, assim que sentou, sentiu-se encurralado.

— Vamos sair.

— O quê? Hoje?

— É. Agora. Tem um evento no Residence. Um lançamento.

— Não quero sair. — Katie pareceu chocada. — Não conseguiria.

— Por que não?

— Porque alguém quase morreu e a gente estava lá. Estou abalada. Não conseguiria ficar animada. Preciso ficar quieta.

— Nem uns drinques?

— Fionn... não.

— Você estava bem o suficiente para beber com aquele Conall.

— Fionn.

— Então você não quer mesmo sair?

Katie inclinou a cabeça e olhou para ele. Parecia assustada. Parecia confusa. Parecia — inesperadamente — triste. Então, se acalmou e ele pensou que concordaria. Mas, quando ela abriu a boca, suas palavras não se encaixavam no seu olhar.

— Não, Fionn — disse ela. — Mas você pode ir. Vai se divertir.

*Jesus Cristo. A corrente de seus corações foi para o inferno. Tinham se tornado um só, uma perfeita e suave união, mas essa história do Matt mandou os dois para o espaço, partindo-os como um amendoim saindo da casca. E, seja lá onde foram parar, isso alterou as trocas elétricas de seus corações. Está tudo desencontrado. O de Fionn acelerou, batendo ansiosamente, com urgência, e deixou o de Katie para trás.*

*Não sei de mais nada agora. Todos eles se separaram, os três casais, e tenho menos de um dia para resolver isso.*

# Dia zero (primeiras horas)

*Cinco horas restantes*

— Desculpa — grunhiu Matt, olhando para Maeve enquanto acordava.

— Ah, você está vivo — disse ela. — Desculpa. Desculpa ter salvado sua vida e tal, mas não foi culpa minha. Eu teria deixado você morrer.

— Maeve, mil vezes perdão. — As lágrimas dele rolavam livremente; Matt era a imagem exata de um homem partido. — Mas não fui capaz de ajudar você. Nada pode ajudá-la.

— Não coloca a culpa em mim.

— Sou apenas um lembrete do que aconteceu. Passei esse tempo todo querendo matar o David. Cada minuto do dia, eu explodia de ódio, e isso estava acabando comigo.

— E você acha que eu estava gostando?

— Eu não devia ter feito o que fiz. Mas não enxergava isso. Estava no fim da linha. Achava que não tinha a menor utilidade para você.

— E não tem. Você vai ter alta às sete. Pode ir para o apartamento. Já vou ter começado a empacotar as suas coisas.

— E vou pra onde?

— O que eu tenho a ver com isso? Você não precisou de mim na hora de se matar; então, não me peça para arrumar um lugar para viver.

— Como vou para casa?

— Pega um ônibus. Um táxi.

— Você não vai me esperar?

— Não.

* * *

Lydia encostou o carro. — Fooora! — ordenou.

— Mas a gente ainda não chegou — disse o jovem cliente.

— Eu lhe avisei que, se você não parasse de cantar músicas do Neil Diamond, ia mandar você saltar. Não parou, então, salta. Fora.

Resmungando, ele obedeceu, e Lydia saiu cantando pneu. Melhor desligar a luz de Livre. Não era o melhor momento para arriscar pegar outra corrida. Não se sentia a pessoa mais doce do mundo naquele momento.

A *cara de pau* do Hathaway. Obviamente, ele ainda era louco pela outra. Boa sorte para ele etc. Tinham a idade certa um para o outro, os dois eram idosos, e Lydia não estava nem aí, nunca gostara de verdade dele; fora simplesmente uma distração. O problema era, era a *cara de pau* dele...

Estava falando consigo mesma. Isso não era bom. Olhou em volta; onde ela estava, exatamente? Perdera a noção durante "Sweet Caroline". Certo, estava na Parkgate Street. Bem perto do Eugene's. Pararia, comeria um doce e reclamaria de seus clientes para quem estivesse disposto a escutar.

— Donuts? — perguntou para Eugene. — De creme?

— Tenho.

— Vou começar com dois. E talvez volte para comer mais.

Olhou em volta, procurando um lugar para sentar e...

*Um minuto, talvez nem tudo esteja perdido, porque...*

... ali, do outro lado do café, estava ninguém menos que o Pobrezinho, também conhecido como Gilbert.

*Ele talvez não fosse minha primeira opção, mas, a essa altura do jogo, não me sobraram muitas alternativas.*

Os dois se olharam, e ele começou a caminhar em direção a ela, abrindo caminho. E lá estava Gilbert. Aqueles cílios. As roupas moderninhas. Aquela voz.

— Oi, Lydia.

— Oi, Gilbert.

— A quantas anda? — Ele parecia constrangido.

— Tudo bem. E você? — Ela imaginou que também parecia constrangida.

— Tudo ótimo.

— Não vejo você há algum tempo. — *Desde que o traí.*

— É. — *Desde que confessei tê-la traído.*

— Como vai o pessoal?

— Todo mundo bem.

— Ainda se matando por causa dos sachês aromáticos?

— Como? Ah. Até que nem tanto ultimamente.

— Jura? — Discutiam tão ardorosamente por causa disso. Era uma parte tão importante da vida deles. Bem, concluiu ela, tudo segue adiante. — Manda um abraço para eles.

— Mando. Tudo bem nos negócios?

— Tudo ótimo. E com você?

— Também. — Uma pequena pausa se seguiu. — Então, Lydia... — Gilbert arregalou os olhos e abriu os braços, parecendo surpreso com a falta de assunto entre eles. — Se cuida.

— Você também.

Ele se afastou graciosamente, mas, antes de desaparecer para sempre, Lydia o chamou: — Vem aqui, Gilbert. Quero lhe perguntar uma coisa.

Ele pareceu ligeiramente alarmado. — O quê?

— Você tem uma mulher e seis filhos em Lagos?

Gilbert morreu de rir, os dentes superbrancos expostos.

— Eu? Mulher? Filhos? Não, Lydia.

— Poppy vai ficar *desapontada*. — E perguntou: — Você tem alergia a ovo?

Foi rápido demais. Ele não teve tempo para preparar uma resposta.

— ... Ah... não.

— Então, por que disse que tinha?

Gilbert entrou na própria cabeça para pensar. Encolheu os ombros.

— Às vezes, a vida em si não é suficiente. Se a verdade não é interessante, tenho que... entende?

— Talvez.

De repente, Lydia viu uma mesa sendo deixada por quatro homens. — É minha! Tchau. — Atravessou o bar e jogou a bolsa numa cadeira, o casaco na outra e seu próprio corpo numa terceira, na esperança de desencorajar uma pessoa qualquer que quisesse perguntar: — Essa cadeira está livre?

— Eugene — gritou na direção do balcão. — Estou aqui. Quando você quiser, pode trazer os donuts. — E tudo ficou bem no mundo: estava sentada, o açúcar a caminho, ninguém cantava Neil Diamond. Não viu a porta abrir e fechar quando Gilbert foi embora. Um homem bonito, com uma jaqueta ridiculamente moderna, que fora seu namorado.

Já o esquecera.

— Um minuto, coração! — Jemima conseguiu alcançar Maeve, enquanto saía detrás das cortinas vermelhas que protegiam Matt e se dirigia para a saída. — Você vai embora?

— Vou.

— Sem Matthew?

— *Matthew* tentou se matar. *Matthew* deixou bem claro que não quer ficar comigo.

O sarcasmo não combinava com ela, refletiu Jemima. Era doce demais para ser sarcástica de verdade. Podia cantar de galo, mas sem convicção genuína.

— É fundamental que conversemos, Maeve. Você está se sentindo traída, está tomada de raiva, mas é vital que avalie certos fatos. A saber: o método mais comum de suicídio entre os homens é o enforcamento. Em outras palavras, é quase certo afirmar que Matthew queria ser encontrado.

Maeve olhou, impávida, para o infinito.

— Nunca vou perdoar o Matt.

— De verdade, querida, quanto drama. Pensando melhor no assunto, ele tinha que fazer *alguma coisa.* Quantos anos mais vocês passariam deitados no sofá, assistindo àquela caixa de imagens e comendo bolo?

O rosto de Maeve foi tomado de choque.

— É. A verdade dói, Maeve. Mas é melhor encarar os fatos. Vocês estavam paralisados. Algo precisava acontecer. E não me diga que a ideia de acabar com tudo não ocorreu também a você.

— Mas... como você...?

— Vocês estavam desesperados — disse Jemima, leve. — É isso que acontece com seres humanos desesperados, quando todas as portas estão trancadas e a fuga parece impossível.

Curiosa, Maeve perguntou: — Você já teve vontade de se matar?

— Eu? Ah, não, querida. Infelizmente, não sou feita desse material. Genética é minha única explicação. Giles e eu quisemos ter filhos, mas esse foi um presente que nunca ganhamos. O desespero poderia ter sido a resposta apropriada, mas, não, simplesmente aguentei firme. Fiz sopa para os pobres, esse tipo de coisa. — Caiu numa espécie de devaneio, antes de voltar ao presente e juntar as mãos. — Agora, você e Matthew! Vocês precisam ter um bebê.

Depois de um olhar demorado, quase hostil, Maeve perguntou:

— Por quê?

— Por *várias* razões. O relacionamento entre vocês precisa ser reconstruído. Você sentiria o poder do seu corpo, em vez de sua lamentável vulnerabilidade. Um filho vai trazer de volta a inocência que foi roubada de vocês dois.

Maeve levou um tempo para responder.

— E isso... exorcizaria tudo que aconteceu?

Jovens? De onde tiram essa ideia de que a vida é feita de absolutos?

Em tom gentil, Jemima disse: — O que aconteceu, aconteceu. Não pode ser desfeito. Você está diferente, Matthew está diferente, mas os dois precisam seguir adiante.

Maeve pensou um pouco. — Então, um bebê? É isso que você prevê para mim? *Prevê*, como a Sissy disse?

Ah, querida. Essas moças jovens e sua fé nas coisas místicas e visionárias, sem fé alguma na própria autonomia. Bem, se fosse isso o necessário... — É o que prevejo. Você tem uma oportunidade nas mãos, Maeve. Pode sucumbir ou pode lutar... — Um súbito espasmo na região do fígado de Jemima fez com que revirasse os olhos.

— Caramba! — exclamou Maeve. — O que foi? Está tudo bem?

— Perfeitamente bem. Dor de barriga. Provavelmente, foi essa agitação toda.

— Quer sentar?

— Não, obrigada, você é muito gentil. Preciso voltar para casa. Mas imploro que você espere pelo Matthew. São quatro e meia, e ele vai poder sair daqui a duas horas e meia. Você não pode esperar?

Maeve mordeu o lábio. Não queria fazer nada por Matt, nunca mais, mas aquela dor de Jemima alterara a posição das coisas em favor daquela velha senhora.

— Eu garanto a você — disse Jemima, respirando com um gemido ao ser tomada por outro espasmo de dor. — Garanto, Maeve, que um dia você vai voltar a ser feliz. Sua vida vai melhorar.

— Vai voltar a ser como antigamente?

Jemima suspirou. — Nada volta. Você sabe disso.

— Então, o que devo fazer?

E de onde tiravam a ideia de que Jemima tinha resposta para tudo?

— ... Talvez você pudesse... tentar ir em frente?

## *4 horas*

Um rio de sangue, e ele tentava abrir caminho. O líquido envolvia suas pernas, e ele tentava avançar, mas a corrente era muito forte — Conall acordou sem ar. Estava no meio de um pesadelo terrível, todo aquele sangue e... Estava acordado. O coração na garganta, mas na própria cama, estava tudo bem. O relógio marcava 4:45 da manhã; portanto, podia voltar a dormir mais algumas horas. Então, ele pensou: *A banheira.*

Ainda estava tomada pelo sangue de Matt. Quando ele e aquele idiota do Fionn retiraram o corpo escorregadio de Matt, nenhum dos dois conseguiu ser herói o bastante para enfiar a mão na água ensanguentada e retirar a tampa do ralo. Maeve não podia voltar para casa e ver aquilo. Talvez já tivesse voltado, mas Conall precisava passar lá. A ideia de voltar àquele ambiente horrível fez com que seus músculos tensionassem, mas tinha de ser feito.

Frágil, quase sem forças, bateu palmas, a luz foi acesa, e ele fez uma promessa repentina de trocar aquela idiotice de iluminação por um simples interruptor. Mesmo quando estava sozinho, sentia-se ridículo batendo palmas para acender a luz. Abriu o armário e pegou a primeira calça jeans que viu, olhou rapidamente em busca de uma camiseta que não se importaria em ver respingada de sangue. Mas tudo que possuía era caro. Que importância tinha isso?

Katie acordou de supetão, a cabeça a mil, como se passasse um filme sobre as atrocidades da noite anterior: a chave ainda na fechadura; a porta sendo arrombada; Conall desaparecendo no corredor; chamando por ela e — a parte mais terrível de todas — a primeira visão que tivera de Matt, flutuando quase sem vida naquela água vermelha. Apesar de isso não poder ter durado mais do que alguns segundos, a sensação era de que ficara plantada àquela porta por horas, tentando fazer sentido daquela cena macabra na sua frente. Matt? *Matt?* Aquele jovem animado, sorridente, afundado numa banheira com o próprio sangue... *A banheira*, deu-se conta, com um aperto no coração. Fora isso que a acordara.

Será que ainda estava cheia? Se a resposta fosse positiva, precisava ser esvaziada e limpa, e as toalhas ensanguentadas que haviam sido abandonadas no chão tinham de ser lavadas antes que Maeve chegasse em casa. Ficou de pé — e foi então que percebeu: Fionn não estava lá. Saíra e ainda não voltara, obviamente. Depois que ele fora embora, tivera dificuldade — quase medo — de ir para a cama. Se enroscara no sofá, assistindo a uma porção de porcarias na televisão, esperando que ele chegasse. Dissera a si mesma que, se ele voltasse antes que fosse para a cama, tudo ficaria bem. Por volta das duas, estava com tanto frio, e com uma sensação tão estranha, que resolvera se enfiar debaixo da coberta, prometendo-se não pegar no sono. Tinha a convicção supersticiosa de que aconteceria um desastre se dormisse. Mas, obviamente, cochilara, e já eram cinco da manhã e Fionn não voltara para casa. Havia a possibilidade de estar lá embaixo, no apartamento de Jemima, mas, mesmo isso seria um tanto decepcionante; não dormia lá havia semanas.

A vida real finalmente os alcançara, fora isso que acontecera. Durante semanas, ocuparam-se de uma dança frenética, de compasso animado, divertindo-se a valer. Mas o tempo todo Katie se preparava para algo assim. Previra que seu programa seria um sucesso e isso faria com que surtasse, ou que seria um fracasso e ele voltaria para Pokey. As coisas não haviam acontecido exatamente como imaginara; o sucesso não acontecera, mas lhe subira à cabeça. E bastara um evento desagradável para revelar a falta de conforto que representavam um para o outro.

Não conseguia afastar a lembrança da falta de cuidado de Fionn com Jemima ou sua falta de solidariedade para com Maeve, mas, ainda assim, não desgostava dele — pelo menos não naquele momento; sabe-se lá o que sentiria dali a uma hora, um dia, uma semana. Acontecera coisa demais, rápido demais na vida dele. Era preciso que tivesse uma identidade muito sólida para permanecer inalterado diante de toda a atenção recebida recentemente.

E, para ser honesta, ela estava devastada. Exausta de tantas festas e bebedeiras, de tanto sexo e de tantas noites maldormidas. Sua pele estava sofrendo, a lavanderia atrasada, e sua lentidão no trabalho era ostensiva.

Falando em trabalho, não gostava da maneira insidiosa com que começara a tratar Fionn, como se ele fosse um de seus artistas. Prometendo-lhe que tudo ficaria bem, *passando a mão* na sua cabeça.

Fora acometida de um estranho pensamento — certamente estranho para uma mulher que tinha a relação que ela tinha com comida: Fionn era como chocolate: glorioso na teoria, mas, de vez em quando, era necessário comer comida de verdade.

Havia um casaco em cima da cadeira e ela o vestiu sobre o pijama, calçou um sapato de salto médio — estava frágil demais para onze centímetros. No armário embaixo da pia, pegou desinfetante, luvas de borracha e duas esponjas, depois desceu para o térreo. Sob a luz dos postes da rua, viu que a nova porta fora colocada no apartamento de Matt e Maeve. Uma fechadura lustrosa a enfeitava e havia um chaveiro com duas chaves fresquinhas em cima da mesa do hall de entrada.

Tudo que precisava fazer era escolher uma delas e entrar, mas, de repente, relutou em fazer isso. Então, foi tomada de um impulso muito estranho. Resolveu abrir a porta da frente, a porta da rua, porque Conall Hathaway estaria esperando do lado de fora.

Girou a maçaneta, abriu a porta, e, no último degrau da escada estava...

— Conall?

— Katie?

Tantas coisas estranhas acontecendo, pensou. Não consigo ficar em dia com todas.

— São cinco da manhã — disse ela.

— Cinco e quinze. — Ele conferiu o relógio, depois a encarou, impressionado. — Ia justamente interfonar para você. Olha só — ele mostrou a mão. — Ia tocar no apartamento que tem o seu nome. E você se materializa na minha frente...

— Devo ter ouvido o barulho do carro, qualquer coisa do gênero — disse, baixinho. — Você veio procurar a Lydia?

— Ela está trabalhando. — Bem, devia estar; o carro não estava à vista. Ele não entraria nos detalhes do término. — Acordei, mais ou menos meia hora atrás, dei um pulo da cama, e a primeira coisa que me passou pela cabeça foi: *a banheira.*

— Eu também. — Katie indicou seu material de limpeza. — Não queria que Maeve...

— Chegasse em casa e encontrasse aquela cena de horror...

— Então, pensei em vir aqui e...

— ... esvaziar a banheira...

— ... limpar tudo...

Arriscaram-se a sorrir um para o outro.

— Gostei do seu sapato — disse Conall.

— Padrões devem ser mantidos. E o que é isso que você está vestindo? — Katie tocou na suéter dele com a ponta dos dedos. — Cashmere? Para limpar sangue?

— Não faço ideia do que seja isso — disse Conall. — Precisava vestir alguma coisa, e daí que suje de sangue?

Katie fez um gesto afirmativo e sombrio.

— Sei o que você quer dizer. É meio colocar as coisas em perspectiva. Mas ele vai ficar bem. Fionn disse que deram quatro litros de sangue para ele e que amanhã de manhã vai receber alta.

Conall fez que sim.

— Você conhecia o Matt?

— Só de oi, tudo bem. E você?

— Só de vista.

— Mesma coisa.

— É. Pensei que Maeve podia já ter voltado para casa — disse Conall.

— Fionn disse que à meia-noite ela ainda estava lá...

— ... e as chaves estão aqui fora...

— ... então, tudo bem a gente entrar...

Entraram no apartamento silencioso e cruzaram o pequeno corredor até o banheiro. Conall empurrou a porta com a ponta dos dedos, e lá estava a banheira cheia de sangue. Mais vermelha, e ainda mais chocante, do que se lembrava.

Connal respirou fundo.

— Melhor tirar a tampa do ralo.

Trocaram olhares.

— Eu faço isso — disse Katie.

— Não, eu faço...

Dois passos dados por Katie, o mergulho de um braço, um resgate imediato e o barulho de água descendo pelo ralo. — Pronto. — Ela tentou sorrir. — Feito.

— ... Ah... obrigado. Meu Deus, você é magnífica. — Entregou uma toalha a ela, para que secasse o braço.

Katie encolheu os ombros, meio constrangida.

— Não foi nada de mais.

— *Eu* não queria fazer isso.

— Acho que ninguém ia *querer* fazer isso.

— Achei que ele estava morto — disse Conall, com a voz rouca. — Quando entrei no banheiro. Foi horrível. Nunca vou esquecer.

— O mais estranho é que não conseguia entender o que estava na minha frente — disse Katie. — Não conseguia dar sentido às coisas.

— Sei o que você está querendo dizer.

— Tipo, por que a água da banheira estava tão vermelha?

— É, e por que ele parecia tão... sabe? Nada prepara a gente para uma situação dessas.

— Nada. — Foi enfática. — Foi a pior coisa que já vi. Meu Deus... — Lágrimas silenciosas rolaram pelo seu rosto.

— Não chora! — Sem jeito, Conall levou a mão ao ombro dela e, como Katie continuava chorando, ele a abraçou, tímido. — Ele vai ficar bem.

— Mas é tão triste. — Katie permitiu que seu corpo se apoiasse nele, só por um instante, naquele casaco macio. Era tão bom se abandonar. — O que deve ter acontecido? Para ele chegar a esse ponto?

Conall descansou o queixo na cabeça de Katie e ela molhou a suéter dele com suas lágrimas. Quando o pior do choro passou, afastou-se.

— Estou melhor agora.

— Tem certeza?

— Tenho. Estou ótima. Obrigada. — Mas ser abraçada por ele fora bom e parecera certo, passando inesperadamente pela sua cabeça que, talvez, pudessem ser amigos, depois daquilo tudo.

— Vamos fazer a limpeza.

— Ok. — Conall começou a juntar as toalhas sujas de sangue no chão. — O que faço com isso?

— Coloca na máquina e... ah, você provavelmente não faz a menor ideia de como ligar a máquina.

— Claro que faço.

— Deixa eu ver.

— Para! — Carregando sua pilha de toalhas, cruzou o corredor até encontrar a lavanderia. Enfiou tudo na máquina de lavar e fechou a porta.

— Aperta o botão — disse Katie. — Tem que escolher o programa certo.

— Eu *sei*. — Girou vários interruptores — não podia ser tão difícil? — e esperou que coisas começassem a acontecer.

— Sabão em pó — disse Katie, entregando-lhe o pacote.

— Ah, claro, quase que esqueço. — Ele abriu a porta novamente e estava prestes a jogar metade do pacote lá dentro quando Katie o impediu.

— Não. Não. Aí, não. — Ela riu. Quase sem controle. Talvez fosse choque atrasado. — Você não faz ideia, faz?

Conall a encarou. Jamais admitira não saber alguma coisa.

— Essa máquina é diferente da minha.

Firme, ela manteve o olhar, os olhos dançando, até que ele baixasse o rosto e admitisse: — Ok, não faço ideia.

— Que amor — disse Katie, quase animada. — Era isso que eu queria ouvir.

Ela acrescentou o sabão em pó, escolheu o programa adequado, e, quando a máquina começou a funcionar, os dois voltaram para o banheiro, esfregaram a banheira, o chão, lavando as manchas vermelhas que decoravam os azulejos e as paredes, apagando qualquer evidência. Trabalharam em silêncio, até que a tarefa estivesse concluída. — Acho que foi. Está feito. — Com um último floreio de esponja, Katie limpou a última mancha, depois se deixou cair no chão e encostou-se na banheira. — Meu Deus, isso foi duro. — Usou a manga do casaco para secar o suor do rosto.

— Mas satisfatório. — Conall se juntou a ela no chão, apoiando as costas na parede oposta.

— Também.

Tomada pelo clima estranho, quase de celebração, Katie resolveu arriscar.

— Me diz uma coisa, Conall. Posso fazer uma pergunta? É uma coisa que morro de vontade de saber.

— Manda.

— Você fala português?

— Ah, você sabe como é. O suficiente para me virar.

— Jura? Jura por Deus que é verdade?

— Juro.

— E como o Jason sabia disso?

— ... Vamos ver. — Conall bateu nos lábios com a ponta dos dedos, como se tentasse se lembrar. — Ah, claro! Conheci o Jason num encontro da Câmara de Comércio Portuguesa. A noiva dele, na época, agora, mulher, é portuguesa, eu acho... mas é claro que você sabe disso.

— Bom saber que você não mentiu sobre absolutamente tudo.

Conall a encarou, chocado.

— Ah, vai! Não me olha com essa cara!

Com grande urgência, ele disse: — Katie, eu mudei.

— Sorte da Lydia. Não disse que a namorada depois de mim teria os benefícios do meu trabalho árduo?

— É, mas, Katie...

— *Acho* que ouvi vozes...

Conall e Katie prestaram atenção. Jemima, aparentando cada um dos seus oitenta e oito anos, estava de pé à porta do banheiro.

— Fiquei angustiada para limpar as evidências da estupidez do Matthew antes de Maeve voltar com ele para casa. Mas vejo que dois anjos da guarda chegaram antes de mim.

## *2 horas*

Jemima, tendo persuadido Maeve a ficar no hospital até as sete da manhã para acompanhar Matt de volta para casa, tinha uma última boa ação a realizar, e, realmente, aquele arranjo charmoso, com Katie e Conall lado a lado, simplesmente não podia ser melhor. A vida era uma questão de momento. Do momento certo. Assim como a morte.

Levou as costas da mão à testa e permitiu-se um ligeiro colapso, deixando que o corpo se dobrasse como uma sanfona.

— Meu Deus! — Conall se levantou e segurou-a, antes que seus joelhos atingissem o chão. — Tudo bem com você?

*Bem*, dificilmente, *meu anjo. Acabei de ter um desmaio digno de fotografia.*

— Acho melhor você deitar um pouco. — Conall buscou confirmação em Katie, e ela fez um gesto afirmativo.

— Jemima, se Conall carregar você, consegue chegar até o seu apartamento? — perguntou Katie.

— Acho que sim — disse Jemima, com firmeza. Que criatura sensível era Katie. Seria realmente muito desagradável se Matthew e Maeve chegassem em casa e encontrassem uma senhora doente deitada no sofá. E Jemima tinha planos próprios, que preferia levar adiante sem interrupções.

Conall insistiu em carregar Jemima nos braços até seu apartamento, onde desviou eficientemente de toda a mobília pesada da sala para colocá-la no sofá. Rancor andava em volta, angustiado, como uma senhora de idade.

— Desculpem-me — sussurrou Jemima. — Quanto drama.

— Todos estamos meio zonzos, depois de ontem à noite — respondeu Katie.

— Quer alguma coisa? — perguntou Conall. — Um copo d'água? Algum remédio?

— Pelo amor de Deus, não — disse Jemima. — Não preciso de absolutamente nada. Exceto...

— Exceto? — insistiu Katie. — Gostaria que Fionn estivesse aqui? — A preocupação coloriu-lhe o rosto, como se dissesse: *Mas não sei onde ele está.*

— Não preciso do Fionn, esteja ele onde estiver. — Por mais que Jemima o amasse, tinha coisas mais importantes com que se preocupar. — Mas vocês dois, você e Conall, se incomodariam de ficar um pouquinho comigo? Não vai ser por muito tempo. Garanto a vocês.

— Claro que a gente fica — disse Katie.

— Lógico. — Conall endossou suas palavras.

Katie era uma moça tão doce, pensou Jemima. Sabia que ela ficaria. E, naturalmente, Conall faria qualquer coisa para agradar Katie.

Então, era definitivo: Fionn não passara a noite na casa de Jemima, pensou Katie. O que significava que estava em *outro lugar* — e isso resumia todo tipo de possibilidade, nenhuma delas agradável. *Conheceu uma mulher, dormiu com ela.* Mas, não! Não pensaria nisso! Não naquele momento. Em outro, quando fosse capaz. Porque a verdade é que doeria, muito. Não somente pelo ciúme do que ele fizera nas horas em que desaparecera, não somente pelo fim do casal — porque parecia que tinham chegado ao fim da linha —, mas haviam sido muitas as dores que Fionn eliminara de sua vida. Aniquilara toda a tristeza do término com Conall, polira a pedra bruta e lhe mostrara que existia vida — e muita —, depois dos quarenta. Tudo acabado, percebeu. Tudo esgotado.

O que a ameaçava mais do que tudo era a possibilidade de sentir aquilo de novo, aquela dor terrível da perda, a mesma que sentira quando descobrira que Conall estava saindo com Lydia. Fora uma agonia tremenda e achava que não teria forças para encarar aquilo novamente. Nenhum impulso masoquista resistiria à prova atual, só para que confirmasse como era doloroso... e talvez não estivesse cutucando a ferida com força suficiente, porque, surpreendentemente, sentia-se bem.

Talvez estivesse melhor! Teria sido essa a função de Fionn? Entrar em sua vida para curá-la? E desaparecer depois do conserto?

Afinal, tomara um drinque com Conall e a namorada nova. E ela e Conall haviam limpado o banheiro em clima de amizade e cooperação. E bastava olhar para os dois agora, cuidando de uma senhora.

Ou talvez tivesse compreendido a situação com Fionn de maneira totalmente equivocada. Talvez ela e Fionn simplesmente tivessem tido sua primeira briga séria. Talvez ele tivesse passado a noite com Grainne e Mervyn, e, a qualquer momento, fosse atravessar aquela porta, louco de remorso, tomado de amor, os dois se jogariam um nos braços do outro, chorando e dizendo o quanto estavam arrependidos do acontecido. Isso poderia acontecer!

Jemima tirou alguns grampos do coque. — Estão espetando minha cabeça — explicou. — Suportei esse desconforto por quase oitenta anos, e acho que agora chega.

— Você está soltando o cabelo — disse Conall.

— Exatamente, meu anjo.

— Nunca é tarde demais.

— Guarde esse pensamento, Conall, como se diz por aí. Agora... — Jemima ajeitou-se novamente no sofá, parecendo pequena e frágil, o esforço de tirar os grampos cobrando seu preço.

Katie se ajoelhou ao lado do sofá, uma mesa pesada de mogno atrás de sua cabeça e uma poltrona de estampa floral ao seu lado. — Você quer que eu segure sua mão? — Percebeu que Jemima precisava de algum tipo de conforto, mas nunca se sabe com protestantes. Podem ofender-se gravemente diante de uma oferta de afeto.

— Você faria isso, minha flor? Seria um *tremendo* consolo. — Seu rosto se contorceu num sorriso de agradecimento, e ela estendeu a mão ossuda e cheia de veias.

— Posso segurar a outra — ofereceu Conall.

— Conall! — disse Jemima. — Isso seria absolutamente adorável.

Surpresa, Katie olhou para ele. Quando passara a ser gentil com senhoras de idade? Ele encolheu os ombros, num gesto que dizia: *por que não*?

É verdade, por que não?

Rancor ficou no meio dos dois, entre Conall e Katie, a cabeça peluda no colo de Jemima, e Katie só conseguia pensar na estranheza daquilo tudo. Ela! E Conall Hathaway! No apartamento de Jemima, segurando suas mãos! Como haviam chegado àquele bizarro triângulo?

Nenhum deles disse nada, todos provavelmente exaustos, pensou Katie, depois de tudo que acontecera nas últimas doze horas. Depois de algum tempo, uma voz angustiada dentro de sua cabeça começou a questionar quanto tempo Jemima esperava que ficassem ali. Estaria bem o bastante para que a deixassem sozinha? Mas parecia falta de educação perguntar e, de qualquer forma, a qualquer minuto, Conall podia ter de ir embora para pegar um avião ou assumir o controle do mundo, e, enquanto isso, ela não podia negar que ficar sentada no tapete de Jemima, segurando sua mão, era algo inesperadamente tranquilizador. Tudo que ouvia era o som da respiração de Conall, de Jemima e dela própria. E a do cão, naturalmente.

— Posso... — disse Jemima, incerta. — Posso, ou melhor, vocês pensariam mal de mim se eu pedisse um favor?

— Pode pedir qualquer coisa — respondeu Conall.

— Vocês me contariam alguma *fofoca*? Sempre quis ouvir uma fofoca.

## *1 hora*

Madeira crua, rústica. Maeve ficou irritada ao ver a nova porta do apartamento.

— Olha isso — disse para Matt. — Olha só o que você fez.

— Meu Deus. — Ele olhou para a madeira crua, tentando entender o que acontecera. Parecia doente.

— Imagino que essas sejam as chaves. — Maeve pegou um chaveiro na mesa do hall, e Matt estendeu a mão, esperando que ela lhe entregasse o objeto, mas Maeve já enfiava a chave certa na fechadura.

Ficou furiosa mais uma vez. O discurso de Jemima a acalmara, sentira-se estranhamente esperançosa durante algum tempo, mas a raiva estava de volta, e seus nervos, aguçados — a pele parecia seca, as mãos desastradas, os olhos quentes, a língua inchada. Fazia tempo que não sentia qualquer coisa, e tudo lhe voltava de uma vez só; seu corpo lutava para conter as sensações.

Precisou de algum tempo para abrir a porta com seus dedos que tremiam. — Merda — murmurou. Raramente dizia um palavrão; portanto, a palavra lhe pareceu bastante satisfatória. Quando a fechadura finalmente cedeu, empurrou a porta com força e prazer. A primeira coisa que reparou foi o cheiro de limpeza e frescor no apartamento. Um dos vizinhos devia ter entrado e dado fim às evidências da... tentativa... não sabia como descrever o que Matt fizera.

Um gesto decente, fosse quem fosse o autor. Provavelmente, Katie, concluiu. Mas não conseguiu impedir que a raiva transparecesse, nem mesmo diante de uma boa ação da vizinhança. Não faria mal algum a Matt ver os vestígios do que fizera.

— Você quer um chá ou alguma outra coisa?— perguntou, com certa rispidez.

— Chá.

Maeve colocou a chaleira no fogo, depois foi até o quarto e pegou uma mala grande debaixo da cama. Usara-a pela última vez na lua de mel; a etiqueta da companhia aérea ainda estava pendurada na alça. Pegou a mala e fez força para colocá-la sobre a cama, onde o objeto quicou algumas vezes, depois a abriu.

Começaria pelos sapatos de Matt. Lá estavam eles, perfeitamente alinhados na parte inferior do armário. Um a um, atirou-os em direção à cama. Às vezes, caíam dentro da mala, outras não; quicavam na cama, ficavam presos no aquecedor, chocavam-se contra a janela.

Era como um jogo, na verdade bastante divertido, e ela ficou triste quando os pares se esgotaram.

A água provavelmente já fervera; portanto, foi até a cozinha e preparou o chá. Matt estava no sofá da sala, parecia pequeno e envergonhado. — Chá. — Maeve estendeu a xícara para ele. — Comecei a empacotar suas coisas.

O rosto dele se contorceu.

— Ah? — Ela olhou para ele. — Você achou que eu não estava falando sério. Mas estava. Estou. É verdade. Está acontecendo.

— Como você vai viver sozinha?

— Você não pensou nisso quando entrou na banheira ontem, pensou?

Matt baixou o rosto. — Eu não devia ter feito aquilo. — Sua voz ficou embargada. — Se pudesse desfazer as coisas.

— Eu me viro sozinha. Vai ser melhor do que viver com você e ficar esperando a hora de acontecer de novo. — Enquanto estivera ao lado dele no hospital, pensara bastante no assunto. Expulsar Matt do apartamento era só para chamar atenção, uma tentativa de feri-lo, porque ele a ferira, mas ela voltaria a morar com o pai e a mãe. Sua vida estava acabada, de qualquer maneira, acabara três anos antes, e viver no fim do mundo não faria a menor diferença. E, se o desespero fosse grande demais na fazenda, bem, ela sempre teria a opção de se enforcar numa estrebaria ou se arriscar na beira de um abismo ou chegar perto demais de um moedor de grãos. Eram muitas as possibilidades. Pensando bem, era um milagre que qualquer fazendeiro conseguisse viver até o aniversário de vinte anos.

Pensara durante tanto tempo em estar morta, estava bastante confortável com a ideia. É verdade, não chegara ao extremo de Matt, mas não queria continuar vivendo. Só não tinha certeza de como gostaria de morrer. Mas não estava longe.

## *30 minutos*

Lydia estava tão arrasada que sentia enjoo. O excesso de emoções da noite anterior tivera seu preço, e ela não se sentia capaz de fazer nada. Nem mesmo dormir. Isso seria possível? Estar cansada demais para dormir? Mas estava cansada demais para pensar no assunto. Jogou-se no sofá e procurou com a mão o controle remoto. Graças a Deus era sábado, e ela não precisava suportar um dia de semana aquela coisa de acordar cedo à beça: maquiagem, dieta e cozinha. Primeiro, assistiu a um programa sobre Botsuana, depois outro sobre Cuba. Aproveitou a própria indolência, meio acordada, meio dormindo, sonhando com terras distantes. Como era bom. Podia dormir ali mesmo, sem medo de ser perturbada pelos polacos. Era *fabuloso* morar sozinha.

Quando o interfone tocou, interrompendo rudemente seu momento paradisíaco, ficou revoltada. Não! Nananinanão! Não estou me sentindo bem.

O interfone tocou de novo.

Não, não vou atender.

E de novo.

Pode tocar um milhão de vezes, pensou. Mesmo assim, não vou atender.

Tocou de novo.

Pelo amor de Deus! A barriga primeiro, levantou-se do sofá como um saltador de vara, foi pisando firme até o interfone e apertou o botão. Dez segundos depois, alguém bateu na porta e ela a abriu.

— O *quê?*

Do lado de fora estava um homem de olhos escuros e cabelo ligeiramente comprido, levemente rebelde. Vendedor de vassouras, pensou. Mas, para seu horror, viu que ele tinha algum instrumento musical guardado numa caixa. Um músico pedinte a domicílio? Desde quando isso existia? Jesus do céu, será que atormentam as pessoas em casa?

Lydia disse: — Eu lhe dou dinheiro, se você prometer que *não* vai cantar.

O homem pareceu confuso.

— Meu nome é Oleksander. Oleksander Schevchenko.

— Quem? Ah! A pessoa que morava aqui antes de mim. — Não era um artista ambulante! O rosto de Lydia expressou grande alívio.

— E você? — perguntou ele. — É a nova inquilina? Mora no quartinho pequeno?

— Isso, isso. Você veio pegar sua correspondência? Acho que é melhor você entrar.

— ... E ninguém da família fazia ideia da existência do filho secreto do Charlie? — perguntou Jemima, incrédula.

— A mínima — respondeu Conall, com algum orgulho, feliz por poder contribuir com uma fofoca tão suculenta. — Somente Katie e eu. E descobri por acaso. — Conall conseguira a informação enquanto "racionalizava" o quadro de funcionários de uma empresa e uma jovem mulher se jogara aos seus pés, implorando para manter seu emprego, porque tinha de sustentar um filho e não recebia um tostão do pai — que confirmou-se Charlie Richmond, irmão mais novo de Katie.

— Mas, por que seu irmão se recusaria a contar aos pais? — Jemima tinha dificuldade de compreender. — Com certeza, eles ficariam felicíssimos com a descoberta de um neto, não?

— Porque a mãe da Katie é... — Conall parou e olhou para ela, como se pedisse permissão para continuar.

— O quê? — perguntou Katie.

Escolhendo as palavras com cuidado evidente, Conall disse: — Ela é... uma mulher descontente que, ah, derruba todos os filhos.

Katie baixou os olhos e sorriu para si mesma.

— Você nunca disse isso.

Os olhos de Conall se encheram de indignação.

— Até parece, Katie. Posso ter cometido erros com você, muitos, por sinal, mas não sou um idiota completo.

— Devo dizer — falou Jemima, animada — que é uma fofoca e tanto. Do tipo que vale a pena esperar uma vida inteira para ouvir. — Mudou de posição sob o peso da cabeça de Rancor. — Aí não, meu amor. Dói demais.

— Ah? — pronunciou-se Katie, exatamente como Jemima esperava que fizesse.

— Tive câncer alguns anos atrás. — Com um breve aceno, Jemima quis dizer que não era nada de mais, que não passava de uma pancada no dedão. — A porcaria voltou.

Katie e Conall trocaram olhares.

— Como você sabe? — perguntou Katie, com cuidado. — Fez exames?

— Não precisa. Eu sinto. Os tumores. Um no meu fígado. Bem grande. Não consigo mais abotoar minha saia. Muito constrangedor. — Sorriu. — Quando uma saia não cabe mais, é hora de ir embora.

— ... Ah... podemos comprar uma saia nova para você — disse Conall, tentando esconder o assombro debaixo de pretensa animação. — Um guarda-roupa inteiro novo.

— Muito gentil. Mas isso não afastaria os caroços debaixo do meu braço esquerdo. Ou os que ficam atrás dos meus joelhos.

Isso fez com que o sorriso falso desaparecesse do rosto de Conall, definitivamente. Será que Jemima falava sério? Katie devolveu o olhar desesperado de Conall e balançou levemente a cabeça: não fazia ideia do que estava acontecendo.

— Estou vendo que constrangi vocês — disse Jemima. — Peço desculpas por isso. E estou percebendo que duvidam de mim, mas garanto estar sendo absolutamente honesta.

Em resposta ao silêncio abismado dos dois, ela repetiu:

— Absolutamente honesta.

— Entendi... — Conall pareceu perplexo. — E como podemos ajudar você?

— Vocês não podem.

— Não existe não pode. — Conall procurou seu celular. — Vou encontrar um médico.

— Ele realmente é o Senhor Resolve Tudo. — Jemima sorriu para Katie, que não achava nada daquilo divertido. — Ele vai telefonar para a pobre Eilish, aposto. Preciso de uma porta nova, Eilish! De um oncologista, Eilish! Pobre mulher. Conall, não faça isso. Estou muito além da ajuda de um médico.

Estendeu o braço para tocar no BlackBerry de Conall e, ao fazer isso, seu corpo se moveu, levantando sua saia, e um aglomerado de calombos estranhos foi revelado, como pequenas montanhas atrás de seus joelhos.

Jesus Cristo, pensou Katie. Jemima não estava exagerando.

Olhou para Conall, e a expressão no rosto dele indicava que estava para lá de chocado.

— Certo! É isso! — Conall sabia quando perdia a cabeça. — Vou ligar para uma ambulância!

— De jeito nenhum — disse Jemima, com voz aguda. — De jeito nenhum! Proíbo você de fazer isso!

Para sua grande surpresa, Conall flagrou-se com medo de desafiá-la.

— É tarde demais — declarou Jemima.

— Não. — Conall estava tendo uma série de visões: Jemima sendo levada ao centro cirúrgico, recebendo infusões de drogas mágicas, as centenas de tratamentos que os médicos poderiam aplicar. Agitadamente, passava seu BlackBerry de uma mão para outra.

— Tarde demais, mesmo, meu anjo — repetiu Jemima.

— A gente não pode simplesmente *não fazer nada.* — Conall achou que explodiria de frustração.

— Pode, sim — disse Jemima. — Uma boa lição de se aprender, Conall. Às vezes, não existe nada que se possa fazer.

— Mas, por que você não fez nada antes? — perguntou Katie, exasperada. Por que Fionn não insistira para que pedisse ajuda? E por que Fionn não lhe contara que Jemima estava doente?

Jemima pareceu envergonhada. — Você me acharia covarde se eu admitisse minha relutância em suportar mais um tratamento de quimioterapia? É profundamente desagradável. Estou com oitenta e oito anos, minha vida foi ótima, fora, é claro, a falta de fofocas.

— Mas e a dor? Você não sente dor? — perguntou Conall.

— Ah, a dor — disse Jemima, displicente. — Todo mundo tem tanto medo da dor. Mas como a pessoa sabe que está viva? Conall, por favor, guarde esse telefone e segure novamente minha mão. Eu estava gostando tanto.

Relutante, Conall sentou-se novamente no chão, e Jemima estendeu a mão para que ele a segurasse.

— Por que está nos contando isso, se não quer ajuda? — perguntou Conall.

— Não precisa ter medo, Conall. Cada coisa tem a sua hora.

— Isso não é resposta.

Jemima riu.

— Nem isso.

— Tem alguém para quem você quer que a gente telefone? — Katie escolheu as palavras com muito cuidado. Jemima estava claramente bastante doente, muito mais do que podiam imaginar quando quase desmaiara na casa de Matt e Maeve, e não dava sinais de que se levantaria daquele sofá tão cedo: era apropriado ela e Conall estarem ao seu lado, naquele momento? Jemima conhecia Katie muito bem, mas Conall era um total estranho. — Quer que a gente chame alguém para ficar do seu lado?

— Vocês são meus dois escolhidos.

*Por quê?* — Bem — e Katie obrigou-se a ser corajosa —, pelo menos o Fionn deveria estar aqui. — Isso significava que Katie teria de tentar encontrá-lo, o que ela não queria fazer, porque talvez deparasse com todo tipo de sofrimento.

— Tentei contar a ele nos últimos dias, mas sempre éramos interrompidos.

— Você quer dizer...? — Jesus Cristo. *Fionn não sabia de nada.* — Conall, rápido, me empresta seu telefone. Deixei o meu lá em cima.

Com as mãos tremendo, Conall entregou-lhe o aparelho, e Katie deixou uma mensagem curta e direta para Fionn: "Você precisa vir para casa agora. É urgente."

— Eu também já quis me matar — disse Maeve, de repente.

Matt pareceu surpreso. — Por que você não me contou?

— Por que *você* não me contou?

Matt olhou para ela, os ombros curvados, os olhos mortos.

— Jesus, que horror — disse, terrivelmente frágil. — Você quis se matar. Eu tentei de verdade. Acho que o milagre é termos resistido tanto tempo.

— Tem sido... — Maeve precisou silenciar. — Não consigo pensar na palavra certa. Pesadelo não seria uma descrição fiel, mas chega perto.

— Pesadelos têm fim.

— E isso não acaba. Quando eu era pequena, às vezes pensava na vida e me perguntava o que aconteceria, porque as pessoas sempre dizem que coisas ruins acontecem em algum momento. E eu pensava nisso, sabe? Tentando me preparar. Mas nunca imaginei uma coisa assim. Nunca pensei na possibilidade de ser estuprada. E nunca pensei que me sentiria tão... tão... não faço ideia se uma pessoa é capaz de se sentir tão mal por tanto tempo.

— Meu amor...

— Desculpa, Matt. Foi muito difícil para você, sei disso. Ficar preso assim aos problemas de outra pessoa. Você não pensou que passaria por nada disso quando se casou comigo.

— Eu amava você.

— Mas foi demais. Somos humanos. Os dois suicidas, isso não é bom sinal.

Matt sorriu, sem forças.

— Como você está se sentindo agora? — perguntou Maeve. — Ainda incapaz de seguir em frente?

— Não como antes.

— Eu também. Vem, você pode me ajudar a empacotar suas coisas.

No quarto, Matt juntou devagar seus sapatos, buscando-os em todos os lugares em que haviam aterrissado, alinhando-os no chão.

— Talvez seja melhor colocar as roupas primeiro — disse.

— Ótimo. — Maeve abriu uma das gavetas de Matt, juntou um punhado de peças e jogou-as na mala. E as lembranças a atingiram. Era o cheiro, ela se deu conta. O odor que emanou do impacto das roupas com a mala. Ela sentiu o perfume de sua lua de mel — sal marinho, sândalo e umidade —, como se estivessem ainda lá. Não era inacreditável que o resíduo sobrevivesse com tanta força depois de três longos anos? Pétalas secas de rosas ainda enfeitavam o fundo da mala, e Maeve pegou algumas.

— Lembra disso?

— Ah, lembro. — Os olhos de Matt se iluminaram rapidamente diante da lembrança. — Eles colocavam todas as noites depois do jantar, não era? — Os dois voltavam para o quarto e descobriam que um ser misterioso desenhara um coração de pétalas sobre a colcha da cama.

— E no começo a gente achou romântico.

— Ah, não, sempre achei cafona.

— Não achou, não, Matt. Você amou!

— Bem, acho que achei legal alguém se dar o trabalho de fazer uma coisa assim.

— Mas, depois, a gente começou a achar chato, lembra? Dizendo que os corações estavam diminuindo e ficando meio tortos.

— E as pétalas ficavam grudadas no lençol.

— E grudadas também nos lugares mais estranhos.

— *Todo* tipo de lugar estranho — repetiu Matt.

— Lembra daquele banho que o cara do hotel preparou para a gente?

— Não... ah, claro! Isso. Mais pétalas!

— As pétalas cobrindo a gente, a gente sem conseguir se livrar...

— ... e elas ficavam pretas na água, pareciam câncer de pele.

E nem isso os desanimara dos banhos demorados nem de transar pela centésima vez. Era realmente incrível, pensou Maeve, a quantidade de sexo praticada naquelas duas semanas. Era quase como se soubessem que a temporada se encerraria de repente, que era melhor aproveitarem enquanto podiam.

— Éramos tão felizes naquela época — disse Maeve. — Éramos, não éramos? Não estou inventando, estou?

— Eu me achava o cara mais sortudo do planeta. Não estou brincando. Você era tudo que eu sempre quis... Não, você era tudo que eu nem mesmo sabia que queria, e tinha tanto medo de não conquistar você.

— E olha só onde a gente foi parar. Três anos depois, você tenta se matar.

O horror daquelas palavras apunhalou-a, e ela teve um surto de choro.

— Maeve, por favor, isso só aconteceu porque achei que você ficaria melhor sem mim. Pensei que eu era inútil na sua vida.

— É? E era mesmo.

Maeve se jogou sobre ele, apertando-se fortemente àquele corpo, sentindo a solidez, o calor, a vida guardada ali, sentindo o coração dele bater, assim como o seu.

— Nunca mais faça uma coisa dessas comigo — sussurrou. — Foi pior do que tudo que aconteceu nos últimos três anos. Mil vezes pior.

* * *

— Vem, entra. Suas cartas estão na cozinha. Não tenho tempo para conversa fiada, estou no meio do programa...

Baixinho, Oleksander Shevchenko perguntou: — Você acha minha cama confortável?

Lydia já estava de costas, mas, diante da impertinência daquele jeito, voltou-se para ele, a boca num esgar de irritação. Que *cara de pau*. Só caras de pau apareciam na sua frente ultimamente.

— Minha cama? — insistiu ele, no rosto uma expressão sacana. — Você gosta?

— Na verdade — Lydia encarou-o com firmeza —, *gosto* da sua cama. — Sabia lidar com esse tipo.

*Um minuto! O coração desses dois saiu completamente do compasso, bem ali; luzes piscando, som de aplausos, como uma máquina de caça-níqueis quando alguém ganha o prêmio máximo.*

*Mas isso basta? Dá tempo? Eles podem se apaixonar e transar nos próximos vinte e dois minutos? Porque é só isso que eu tenho.*

Então — *não, por favor* —, Lydia se lembrou da moça que fora procurar Oleksander. Lembrou-se de prometer dar a ele o telefone dela, caso aparecesse. Para Lydia, uma promessa era uma promessa.

— Veio gente aqui procurar por você.

O rosto de Oleksander foi tomado de medo.

— Homens? Armados?

— Não. Uma garota.

— Eu estava brincando. — Ele suspirou, com melancolia repentina. — Ucranianos adoram brincar. Como vocês, irlandeses, que amam uma piada, mas têm a barreira da língua... eu brinco, brinco o dia inteiro, mas os irlandeses não entendem.

— Anda, você quer sua correspondência ou não quer?

Oleksander a seguiu até a cozinha, onde Lydia procurou pela pilha de cartas.

— A garota que veio aqui? — perguntou ele. — Era a Viktoriya?

— Não — respondeu Lydia, pensativa. — Não era Viktoriya o nome dela, não tinha nada a ver com Viktoriya. Siobhan, eu acho que era isso. Fiscal da receita irlandesa, e ela veio atrás de você para entregar uma intimação.

Oleksander pareceu aterrorizado. — Mas eu não... eu não...

Lydia deixou que se passassem três segundos. Quatro. Cinco. Então, disse docemente: — Eu estava brincando.

— Ah! Fazendo piada com a minha cara!

— Isso, fazendo piada, como você diz. Soube que você adora.

*Ah, essa dupla é perfeita, simplesmente perfeita! Sobrancelhas erguidas, olhares desafiadores e um contato visual tão sexy. Se eu pudesse empurrá-los para dentro do quarto... Lydia não viria com a conversa de não transar com um cara dez minutos depois de conhecê-lo. Pela espontaneidade, pela maneira de encarar a vida, ela é a minha garota.*

— Isso, foi a Viktoriya que veio aqui atrás de você.

*Dane-se a Viktoriya! Esqueça a Viktoriya!*

O rosto de Oleksander se iluminou. E a felicidade se desfez, de repente.

— Não tenho o telefone dela.

— Tudo bem, ela deixou anotado. E disse para eu lhe falar uma coisa... — O que era mesmo? — Um homem. O homem...

— Do departamento de agricultura?

— Isso. Ela pediu para eu lhe dizer que ele tinha cheiro de vaca.

Oleksander riu baixinho.

— Fedorento, hein?

— A não ser que você goste de cheiro de vaca. Toma. — Lydia encontrara o bilhete de Victoryia. — E aqui está a sua correspondência.

*20 minutos*

O único barulho no cômodo era o tique-taque de um relógio de parede. Os olhos de Jemima estavam fechados, tranquilos e silenciosos. Katie, Conall e Rancor a observavam carinhosamente. Katie abandonara os pensamentos de fuga e, pela calma que sentia vir de Conall, sabia que ele desistira de suas ideias de cirurgias salvadoras e quimioterapias de última hora. A sala estava tão quieta que Katie começou a cochilar levemente, sendo trazida de volta ao presente pela voz de Jemima:

— Tive uma vida muito boa.

— Que mais se pode desejar, na verdade? — completou Conall.

— A morte só é triste quando não se viveu.

Morte? *Morte?* Katie e Conall se entreolharam.

— Estou pronta para ir embora.

Será que estava dizendo que planejava morrer naquele momento?

— Isso, meus queridos.

*Naquele momento? Ali?*

— Nos próximos minutos. E quero estar aqui, na minha casa, vocês dois comigo. — Katie e Conall trocaram mais um olhar.

*Acho que devemos deixar que ela faça as coisas do seu jeito*, os olhos de Conall diziam.

Também acho.

*Vamos esquecer essa história de ambulância e outras coisas?*

Vamos fazer o que ela está pedindo e...

... *Vamos até onde isso nos levar.*

Mas como as coisas haviam ficado tão sérias em tão pouco tempo?

— Isso não me aconteceu de repente — explicou Jemima. — A presença da morte está nesta casa há semanas.

*Foi então que me dei conta de que ela não estava totalmente equivocada; havia uma presença ali. Além da minha, quero dizer. Nos momentos em que fui tão gentil e até me assustei — não era eu. Era meu amigo da capa escura; aquele estraga-prazeres.*

*A política é sempre a mesma: um entra, outro sai.*

Numa harmonia silenciosa, Maeve e Matt faziam a mala com as roupas dele. O estranho era que quanto mais coisas colocavam para dentro, menos parecia que ele ia embora.

— Volto num segundo — disse Matt para Maeve.

— Aonde você vai?

— Estou com um pouco de frio.

— Se você está indo cortar os pulsos...

— Nunca mais vou fazer isso.

— Acho melhor mesmo.

— Sei que é agosto, mas você se incomoda se eu ligar o aquecedor?

Maeve pensou no assunto.

— Vamos ficar um pouco na cama. É mais quentinho.

Jogaram a mala no chão, e a maioria das coisas caiu lá de dentro. Deitaram-se, completamente vestidos, sacudiram o cobertor e deixaram que caísse suavemente sobre eles. Maeve enroscou as pernas em volta de Matt e esfregou levemente as costas dele, os ombros, os braços.

— Mais quente?

— Estou.

— Que bom.

— Escuta, tive uma ideia! — disse Matt, repentinamente.

— O que foi?

— A gente podia ter um gatinho. Ou um cachorro.

— Um cachorro? — disse Maeve, lentamente. Não, ele ia ter ciúme da gente.

* * *

Lydia lhe entregou um amontoado de envelopes. — Me dá seu endereço atual.

Oleksander inclinou a cabeça e olhou para ela, de maneira claramente provocante.

— Para você conhecer meu quarto novo?

A expressão no rosto de Lydia foi de irritação educada. *Estou entendendo suas provocações*, era o que dizia seu olhar. *E vou aumentar o risco para você.*

— Para eu mandar sua correspondência daqui para frente — ela disse. — Para você parar de ficar vindo aqui e me interromper enquanto assisto à televisão.

*Agora, agora! Agora, anda! Sexo, muito sexo! Minha vida depende disso!*

*15 minutos*

— Sejam gente um com o outro — disse Jemima, fechando os olhos.

— Quem? — perguntou Conall. Só para ter certeza.

— Vocês dois. Você e Katie.

— Ok.

A respiração de Jemima ficou mais suave, e as subidas e descidas de seu peito mais fracas, até se tornarem invisíveis. Conall estava — bem, ele não sabia exatamente como se sentia, fora o fato de não estar mais com medo, como estivera antes, quando Jemima revelara a gravidade de sua doença. Não sentia mais necessidade de dar telefonemas nem de organizar coisas impossíveis de organizar. Estava preparado para ficar sentado naquele tapete absurdamente estampado o tempo que fosse preciso, segurando a mão de uma senhora prestes a morrer.

Que coincidência esquisita, pela segunda vez no mesmo dia, lá estava ele, tão próximo daquela linha tênue que separava a vida da morte. Mas desta vez era diferente, desta vez isso lhe parecia estranhamente belo.

Oleksander se aproxima para pegar as cartas. Seu rosto está tão perto do de Lydia que ele mal precisa se mover para beijá-la.

*Estou dizendo, o ar está carregado de sexo! Um beijo e os dois seriam tomados de paixão; havia uma vibração tão forte entre eles. Um beijo, é só isso que peço, o resto se resolve sozinho.*

Mas Oleksander ri baixinho, depois sai pela porta e desce as escadas.

*Ele vai voltar. Mas será tarde demais para mim.*
*Droga.*

— Então, Conall arrombou a porta? — perguntou Matt.

— Assumiu o controle de tudo. Gritando ordens a torto e a direito. Todo mundo obedecendo. Você já está mais quentinho?

— Não. Continua esfregando.

— A gente vai ter que fazer alguma coisa para agradecer.

— Vai. Alguma ideia?

— Tenho.

— ... Ah, quer dividir comigo?

— A gente pode dar o nome dele para o nosso bebê.

— Que bebê?

— A gente vai ter um bebê.

— Vai? — Matt se afastou de Maeve, para poder olhá-la de frente.

— A mulher sábia do andar de cima disse.

— Mas... como é que a gente vai conseguir isso?

— Assim. — Maeve tirou a camiseta, a calça comprida e a calcinha.
— Você...?

Os olhos dele encontraram os dela e, com expressão quase de pânico, como se tivesse medo de que ela mudasse de ideia, Matt tirou a roupa, depois envolveu-a com os braços, puxando-a cuidadosamente para si. Pela primeira vez em três anos, sentiu o corpo nu de Maeve contra o seu, coxa contra coxa, peito contra peito, a felicidade da mão dele sobre o quadril dela.

Lágrimas rolaram pelo rosto de Maeve, e Matt afastou-as com beijos.

— Quer que eu pare? — perguntou Matt.

— Não, não, não.

— Está bem assim? — Ele a tocou com carinho.

Maeve fez que sim.

— E isso?

— Tudo, Matt, tudo, pode fazer tudo comigo.

*5 minutos*

Conall segurou a mão livre de Katie com a sua, e ela o encarou, sorrindo.

*E dá para acreditar nisso?! O coração dos dois voltou a bater em total harmonia.*

Era agora ou nunca. Conall tinha de falar. Tinha algo muito importante a dizer.

— Katie, eu...

Um ruído na porta fez com que os dois erguessem o rosto.

— Fionn! — exclamou Katie.

Não! Não, não e não!

Fionn olhou para Jemima, deitada no sofá, para Rancor, gemendo baixinho, para a mão de Conall segurando a de Katie.

Então, muito cuidadosamente, Katie abriu a boca e ficou de pé.

— Fionn...

Foi somente quando Rancor jogou a cabeça para trás e começou a uivar que Conall se deu conta do que acontecera.

Devagar, suavemente, gentilmente, sem deixar que seu olhar escapasse do rosto de Maeve, Matt deixou-se guiar por ela e, quando seus corpos se fundiram, ele parou, e o olhar que trocaram foi de vitória.

— Caramba! A gente conseguiu — disse Maeve. Mal conseguia acreditar.

— Você está certa, a gente conseguiu. — Era real. Estava realmente acontecendo. Com Maeve, sua linda Maeve, a moça que encantava estranhos, fazendo com que catassem moedas no chão de um trem. — A gente conseguiu. Nós dois, juntos.

— Trabalho de equipe. Mais poder pra nós.

— Poder na peruca.

— Matt, não chora.

— Estou chorando? — Estava. Mas, por que, se estava tão feliz? — De qualquer maneira, olha quem está falando.

Lágrimas rolavam pelos cantos dos olhos de Maeve.

— Pensei que isso nunca mais fosse acontecer.

— Pensou?

— Você *não*?

Riram, choraram, felizes, aliviados. Haviam se perdido havia tanto tempo, haviam se perdido, imaginavam, para sempre. Mas encontraram um caminho de volta, encontraram um caminho para casa.

E, quase no último segundo...

*Lá vou eu... fui convocada e está acontecendo. Estou me dissolvendo, já começo a esquecer... Mas... Entrei! Eu existo! Sou o bebê de Matt e Maeve. Sempre estive no caminho deles, mas vou admitir que algumas vezes me perguntei se aconteceria. Sou menino ou menina? Não que isso realmente importe, porque agora estou finalmente dentro e... ah, é como aconteceu com Killian na história, fica tudo meio dormente, brilhante e, como uma onda que apaga as marcas da areia, estou desaparecendo aos poucos, abrindo caminho para minha alma ser reescrita por uma nova...*

E o homem e a mulher, humildes, pessoas decentes, generosas e amorosas, que compartilhavam uma alma, que haviam suportado tantas dores na vida, que haviam atravessado tempos de solidão e desespero, tiveram seus corações preenchidos e a felicidade restaurada quando souberam que seu bebê, finalmente, lhes fora enviado.

FIM

# Epílogo

# Quatro meses depois...

Tarde de sábado, fim de novembro, e estou sobrevoando as ruas de Dublin, em busca da Star Street. Número 66, mais precisamente. Minha missão é encontrar meus futuros pais. De acordo com as informações que tenho — que, para dizer a verdade, não chegam nem à metade do que eu gostaria —, pelo menos um deles mora lá. Um casal foi presenteado com uma gravidez no mesmo endereço, quatro meses antes; portanto, ali parece ser um lugar bastante fértil.

Mas nossa jornada não começou nada bem. Levo séculos para encontrar o local, e tempo, no caso, é essencial. Não existe somente uma Star Street em Dublin — eu contei —, nem duas. Existem três. A primeira apareceu em tempo recorde, mas o número 66 pertencia a uma galeria de animais empalhados. Fui em frente, mas o número 66 da outra Star Street era um escritório, e estava trancado, porque era sábado.

De qualquer forma, meu companheiro de viagem, que veio para matar o tempo comigo — ele sempre está matando alguma coisa, esse camarada —, disse que sabia exatamente como chegar à tal terceira Star Street. Ele fica falando das experiências que já acumulou, do quanto é viajado, encerrando a vida das pessoas quando menos esperam. Então, eu disse, tudo bem, mostre logo onde é essa outra Star Street, e ele disse, ótimo, vou fazer isso, mas não posso mostrar agora, agora, porque tenho *minha* missão para completar, e, nesse caso, o tempo é uma coisa muito específica; melhor você vir comigo.

Isso me causou preocupação. Alguém na minha situação leva dias, semanas, às vezes meses para identificar os futuros pais, mas me deram apenas vinte e quatro horas — sorte com hora marcada. Seja lá o que for acontecer comigo, acontecerá hoje, e queria ter uma visão do meu endereço o quanto antes. Por outro lado, achei melhor ficar junto de alguém que sabe como chegar lá. Perde-se algum tempo, ganha-se algum tempo, é assim que funciona. Então, fui atrás do meu amigo importante e chegamos ao centro de Dublin. Acho que se pode dizer que formamos um casal esquisito, inusitado; eu, prestes a dar vida, e ele a tirar. Mas não somos tão diferentes quanto parecemos; vida e morte andam juntas, equilibrando-se a cada tacada.

Estamos numa rua ampla, onde um protesto popular acontece. Começo a ler cartazes, escuto os grilos, e me parece que protestam contra a baixa taxa de condenação para estupradores irlandeses e, como é de se esperar, a multidão é composta majoritariamente de mulheres. Não seria muito provável que perus fizessem campanha a favor do Natal.

Trabalha rápido, o meu amigo — em minutos, encontrou seu alvo: um cara magricela, de aparência descabelada, chamado David, um dos poucos homens presentes. Sem surpresas, David está com uma moça; não se esperaria ver muitos homens sozinhos acompanhando uma passeata contra estupro. E é uma jovem adorável: alta e magra, um espaço entre os dois dentes da frente que não indica a necessidade de aparelho, mas faz com que seja ainda mais atraente, se é que você me entende. O nome dela é Steffi. E esse David parece muito consciente da beleza de Steffi, porque seu braço envolve a cintura dela com desespero, como se temesse que ela pudesse escapar.

Agora, preciso dizer uma coisa esquisita. As vibrações de David estão mudas e parecem inofensivas, mas capto certa angústia em Steffi. Ela não quer fazer parte da marcha. *Só está ali porque David é muito insistente!* E não gosta da maneira como ele a enlaça. De repente, não suporta mais e se livra dele, David dá-lhe uma encarada e ela diz, meio se desculpando: — Muito apertado. — Olha novamente para ele, parecendo bastante ferida, depois ele segura sua mão e aperta até machucar.

Meu companheiro sabe-tudo olha para o céu, depois para os que protestam, depois novamente para o céu. Não poderia descrevê-lo como ansioso, mas atento. Seu trabalho, como ele sempre diz, pede muita precisão. Bem, o meu também, na verdade.

Então, ele abre um sorriso: — Ah, ali.

Acima de nós, um avião adentrou o espaço aéreo irlandês, e seu percurso sobrevoará o Centro de Dublin. Não estou gostando nada disso. O que ele pretende? Soltar uma bomba? Derrubar o avião? Quantas pessoas inocentes morrerão para que esse indivíduo seja pego?

— Não. — Meu companheiro ri, sombrio (ele faz a maioria das coisas de maneira sombria; é o jeito dele). — Não é nada disso. Na verdade, é um plano bastante engenhoso.

Aponta para o céu. — Lá em cima, um bloco de gelo vai se soltar do avião. A qualquer minuto, vai descer e cair bem em cima do meu camarada ali.

Estou impressionado. Olho para cima, depois para o cara descabelado, que não faz ideia de que vive seus últimos momentos. Tenho grande urgência de avisá-lo para que faça alguma coisa útil com o que resta de sua vida, mas não é provável que me escute. As pessoas nunca me escutam. De qualquer forma, ele vê, um pouco atrás na passeata, um casal que parece reconhecer — uma mulher loura que parece um querubim, e um homem sorridente que não deve ser chamado exatamente de gorducho, nem o contrário, se é que você me entende... Na verdade, um minuto, são Matt e Maeve. Da Star Street, número 66. David esperava encontrá-los ali e, agora que os encontrou, ilumina-se como uma árvore de Natal, mas do tipo que existe no inferno. Cheia de maldade, de escuridão, coisas desse tipo. Nada de anjos ou estrelas. Em vez disso, caveiras. Dentes podres. Morcegos mortos. E sua vibração começa a destilar um veneno extraforte. Eu o percebi de maneira completamente equivocada.

*Ahá!*, está pensando David. *Vou lá atazanar o casal. Vou apresentar os dois a Steffi. Vou dizer que acho um crime tantos estupradores estarem em liberdade. Isso vai acabar com eles!*

— Steffi! Quero apresentar você a umas pessoas.

— Quem? — Meu Deus, acho que nunca vi alguém tão triste como ela.

— Minha ex-namorada, a Maeve. Vem, vou apresentar vocês duas.

Steffi fica confusa, assustada e, Deus, *realmente* não gosta dele.

— E por que eu quereria fazer isso?

— Anda. Vem.

— Não, David.

David aperta o braço de Steffi, puxando-a, e ela firma os calcanhares no chão, ele dá outro puxão, agora com mais força, e ela faz força para trás, liberta-se, e as pessoas começam a olhar para David.

— Faz o que você quiser — diz ele. E acrescenta: — Sua vadia. — E um amontoado de garotas carregando cartazes — desconhecidas — se tomam de horror. Você não pode chamar sua namorada de vadia. Mas David não liga. Simplesmente dá um passo à frente, determinado, e todos a sua volta se afastam, dando-lhe espaço, porque sabem que ele é do mal.

Enquanto isso, Matt e Maeve, que já o viram, apresentam uma expressão de desafio. Com uma risada perversa, David anda com passos largos, surdo ao zunzunzum que, de repente, começa a soar acima de sua cabeça, e sem perceber a brisa que bagunça seu cabelo já despenteado.

— Agora, preste atenção — sussurra meu companheiro para mim.

E, em seguida, um bloco não muito grande de gelo cai do céu e atinge a cabeça de David, jogando-o no chão. Seu rosto, ombros e peito ficam encobertos e, pelo que se vê de sangue debaixo do maciço gelado, não há dúvidas de que está morto.

Um longo silêncio toma conta da rua; depois, todos começam a gemer, gritar, correr e arrancar os cabelos, protegendo as cabeças com as mãos, olhando, horrorizados para o céu e, de olhos esbugalhados, para o bloco de gelo, uma metade de corpo humano aparente debaixo dele.

É preciso, porém, dar todo o crédito ao meu companheiro de jornada; apesar de todo o estardalhaço, ninguém mais está ferido nem mesmo arranhado pelo bloco de gelo viajante.

— Viu? — diz ele, andando cheio de pompa. — Isso, sim, é ataque preciso.

— Mas todo mundo está chateado — respondo. — Algumas pessoas vão ter pesadelos e precisarão tomar Valium. Basta olhar para a pobre da Steffi.

Ela está plantada no mesmo lugar, boquiaberta, tentando respirar. Uma de suas mãos sobre o peito, a outra na garganta, e ela olha fixamente para as pernas do namorado, para o sangue que escorre debaixo do bloco gelado. Está em choque profundo. No entanto, ao mesmo tempo, não se pode deixar de computar as ondas de alívio que vêm dela.

— Steffi vai ficar ótima — diz meu companheiro, leve. — Estava tentando terminar com ele havia séculos. Todos vão ficar bem. Basta dar tempo ao tempo.

— E Matt e Maeve? Ela está grávida. Não queremos que entre em choque e perca o bebê.

Meu companheiro acha meu comentário altamente divertido.

— Olhe só para eles — diz.

De alguma forma, Matt e Maeve haviam conseguido chegar à primeira fila de curiosos em volta do corpo de David, e seus rostos estão iluminados por uma emoção desconhecida — que não é choque.

— Ele está morto? — pergunta Maeve para Matt.

— Parece que sim. Cheguei a fantasiar isso. Quando li sobre os blocos de gelo caindo do céu, quis que acontecesse com ele.

— Jura?

— E olha só.

— É o suficiente para restaurar sua fé.

— Com certeza! — diz meu companheiro. — Trabalho encerrado. E muito bem-feito, diga-se de passagem. Vamos para a Star Street. Chegamos lá em cinco minutos.

* * *

Estava mais para cinco horas do que para cinco minutos. Ele não era nem um pouco familiarizado com a geografia de Dublin, como me fizera crer, e levamos *séculos* para chegar lá. Voando de um lado para o outro da cidade, o tempo passando e o pânico tomando conta de mim. De qualquer forma, estou aqui agora. Número 66, prédio de porta azul, aldrava em forma de banana (sem dúvida). No apartamento térreo, um monte de gente — Salvatores, Fatimas, Cleos — tomam cerveja e comem cachorros-quentes. É a festa de despedida de Matt e Maeve, acredita? Vão sair da Star Street e morar num lugar maior, por causa do bebê que vai nascer. Então, começo a me enfiar no meio das pessoas, adentro o apartamento, tentando descobrir quem é quem. Para meu alívio, nem Matt nem Maeve demonstram sinal algum de choque atrasado por causa do evento do bloco de gelo daquela tarde. Pelo contrário. Parecem muito felizes, conversando a valer com os convidados. Todos perguntam sobre o bebê. Já sabem que é um menino e vão dar a ele o nome de Conall, e, apesar de *haver* um Conall presente na festa, ele *não* é o pai.

Buscando respostas, concentro-me nele, Conall, um homem educado, grandão, e, de repente, tenho uma forte sensação de coceira: *é ele*. Ele parece um pai; o cabelo escuro tem um ar descuidado, o que é uma qualidade, porque pais não têm tempo de passar musse e coisas do gênero. E veste o tipo certo de roupa — jeans e suéter azul-marinho —, como se estivesse pronto para nos colocar nos ombros, nos fazer arrotar sem se importar com uma golfada. Suas vibrações são decentes, amáveis e humildes (apesar de eu sentir que a humildade é uma aquisição nova ao conglomerado de suas características). o mais importante é que ele está *pronto*. Na verdade, ele quer ser pai; está com quarenta e três anos.

Conall está atento à porta, alerta a cada pessoa que entra. Lydia chegou, uma criaturinha do capeta, cheia de energia. Aparentemente, já teve um caso rápido com Conall, mas nunca se sabe. Trocam olhares, mas não há nada ali, nem uma gota de interesse, nada.

Lydia é seguida por um músico de olhar aguçado, cabelo despenteado, um tal de Oleksander Shevchenko. Ele é lindo, mesmo constrangedoramente vestido de cachecol e gravata. Também não usa cueca embaixo da calça comprida. Os olhos de Oleksander estão raivosos, porque Lydia não deixou que trouxesse seu instrumento para a festa, um acordeão ucraniano. Acabaram de ter uma briga cheia de sensualidade alguns andares acima.

Sabe de uma coisa? Esse casal deve ser considerado. Estão Muito Apaixonados... mas, pensando melhor, não sei... eu teria boa aparência, não há dúvida, vindo daquele banco de genes, e a concepção não seria problema (não fazem outra coisa senão transar), mas Lydia ainda tem muito que viver. Não, ela não está pronta para mim e eu quero ser desejado.

Lydia parece abrir caminho pela sala para falar com Conall, mas, não, está indo buscar um drinque. No entanto, estão tão perto um do outro que ela percebe que não pode ignorá-lo.

— E aí, Hathaway? Tudo bem? Roupa de domingo? — Fazendo uma referência jocosa ao jeans.

— Oi, Lydia — diz ele, calmamente. — Você está com a cara boa. Como vai a Ellen?

— Tudo bem. Tomando os remédios. Não está cem por cento, claro, isso nunca mais, mas não está piorando.

— Murdy e Ronnie? Fazendo a parte deles?

Lydia ri.

— Bem, a *mulher* do Murdy se esforça. E Ronnie arrumou uma namorada sei lá de onde, uma tal de Shannon, que é uma mão na roda nas tarefas domésticas. A mamãe está sendo cuidada, é o que importa.

— E Raymond?

— Ainda se escondendo em Stuttgart. Ronnie queria mandar uma trupe para fazer um resgate, para ver se ele encarava os fatos, mas... — Ela encolhe os ombros. — Não se pode vencer todas as batalhas.

— Sábias palavras. Então, você continua indo e vindo de Boyne?

— Segundas e terças. A gente fez um escalonamento; está funcionando bem.

— E Ellen ainda mora naquela casa?

— Ainda. Pergunta de você, às vezes. Vou contar que o encontrei.

— Isso. Diz, sim. E a seus irmãos também. Diz que mandei um abraço.

— Eles também perguntaram de você. Ficaram tristes, com o término da gente. Bem mais do que você.

— Ah, Lydia...

Só uma coisa que reparei em Conall: ele não está muito feliz. Na verdade, está sofrendo de uma dor antiga, como uma infecção de ouvido, mas é no coração... E outra coisa: Conall *não* mora no 66 da Star Street. Portanto, a menos que possa juntá-lo a alguma mulher que mora aqui, não pode ser ele.

Isso faz com que eu entre em pânico. Vou até o último andar do prédio, onde mora uma mulher chamada Katie. Ela está sentada de frente para uma espécie de príncipe, chamado Fionn. Seus joelhos se tocam, as cabeças estão apoiadas uma na outra, os dois profundamente conectados. Ok, ela não serve para Conall, mas, se estou numa armadilha, ela e Fionn dão para o gasto.

O andar abaixo do dela é onde moram Lydia e Oleksander. E o apartamento embaixo pertence a um casal, Andrei e Rosie. Lugar estranho. Todo esse mobiliário pesado, escuro, que parece iluminado por uma onda de luz amarela brilhante.

A mulher da casa, Rosie, é pequena, arrumada e bonitinha — *imensamente* poderosa. É a responsável pelo amarelo brilhante e tem planos de muito mais. Até fez as cortinas da cozinha amarelas. E Andrei? Honestamente, não consegui ver muita coisa, porque ele está completamente dominado — corpo e alma — por esse dínamo da vida doméstica.

Num cesto, no canto da sala, um grande cão com cara de burro dorme, herança da antiga e sombria moradora. E, quando Rosie terminar de decorar o apartamento, ele vai ser a única coisa que sobreviverá. Como Andrei, o cachorro adora Rosie. *Adora*.

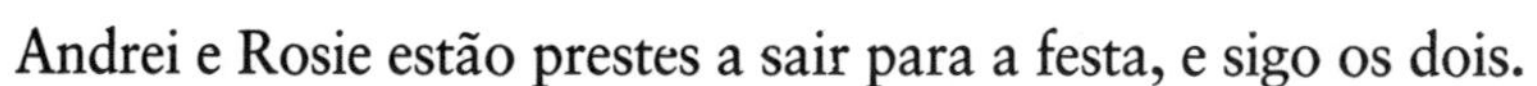

Andrei e Rosie estão prestes a sair para a festa, e sigo os dois.

Antes de bater na porta de Matt e Maeve, ela bate no relógio e diz para Andrei: — Uma hora e quinze minutos, a gente sai às nove e cinco, nem um segundo depois. Você pode tomar duas cervejas. Uma a mais e a gente vai ter problemas.

Andrei concorda. Está muito feliz. Gosta de saber como as coisas funcionam. Então, Rosie ajeita sua camisa já bastante engomada — uma grande passadeira, a Rosie — e encena um sorriso meigo antes de bater na porta.

E o que me passa pela cabeça é: não, não é ela. Muito meiguinha. Andrei poderia estar no páreo, se eu conseguisse livrá-lo da Senhora Arrumadinha, mas não apostaria muito nisso.

Maeve abre a porta, e Rosie lhe entrega uma cestinha embrulhada, cheia de bolinhos caseiros, e o casal entra. O coração de Andrei acelera. Ele está alerta, o pescoço girando como um periscópio, procurando por Lydia — e ele a vê, apertando com desdém os cachorros-quentes. Ela deve ter sentido os olhos observando-a, porque ergue o rosto, imediatamente. Os dois se encaram. Andrei está com o coração disparado, o pânico é tanto que ele pensa que vai ter um ataque cardíaco. Pelo que sabe, aquela loucura com Lydia foi o maior erro que cometeu na vida, e vive apavorado que Rosie descubra. Automaticamente, aceita uma cerveja de Matt — uma das duas permitidas — e seu pânico começa a diminuir. Já Lydia deixa que seus olhos passem por Andrei, como se ele nem estivesse ali.

Portanto, eles não.

E nesse momento um casal gay se aproxima de Matt e Maeve! Estão na festa, conhecendo seus novos vizinhos. Um casal adorável, todo sorrisos e bate-papos, roupas da moda, mas nenhum dos dois é muito útil para a concepção de uma criança com Conall.

O que significa... não existe mulher disponível por aqui para Conall.

Que inferno. É preciso dar um jeito. Vai ter de ser o par Katie e Fionn.

De volta ao último andar, não há como negar a conexão entre os dois. São muito chegados.

Mas algo está errado... são chegados, mas não estão juntos. Estiveram juntos por um tempo curto, mas Fionn dormiu com alguém de nome Alina, na noite em que Jemima, sua mãe adotiva, morreu; Katie descobriu que não se importava, e a coisa desandou. No entanto, gostavam um do outro, nisso mereciam todo crédito. Muitas vezes a gente escuta histórias terríveis de fim de relacionamento, é bom saber de um final amigável, de vez em quando.

Fionn ficou arrasado com a morte da mãe adotiva. Acho que algo estaria errado, se não ficasse. Fora atropelado por um caminhão de culpa, porque não estava lá, com ela, e Katie fora boa para ele.

O que significa — agora tudo fica claro — que Katie está disponível! Livre para ficar com Conall! Katie se levanta, porque Fionn está de saída. Ele não mora aqui. Ficara durante um tempo, enquanto gravava um programa de televisão que nunca chegou a ir ao ar, e voltara para casa, um lugar distante e rural chamado Pokey. Só viera a Dublin para buscar alguns pertences da mãe postiça.

— Tem certeza de que não quer dar um pulo lá, comigo? — pergunta Katie, encaminhando-se para a porta.

Fionn balança a cabeça. — Maeve não gosta de mim.

Katie tentava ser simpática ao mesmo tempo que fazia com que se aproximassem da porta. — Deixa de ser infantil.

Fionn para e olha para ela. — Não sou muito de festa.

Isso faz Katie rir muito.

— Ok — admite Fionn. — Fui, por um tempo. Mas, no fundo, não era eu. Sou um solitário por natureza.

— Eu sei. — Katie dá tapinhas nele, como se fosse uma criança. — Vamos.

Ela tranca a porta e os dois descem um lance de escada. Quando começam a descer o seguinte, o cachorro de Rosie e Andrei fica tenso em seu cesto, depois cruza o corredor latindo, jogando-se violentamente contra a porta. — Tenho de pegá-lo — ruge. — Tenho de pegar esse cara de pau. Vou arrancar a *perna* dele.

Em resposta, Fionn chuta a porta com força, e a maçaneta chacoalha. — Vá se ferrar, você também, seu maluco — grita. — Você devia usar camisa de força de *cachorro*.

Nenhum amor, no fim das contas.

— Ele é doido — diz Fionn para Katie.

— Pode ser, mas agora essa é a porta do Andrei; você não devia ficar chutando.

— Acredita que a Jemima realmente deixou o apartamento para ele? No testamento?

— Com certeza, ela teve seus motivos. Para você, seria inútil. Você odeia Dublin.

Katie está ansiosa. Quer manter as coisas em movimento, porque quer chegar à festa antes...

Conall está indo embora! No térreo, ele se despede de Matt e Maeve, passa pela porta e agora chega ao hall do prédio, Fionn e Katie ainda do lado de fora do apartamento de Andrei, discutindo o testamento de Jemima como se tivessem todo o tempo do mundo. Como se *eu* tivesse todo o tempo do mundo. E não tenho.

— Foi uma surpresa, só quis dizer isso — retrucou Fionn.

— Você não tem do que reclamar. Ela deixou todo o dinheiro.

Andem. ANDEM! Para baixo, para baixo!

— Claro, que me interessam propriedades? — disse Fionn.

— Nada. Você é um homem do campo.

— Falando nisso... — Fionn vasculha o bolso do paletó. — Provavelmente tem alguma coisa aqui para você.

Ah, meu Jesus Cristinho! Será que não dá para vocês ANDAREM com isso?! Descer um lance de escada, é só isso que precisam fazer. Catorze degraus. Ninguém morre por causa disso.

Mas Conall já abriu a porta do prédio.

— Katie?

No hall, Conall viu Katie no patamar acima da escada.

— Conall! — O rosto de Katie empalidece completamente. Não via Conall desde o enterro de Jemima.

Seguida por Fionn, que gruda do seu lado, ela desce as escadas. Devagar e desastradamente, porque suas pernas estão tremendo.

— Fionn — Conall cumprimenta-o brevemente.

— Conall. — Fionn faz o mesmo.

Nenhum amor no fim das contas aqui também. Esse Fionn, inimigos em toda parte. Na verdade, ele tem uma vibração bastante peculiar. Um misto atípico de autossuficiência, carência e raiz. De nabo, mais especificamente.

Mas deixemos Fionn de lado. As emoções de Conall entraram em curto-circuito. A dor terrível no coração está latejando, a cada respiração um aperto mais doloroso do que o anterior. Ficou aliviado ao ver Katie, mas vê-la com Fionn é como ser ferido nas entranhas por uma faca. Calor, dor, alegria: um cozido de emoções.

— Você estava na casa do Matt e da Maeve? — pergunta Katie.

*Eu te amo.* — Estava saindo.

— Vai trabalhar? Às oito e meia da noite de sábado? Certas coisas não mudam.

*Eu te amo.* — Katie, não vou trabalhar. — Estava ansioso por dar o máximo de informações, porque não sabia quanto tempo teria antes que Fionn a levasse embora. — Tudo mudou. Arrumei dois sócios e vou ter mais. As coisas estão diferentes. Não viajo há... — fez uma conta de cabeça — quase nove semanas.

— Nossa. O que você anda fazendo com seu tempo?

*Pensando em você. Sem parar.* — Sei lá. Tenho ido bastante à casa do Joe e da Pat. Bronagh perguntou de você.

— Então, se você não vai trabalhar, por que está indo embora da festa?

Conall abre a boca, depois a fecha. Não tem certeza do que deve dizer, especialmente Fionn estando ao lado dela, encarando-o possessivamente, mas tinha ido ali porque não suportava a dor de não vê-la; portanto, talvez fizesse o que se determinara a fazer. Afinal de contas, era um lutador, não era? Não era? Não tinha mais tanta certeza.

— Achei que você não viria. Desisti de esperar.

Katie contorce o rosto, cheia de perguntas. — ... Você estava esperando por *mim*?

Conall faz que sim, os olhos nublados, toda a intensidade concentrada no rosto dela.

— Por quê?

— ... eu queria ver você.

Aquilo foi demais para Fionn, que se sentia progressivamente sendo posto de lado.

— Desculpe minha interrupção — diz Fionn, cheio de sarcasmo. — Mas tenho uma coisa para dar para Katie.

— Desculpa, Fionn. — Katie parece um pouco chocada. — O que é?

— Ainda não sei, sei? Estava prestes a descobrir quando seu amigo começou a gritar. — Fionn mexe no bolso e acha um galho verde-escuro. Morde a língua; não parece feliz.

— O que é? — pergunta Katie.

— ... Ah... uma rainha-dos-prados. É... é a erva do amor. Historicamente, a planta mais popular nos casamentos.

— Quem vai se casar? — pergunta Katie.

— Você, segundo meu bolso mágico. Deve ter sido engano. Espera. Com certeza, vou achar uma coisa melhor. — Uma rápida inspeção no bolso produz outro galho. Fionn olha para ele. — Hera. — Amassa-o.

— E o que isso significa?

— Fidelidade. Deve haver alguma coisa melhor aqui. — Ele enfia a mão novamente no bolso, mais fundo agora, e pega uma sementinha. Sente um nó na garganta. — Alcaçuz.

— E?

— Fidelidade e paixão numa união sexual. Vou tentar outro bolso. Ah! — Abruptamente, Fionn sorri. — Verbena. Para sífilis. — Entrega a muda para Conall. — Provavelmente para você. — Então, o sorriso some do rosto de Fionn. — Não é verbena, é murta.

— E isso significa?

Fionn não quer dizer. Mas os dois olham para ele. Fionn sussurra: — Amor e paixão, a erva de Vênus, deusa do amor. — Mais uma vez, sua mão mergulha no bolso. — Vou tentar mais uma vez.

— E essa? — Katie olha para o raminho nas mãos dele.

— Sabugueiro.

— E?

— Abençoa o casamento.

Bem, fez-se um silêncio, do tipo que nem dá para descrever. Conall parece confuso e Katie, perplexa, enquanto Fionn olha de um para o outro, sem parar.

— Vou para casa! — anuncia. Sai do prédio e, de costas, diz: — Espero que vocês dois sejam muito felizes.

— Fionn! — Katie corre atrás dele.

— Olha só — diz Conall, constrangido. — Vou deixar vocês...

— Não! — Katie leva a mão ao peito de Conall e sussurra: — Você fica quieto aqui. Não vai demorar.

— Fionn! — Katie o alcança. — O que foi?

— Você sempre gostou dele. Desse porcaria do Conall Hathaway.

O que podia dizer? Sim, sempre o amara. Ainda o ama. A proximidade entre ela e Conall na manhã em que Jemima morrera fora muito significativa, como se indicasse o começo de um novo tipo de amor — sólido, constante, firme. Mas, nos dias subsequentes, Conall não entrara em contato com ela, e mais dias se passaram até que totalizassem duas semanas. Lá pela marca dos dois meses, obrigou-se a admitir que talvez tivesse imaginado o momento de confiança compartilhado. A dor fora fenomenal, surpreendente, na verdade. Pensara que conhecia todas as modalidades de coração partido, mas aquela era nova, uma tristeza aterradora, uma consciência assustadora das oportunidades perdidas, da vida que ela e Conall poderiam ter tido juntos, se os dois fossem um pouquinho diferentes, se ele fosse menos obcecado pelo trabalho, e ela um pouco mais disposta a se comprometer.

Poderia ter entrado em contato com ele, uma mensagem de texto, um e-mail casual — ele não estava mais com Lydia, ninguém poderia deixar de perceber as estripulias dela com Oleksander —, mas não o fizera, porque... Porque não começaria tudo outra vez, não imploraria por minutos do tempo dele.

Então, ele aparece no hall do seu prédio, dizendo que fora à festa apenas para vê-la. Mal fora capaz de descer as escadas, sendo observada daquela maneira por ele. O que estava acontecendo?

Fionn ainda espera uma resposta. Rapidamente, ela diz:

— Também amei você, Fionn.

— Fui só uma diversão para você.

— Não tem nada de errado nisso. E sempre vamos ser amigos.

— É — Ele pareceu ligeiramente pesaroso. — Desculpa. Olha só, volta para ele. Vocês foram feitos um para o outro.

— Ah, para, Fionn...

— Não, para *você*, Katie! Presta atenção no que meus bolsos mágicos disseram: fidelidade, amor, união. O bolso mágico nunca mente.

O bolso mágico não passa de um fenômeno de coincidências, na opinião de Katie, mas era estranho tudo que Fionn pescava ali dentro ter a ver com amor.

— Eles podem não ter exibido *Seu Jardim do Éden Particular*, mas não dá para negar que ainda tenho minhas técnicas. — Consideravelmente mais animado pela própria inteligência, Fionn começa a andar em direção à rua. — Ligo para você — grita para ela.

— Ótimo. — Katie observa a partida dele, depois entra no hall.

Conall está sentado na escada, obedientemente, exatamente como Katie o deixara. Alguma coisa parece errada, algum vazio na cena. Katie finalmente identifica o que é.

— Seu BlackBerry? — pergunta. — Cadê?

— Ah... — Conall bate no bolso da calça. — Aqui. Você quer telefonar?

— Não. Acho que é a primeira vez que vejo você sem fazer nada. Sentado, olhando para o vazio.

— Eu disse, Katie, eu mudei.

— E em que você fica pensando, agora que sua cabeça não se ocupa de trabalho o tempo todo? Por exemplo, em que você estava pensando enquanto esperava aqui, sentado?

— Fiquei rezando.

— *Rezando?* — Katie sabia que a mudança era boa demais para ser verdade. Conall trocara a obsessão pelo trabalho pela religião.

— Rezando para você voltar para mim.

— Ah! — Bem, talvez esse tipo de oração fosse ok.

— Escuta. — Katie fica repentinamente séria. — O que está acontecendo, Conall? Não tive uma notícia sua em quatro meses e agora você aparece, falando de orações.

Conall esconde o rosto nas mãos, respira fundo, parece tomar uma decisão, e endireita o corpo.

— Tudo bem, vou lhe explicar. Não tenho mais nada a perder. Eu te amo, Katie. Não consigo parar de pensar em você. Nunca parei, desde que a conheci. Mas, naquele dia, com a Jemima, eu e você ali, ela morrendo, senti tanto amor por você, como se... a gente tivesse uma ligação. Mas você tem namorado; então, fiquei sem saber o que fazer.

— Isso não parece você.

— Porque não é mais, não sou mais aquele. Mudei. Aconteceu muita coisa ao mesmo tempo. Matt tentou se matar, Jemima morreu, e o trabalho ficou estranho, não estava mais me satisfazendo. Aí, soube da gravidez da Maeve... senti, sei lá, que era um milagre... sabe? — Ele encolhe os ombros. — Pensei que você não ia querer me encontrar, se eu convidasse, mas tive a esperança de vê-la na festa.

Katie não diz nada. Também tivera a esperança de encontrá-lo na festa. Achou que Fionn não iria embora nunca mais.

— Eu não tenho — diz ela.

— Não tem o quê?

— Namorado.

— Mas e o Fionn?

— Acabou. Desde a noite em que Jemima morreu.

— Você não está falando sério. — Conall se assusta. — Esse tempo todo... não *acredito*. Achei que ia ter que brigar por você hoje.

— Você anda fazendo muitas suposições, Conall. Minha opinião não serve para nada?

— Para tudo, na verdade. Tenho uma pergunta. — Conall fica de pé e pigarreia, como se fosse fazer um discurso. — Katie Richmond, eu te amo com todo o meu coração, e vou fazer de tudo para fazê-la feliz pelo resto da vida. Quer se casar comigo?

— Conall, pelo amor de Deus! Você não consegue fazer nada como uma pessoa normal? Se você está tão a fim, a gente pode sair para jantar ou algo do gênero.

— Não. Nada de jantares, nada de encontros. Estou desesperado e preciso saber. Você está dentro ou fora?

— Dentro ou fora? Isso não é um pedido de casamento decente.

— Katie Richmond, amor da minha vida, dona do meu coração, quer se casar comigo?

— ... Bem, não sei, agora que você desistiu do trabalho... a gente vai ser pobre?

— De jeito nenhum. Você não tem um emprego? Vai ficar tudo bem. — Com mais seriedade, ele diz: — Não, a gente não vai ser pobre.

— Você trouxe um anel?

— Trouxe. Trouxe um anel.

— Mentira!

— O quê? Você acha que eu ia cometer o mesmo erro duas vezes?

— Mostra.

Conall pega uma pequena caixa no bolso, abre a tampa e um brilho irradia sobre o casal.

— Brilhantes — confirma Katie.

— A menos que você prefira esmeraldas. — Outra caixa aparece com uma pedra verde-escura.

— Você está brincando.

— Safiras? — Mais uma caixa.

— Para, por favor. Conall, você não mudou tanto assim!

— Só queria fazer tudo certo.

— Deus. — Katie pressiona os olhos com as mãos. Aquilo era demais para ela. — Para de perguntar coisas para mim.

— Por quanto tempo?

— Por um tempo.

Cinco segundos se passam. — Isso é um tempo — diz Conall.

— Então, qual você vai querer?

— Ah... o de brilhante.

— Meu Deus! Isso é um sim?

— É.

— É?

— É. É um sim.

É Lydia quem os encontra. Nos encontra, acho que posso dizer assim. Fica altamente indignada. Ela só quer subir as escadas, mas o caminho está *empatado* por Hathaway e a governanta no maior amasso, sugando o rosto um do outro. Nojento! E *egoísta*! Impedir uma passagem pública.

— Vocês deviam ir para outro lugar! — diz ela, torcendo os lábios diante da felicidade evidente dos dois.

Abrem espaço para que ela passe e, ao passar entre os dois, Lydia é tomada por uma onda de emoção tão forte que quase faz seu nariz sangrar.

Ela sobe os degraus pisando firme e, quando o casal escuta a porta do apartamento bater, Katie murmura:

— Acho que ela tem razão.

— Você está falando...? — pergunta Conall.

— Isso.

Eles dão as mãos, sobem as escadas; sou tomada pela energia mágica do casal. Quando chegamos ao último andar, nós três nos jogamos na cama de Katie e, e, e...

... estou esperando a hora certa, o meu momento, e... e...

... falta pouco...

e... eeeeeee... Lá vou eu! Segurem-se, estou chegando.

# Agradecimentos

Muito obrigada, minha editora visionária, Louise Moore, obrigada Kate Burke e Clare Parkinson, por permitirem que eu transformasse matéria bruta num livro de verdade. Sou muito grata. Obrigada a todos da Michael Joseph, por demonstrarem tanto amor e por trabalharem com tanto entusiasmo e compromisso em todos os meus livros. Tenho consciência de como sou sortuda.

Obrigada ao melhor agente do mundo, Jonathan Lloyd, e a todos da Curtis Brown, por acompanharem e cuidarem deste livro (e de todos os outros de minha autoria, também).

Muitas pessoas me ajudaram nas pesquisas: Gwen Hollingsworth; Tom e Debra Mauro; Magdalena Rawinis, Michal Szarecki, Lukasz Wozniak, Hubert Czubaj e Piotr Taborowski; Suzanne Benson, Kevin Day e Darryll Lewis, da HPD Software; Sandra Hanlon e Margaret Nugent, da National Taxi Drivers Union; Karen Fitzpatrick e Gisela Boehnisch. Gostaria de fazer um agradecimento especial ao Dublin Rape Crisis Centre. Acho que a lista está completa, mas, se esqueci de alguém, peço humildemente desculpas.

Por lerem o manuscrito enquanto estava sendo elaborado, pelos conselhos e encorajamento constantes, gostaria de agradecer a Shirley Baines, Jenny Boland, Ailish Connolly, Siobhan Coogan, Susan Dillon, Caron Freeborn, Gai Griffin, Cathy Kelly, Caitriona Keyes, Ljiljana Keyes, Mammy Keyes, Rita-Anne Keyes, Eileen Prendergast, AnneMarie Scanlan e Kate Thompson.

Uma rápida observação — tomei uma liberdade em relação ao calendário de rúgbi; menciono um jogo internacional no verão. Fui informada de que isso *jamais* aconteceria na vida real e espero que esse descolamento absurdo da realidade não interfira no seu prazer de leitura.

Muito obrigada, James "Woolfman" Woolf e Karolina, sua mulher, e também a suas filhas, Siena e Maya, que, generosamente, contribuíram com o leilão de caridade da ACT para terem seus nomes neste livro.

Como sempre, um muito obrigada ao meu amado Tony. Nada disso seria possível sem ele.